NICHOLAS SHAKESPEARE

Schande

Vertaling Joop van Helmond

2005

DE BEZIGE BIJ

AMSTERDAM

De vertaler ontving voor deze vertaling een werkbeurs van
de Stichting Fonds voor de Letteren

Voor Niko en Brit

Mijn herinnering aan jouw gezicht
Belemmert me het zicht op jou

RUMI

Op die avond zonder vervolg
Besefte je dat je een lafaard was

BORGES, *Snorri Sturluson*

PROLOOG

Leipzig, maart 1983

H ET KRASSEN VAN een spreeuw die tussen de beijzelde takken boven het tuinhuisje vloog, verbrak de rust.

Zondagochtend vroeg met de sneeuwvlokken die weer over de verlaten tuinen dwarrelden. Midden in deze grijze stad lichtte de sneeuw alles op. Hij legde een flanellen laag over de kleine percelen, liet de gesnoeide perenbomen glinsteren en gaf aan de tuinornamenten iets heiligs. Alleen de op zijn rug liggende tuinkabouter leek misplaatst, met de vlokken die in zijn wijdopen mond dwarrelden en het ijzer dat uit zijn voeten stak.

Twee mannen, de een met een Duitse herder aan de lijn, beenden gehaast naar het huisje. Ze waren hetzelfde gekleed, in een leverkleurig jack en synthetische 'Present 20' broek. Hun oren en neus waren rood van de kou. De man met de hond was rond de vijfentwintig, met rossig haar en brutale, uitpuilende ogen. Zijn jongere metgezel was een kop groter, zag er ontwikkelder uit en had een op maat gemaakt koffertje van zwart plastic bij zich.

Ze spraken niet en zochten voorzichtig hun weg. Een vinnige vorst had de sneeuw van zaterdag verhard en de plassen waren dichtgevroren met punten erop die door de zolen van hun laarzen prikten. Zelfs voor de veel behendigere herdershond bleek het lopen verraderlijk en hij glibberde over de bevroren ribbels met zijn neus laag bij de grond en het daglicht weerkaatste goud en fel van de bevroren plassen in zijn ogen.

De man met het koffertje zag de voetafdrukken het eerst. 'Kresse, kijk,' wijzend naar de onderkant van het houten hek.

De man met de hond keek woedend naar de twee sporen, terwijl zijn speurhond afgeleid over het pad heen en weer liep en een andere kant op wilde.

Weer de spreeuw. In de stilte die erop volgde hoorde Uwe dat Kresse in zichzelf neuriede. Het viel hem op dat Kresse altijd neuriede op momenten dat hij zelf als een zeeman zou hebben gevloekt. Iemand die naderbij kwam zou hebben kunnen denken dat Kresse blij was, tot hij die ogen had gezien. Het leek of ze een eigenschap gemeen hadden met een van Uwes chemicaliën in de Runde Ecke. Een zuur dat bij het geringste contact ontbrandde.

'Vooruit, baas!' Met een ongeduldig gebaar trok Kresse zijn pistool uit de holster, maakte het hek open en samen volgden ze de voetsporen die helemaal vanaf het huisje op hen af kwamen.

De deur was lindegroen. De tuinkabouter die het tuinhuisje had bewaakt lag op zijn rug op het pad. Iets aan het beeldje trok de herdershond aan, die aan de strak gespannen riem begon te janken, maar Kresse negeerde het, knikte kort naar de tuinkabouter als naar een meerdere en trapte de deur open. Hij stormde naar binnen met de gedwarsboomde energie van een man die erop gebrand was twee jonge mensen in bed te kunnen arresteren.

Een zilvervisje flitste over de rietmat en onder een open koelkast.

Kresse opende zijn mond waardoor er aan de zijkant een gat tussen zijn tanden zichtbaar werd. 'Verrek,' en hij liet het pistool langs zijn zij zakken. 'Ze zijn weg, baas.'

Goddank, het arme stel, dacht Uwe. Hij stond in het donker achter de woedende rouwdouw en ademde in. In het huisje hing een muskusgeur van hartstocht en eekhoorns, maar zijn neusgaten vingen ook andere luchtjes op. Vochtig brandhout. Verbrand stof van een straalkacheltje. De geur van een wierookkegel.

Zijn blik dwaalde door de ruimte terwijl zijn ogen aan de schemer gewend raakten en onder een laag raam zag hij een onopgemaakt bed. Degene die daar de nacht had doorgebracht was in alle haast vertrokken. Een formica tafel en drie witte tuinstoelen. Uwe klikte op de tafel zijn koffertje open en haalde uit hun strakke fluwelen holletje twee glazen potten van het soort waarin honing wordt bewaard. Hij schroefde er de deksels af.

Er bewoog iets over de vloer en Kresse trapte erop. Hij liep naar het bed als een mijnwerker naar het puin dat hij door een ontploffing heeft losgewoeld. Zijn tred was te traag voor zijn hond. De herder rukte zich los en stoof naar de dunne matras. Hij sprong blaffend in het rond, ging over in een verward gejank en klauwde naar de lakens waarop hij modderige afdrukken van zijn poten achterliet, en Uwe wist dat hij een geur rook en daarna nog een en dat die geuren met elkaar wedijverden.

'Haal die hond eraf!' zei Uwe vinnig en toen de herder was bevolen op de grond te gaan liggen, knielde hij naast het bed. Zijn gehandschoende handen scheidden de deken van het laken en vonden spoedig wat ze zochten. Hij liep naar de tafel en veegde zijn vingers tegen elkaar tot de haren in de respectievelijke potjes vielen. Het schaamhaar van het meisje was donker.

Opnieuw deed gestamp het huisje schudden. Toen Kresse de hond van het bed trok bleef zijn laars ergens in haken. Op de versleten rietmatten lag een kersenrode zijden vrouwenbloes.

Uwe griste hem snel weg – een ouderwetse en tere stof waarin oosterse draken waren geborduurd. Hij spreidde de bloes op de tafel uit en legde met een pincet een strookje geel vilt van ongeveer tien vierkante centimeter op de oksel. Hij dekte het vilt af met een vel folie en op de folie perste hij een van de loden gewichten die in zijn koffertje zaten.

Intussen was Kresses oog gevallen op een blauwe wollen sjaal die over de rug van een stoel hing. Hij duwde de snuit van de hond ernaartoe en lette op een teken dat de sporen niet waren verward, dat de herder één enkele geur zou waarnemen. De herder ging zitten, waarmee hij het spoor bevestigde.

'Braaf.' Kresse draaide zich om. Hij zag er woest en onredelijk uit. 'Van hem?'

Uwe pakte de sjaal, zag het Engelse label en knikte.

'Denkt u dat ze terug zullen komen, baas?' Onder aan de punt van zijn neus zat een spatje gedroogd bloed.

'Misschien kun je ze nog wel vinden, Kresse,' zei Uwe op vlakke toon. 'Misschien zijn ze nog niet ver weg.'

Kresse liep met zijn hond naar de ingetrapte deur en keek naar buiten. Het licht weerkaatste op zijn uitpuilende ogen. Ze glimlachten gespannen naar de voetstappen die van de keet wegvluchtten en zich met sneeuw begonnen te vullen.

'Brave hond, zoek!' Hij haakte de riem los.

De herder stoof weg.

Uwe keek op zijn horloge: 9.17 uur. Vanwege de intense kou zou het twee uur duren voor het vilt de lichaamsgeur had opgenomen. Hij liep de treden af om de tuinkabouter onder handen te nemen.

Later zette hij het straalkacheltje aan en draaide de kraan open. Geen water – en het schoot hem te binnen dat de Schreber-volkstuinen pas over een week opengingen. Hij trok een stoel naar achter en wilde gaan zitten toen hij op de zitting een Engels boek met de rug naar boven gekeerd zag liggen. Op het omslag stond een vlucht zwanen en tussen hen in hing een jongetje. Eén blik was voor hem genoeg om te weten dat het boek illegaal was. Hij pakte het op en stopte het in zijn koffertje.

Hij was blij dat het stel was ontkomen. Natuurlijk had hij gehoopt hen in het tuinhuisje aan te treffen, maar nu was hij opgelucht. Zijn oog viel op een vlek op de rietmatten en als een vertrapt ding dat hij wilde redden, kroop er een gedachte bij hem op. Met welk doel doe ik dit? Doorgaans voelde hij er niet voor om de deur naar dat soort overpeinzingen open te zetten. Hij deed aan wetenschap, volgde het zilvervisje om te doorgronden hoe het wegflitste – niet om het te vertrappen. Hij had een hekel aan de gedachte dat zijn werk in de handen van een mammoet als Kresse zou vallen.

Om 11.17 uur haalde hij de gewichten van de viltstrips af die hij met een pincet in de potten stopte, schroefde de deksels erop en schreef gegevens op een etiket: datum, plaats, naam. Hij likte over het tweede etiket en de bittere smaak van lijm op zijn tong deed hem denken aan het archief van Morneweg, met van de vloer tot het plafond honingpotten met daarin een lichaamsgeur die op een bepaald moment was gevangen. Uwe wist door zijn experimenten dat een vochtig en zanderig spoor de geur twaalf uur vasthield, een overwoekerd beschaduwd pad vierentwintig uur; maar een monster in een van deze potten – hij wist nog steeds niet hoeveel weken, maanden, zelfs jaren die lichaamsgeur

van iemand konden vasthouden. Beslist tot op het moment dat het bevel kwam om een naam eruit te pikken, het deksel eraf te schroeven en
de inhoud Kresses herder voor zijn neus te houden in de speciale villa,
die helemaal alleen voor de hond was, en er op aaiende toon werd gezegd: 'Brave hond, zoek!'

Hij vertrapte de gedachte, trok het etiket van zijn tong en drukte het
tegen het glas.

DEEL I

ENGELAND, 1977 – 1979

HOOFDSTUK EEN

Z E GING VOOROP over het ruiterpad, door een veld met zwart ge-spikkelde stenen en braamstruiken die glinsterden van de regen. Peters favoriete wandeling.

Ze liepen in stilte naar boven. Bijna op de top kwamen ze bij een steile krijtrug bespikkeld met gele en rode bijenorchis – 'een van de weinige plekken in Engeland waar ze groeien', volgens zijn vader. Toen zijn vader er op een keer een plukte om te tekenen had hij in de krijtrots verankerd een verwrongen stuk aluminium gevonden, het overblijfsel, beweerde hij, van de Heinkel die zich in de laatste maanden van de oorlog brandend in de richel had geboord. Hij bewaarde het op een plank in zijn atelier, een kostbare metalen bloem.

Bij de uitkijkpost op de heuvelrug – die Peter daarna voor altijd de 'heuvel van de openbaring' had gedoopt – bleef zijn moeder staan.

Op de vrijdag daarvoor zat Peter in de Blokzaal te wachten tot hij zijn naam zou horen.

'Liptrot?'

'*Sum.*'

'Leadley?'

'*Sum.*'

'Hithersay?'

'*Sum.*' Zijn presentie eenmaal bevestigd, trok hij het feloranje gordijn van zijn *toyes* dicht, de houten cel – die het midden hield tussen een grote kerkbank, een Arabische tent en een kast – die zijn privé-wereld weg van huis omsloot. Hij werd verondersteld een opstel te schrijven over de breuk van Hendrik VIII met Rome als voorbereiding op het eindexamen geschiedenis. In plaats daarvan luisterde hij door de koptelefoon naar *Morrison Hotel* terwijl zijn ogen de sproetige jonge vrouw met een smal vossengezicht indronken die tegen de muur geprikt zat. De eerste vrouw op wie hij viel.

Peter was al vanaf zijn twaalfde intern in Southgate House. Het had tot nu, zijn vierde jaar, geduurd voor hij zich niet meer door de huisgebruiken vervreemd voelde en chronisch heimwee had. Zijn kostschool – St Cross College, even buiten Winchester – kende zijn eigen verwarrende taaltje, waarin iets wat begeerlijk was, zoals de foto tegen zijn muur, 'pruim' werd genoemd. Ouders waren ''t honk' en als hij van zijn Huis naar het klaslokaal liep was hij verplicht om een 'stroed' te dragen, een voor een fenomenaal bedrag bij Gieves & Hawkes in Winchester aangeschafte strooien matelot die, afgaande op de mate van slijtage en de wijdte van de hoedenband, als barometer voor de anciënniteit van een scholier diende. Verder had je de 'tobbekamer' met de in de rug oplopende negentiende-eeuwse ijzeren badkuipen van een soort dat Peter buiten de school nergens anders had gezien behalve bij een stukadoor in Salisbury. Op St Cross werd je voortgang naar volwassenheid tevens afgemeten aan je vermogen om het gewicht van je vuile badwater op te tillen en uit te gieten. Op zijn twaalfde moest Peter zijn beide handen gebruiken. Nu hij bijna zestien was, kon hij zijn kuip met één vinger legen.

Om op zondagochtend te ontkomen aan de apathie die neerdaalde over zijn Huis en de geuren van oploskoffie en ranzige melk en kleedkamermodder en de zware grijze masturbatielucht versterkte, doolde Peter in het begin langs de Itchen met een gevoel dat hij nergens bij hoorde. Vier jaar later was dat zeurderige gevoel afgenomen. Hij begon bewondering te krijgen voor de natuur- en bakstenen gebouwen die hij vanaf de rivieroever kon zien, voor de schoonheid van verweerde steen en ritueel, de smaragden sportvelden die overliepen in uiterwaarden waarover Keats ooit een gedicht had geschreven. Op zulke dagen voelde hij zich één met St Cross, verbonden.

Pas later begon Peter te waarderen dat zijn school zo door en door Engels was. Toen hij er uiteindelijk eens bij stil bleef staan, besefte hij dat er vrijwel geen jongens op zaten die van buiten de zuidelijke helft van Engeland kwamen, laat staan van overzee. Een uitzondering was een Griekse jongen in zijn Huis wiens ouders zo wanhopig tot het Engelse establishment wilden behoren dat ze zijn naam van Nikoliades in Tweed hadden veranderd. Op hem na, een welgestelde wiskundige met onwaarschijnlijk blond haar en een harde stem, had Peter weinig buitenlanders ontmoet.

Zijn eigen ouders waren niet bemiddeld. Door de ontreddering van zijn vader bij het zien van een rekening was Peter zich overdreven bewust van het feit dat ze, als hij geen beurs had gewonnen, zijn schoolgeld niet hadden kunnen opbrengen. Ze konden in elk geval beslist niet hetzelfde soort school bekostigen voor Rosalind die, aangezien ze volgens hun omschrijving geen 'academische instelling' had, samen met haar vriendin Camilla Rickards naar de plaatselijke middenschool ging.

'At first flash of Eden, we rush down to the sea, / Standing there on freedom's shore.'

Een deel Rimbaud en twee delen onzin, toch kreeg hij er een kick van. Met zijn ogen dicht dromend van Camilla hoorde hij niet dat het gordijn met een ruk open werd geschoven. Het duurde een paar tellen voor Peter zich van meneer Tamlyn bewust werd. Met zijn pijp tussen zijn tanden geklemd keek zijn huismeester in de houten cel rond.

'Meneer!'

Peter had moeite om zijn taperecorder uit te zetten terwijl de glazige blik van meneer Tamlyn over de 'Doek het Hogerhuis op'-sticker dwaalde, de elektrische spiraal in zijn mok waarnam en omhoog gleed naar de foto's tegen de wand van de toyes: Jim Morrison, Steve McQueen in *The Great Escape*, en de vrouwen met wie hij naar bed wilde. Zoals Camilla, wier deemoedige reactie toen ze hoorde dat Peter op St Cross zat – 'dan ben je vast heel knap' – de kiem had gelegd voor de ongebreidelde hoop dat zij degene zou zijn die zijn seksuele lust tot bedaren zou brengen.

Als buitenbeentje in het midden van deze galerij hing Peters grootste en tegelijk meest prozaïsche held. St Cross bezat een manuscript van Malory en dat verklaarde dat er tegen zijn muur, naast een gebruinde jonge vrouw in een rubber zwempak die voor Lamb's Navy rum adverteerde, een reproductie prijkte van een Victoriaans schilderij van Sir Bedevere, de laatste Ridder van de Ronde Tafel en de gesel van de Germaanse hordes die het waagden Engeland te bedreigen.

Peter voelde zich aangetrokken tot de ridder aan wie de stervende Arthur zijn zwaard had toevertrouwd. Hij herkende facetten van zichzelf in Bedevere, iemand die geen geboren leider was, maar die wel iets van de eigenschap bezat wat hem in staat stelde op te rukken en zich terug te trekken. Hij benijdde Bedevere diens ervaring met het wonderbaarlijke: de hand die als een dolfijn uit het water opdook – korte bevestiging van een kalme en veilige orde – voordat hij in de diepte terugzonk om voor eeuwig te verdwijnen. Hij was dol op dat verhaal en soms zou hij willen dat hij een door een draak bedreigde deern tegenkwam, zodat hij blijk kon geven van een heldhaftigheid die niet van zijn gezicht af te lezen viel.

Rosalind dreef de spot met zijn obsessie. Zij had meer op met de Bedevere die door Terry Jones werd uitgebeeld in *Monthy Python and the Holy Grail*, een film waar hun ouders hen met Kerstmis mee naartoe hadden genomen. Ze was twaalf, maar vond het kinderachtig dat haar broer 'een lamzak uit een stripverhaal had opgeprikt'.

Maar als Peter ergens in geloofde was het wel de beschermende instelling die werd belichaamd door koning Arthur en zijn galante ridders. Dat de school – die zelf in de veertiende eeuw was opgericht – het manuscript onder zijn hoede had waarin hun verhalen waren vastgelegd beurde hem enorm op.

Zonder door enige spiervertrekking zijn mening over de koene ridder Bedevere, Camilla Rickards of de wenselijkheid van het bestaan van het Hogerhuis kenbaar te maken, haalde meneer Tamlyn de vochtige steel van zijn pijp uit zijn mond.

'Je moeder is aan de telefoon, Hithersay.'

Peter liep achter zijn huismeester aan door de roodbetegelde gang en een met sierspijkers beslagen klapdeur, naar het enige deel van Southgate dat op een gewoon huis leek.

'Neem er maar de tijd voor,' zei meneer Tamlyn met een vriendelijke stem. Het veroorzaakte altijd spanning als je een telefoontje kreeg.

Peter liep de werkkamer in. De telefoon op het bureau stonk naar Malvern Melange.

'Hallo?' zonder goed te weten of hij in de draaistoel van zijn huismeester kon gaan zitten.

'Lieverd, met mammie. Het gaat niet zo goed met je grootvader.' Ze sprak snel. 'Maak je niet ongerust, op het moment is er helemaal niets met hem aan de hand. Maar in plaats van dat wij je zondag mee uit nemen is het misschien beter dat je naar huis komt.'

Hij begon naar meer bijzonderheden te vragen, maar ze onderbrak hem. 'Ik heb met meneer Tamlyn gesproken en hij is het met me eens. Het zou je grootvader een enorm plezier doen als hij je op je verjaardag kon zien. We kunnen gezellig picknicken.'

Peter liep terug naar de zaal toen er een gordijn bewoog en iemand zijn hoofd naar buiten stak: dicht bij elkaar staande ogen, spitse neus, de mondhoeken opgetrokken in een uitdrukking van slinkse hoop.

'Is er iets mis?'

'Nee, Leadley.'

'Vooruit, Hithers? Waar ging het over?' drong Leadley aan. Zijn ouders bezaten een groot landgoed vijf kilometer van het huis van Peters ouders. 'Met 't honk alles goed?'

'Als je het dan zo nodig wilt weten: ik ben uitgenodigd voor een heel chic feest.'

Hij liep door naar zijn toyes en een korte achillespees gaf zijn tred iets verends, wat de meeste mensen ten onrechte koppelden aan een opgewekt karakter.

Tijdens de twee dagen na het telefoontje van zijn moeder ging Peter helemaal op in het lesrooster. De routine haalde hem uit zijn gepieker. De zorgen om zijn grootvader ebden weg.

Op zaterdag speelde hij cricket op Lavender Meads, zijn favoriete veld. Hij gooide drie keer een batsman uit en scoorde 54 met de Slazenger-bat die zijn vader hem voor Kerstmis had gegeven. Een uur nadat hij in de slips was uitgevangen, werd hij het veld in gestuurd als tijdelijke vervanger voor een geblesseerde veldspeler en meteen in de volgende over oogstte hij een donderend applaus toen een bal die hij vanaf de grenslijn ingooide de wicketpaaltjes raakte. Verrukt dat hij Leadley uit had gemaakt, trok hij zich terug op zijn positie aan de rand van de rivier, om 'vier runs te voorkomen' zoals de vervangende schoolaanvoerder hem had geïnstrueerd.

De Itchen stond hier bekend onder de naam Old Barge en was een droom van lang wuivend onkruid, met af en toe een forel die als een torpedo in de diepte lag, vooral onder de brug naast het cricketveld. In het onkruid wierp een slonzig persoon een lijn uit in een moeiteloze harmonie van ritme en evenwicht.

'Brodie!'

Brodie, met zijn ogen op het water gericht, hoorde hem niet.

Op de pitch stond inmiddels een nieuwe batsman bij de streep. Peter wist dat hij het veld op moest, maar hij bleef talmen om Brodie nog een keer te zien uitwerpen. Aangemoedigd door zijn onverwacht zuivere ingooi, door zes eeuwen krijtbeken en zekerheid en Engelsmanschap, keek hij naar de plek waar de forel tegen de stroom in flitste en probeerde te bepalen waar hij het zwaard terecht zou laten komen.

'Hoe staat het op school?' Zijn vader stond bij de uitgang van het perron. Krullend grijs haar, diepliggende ogen, geel sjaaltje om zijn hals.

'Goed,' zei Peter, die een golf van genegenheid door zich heen voelde gaan zodra hij hem zag. Hij had bepaalde uiterlijke trekken en de geprikkelde gebaren van zijn moeder geërfd, maar voelde meer affiniteit met zijn vader. 'Ik heb gisteren een vijftig gescoord.'

'O, dat is fantastisch. Maar je gaat me toch niet meer strikken voor een wedstrijd van vaders, hè?' De laatste keer was hij na één bal al uitgegooid.

'Ik vind wel een excuus,' grijnsde Peter en hij sloeg een arm om de schouders van zijn vader en ademde diens vertrouwde, omhullende geur in, een mengsel van drukinkt en optimisme.

Rodney moest op zijn tenen gaan staan om zijn zoon ook te kunnen omhelzen. 'Gefeliciteerd.' En daarna met een tikkeltje spijt. 'Langer dan ooit.'

'Waar is mam?'

'Bakt een taart voor je.'

'Rosalind?'

'Smacht om je met scrabble te verslaan.'

Pas toen de Rover van het station wegreed, vroeg Peter naar zijn grootvader.

'Het gaat niet al te best met hem. Vorige zondag heeft je moeder hem languit op de grond gevonden. Hij wist niet wie hij was. Sindsdien is hij behoorlijk in de war. Maar gisteren is hij opgestaan en had het erover dat hij naar de pub wilde. Dokter Badcock vindt dat het tijd wordt dat we erover denken hem ergens in een verzorgingshuis te plaatsen.'

'En?'

'Nou, dat kun je wel bedenken. Hij wil in zijn eigen bed sterven en je moeder heeft hem dat beloofd. Hoe dan ook, je zult het zelf wel zien. Hij komt straks op de thee.'

Ze reden door High Street in Tisbury en toen er een dak langsflitste moest Peter onwillekeurig denken aan de oude man die in bed lag. Zijn grootvader was geboren in een tijd dat als iemand langs deze weg ernstig ziek werd er een dikke laag stro voor de huizen werd gestrooid om het geluid van paardenhoeven en wagenwielen te dempen. Op deze ochtend zaten tegenover de schoenwinkel twee mannen op hun motoren het riempje van hun helm vast te maken.

De Rover sloeg na het postkantoor rechts af en reed in oostelijke richting naar Sutton Mandeville. Smalle lanen en hoge hagen die af en toe weken voor uitgestrekt grasland waar zijn vader hem mee naartoe nam om vogels te bekijken. De Nadder glinsterde onderaan in een ondiep dal en in de velden aan weerskanten was kale kalkrots in het gras en tussen rijen beuken zichtbaar. Toen hij met zijn vader langs de oever van die rivier liep, was Peter voor het eerst een pluvierennest tegengekomen. 'Zie je dat de eieren allemaal naar het midden wijzen. Dat betekent dat de jongen binnenkort uit zullen komen.'

Hij keek achterom naar de rivier. Op de achterbank lag een fototoestel en een statief. 'Waar is dat fototoestel voor, pa?'

'O, ja, nou. Heeft mam het je niet verteld?' Zoals altijd als hij zenuwachtig werd, krabde zijn vader aan de grote, ontstoken bult die door de sjaal werd verhuld. Hij noemde die lelijke krop zijn 'Derbyshirehals' en schreef hem toe aan de kalk in het water rond Tansley, waar hij was opgegroeid.

'Nee,' zei Peter. 'Ze heeft me niets verteld.'

'Ik ben fotograaf geworden. Niks bijzonders. Trouwerijen, portretten, dat soort werk. Maar het sluit wel op de rest aan – als ik ook de uitnodigingen ontwerp. Twee vliegen in één klap en zo.' Hij liet een droevig lachje horen. 'Raad eens wie ik volgende week ga fotograferen?'

'Ik ben niet goed in raden, pa.'

'Port Regis.'

'De school?'

'De hele school. Vertel dat maar aan meneer Tamlyn. Misschien wil hij wel een huisfoto van Southgate. Zeg maar dat hij korting van me krijgt.'

Even later draaide de Rover door hekken die Peter nog nooit gesloten had gezien over het witte grind de oprijlaan op en stopte voor het huis.

Zijn ouders konden het zich na Peters geboorte niet meer veroorloven om in Londen te wonen en waren verhuisd naar het 'natte land', zoals Rodney het van regen doortrokken platteland ten zuiden van Salisbury betitelde. Hier klampte Rodney zich in een tiendschuur vast aan een bestaan als reclameontwerper en verdiende min of meer de kost met het ontwerpen van briefhoofden, boekmerken en uitnodigingen voor feesten, bruiloften en begrafenissen.

Hoewel het fris was, stonden de terrasdeuren open. Van binnen kwam het geluid van een piano.

Peter draaide zijn raampje dicht en ze bleven een poosje zitten, alsof ze geen van beiden uit de auto wilden stappen. Grote insecten vlogen in en uit het vingerhoedskruid en overal was het groen en welig. Zijn ogen volgden een boomvalk over het gazon en de aanblik van de schommel aan blauwe touwen in de kastanjeboom riep herinneringen op aan een andere verjaardag. Hij was acht toen zijn vader de schommel had opgehangen. Ineens wilde hij nu niets liever dan een hand in zijn rug voelen die hem de lucht in duwde.

De boomvalk zeilde naar het dak van de stal waarin zijn vader zijn atelier had, bleef even op de goot zitten en vloog over de velden weg naar de steile rug verderop. De lange heuvel strekte zich uit van Salisbury naar Shaftesbury en over de rug liep een Romeins ossenpad. Peter wist niet hoe het werd genoemd, maar op warme zomerdagen, wanneer de wind goed stond, konden ze naar boven lopen en een vlieger opla-ten.

'Ziet er niet veelbelovend uit.' Zijn vader keek met zijn hand op de portierkruk naar de donkere wolken die zich boven de rug samenpak-ten en stapte uit.

En nog steeds golfde de muziek uit de woonkamer. Zijn moeder had zich op de piano gestort sinds ze met zingen was gestopt. Volgens haar familie was ze een uitmuntende pianiste, maar ze zou nooit meer zin-gen.

'Ik hoop dat opa erbovenop komt,' zei Peter over het dak van de auto tegen zijn vader. 'Mam klonk heel ongerust.'

'Ga eerst maar even met Ros praten,' zei zijn vader met een warme stem en ging zijn fototoestel naar zijn atelier brengen.

In de keuken stond Rosalind in een ketel te roeren. Peter sloop naar het fornuis. In de antieke tafel, waarin de pannen van zijn moeder krin-gen hadden gebrand, waren met een bot mes sporen gekrast die in de verte op het gezicht van zijn grootvader leken.

Maar ze hoorde hem, draaide zich snel om en zei met een Monty Python-stem: 'En aldus, mijn nobele heer, weten we dat de aarde de vorm heeft van een banaan.' Ze likte de houten lepel af en deed een musketieruithaal naar zijn borst. Hij pareerde de lepel en greep haar bij haar middel.

'Heeft mam het je al verteld? Ik heb me ook een queeste naar een heilige graal gesteld.' Ze trok zich los, streek een weerbarstige blonde lok naar achter en zei heel ernstig: 'Ik wil chef-kok worden.'

'Dat lukt je vast wel.'

Omdat ze thuis woonde, liep ze voorop in de heroïsche kookstrijd met haar moeder.

'Gefeliciteerd met je verjaardag, Bedevere,' gepaard gaand met een naar asperges riekende kus.

Uit de kamer ernaast kwam de staccato-uitvoering van de Goldberg Variaties door hun moeder. Haar stem was misschien verdwenen, maar haar muziek viel niet te stuiten.

'Ze heeft een cadeau voor je gekocht dat je niet gauw zult vergeten,' plaagde Rosalind met dezelfde stembuiging als haar vader.

'Wat dan?'

'Niet bepaald iets wat je met je mee naar school kunt nemen.'

'Heb je iets van Camilla gehoord?'

'Ja,' sluw. 'Ze heeft een boodschap voor je gestuurd.'

'En?'

'Ze wil je uitnodigen voor een feestje met Luke.'

'Luke?'

Ze bewoog haar wijsvinger heen en weer om hem te pesten. 'Haar vríéndje.'

'Peter!'

Peter had niet gehoord dat de muziek was opgehouden. Zijn moeder droeg een lange saffraankleurige jurk, een afdankertje van een van zijn kindermeisjes, en het horloge van haar man, dat altijd over haar dunne pols gleed.

'Hoe lang ben je al hier?' terwijl ze met een verwarde blik op het horloge keek. Peter vroeg maar niet meer waarom ze hem hardnekkig bleef dragen. Nog geen dag had het de goede tijd aangegeven.

'O, net pas.'

Ze gaven elkaar een zoen. Hij legde zijn hand op haar schouder en ze verstijfde, terwijl ze een stap terugdeed en hem aankeek. 'Van harte gefeliciteerd met je verjaardag, schat,' zei ze een tikkeltje droevig, op dezelfde spijtige toon als zijn vader. Ze rook naar de Franse parfum die ze altijd voor speciale gelegenheden opdeed en hij vroeg zich een afgrijselijk ogenblik af of ze Leadleys ouders voor de lunch had uitgenodigd.

'Ik hoop maar dat het niet gaat regenen, dat is alles. Wat denk jij, Rodney?' Ze zwoer bij picknicks.

Hij was net binnengekomen. 'Ik denk niet dat het gaat regenen,' en hij keek achteloos naar het raam. Het volgende ogenblik kwam het met bakken uit de lucht.

In de eetkamer aten ze de vichyssoise van Rosalind, gevolgd door een aspergequiche. Zijn moeder had zijn lievelingseten uitgekozen om hem te verwennen en hij dronk te veel rode wijn.

Hij voelde dat zijn vader naar hem zat te kijken. Hij was zich ervan bewust dat hij een beetje onrustig was en, toen hij er achteraf over nadacht, een voorgevoel had van iets onherroepelijks.

Het regende nog toen ze aardbeien aten en daarna brak de zon door.

'Schat,' zei zijn moeder nogal zenuwachtig, alsof ze voelde hoe scherp een mes was. 'Mag ik je iets laten zien?'

'Mam, de taart! Vergeet niet dat de taart nog in de oven staat,' zei Rosalind.

'O god.'

Zijn moeder liep naar de keuken en even later hoorde hij haar naar boven gaan. Toen ze terugkwam hield ze een fotoalbum tegen zich aan gedrukt dat hij nooit eerder had gezien. Ze ging naast hem aan tafel zitten en sloeg het open: het was gebonden in kalfsleer, blauw, en zat vol met foto's vastgeplakt met witte driehoekjes, allemaal van een wonderlijk uitziende jongen. Met een cricketbal in een gemeentepark. Uit een kinderwagen leunend. In doopkleed.

'Moet je die ogen zien – enorm – altijd betraand.'

Hij geeuwde. Waarom deed ze dit?

Ergens boven in huis klonk een gekef.

Ze schoof haar stoel dichterbij. Terwijl ze de bladzijden omsloeg, vertelde ze Peter dat hij dat jongetje was. Iemand die bang was voor draken en die hun toestemming moest vragen om 's ochtends op te mogen staan. De zon was nog niet warm genoeg om het zweet op haar gezicht te laten parelen. Ze was zenuwachtig voor iets dat op til leek te zijn.

Ze bleef praten, maar met een stem die hij nog nooit had gehoord. Wat ze hem vertelde kon zijn geest niet bevatten. Peter vond de foto's verre van geruststellend. Dit was niet iemand in wie hij zich herkende, de jongen met de enorme ogen. En waarom had zijn moeder dit album al die jaren verborgen gehouden? Hij had het gevoel dat hem iets werd opgedrongen.

'Ma!' protesteerde hij, en hij verweerde zich tegen de arm die zijn moeder om zijn schouders legde. Het kwam waarschijnlijk door de taart dat ze zo morbide deed. Ze had een hekel aan koken en had de hele ochtend niets anders gedaan.

'Wacht nou.' Met dezelfde vreemde, hunkerende stem vertelde ze hem dat hij was geboren rond theetijd tijdens een koude zomer kort voor de Muur in Berlijn werd opgetrokken.

Zogenaamd met zijn blik op het album gericht bekeek hij het horloge dat bijna bij haar elleboog zat. Zelfs als hij rekening hield met een gigantische foutmarge vertrok zijn trein op zijn best pas over drie uur. 'Je zou een nieuw horloge moeten kopen,' zei hij.

'Dit bevalt me prima, hoor.'

'Wie is dat?' Voor het eerst strekte hij belangstellend zijn hals uit.

'Dat ben ik in de Wigmore Hall in het jaar dat ik naar Leipzig ging.'

Ze had in Manchester een zangopleiding gevolgd en twijfelde over een carrière bij de BBC toen er iets tussen was gekomen, Peter wist niet zeker wat. Op de foto stond een vrouw met sterk krullend haar en ferme schouders in een lange piqué jurk te zingen met een uitdrukking die verloren was gegaan.

In een overwegend pietluttig wereldbeeld koesterde zijn moeder bepaalde zones van verdraagzaamheid. Voor iemand van haar generatie niet gebruikelijk had ze een zwakke plek voor Duitsers. De herinnering aan Leipzig gaf haar nieuwe energie.

'Weet je hoe ze vóór de Eerste Wereldoorlog Wigmore Hall noemden?' volhardde ze. 'De Bechstein Hall. Hij is opgericht door Duitsers voor Duitse musici.' Ze maakte het gebaar van vingers die elkaar kruisen. 'Zo goed konden we vroeger met elkaar overweg. Angelsaksen! Het kan me niet schelen wat opa zegt. Eeuwenlang zijn de Duitsers de natuurlijke bondgenoten van Engeland in Europa geweest.'

'En was het Connaught-hotel vroeger niet het Coburg-hotel? En had Amerika niet op een haar na het Duits als officiële taal gekozen?' zei zijn vader toeschietelijk terwijl hij met een hand onder zijn sjaal woelde.

Ze schonk hem een dankbare blik, maar Peter was degene die ze moest overtuigen. 'Je kunt je gewoon niet voorstellen hoe groot de germanofobie was,' zei ze, waarbij ze haar geestdrift van het album in één sprong verlegde naar een hele natie. 'Zelfs in de jaren twintig werden liederen van Schubert, als ze in Londen werden gezongen, in het Frans uitgevoerd.' Ze raakte zijn arm aan. 'En dan te bedenken dat we onze koninklijke familie, onze godsdienst aan hen te danken hebben, om nog maar te zwijgen van onze muziek.'

'Kom op, Peter.' Rosalind vond het gesprek vervelend. 'Laten we gaan

scrabbelen.' En ze trok aan zijn hand, klagende ogen onder haar weerbarstige krullen.

Weer een gekef.

'Laten we gaan wandelen.' Geagiteerd streek zijn moeder een lok van
zijn haar weg van zijn slaap op de manier die hem vroeger als jongen
hels maakte. 'Dan krijg je daarna je cadeau.'

'Ik heb geen zin om te wandelen,' zei Peter.

'Nee, hij gaat met mij mee,' begon Rosalind.

'Rosalind!' Aan het eind van de tafel klonk zijn vader stelliger dan
Peter hem ooit had gehoord.

'Misschien zou jij aan de afwas kunnen beginnen, schat.'

'Peter doet nooit de afwas,' klaagde Rosalind terwijl ze een aardbei in
haar handpalm uitspuwde. 'Nooit!'

Rodney keek Peter aan. 'Ik vind dat je mee moet gaan. Doe het voor
mij.' En tegen zijn vrouw: 'Henrietta. Dat vind ik echt. Nu.'

Peter ontplofte: 'Wat is er aan de hand? Het heeft iets met jou te maken, waar of niet? Je hebt een verhouding met iemand. Jullie gaan schei-
den. Je bent ziek. Weet Rosalind ervan?'

'Ik ben niet ziek. Geen verhouding. Ga nou maar gewoon met je
moeder wandelen.'

Als Peter 's nachts niet kon slapen, spitte hij zijn Engelse jeugd uit, te
beginnen bij de draken onder zijn bed om vervolgens uit te komen bij
de wandeling over het ossenpad en zijn moeders onthulling. Een geheim dat een ommezwaai in zijn leven veroorzaakte, dat geurde naar
braamstruiken na de regen en zijn bloed deed kloppen alsof een grote
vogel uit het nest in zijn borst wilde opstijgen.

In zijn herinnering liepen ze omhoog naar een van de regen nevelige
top. Naar het wrak van het vliegtuig en een nooit teruggevonden lichaam, alleen een iriserende olievlek waarop de eendagsvliegen van de
Nadder konden uitkomen. Maar in feite scheen de zon.

Toen ze op de top waren, stifte ze haar lippen en trok haar sjaal recht,
waarna ze alle knopen van haar jas vastmaakte.

'Het wordt een prachtige middag, maar wel kil. Ben jij warm genoeg
gekleed? Moet je je blote hals zien. Waarom heb je je das niet meegeno-

men? Ik hoop dat je niet zo op St Cross rondloopt.'

Een vuurstenen pad liep als een wervelkolom door de korenvelden. Ze strompelde er zo'n vijf minuten over toen ze al buiten adem bleef staan.

'Zoals je zo vaak te kennen geeft, versta ik de kunst om dingen weg te stoppen waarover ik liever niet wil nadenken.' Ze keek met haar tranende groene ogen naar de lucht. Haar woorden klonken mat en wekten de indruk dat ze ze had gerepeteerd. 'Je zou het als een soort blokkade kunnen omschrijven. Of een onvermogen om, zoals Rodney ze noemt, "persoonlijke problemen" aan te pakken. Maar ik begin inmiddels over mezelf te praten en je moet meer over Peter weten.'

Ze praat over me alsof ik er niet bij ben, dacht hij. Wordt ze net zo getikt als haar vader? Hij helde over naar een geprikkelde onverschilligheid: 'Wat moet ik weten?'

'Niet jij, schatje, niet jij,' mompelde ze. Ze draaide doelloos het horloge om haar pols en zei: 'Rodney is niet je vader.'

Peter was zich bewust van de schaduw van een vogel op het natte gras en iets verscheurends vanbinnen.

'Je vader is iemand anders.'

'Bedoel je dat ik ben geadopteerd?' hoorde hij zichzelf zeggen.

'Nee, nee, ik ben je moeder. In alle andere opzichten is Rodney je vader. We hebben elkaar leren kennen toen je zes maanden was. Vooruit, laten we gaan zitten. Ik kan het beter vertellen als we zitten.'

Ze vonden een stukje gras waar ze begon uit te leggen dat Peters vader niet de innemende en bedeesde Engelsman was met wie ze al vijftien jaar was getrouwd, maar een Oost-Duitse politieke gevangene, die ze amper een dag had gekend.

HOOFDSTUK TWEE

N IEMAND HERINNERDE ZICH nog wat de jongeman had gezegd, niet eens meer hijzelf. Maar iemand had het toevallig gehoord en hij werd naar Bautzen gestuurd, een gevangenis die bekend stond als *Gelbes Elend*.

Tot 1960 verbleef hij in een cel van drie bij drie meter. Een pokken-epidemie had een verhuizing naar Waldheim tot gevolg en daarna naar een tijdelijke gevangenis ten zuiden van Leipzig net buiten een stad die Dorna heette.

Op de dag dat hij terug zou gaan naar Bautzen werd hij met een rij gedetineerden in marstempo door de gevangenispoort naar buiten geloodst, over een smalle kasseienweg tot hij op de hoofdweg kwam. Mensen gingen naar hun werk. De man voor hem struikelde en door de opening die ineens viel zag hij een bleke vrouw met krullend haar haastig uit een park komen lopen.

Toen de rij de hoek om de Breitscheidstraße in liep zag hij dat de bewaker keek naar een bakkerswagen die de andere kant op reed. Hij zag zijn kans schoon. Hij liep door, stak de straat over en pakte de vrouw bij haar arm.

'*Hilfe mir!*' zei hij, en hij bleef doorlopen. Doorwandelen. Zonder een woord te wisselen. Hij liep met haar het park in. Hij verwachtte een kreet.

Stilzwijgend liet ze zich door hem meevoeren door het park en aan de andere kant eruit. Werklui waren langs een weg naar het meer elektriciteitsleidingen aan het leggen. De gebouwen verderop waren open en onaf, midden in het gesprek gestopt. Ze kon in een donkergroene wig aan de overkant een oud bos zien.

'U kunt beter weggaan.'

Maar zijn vingers omklemden nog steeds haar arm en zijn stem klonk hol alsof hij al een hele tijd niet had gesproken.

'Neem me niet kwalijk,' zei ze, 'maar ik begrijp u niet. Ik kom uit Engeland.'

Ze kwam uit een dal acht kilometer ten westen van Clitheroe. Een golvend woest gebied dat uitmondde in de Trough of Bowland. Ze had geen uitgesproken belangstelling voor Duitsland, maar zingen was haar allesoverheersende hartstocht. Ze wilde niets liever dan zingen en het deed er niet toe of haar publiek bestond uit een wei vol Lancashire-koeien, of een gehoorzaal in Leipzig bomvol communisten.

Het weinige dat ze over Duitsland wist, had ze gehoord van haar muziekleraar in Manchester. Joachim was een Oost-Duitse vluchteling die zich onvermoeibaar inzette voor het tot stand brengen van een samenwerking tussen het Leipzig dat hij was ontvlucht en de stad die hem had opgenomen, beide tijdens de oorlog zwaar gebombardeerd. In Cheetham Hill zette hij de plaatselijke afdeling op van de Free German League of Culture en richtte een koor op dat in een oude methodistenkerk zong. Hij moedigde plaatselijke zangers die geen banden met Duitsland hadden aan om bij het koor te komen.

In 1960 eerde het Gewandhaus Joachims toewijding met de uitnodiging een van zijn leerlingen te sturen om deel te nemen aan het concours van het Bach-festival. Toen degene op wie hij als eerste zijn keuze had laten vallen ziek werd, deed hij een beroep op Peters moeder.

Ze won niet. Haar optreden werd zelfs een teleurstelling. Maar iets in haar optreden had de assistent-dirigent getroffen. Hij vroeg haar wat ze in Leipzig graag wilde zien. 'Het platteland,' antwoordde ze zonder enige aarzeling na drie dagen vast te hebben gezeten in een stad waar ze intens depressief van werd. Het was geen alledaags verzoek, maar de assistent-dirigent had goede contacten binnen de Partij. Hij regelde het zo dat ze een week kon doorbrengen in een huisje in de buurt van Leipzig en voorzag haar van een mand vol voedsel en fruit, een deel van de consignatiezending van de nieuwe regering in Cuba.

Op de tweede dag van haar verblijf kondigde haar gastvrouw plompverloren aan dat ze voor de rest van de week naar Jena moest. Haar Engelse gast zou, zoals afgesproken, op maandagochtend worden opgehaald. In de tussentijd kon ze doen alsof ze thuis was. Er werden haar een paar mogelijkheden aangeraden om haar tijd te besteden en ze werd voorgesteld aan een meisje van haar leeftijd dat haar, als ze dat wilde, mee zou nemen op een uitstapje naar een middeleeuws jachtbos.

Het was de tijd in de herfst waarin de kersenbomen er op hun allerkaalst bijstonden. Het gedeeltelijk in vakwerk gebouwde huis lag op vijf minuten lopen van het Freundschafts-theater. Het was twaalf uur, ze verveelde zich en was onderweg naar de bioscoop om *Das gestohlene Luftschiff* te zien – 'ik was benieuwd hoeveel ik ervan kon verstaan' – toen de jongeman de straat overstak en haar bij de arm pakte.

Ze bleven een tijdje aan de rand van het park staan, een meisje dat amper Duits sprak met een vreemde man in een ander land.

'Dit hier is een interessant gebied.' Hij sprak Engels met het keurige accent van een schooljongen.

Ze sloeg haar ogen op, keek naar zijn gestreepte overhemd, zijn grauwe vingers die haar bloes vastgrepen en stond op het punt iets te zeggen.

'Kijk die bloeiende lavendel eens,' ging hij verder. Het leek of hij zinnen uit een taalgids uitsprak. 'Spoedig zal het tijd worden om de bijenkasten neer te zetten.'

'Bijen?' snoof ze. 'In oktober?'

'Kun je me helpen? Ik zoek ergens onderdak.'

Ze taxeerde hem. Hij had een open gezicht. 'Ben je weggelopen?'

'Ja.'

'Waar kom je vandaan?'

'Laten we daar hier niet over praten.'

Ze begon weg te lopen. Een jongen met flaporen hield op zijn fiets even in. De jongeman graaide naar haar hand. Tastte ernaar. Greep mis. Toen bleef ze staan, strekte haar hand uit en samen liepen ze naar het huis.

'Heb je honger?'

'Ja.'

'Wacht hier.' Ze liep naar de provisiekamer en plunderde de voedselmand. Toen ze terugkwam stond de radio aan. Hij zat aan het einde van de tafel met zijn gezicht naar haar toe. Hoog voorhoofd. Dunne hals, tegen de dertig. Schuine olijfkleurige ogen met vermoeide vegen eronder.

Ze bereidde op het fornuis met blauwe tegels een maaltijd voor hem en keek toe terwijl hij at. Als hij kauwde werd hij afzichtelijk. Zijn gezicht kreeg de kleur van voederbieten en zijn wangen vormden steeds bobbels. Alles wat ze hem voorzette at hij op: runderrollade, rode kool, Baltische bakharing, aardappelpuree en een sinaasappel.

Hij strekte zijn hand uit naar de tweede sinaasappel, maar ze legde hem buiten zijn bereik. Die was voor haar. 'Wat kreeg je in de gevangenis te eten?'

'Watersoep.' Hij kon er de bodem van zijn kom doorheen zien. 'Van wie is dit huis?'

Ze vertelde het hem.

'En haar man dan?'

Ze wees naar een gietijzeren windvaan in de vorm van een jachthond op de grond. 'Die heeft hij op zich gekregen,' en ze vertrok haar gezicht. 'Moet je nagaan dat je twee wereldoorlogen overleeft en sneuvelt door een windvaan.'

Op de radio liep een plaat op zijn einde. Het was koud in de kamer. In het fornuis knapte een houtblok. Hij keek op van de vloer en zij sloeg haar ogen neer. Rond een van zijn enkels zat een horloge.

Ze maakte op de bank een bed op en hij sliep de hele ochtend. Ze waste zijn kleren en hing ze dicht bij het fornuis te drogen en 's middags zat ze op een stoel naast hem terwijl zijn borst op en neer ging en ze een verhaal over een poolexpeditie voorlas waaraan ze in Clitheroe was begonnen. Na een uur hoorde ze een geluid en hortend maakte ze zich los van de koude zuidzee, de ijzige motregen, de meeuwen die tegen haar wangen vlogen toen ze voelde dat hij over haar schouder leunde en met waakzame olijfkleurige ogen dezelfde bladzijde las.

Hij had al anderhalf jaar geen boek gelezen. De enige woorden die hij onder ogen had gekregen stonden in de kranten waarin de worstjes verpakt zaten die zijn ouders hem voor Kerstmis hadden gestuurd, besmeurd met bloed. Wat hij voornamelijk had gelezen waren advertenties. 'Linaugran: dit hoogwaardige hulpmiddel voor uw gezondheid zal uw ingewanden leren wat regelmaat is.' Zijn schouders wierpen een schaduw op de bladzijde en ze kon merken dat hij op zijn lippen beet.

In Bautzen had hij zichzelf aangeleerd om taal uit te bannen. Hij koos zijn woorden met zorg, neutraliseerde ze, ontdeed ze van alle kleur, vorm en betekenis, tot de dag kwam dat hij alleen nog ja of nee zei – vaak door alleen met zijn hoofd te schudden – en niets wat men uit zijn mond opving was het herhalen waard, zelfs zijn naam niet.

Ze sloeg het boek dicht. Stond op. Stak haar hand uit. 'Ik heet Henrietta.'

Hij veegde met de rug van zijn hand over zijn ogen. Toen hij haar hand drukte, kraakten zijn knokkels. 'Peter.'

Ze praatten tot de avond. Ze lagen naast elkaar op de bank, hij met zijn dunne benen over haar knieën. Hij had van een leraar in Thüringen Engels geleerd. In de DDR mocht hij niet studeren omdat hij uit de klasse van het grootgrondbezit kwam en daarom zorgde zijn vader ervoor dat hij privé-onderricht kreeg. Van dezelfde docent leerde hij Frans, Latijn en Grieks. Hij zag eruit als bijna dertig maar was pas tweeëntwintig.

Ze luisterde naar de beschrijving van zijn jeugd in zijn schoolse Engels: de protestantse ouders, het grote landgoed, het huis dat al vanaf de zeventiende eeuw door dezelfde familie werd bewoond. Na de Duitse nederlaag behoorde zijn vader, een kinderarts, tot een handjevol aristocraten dat verkoos te blijven ook nadat hun grond was geconfisqueerd. Van de nieuwe communistische regering mochten ze als huurders in het huis blijven wonen, maar het domein was geslonken tot een grasgordel aan de rand van het dorp waar hij zijn praktijk als huisarts uitoefende.

Terwijl ze met haar vingers op zijn enkels pianospeelde, vroeg ze: 'Waarom ging hij niet weg?'

Peter beschreef de gebeurtenis met een uitdrukkingloos gezicht. Toentertijd was hij vijf. Het was bijna zijn eerste herinnering. Een warme dag in 1943. De geur van perenbloesem. Het gezin zat buiten te lunchen. Ze hadden hun stoelen rond een deken onder de perenboom gezet toen een man, waarschijnlijk een jood, van de andere kant van het weiland werd gebracht en voor hun ogen werd opgehangen. Hij droeg een donkergroen pak en twee ss-soldaten duwden hem voort.

Het gebeurde snel. De oudere van de twee soldaten greep de stoel waarop Peters moeder zat en ging erop staan om een riem om een korte tak te binden. De man in het groene pak keek het gezin aan met een zenuwachtige en verontschuldigende blik. De jonge soldaat gaf hem een stomp zodat zijn gezicht vertrok en de twee soldaten tilden hem, terwijl hij nog piepend naar adem snakte, op de stoel en schoven de riem over zijn hoofd. De gevangene was lang en de uitgekozen tak zat niet hoog genoeg, zodat toen de stoel na een tweede poging werd weggetrapt zijn voeten over de grond streken. Op zijn tenen worstelde hij om zijn evenwicht te bewaren en de twee soldaten moesten een paar keer tegen zijn enkels trappen voor hij stikte. Toen maakte de jongere soldaat zijn broek los en graaide erin. Hij grijnsde naar Peters moeder die buikkramp had nadat ze haar glas Kalterer wijn achterover had geslagen. Te laat schoot ze toe om de ogen van haar zoon af te dekken.

Hij bloosde toen hij Henrietta vertelde wat hij had gezien.

'Kijk,' grinnikte de man terwijl hij de knopen van de gulp van de dode man losmaakte en met zijn stijve penis speelde. 'Het is waar.' Hij had een Beiers accent.

Peters vader was een Duitser van de versleten zolen van zijn Salamander-schoenen tot aan de kruin van zijn knokige hoofd. In de Eerste Wereldoorlog had hij dienst gedaan in een ambulance-eenheid. Was lid geweest van de Duitse Nationale Partij, ook al vond hij de Kaiser een clown. Op een net zo warme dag in juli 1940 had hij bij het radiotoestel gestaan om de aankondiging te horen van de Franse capitulatie en moest toegeven dat hij een golf van trots voelde. Maar op dat moment gingen drie eeuwen ten onder. Hij keerde zijn land de rug toe en acht maanden later schuifelde hij met geheven armen naar de oprijlaan om een Amerikaanse jeep te verwelkomen.

'Mijn vader kon de gedachte niet verdragen dat zijn enige kind in deze cultuur opgroeide.'

Zijn jeugd was niet altijd even hard. Er waren dagen waarop zijn leven sprankelde. De gelukkigste momenten kende hij als zijn vader aan de keukentafel zat en om een klos garen vroeg.

'Hij vroeg mij of ik iets te verstellen had,' zei ze zeventien jaar later op het vochtige gras tussen de bijenorchis. 'Ik vond dat nogal vreemd, zeker voor een man. Toen onthulde hij dat hij liever dan wat ook chirurg was geworden. Hij wilde me dolgraag iets laten zien wat hij van zijn vader had geleerd.'

Ze zaten op de bank toen hij zijn benen van haar knieën optilde. 'Pak die andere sinaasappel eens. En een naald en draad. En een mes,' riep hij haar na.

Hij sneed de sinaasappel doormidden. Hij was groen en vezelig en goed voor het sap, maar verder niet. 'Een grapefruit zou beter zijn geweest,' en hij begon de twee helften aan elkaar te hechten.

Ze keek toe hoe zijn vaardige vingers de naald in en uit het vruchtvlees zigzagden.

'In chirurgie,' vertelde hij haar, 'draait alles om de knoop.'

Toen hij klaar was hield hij hem omhoog en citeerde: '*Its feet were tied / With a silken thread of my own hand's weaving.*'

Vanwege zijn vader kreeg hij geen toegang tot de Humboldt Universiteit om medicijnen te studeren. 'Jij komt uit de overleefde klasse,' was de instelling van het bestuur. Ook de universiteiten van Halle en Kiev wezen hem als een klassenvijand af.

Na het twintigste Partijcongres van de sovjets in 1956 had hij gehoopt dat er in Oost-Duitsland meer democratie zou komen. Hij sloot zich aan bij een kleine demonstratie op de Humboldt Universiteit ter legalisering van de Sociaal Democratische Partij. De aanvoerders werden tot tien jaar gevangenisstraf veroordeeld, maar hij wist arrestatie te ontlopen. 'Waarschijnlijk omdat ik niet als student ingeschreven stond.' Daarna liet hij zo min mogelijk zijn gezicht in Berlijn zien.

Zonder enige beroepsopleiding kon hij nergens fulltime werk krijgen. Hij werkte als koerier voor een röntgenlaboratorium in Ludwigslust en voor een houtvester wiens broer grensbewaker in Boizenburg was, en ten slotte op een varkensfokkerij. Binnen twee maanden waren zijn schoenen aan flarden en de boer leende hem een paar, maar het harde leer wilde bij de tenen niet buigen en hij begon te lopen met de lichtvoetigheid van een pakezel. Op een dag kwam er een slank snobistisch meisje op bezoek. Ze droeg een modieuze grijze jurk en rommelde met haar vingers voortdurend in een toilettas vol cosmetica. Na de lunch liep ze naar de plek waar hij de varkens voerde en hing er rond terwijl ze goede sigaretten rookte, en de geur van de grijze rook was een kwelling voor hem.

Hij besloot dat hij alleen maar medicijnen zou kunnen studeren als hij vluchtte. Eenmaal in het Westen hoopte hij zich te kunnen inschrijven op de Universiteit van Hamburg, waar zijn vader een goed contact had. Hij vertelde het aan zijn ouders en zijn vader huilde en zijn moeder knikte alleen. Ze waren in de afgelopen jaren eenzaam geworden. Zijn vader had geen vrienden meer terwijl de vriendenkring van zijn moeder was geslonken tot een viertal vrouwen dat eens in de week op de koffie kwam. Hij smeekte zijn ouders om met hem mee te gaan, maar zijn vader weigerde. Hij was dokter. Hij was oud. En ze hadden hem nodig. 'Ik kan niet veranderen.'

Beducht om via Berlijn te vertrekken, nam hij op een kille bewolkte dag in april de trein naar een dorp aan de grens. De gids, een vroegere patiënt van zijn vader, stond op het perron te wachten. Peter hield als teken een grote gietijzeren sleutel van het huis op. De man zag het en liep naar hem toe: 'Kom met me mee.'

Ze liepen ettelijke kilometers. Aan weerskanten beboste heuvels en in de openingen tussen de bomen de koperkleurige daken van een stadje. Ze kwamen bij een splitsing en de man zei: 'Die kant op. Je doet er twee uur over.'

Twee uur lang liep hij met zijn karakteristieke lichtvoetigheid over een smal met varens overgroeid pad. Nog een uur later maakte hij zich zorgen dat hij de verkeerde afslag had genomen of dat hij te langzaam liep. De zon ging onder en hij raakte in paniek. 's Nachts patrouilleerden er Russische soldaten die bevel hadden om te schieten. Hij liep in het donker door en na veertig minuten kwam hij uit bij de rand van een stad. Hij zag een reclamebord met een advertentie voor Juno-sigaretten en wist dat hij als er op het pakje sigaretten 'Juno – lang en rond' stond, de DDR uit was, en als er 'Juno – dik en rond' op stond, dat hij er niet uit was. Ongeduldig liep hij naar het reclamebord.

'Ik was zo vervuld van hoop en blijdschap. Ik dacht: nu gaat het gebeuren. Ik was vrij, hield ik mezelf voor.'

Hij las de woorden op het bord: 'Juno – dik en rond', en riep iets luidkeels. Hij wist niet meer wat, maar er kwam een vrouw langs die hem hoorde. Kort daarop werd hij aangehouden en meegenomen naar een kamertje naast het politiebureau en aangeklaagd wegens laster tegen de staat. Dat was in de tijd van Ulbrichts paranoia. De geringste bedenking was een voorwendsel voor gevangenisstraf.

'De beklaagde maakte de opmerking op zo'n manier dat hij de draak stak met het nobele streven van de revolutie,' verklaarde de rechter van instructie. Toen zijn naam werd ontdekt op een ledenlijst van de verboden Sociaal Democratische Partij werd zijn straf met vijf jaar verhoogd.

Dat was achttien maanden geleden. Sindsdien had hij gevangengezeten.

'Het lijkt wel alsof iedereen die hier woont zichzelf bij alles wat hij doet voor de gek moet houden.' Ze pakte de sinaasappel die hij met blauw katoenen garen weer aan elkaar had genaaid. Drukte hem tegen haar neus. Rook eraan.

Hij wreef met de achterkant van zijn duim over zijn wang. Hij had zich niet geschoren en zijn duim maakte een raspend geluid. 'Kom eens hier.'

Ze legde de sinaasappel neer, liep naar hem toe en bleef een meter van hem af staan. Hij keek in haar ogen en zonder zijn blik van haar gezicht af te wenden schuurde hij licht met zijn handen tussen haar benen. Hij trok zijn hand weg. Keek ernaar. Begon hem naar zijn neus te brengen. 'Ik kan beter gaan.'

Ze liep achter hem om en raakte zijn nek aan. Even deed hij niets en voelde de druk van haar vingers. Toen bracht hij zijn hand langzaam omhoog en greep de hare vast, waarna hun vingers zich met elkaar verstrengelden.

Die nacht bleef hij en 's ochtends kwamen ze hem halen.

Ze stond in de voorkamer zonder schoenen aan. 'La-la-la,' neuriede ze. 'La-la-la.'

Hij keek haar aan en daarna weer naar haar boek.

'La-la-la.'

Hij probeerde om niet op te kijken. Ze zag dat hij bloosde.

'La-la-la.' Ze zong nu echt.

Hij keek op. Glimlachte half. Schudde voor zichzelf zijn hoofd.

'La-la-la.'

'Waar denk je aan?'

De deur knalde open. Buiten op straat stond de jongen met de flaporen te lachen.

HOOFDSTUK DRIE

S NEL, ZONDER PETER aan te kijken, maakte zijn moeder het verhaal af. 'Ze werkten mij het land uit. Ik logeerde bij vrienden in Londen – ik kon het niet opbrengen om naar Lancashire terug te gaan. Toen ik erachter kwam dat ik zwanger was, heb ik geschreven dat ik niet meer naar huis zou komen. De zomer daarop ben jij geboren. Ik heb papa ontmoet tijdens een vuurwerk in Notting Hill. Tegen Kerstmis waren we met elkaar getrouwd.'

Van de heuvelrug stegen drie duiven op. Peter keek hen na toen ze wegvlogen en voelde een koude rilling over de achterkant van zijn armen en in zijn nieren.

'Als je eenmaal zo oud bent als ik,' zei ze terwijl ze het horloge als een amulet om en om draaide, 'zul je leren dat er dingen zijn waar je niet meteen over kunt praten. Ze moeten worden opgezouten en in ijs verpakt.'

Ze ontweek nog steeds zijn blik. 'Het verschrikkelijke is dat ik nooit heb kunnen achterhalen wat er met je vader is gebeurd. Of de West-Duitsers voor zijn vrijheid hebben betaald of dat hij nog in de gevangenis zit of dat hij is overleden. Geloof me, ik heb het geprobeerd. Ik heb naar de gevangenisdirectie geschreven in Dorna, Bautzen, Rottstockbei, Berlijn, Leipzig, Dresden, Bützow, Ludwigslust, Waldheim, Torgau...' De opsomming bezat de vertwijfeling van haar pianospel. 'Maar zonder een naam – hopeloos. En toen werd de Muur opgetrokken. Niet dat die me heeft kunnen tegenhouden. Joachim, mijn muziekleraar, heeft aanhoudend navraag gedaan via zijn contacten in de Partij. Buitenlandse Zaken trouwens ook. Niets. Geen enkele aanwijzing. Ik kan wel zeggen dat nadat je vader de deur uit was gesleurd, hij van de aardbodem is verdwenen. Maar ik betwijfel of er een uur voorbij is gegaan dat ik niet zijn gezicht voor me zie toen hij naar me omkeek.'

Ze begon het horlogebandje los te maken. 'Ik herinner me elk nutteloos ding dat hij heeft gezegd. Maar ik heb nooit geweten hoe hij heette behalve Peter en evenmin waar hij vandaan kwam – of als hij het me heeft verteld kan ik het me niet herinneren. Alles wat ik van je vader heb is dit.'

Verbouwereerd deed hij het horloge om. Nu pas kon ze hem aankijken met ogen waarin ze gewreven had. 'Je kunt in één nacht leven verwekken, maar dat betekent nog niet...'

'O, ma,' en hij legde zijn hand op haar schouder.

'Het gaat wel,' mompelde ze met een zware stem, alsof hij weer een kind was. 'Ik heb geen foto van hem, maar je lijkt erg op hem.'

'Hoe?'

'Je ogen, schat. En je mondhoek loopt af net als bij hem.'

Hij voelde haar kin op zijn hoofd. Ze keken naar de zendmast in Sutton Mandeville. Haar armen om hem heen geslagen. In een poging te voorkomen dat iets zou afknappen. 'Ik heb altijd gedacht dat hij naar hier gekomen zou zijn als hij had gekund. Vast en zeker, dan zou hij naar hier gekomen zijn. Maar hoe had hij me moeten vinden? Hij wist niet dat ik zwanger was.'

'Weet papa dit allemaal?'

'Ja. Als je vader... als Rodney zijn zin had gekregen, zou ik je dit al jaren geleden hebben verteld, maar – nu ga ik huilen, hoor – omdat ik wist hoeveel hij van je hield, kon ik het niet over mijn hart verkrijgen, want hij ís je vader en hij zal altijd je vader blijven en ik denk dat je zult moeten aanvaarden dat deze dag voor hem droeviger is dan voor jou.'

Het werd Peter te veel. Hij barstte ontroostbaar in tranen uit. Op dat moment drong het niet tot hem door, niet onmiddellijk, hoeveel verdriet het haar had gekost, hoe groot de kwelling voor haar en Rodney was geweest op de lange weg naar het besluit wanneer ze het hem moest vertellen; en evenmin dat hij niet in de laatste plaats huilde omdat er met zijn moeder niets veranderd was.

Hoe lang ze daar in hun wonderlijke omhelzing zaten wist hij niet. Op een bepaald moment verroerde zijn moeder zich en toen ze weer sprak, werd hij eraan herinnerd hoeveel hij van haar had geërfd. Met inbegrip van een typisch Engels vermogen om dingen weg te stoppen. 'Ik denk dat Rodney gelijk heeft, hoor,' terwijl ze het gras van haar klamme gele jurk sloeg. 'Het blijft droog.'

Hij voelde zich vreemd uitgeschakeld terwijl hij achter haar aan liep door de braamstruiken waarop spinnen hun web hadden achtergelaten en naar de groep die onder de kastanjeboom zat. In een uithoek van de tuin scheen de zon op een strooien hoed.

'Ik neem aan dat opa van alles op de hoogte is?'

'Jouw grootvader is al die jaren een verschrikkelijke lastpak geweest. Het is heel moeilijk geweest...'

'Peter!' Rosalinds stem zeilde naar hem toe. Ze sprong op en kwam over het gras op hem afrennen. 'Opa heeft het me verteld!' en ze sloeg haar armen om zijn nek.

Zijn moeder keek nijdig naar de oude man die in kleermakerszit op de strandmat zat. 'Pa, wat heb je in godsnaam gedaan?'

Verweerd en grijs als een kerkhofengel keek hij op. Even glimlachte hij minzaam. 'Peter.'

'Hoe gaat het met u, opa?' en hij kuste zijn schilferende wangen.

'En? En? En? Heeft ze je het nou wel of niet verteld?' Zijn vragen roken naar bier.

'Hou nou eens je kop,' zei Rodney, en daarna tegen zijn vrouw: 'Sorry hoor, maar er zijn grenzen.'

De sfeer was geladen met zijn moeders bezorgdheid. 'Heb jij het Ros verteld? Hoe haal je het in je hoofd?'

'Natuurlijk heb ik het haar verteld,' mopperde de oude man met een trage maar heldere stem. 'Net zoals jij het de jongen al jaren geleden had moeten vertellen. Hij zou het op zijn twaalfde best hebben aangekund. Ik begrijp niet waarom je ermee moest wachten tot hij zestien was. Hoe dan ook, waar is de taart? Rodney, ga de taart eens halen.'

'Kun je je misschien voor één keer in je leven gedeisd houden, schoonvader. Voor deze ene keer?' Zijn hals was gezwollen en hij beefde.

'Voor jou gemakkelijk zat om je gedeisd te houden,' met een borende blik op Rodney. 'Jij hebt niet tegen die klootzakken gevochten. Op het slagveld. De hufters. Niet zoals wij.'

Hij zette zijn panama met de hoedenband van zijn regiment in de kleur van paars carbonpapier af en wuifde er zich koelte mee toe. Iedereen wist wat Milo Potter van de Duitsers vond. Als legerarts had hij in Egypte tegen hen gevochten. Hij had gezien hoe ze in Italië kloosters hadden opgeblazen. Had in de strijd tegen hen vrienden verloren op de Noord-Atlantische Oceaan. De oorlog lag hem nog steeds zwaar op de maag.

'Pa, je bent een vervelende ouwe zak,' zei zijn dochter verdrietig. 'Dat ligt in het verleden. We moeten nu vooruit kijken.' Ze probeerde niet te huilen en haar gezicht vertrok van de inspanning. 'Wacht hier,' tegen Peter, 'ik ga je cadeau halen.'

Kort daarop rende er een golden retriever puppy over het gazon.

'Ze heet Honey,' zei de vrouw die zojuist een weeskind van hem had gemaakt. Haar nog steeds rode ogen richtten zich op hem en ze wachtte op een reactie terwijl ze speels glimlachte.

Hij keek naar de puppy. Liep naar binnen.

Twintig minuten later kwam Rosalind zijn kamer in en trof hem aan bij het raam met een boek open op zijn schoot.

'Er is thee.'

'Ik kom zo.'

'Wil dat zeggen geen scrabble?'

'Hè? Nee.' Toen: 'Leg het maar vast klaar. Ik kom zo naar beneden.'

Ze wilde iets zeggen. 'Het is fantastisch.'

'Wat is fantastisch?'

'Dat jij Duits bent,' en ze staarde hem bijna trots aan alsof ze naar een schotel met lamsschenkels keek.

Hij gooide het boek van Malory op de grond. 'Het is helemaal niet fantastisch. Het is niet meeslepend. Het is zelfs niet interessant. Het is absurd. Iedereen haat Duitsers en ik ook. Jij ook.'

Rosalind had hem sinds ze kleine kinderen waren niet meer zien huilen. Ze staarde hem met wijd opengesperde ogen aan en holde de kamer uit. Toen pas keek hij in de spiegel en wendde zijn blik af.

Buiten op het gazon de kout bij de thee. Over het verdriet van zijn stiefvader. Over een taart die in het midden was ingezakt. Zijn moeder was vergeten hem uit de oven te halen en de gewraakte massa lag op een groen tupperware-bord met zestien niet aangestoken kaarsjes als een spijkerbed erop.

'Ik vind nog steeds dat je niet naar Leipzig had moeten gaan,' zei zijn grootvader verbolgen – en Peter begreep waarom Milo Potter steeds minder met zijn dochter op had, waarom hij met tegenzin de manden met schone was, de maaltijden aanvaardde die ze naar zijn Spartaanse flat boven de schoenenwinkel in Tisbury bracht. Hoe meer ze voor hem deed, des te meer keek hij naar het westen, naar Canada, waar zijn twee jongere dochters ergens op de prairie woonden. Viola en Ruth kwamen alleen naar huis voor grote gebeurtenissen, maar hij sprak over hen met een andere stem. Een stem waaruit zijn Lancashire-accent vrijwel verdween. Zij zouden niet in Duitsland zijn gaan zingen.

Ze trok haar knieën onder zich op en begon in de taart te zagen. 'Hier, pa,' verzuchtte ze. 'Zet hier je tanden maar eens in.'

'En de kaarsjes dan? Hij moet de kaarsjes uitblazen.'

'Laat de kaarsjes maar zitten,' mompelde Peter. Hij ving een vleug op van Rodneys Patum Peperium. Die rook nu al wonderlijk anders.

'Geef die plak dan aan de jongen. Het is zijn verjaardag.'

Een kwart eeuw later kon Peter hem nog proeven. Een brij van compact beschuitdeeg met bananensmaak en het geduchte bruisende bakpoeder.

Tegen het einde van de middag liep Peter naar Rodneys atelier. De vriendelijke, opgewekte man die hij tot dusver altijd 'papa' had genoemd, zat aan een schuine werktafel schetsen voor een huwelijksuitnodiging te maken.

Rodney keek niet op. Hij boog zich over zijn tekentafel en gumde een potloodlijn weg, zonder enige gedrevenheid, zoals Peter eens een visser aan de kust van Yorkshire de romp van zijn boot had zien schoonkrabben. Als zoon van een dominee uit Tansley was Rodney de kerk ontvlucht om in Camberwell kunstgeschiedenis te studeren, maar na zijn studie had hij de grootste moeite om met zijn schilderijen zijn brood te verdienen.

'Je kunt zeggen wat je wilt,' zei hij, en richtte zich tot de cherubijn, 'ik heb je altijd als mijn zoon beschouwd. Dat zal ik blijven doen.'

'Jij zult altijd papa blijven,' zei Peter zinloos. 'Altijd.'

'Je moeder heeft me nooit verteld wie hij was, en ik heb er niet naar gevraagd. Ik was dol op haar. Dat ben ik nog.' Hij bekeek met een boze blik de rand van zijn gum. 'Maar ik kan je wel vertellen wanneer ik voor jou door de knieën ben gegaan.' Op een vreugdevuurfeest in Elgin Crescent, dezelfde avond dat hij Peters moeder leerde kennen. 'Ze had de donkerharige baby op de arm en jullie keken allebei naar de vlammen. Jij strekte je hand naar me uit en hield hem uitgestrekt. Op dat moment had ik het gevoel dat je mijn kind kon zijn.'

'Ik ben jouw kind, pa,' met zijn ogen gericht op wat, tot deze namiddag, constanter was geweest dan welke kompasstreek ook. De aquarel van een domineeswoning in Derbyshire in een lijst van esdoornhout. De witgekalkte vloer. Het blad met pennen dat altijd een verlengstuk van zijn vader was geweest.

'Vergeet maar niet dat je precies bent wie je op enig moment van de dag wilt zijn – die mogelijkheid heb je. Onthoud dat.'

'Ik zal het onthouden, pa.'

Uiteindelijk was het tijd om naar het station te gaan. Zijn moeder stond erop om hem te brengen.

Rodney tikte tegen het portierraam zodat hij het opendraaide. 'Natuurlijk wil ik best in de wedstrijd van de vaders spelen als je dat wilt.'

'Bedankt, pa.'

'Schat, wil jij tegen Rosalind zeggen dat we weg moeten?' riep zijn moeder over zijn schoot heen.

'Dag, Peter,' voorovergebogen, zijn stem feilloos vriendelijk. Achter hem de blauwe touwen van de stille schommel.

'Dag, pa.'

'Tot over twintig minuten,' zei zijn moeder.

Terwijl ze naar Tisbury reden vulde haar parfum de auto en de stilte, tot ze het niet meer kon verdragen en begon te klagen over het feit dat haar vader seniel was geworden. 'Jammer dat je hem niet hebt gekend toen hij praktiserend arts was.'

Twee dagen later kwam er een briefje van Rosalind waarin ze schreef dat ze op hem had gewacht. Ze had het hele spel klaargezet en het puntenlijstje opgesteld. 'Maar toen ik je kwam halen, was je weg.'

HOOFDSTUK VIER

VOOR PETER WAS het een schok om terug te gaan naar St Cross. Zijn moeders onthulling had hem naar een bergkam verplaatst een continent verwijderd van zijn vorige leven. Toen hij vanaf het station langs de Southgate Cinema kwam, zag hij een affiche van *Where Eagles Dare* en hij hield zijn adem in. Richard Burton in een nazi-uniform.

In de Blokzaal was het afroepen van de namen begonnen. Zoals het *Appell* in Colditz.

'Tweed?'

'*Sum.*'

'Sibley?'

'*Sum.*'

'Rood?'

'*Sum.*'

Verdwaasd zat hij in zijn toyes en trok het gordijn strak dicht. Hij voelde zich broos, kwetsbaar, als een doormidden gesneden vrucht die weer aan elkaar was genaaid. Hij wilde in de Itchen springen. Het kon hem niet schelen als hij zijn moeder nooit meer zou spreken. Met wat voor identiteit had ze hem opgezadeld? Hoe moest hij nu met Rodney omgaan?'

'Liptrot?'

'*Sum.*'

'Leadley?'

'*Sum.*'

In zekere zin zou het hem minder verbaasd hebben om erachter te komen dat zíj niet zijn echte moeder was. Alles wat hij was had ze tenietgedaan, al zijn zekerheden waren verdwenen en hij voelde een gecompliceerde vijandigheid jegens haar. Die middag had ze hem niet alleen beroofd van de vader die hij meende te hebben, maar ze had hem er een gegeven die hem wezensvreemd was. Een Duitser.

'Hithersay?'

Tot op het moment dat hij haar was gevolgd naar de 'heuvel van de openbaring' was de enige Duitser bij wie hij ooit echt had stilgestaan een verkoold lijk in een cockpit. Verder dan de bladzijden uit *The Colditz Story* of de Commando pulpstrips die in de slaapzaal circuleerden, ging zijn voorstelling van het land en het volk niet. Wat hij van zijn grootvader begreep was Duitsland een plek waarvan je menselijkerwijs zo snel mogelijk moest zien weg te komen, een blinde vlek op de kaart waarover zijn aandacht snel naar de warme blauwe Middellandse Zee gleed. Oost-Duitsland was nog waziger. Daar had hij amper ooit bij stilgestaan.

'Hithersay?' herhaalde de korzelige stem.

Peter schoot overeind. '*Sum*,' riep hij. Ik ben. Maar wie was hij nu?

Die avond ging hij in de kapel naar het lof en terwijl hij het Nunc dimittis zong kreeg hij enig idee over hoe het moest voelen om geëxcommuniceerd te zijn. Tijdens de dienst werd overduidelijk hoe Engels iedereen op school was. Hij keek intens naar Tweed in de voorste bank, das strak geknoopt, gekleed in een nieuw visgraat colbert van hetzelfde grijsgroen als het middeleeuwse glas-in-lood. Zijn stem bulderde voor de Heer om Zijn Dienaar in vrede te laten gaan. En ineens begreep hij waarom Tweed er zo happig op was om erbij te horen.

Van zijn vrienden op St Cross had Peter de meeste bewondering voor Brodie, een wanordelijke extraverte jongen die twee jaar ouder was en al zijn vrije tijd doorbracht met een bamboehengel langs de Itchen. Brodie had ondanks al zijn bralligheid een zachtaardige en attente kant en Peter vertrouwde hem.

De volgende woensdag namen hij en Brodie een kortere weg door de oorlogskruisgang toen Peter onwillekeurig voor het eerst de woorden uit *The Pilgrim's Progress* las die in een stenen plaat waren gebeiteld. 'TOEN ZEI HIJ, MIJN ZWAARD GEEF IK AAN HEM DIE NA MIJ KOMT IN MIJN PELGRIMSTOCHT EN MIJN MOED EN VAARDIGHEID AAN HEM DIE ER ONTVANKELIJK VOOR IS.' Tegen bleke zuilen met de kleur van zijn adem in de kou zaten gedenkplaten voor oud-leerlingen die in de twee wereldoorlogen waren gesneuveld. Op een aparte plaat stond een inscriptie met twee Duitse namen. 'Docenten van de school die ook voor hun land zijn gesneuveld. Voor hen dezelfde eer.' De woorden wekten in Peter zo'n gevoel van vertwijfeling dat zijn verstand op hol sloeg. Hij flapte zijn verhaal eruit.

'Nou, dan weet je wat je als eerste te doen staat,' zei Brodie met zijn meelevende maar ferme stem.

'Wat dan?'

'Duits leren.'

'Je maakt een geintje.'

'Bloedserieus, Hithers.'

Verbaasd over het verzoek hoorde zijn leraar Frans hem uit en Peter legde het uit.

Op een middag klakte Leadley in de tobbekamer zijn hakken tegen elkaar. '*Heil* Hithersay!' Hij zwaaide zijn arm naar voren en begon in ganzenpas over de witte tegels te marcheren. 'Een Hun – en een Pruis op de koop toe!' Ineens trok hij de afwezige glimlach van een baby die het in zijn luier doet. 'O, ik moet geloof ik een wind laten. *Schnell, schnell!*' Hij trok zijn knie op en er viel iets op de grond. Peter staarde verbijsterd en gefascineerd naar een molkleurige drol.

Leadleys spontane laster kwetste hem. Peter wist niet wat het betekende om Duits te zijn, had geen flauw benul, maar Leadley had vastomlijnde ideeën: de Duitsers waren een verdorven ras met geen enkele cultuur, vreemd voedsel en een lelijke syntaxis.

'Duitsers zijn onze vijanden,' verklaarde Leadley die het *Hurricane* stripblad opzij gooide toen ze alleen op de slaapzaal waren.

'Doe niet zo lullig, man. Je bedoelt de Russen.'

'Je vergist je, Hithersay,' hij sprong op het ijzeren bed en richtte met zijn arm. 'En als je niet toegeeft dat je een vuile mof bent, schiet ik je neer.'

De stunt van Leadley en zijn drol verdrong de nieuwigheid van Peters Duitse afkomst naar de achtergrond, maar niet voor lang. Tegen het einde van het trimester wist heel St Cross ervan. Vanaf dat moment werd zijn Duitse afkomst een insigne. Hem werd een karakteristiek etiket opgeplakt waaraan hij niet kon ontkomen, zelfs niet in de Australische rimboe. Tijdens Engels lazen ze *Voss* van de Australische Nobelprijswinnaar Patrick White. "'Bah!' zei Mary Hayley. "Duitsers!'"

In het begin probeerde Peter zijn nieuwe identiteit weg te wimpelen als iets wat onderdrukt en bevochten moest worden. Tegelijk strookte het met een gevoel vanbinnen dat hij vreemd en incompleet was. Vaak had hij iemand anders willen zijn. Nu was hij dat.

'Sterf *Schweinehunde!*' krijste Leadley op een avond en vanaf zijn strategische plek op de ruwe blauwe deken bestookte hij Peters buik met het ratelende spervuur van zijn twee vuisten.

Spoedig keek een nieuw stel gezichten vanaf de wand van zijn toyes op hem neer. Hij verving Steve McQueen door een portret van Bach. Hij haalde Camilla Rickards, de 'I'm backing Britain'-sticker en de poster van het Hogerhuis weg. De enige die het overleefden waren een gebruind halfnaakt model met een zanderige elleboog en Sir Bedevere.

HOOFDSTUK VIJF

D E VERONDERSTELLING DAT zijn moeder zonder omhaal met een lastig verhaal voor de draad zou komen, was uiteraard absurd. De eerste keer had ze op haar onsamenhangende en ontwijkende manier een waterige versie gegeven. Om de blinde vlekken op te vullen liep hij aan het begin van de zomervakantie door de High Street in Tisbury en drukte op de bel van Milo Potter.

Peter had een hechte band met zijn grootvader. In tegenstelling tot Rosalind, die altijd moeilijk over hem deed. Ze had een hekel aan hoe hij rook. Gilde als hij probeerde haar te kussen. Holde de kamer uit zodra hij aan een van zijn zes oorlogsverhalen begon. 'Ik kan best tegen bloed en ingewanden – maar ik vind het sáái.'

Maar in Peters aanwezigheid gebeurde er iets: Milo Potter verloor zijn beschuldigende toon. Alle warmte die hij niet aan zijn dochter en kleindochter, die allebei zijn aard hadden, kwijt kon concentreerde hij op zijn kleinzoon.

En dus was Peter degene die door zijn moeder werd meegenomen op bezoekjes. Peter vond het nooit erg om naar hem te luisteren. Hij deed zijn moeder er een plezier mee en ook de persoon naar wie hij luisterde. Al vroeg leerde hij dat oude mensen graag praten.

Op een keer hoorde hij zijn moeder enthousiast tegen de dominee zeggen: 'Peter is zo geweldig met mijn vader. Hij klaagt er nooit over als hij in herhaling vervalt.' Evenmin als zijn grootvader een wind liet wanneer hij in zijn oorfauteuil ging zitten. Of zijn gebit kwijt was. Of zichzelf bevuilde na een ochtend in de Black Dog pub.

Peters verlegenheid maakte het er gemakkelijker op. Uiteindelijk was het een vorm van verlegenheid om je eigen stem niet te willen horen. Maar het was uit meer dan alleen verlegenheid dat hij een humeurige oude man uithoorde over zijn ervaringen in het medische korps van de

Royal Army in de Adriatische Zee of, na 1945, als huisarts in Clitheroe. Peter vergat zichzelf erdoor. Het verlichtte het ongemakkelijke gevoel dat hij soms kreeg als hij in de spiegel keek.

Zijn moeder zei altijd dat zijn ogen warmte uitstraalden. Haar ogen waren bleekgroen, dezelfde kleur als haar favoriete kruidenthee. Die van Peter waren daarentegen donker en stonden een beetje schuin, met irissen die zo zwart waren als zijn touwachtige haar, en hem fotogeniek maakten. Ook zijn huid was donker, een soort sherrykleur waardoor hij zich van de anderen op school en ook van zijn ouders en zuster onderscheidde – en die zijn grootvader met een veelzeggend gegrinnik toeschreef aan een Franse zeeman in de familie. Peter beschouwde dat als een van zijn vele verhaaltjes.

Net als iedereen die in de oorlog had gevochten, zat zijn grootvader vol met verhalen. Alleen met zijn kleinzoon vertelde hij Peter over de plekken die hij had gezien. Het station in Triëst. De vlag van de vijand die hij op een kasteel had buitgemaakt. Zijn avonturen.

Milo Potter. Kortaf, gewiekst, een hartgrondige Duitslandhater en een liefhebber van bier en de pure chocola die hij in zijn vriesvak bewaarde. Die zijn dochters koppigheid deelde, maar niet haar hoop dat Peter net als hij uiteindelijk dokter zou worden. 'Ik weet niet waarom je moeder wil dat je dokter wordt.' Of eigenlijk wist hij dat wel, maar wilde hij het niet vertellen. 'Dat dokters mensen genezen, wil nog niet zeggen dat het goede mensen zijn. Dát moet je jezelf niet laten wijsmaken.'

In de flat van zijn grootvader waren de gordijnen in de woonkamer dichtgetrokken en het stonk er naar slechte adem en urine. Peter liep naar de kleine keuken en riep luid en opgewekt: 'Ik pak wel even een biertje voor u.'

Zijn grootvader was teruggelopen naar zijn stoel. Hij zat daar met zijn favoriete slaapmuts op die 62 jaar geleden was gebreid door de baptistenvrouwen van Shepherd's Bush Tabernacle. Peter gaf hem het glas en kuste hem op zijn wang, liet iets op zijn schoot glijden en fluisterde: 'Ik heb wat Bournville-chocola voor u meegebracht.'

'Lief van je, hoe gaat het met je?' en hij ging met een opgewekt gezicht bij de aanblik van het bier rechtop zitten. Een week geleden was Rod-

ney, onderweg naar Port Regis, geschrokken toen hij hem op zijn sloffen naar de Black Dog zag schuifelen. 'Het is heel aardig van je om zo
bij me langs te komen, hoor, vooral omdat ik je ouders zo tot last ben.'
Hij pakte de Bournville uit. Met geplooide blauwe ogen, een huid met
de kleur van mierikswortel en een deuk in zijn voorhoofd, mogelijk
veroorzaakt door een knallende kurk. 'Hoe gaat het op school? Waar
ben je mee bezig?'

'Ik leer Duits.'

'Je leert toch geen Duits! Wat krijgen we nou, je bent Engels!'

'Ik heb een Duitse vader, opa.'

'Ik wil dat je je zogenaamde vader verder vergeet,' zei hij boos. 'Kijk
maar, een Engelse moeder, een Engelse stiefvader, een Engelse opvoeding en je zit op een Engelse kostschool. Het is gewoon een van die
dingen die zijn gebeurd.'

'Verplaatst u zich eens in mijn situatie. Wat zou u doen?'

'Hoe bedoel je, wat ik zou "doen"?'

'Als u erachter kwam dat u Duitser was.'

Stilte.

'Vooruit, opa,' en Peter spoorde hem aan terwijl hij door zijn mond
ademde om de geur niet te ruiken, helemaal geconcentreerd op de man
die in zijn stoel heen en weer deinde en de grootste moeite had om een
blokje chocola af te breken.

Milo Potter drukte zijn lippen op elkaar en kauwde. En staarde naar
de sisal vloerbedekking. Door zijn kleinzoon gedwongen om naar de
Engelse officier te kijken die tussen zijn sloffen lag. En te zien hoe hij uit
de jeep sprong om de kreunende man te helpen. 'Misschien als je ouder
bent,' likkend over de donkere rand om zijn lippen. En het hem toch
maar vertelde. 'Als ik erachter zou komen dat ik Duits was, zou ik mezelf van kant maken. Dieper kun je niet zinken. Ik zal je eens een paar
dingen over Duitsers vertellen...' en met een slok van zijn bier begon hij
te praten met een radheid van tong die hij niet kon opbrengen voor het
recente verleden.

Later stond Peter op het trottoir waar hij en Rosalind hadden ge-
hinkeld. Mijn god, dacht hij, ben ik in staat om iemand zijn hals af te
snijden?

HOOFDSTUK ZES

IN PLAATS VAN NAAR The Doors luisterde hij naar punk. *Anarchy in the UK. Bodies. Pretty Vacant.*

'Vuile mof!' zong Leadley dicht bij zijn oor. Zijn stem lijzig en larvaal en aangedreven door geërfd geld. '*Achtung, Spitfeuer*, aaarrrg!'

In maart verdween zijn laatste houvast. Ondanks verbittering en controverse had St Cross het manuscript van Malory aan de British Library verkocht en had zijn geliefde geschiedenisleraar ontslag genomen. Aangemoedigd door zijn leraar en ook door Rodney wilde Peter niets liever dan in Oxford geschiedenis studeren.

Zijn Duitse vader werd het zwaard dat hij tegen iedereen trok die hem te na kwam. Om de wanklank in zijn leven te verstommen beheerste de man zijn gedachten. Hij wilde meer van hem weten. Iemand zien en aanraken die van zijn vlees en bloed was, die op hem leek, die hem zou kunnen begrijpen.

'Wíj weten hoe onze vader heet, waar we vandaan komen,' fluisterde Leadley, terwijl hij onder de deken verhit Tweed streelde. 'Wat wij willen weten is: Hoe heet jóúw vader?'

'O, val dood,' maar in Leadleys ogen las hij de verschrikking van zijn afwijking.

Terwijl meneer Brodribb, die als geschiedenisleraar inviel, stotterend de verdwijning van de kloosters doornam, zat Peter op de achterste rij en stelde zich zijn vader voor in een cel ter grootte van een toyes. Terwijl hij zich onder een koude douche schoonschrobde. Als hij zijn haar uit zijn ogen streek (was dat ook zijn gewoonte?). Soms dacht hij na over de zin die zijn vader had uitgesproken, waardoor hij in de gevangenis was beland. Zou er een vergelijkbare formule bestaan om hem terug te brengen, om de betovering te verbreken?

Toen nam in het zomertrimester van zijn zesde jaar een Hamburgse academicus contact op met St Cross om te informeren of een van de leerlingen misschien bereid was het Engels van zijn dochter, lid van het Duitse team voor de Olympische winterspelen, bij te spijkeren.

Peter bood zich aan en werd aangenomen, maar hij wachtte tot halverwege het trimester voor hij zijn ouders vroeg om de reis te betalen. Omdat zijn intuïtie hem ingaf dat hij hen apart moest benaderen, vroeg hij het eerst aan zijn moeder die in de woonkamer aan de notenhouten piano zat. Ze had het hele weekend gespeeld: Mendelssohn, Beethoven en steeds meer van Bach. Ze vermeed Chopin, Scarlatti en Borodin ten gunste van Duitse, Duitse en nog eens Duitse muziek.

Nu iedereen het wist, dacht hij, kon een reactie niet uitblijven.

Hij legde uit dat hij de zomervakantie in Hamburg wilde doorbrengen. 'Ma, dat wil ik echt heel graag. Ik wil op iemand lijken. Ik wil iemand op straat zien lopen die op me lijkt.'

'Schat, dat begrijp ik best,' en van haar gezicht viel af te lezen: Kijk naar mijn leven, zoals het is uitgepakt. Ik kan met geen mogelijkheid naar Duitsland om je vader te zoeken. Maar ik ben geroerd dat je Duits leert, en het is volkomen normaal dat je op een dag naar hem op zoek gaat in de stad waar hij naartoe wilde. 'Punt is alleen dat ik niet weet of papa het kan opbrengen. We zitten op het moment nogal krap.'

In zijn atelier zat Rodney een brief te beantwoorden.

'Pa?' en Peter zag hoe zijn stiefvader zich stijf omdraaide om hem te begroeten. Hij zag de eerste scheut van bezorgdheid. De eerste glimp van Rodneys zwakke plek.

Rodney luisterde aandachtig. 'Natuurlijk moet je gaan. Dat is buiten kijf.' Hij zou alleen een hoop meer foto's moeten maken, dat was alles. Hij schonk de schim van een glimlach. 'En misschien brengt dit wat geld in het laatje,' hij hield een brief op die hij uit het buitenland had ontvangen. Een oude schoolvriend – iemand die hij in geen jaren had gezien – had hem vanuit Noord-Afrika geschreven met een zakelijk voorstel.

De enige die het niet begreep was Rosalind. 'Lesgeven aan een schááts-ster? Waarom moet zo iemand zo nodig Engels spreken?'

Peter logeerde drie weken in Ottensen, in een huis van rond de eeuw-wisseling vol stucwerk en met diepe vensterbanken en veel kamerplanten. Hij was nog nooit uit Engeland weg geweest. Met elke stap die hij zette leerde hij de betekenis van het woord 'buitenlands' beter kennen. Hij bekeek met grote belangstelling de giraffen en marmotten in de dierentuin van Hamburg, de horlogewinkels in de Gänsemarkt, de etalages volgestouwd met taarten en bontmantels en gerookt vlees. Hij dacht: liggen hier mijn wortels?

Op de kaart die hij naar huis stuurde stond: 'Ik heb het hier erg naar mijn zin.' Maar hij voelde zich ellendig. Hij vond het onuitsprekelijk jammer van Rodneys weggegooide geld. Van de kamerplanten. Zijn leerling.

Kirsten was een grote blonde Duitse hardrijdster op de schaats die ongemakkelijk vrij met haar ouders omging. Al tijdens de eerste maaltijd met het gezin Viebach vertelde ze Peter over haar eerste zoen en Peter werd gevraagd om de woorden in het Engels te vertalen. Haar vader knikte en glimlachte, terwijl haar moeder rood aanliep en zei: 'Sstt, Kirsten.' Ook al sprak ze weinig Engels, Frau Viebach besefte wel dat haar dochter te ver was gegaan.

Zonder haar liefdevolle ouders was Kirsten minder vol van zichzelf. Op een avond haalde Peter haar op van de ijsbaan in de Mercedes van haar vader. Hij keek naar de topsporters, de meesten van hen ouder dan hij, die een beetje lascief rondhingen voor ze naar huis gingen, nadat ze twee uur lang aan *fartlek* hadden gedaan, een Zweeds woord, legde Kirsten uit, dat betekende: 'vaartspel – een combinatie van hardlopen en intensieve gymnastiek'. Lui ritsten de meisjes hun felgekleurde bodywarmers dicht en reden op fietsen weg terwijl ze Peter bekeken. En onwillekeurig zag hij zichzelf door hun ogen met zijn geleende auto, zijn Engelse flanellen kleren, zijn stijve, ongetrainde lichaam. Een andere soort.

'Dag, Kirsten,' riep een van hen terwijl ze haar paardestaart bij elkaar bond. 'Braaf wezen, hoor!' voegde ze er in het Engels aan toe, en haar woorden zorgden in de auto voor de zenuwachtige sfeer van een eerste afspraakje.

Kirstens ouders waren die avond uit. Ze stelde voor om ergens warme chocola te gaan drinken. Uiteindelijk werd het bier en onderweg naar huis stuurde ze hem door de Hafenstraße naar een parkeerterrein aan de Elbe waar arbeiders van de scheepswerven de veerboot namen. Na een zenuwachtig gesprek liet ze zich door hem uitkleden. Ze glimlachte afwezig terwijl hij haar lagen kleding afpelde, te beginnen met de trainingsbroek en ten slotte een marineblauw lycra schaatspak. Hij zag de sterren door de takelages en raakte uitzinnig in paniek. Zijn spanning en begeerte waren zo groot dat hij amper adem kon halen. In St Cross bad hij altijd dat hij niet zou sterven voor dit moment zou aanbreken. Toen het moment daar was, gilde hij van de pijn en greep naar zijn kuit.

Kirsten wist beter wat het probleem was en dat hij in het land van de seks een onbeschreven blad was. 'Je hebt kramp. Gebrek aan magnesium. Je zou meer bananen moeten eten.'

Aan het einde van hun volgende les – waarop ze erg laat verscheen – vroeg hij op een suggestieve manier of ze weer naar het parkeerterrein in de Hafenstraße konden gaan.

'O nee, ik kan niet. Ik heb met een vriendin afgesproken. Dag.'

'Morgen dan?'

Kirsten schudde haar hoofd. 'Nee, Peter,' met een afwezige stem, alsof niet zijn tong een paar dagen eerder om haar borsten had gelikt, of niet haar kuiten zich tegen zijn nek spanden een paar tellen voor hij de ongelukkige en verstorende aanval van kramp had gekregen. 'Jij bent hier om mij Engels te leren.'

Kirsten zou hij niet meer uitkleden en dus liep hij, wanneer zij op de schaatsbaan trainde, door Hamburg. Over de Reeperbahn, door de haven, langs de Alster. Alleen de gepleisterde gebouwen in Eppendorf riepen iets bij hem op, omdat de hoge ramen en nette voortuinen Peter herinnerden aan foto's van een huis in Notting Hill uit zijn moeders album met de blauwe kaft. En de Sierichstraße: een straat waar het verkeer in één richting doorheen stroomde tot het middaguur – en voor de rest van de dag in de andere richting.

In deze stemming – wisselend, afgewezen, vol heimwee – kreeg hij voor het eerst een glimp van Oost-Duitsland te zien.

Op zaterdagochtend vroeg stapte hij op een bus naar een havenstadje bij de grens. Aan de waterkant stond een visser omgeven door aalscholvers, terwijl een vader en zijn zoon de drukknopen loshaalden van het dekzeil van een speedboot met een Engelse naam, Follow Me. De vader, een pijproker met een verbrand gezicht en in een strakke zwarte spijkerbroek, kroop erin en kwam er weer uit met een dekbed met een enorme aardbei erop. Hij spreidde het uit over de reling om te drogen toen Peter naar hem riep.

Ze spraken even met elkaar, waarna de man zijn pijp tegen zijn handpalm uitklopte en Peter de weg wees.

Hij deed geen poging om de grens met Oost-Duitsland over te steken. Op deze ochtend was het genoeg om bij een prikkeldraadversperring te staan en naar het verboden land te staren. Hij had geen flauw idee waar het dorp van zijn vader lag, maar in zijn hoofd vormde hij zich een beeld van een huis met witte torentjes en een gang met een hoog plafond met de portretten van vroegere Junkers. (Een week later wimpelde zijn Duitse leraar zijn dagdroom als absurd weg. Na 1950 en Ulbrichts collectivisering van de boerenbedrijven, zou het leven dat zijn familie leidde zijn verdwenen. 'Bovendien waren er in Saksen geen Junkers.') Hij bleef een uur en liep toen terug naar de masten die als tandenstokers de lucht in priemden. In zijn hoofd borrelden steeds dezelfde vragen. Zat zijn vader nog in de gevangenis? Zo niet, wat was er dan met hem gebeurd? Zijn moeder had onvoorwaardelijk in hem geloofd, maar wat als zijn grootvader gelijk had en hij niet te vertrouwen was? *Ik zal je eens een paar dingen over Duitsers vertellen...* Was hij misschien 'omgeschoold' en functionaris in het communistische regime geworden? Of had hij zijn streven waargemaakt en had hij naar het Westen kunnen komen? Was hij iemand geworden zoals de man die hem de weg naar de grens had gewezen, een geslaagd chirurg met een speedboot die hij had opgeknapt, iemand die zo rood als een kreeft werd en Nederlandse tabak rookte?

Peter zocht naar de gestroomlijnde zwarte romp van Follow Me en dacht aan de reactie van de pijproker. 'Pas op! De enige vrijheid die Oost-Duitsers hebben is om spiernaakt te zeilen!' De speedboot had zijn aanlegplaats verlaten.

Hij staarde in de lege ruimte en merkte dat hij voor het eerst door de ogen van een Oost-Duitser keek. Het gladde water van de haven versterkte elk geluid. De verre roep van de visser. De aalscholver die kwakend dook naar het afval dat werd weggegooid. Het geblaf van een hond op de andere oever. Iemand schudde zijn regenjas uit, maar het was een zwaan die opvloog.

Eind augustus nam hij afscheid van de Viebachs. Tijdens de laatste maaltijden die hij had uitgezeten had hij geprobeerd te voorkomen op hun gezichten tekenen af te lezen dat hij gespreksstof tijdens etentjes was geworden.

'Je bent hier altijd welkom,' zei Kirstens moeder nadrukkelijk.

De volgende dag was hij in Nederland. Bij een bakker zag een man die zijn accent hoorde Peter ten onrechte voor een Duitser aan en spuwde hem in zijn gezicht. Hij was een heel klein beetje opgelucht: zijn Duits werd kennelijk beter.

Hij had het geen gemakkelijk te leren taal gevonden. Zijn schoolduits was niet het Duits dat hij in Hamburg hoorde. Maar zijn wens om met Kirsten te communiceren had een bevrijdend effect gehad en in het volgende trimester werd hij bijna eerste van zijn klas. Wat argwanend over het feit dat Peter ineens zo vloeiend sprak, stelde zijn leraar – een man die deed denken aan het gotische tierlantijnenschrift en hem tot dusver hardnekkig had aangesproken met Höthersay, met het idee dat hij Peter daar een plezier mee deed – hem geen vragen meer.

Zijn Duitse leraar was niet de enige die een verandering waarnam. Hij was met grotere ontevredenheid en meer verwarring naar St Cros teruggegaan. Opstandiger. Op een avond na de 'naamafroeping' nam meneer Tamlyn Peter apart. 'Is thuis alles in orde?'

'Thuis gaat alles prima.'

'Het helpt om erover te praten.'

'Echt, meneer. Alles gaat prima. Kon niet beter.'

Hij sloot zich nog meer op in zijn toyes en besteedde zijn laatste zakgeld aan een abonnement op het Duitse voetbalblad *Kicker*. Hij hing zijn muren vol met foto's van het elftal van de Hamburger sv en in het midden prikte hij een belabberd kiekje van Kirsten genomen na een

wedstrijd, waarop haar zilveren lycrapak nauwelijks tegen de sneeuw-
wal afstak.

Tot zijn zestiende was hij ervan uitgegaan dat hij met een Engels
meisje zou trouwen. Hij had zich een voorstelling van haar gemaakt,
een soort collage van een jonge vrouw op een strand die toevallig een
van Rosalinds vriendinnen was. Maar nu? Met de week voelde hij zich
steeds verder van zijn vrienden verwijderd, zelfs van Brodie. De zomer in Duitsland had hem geleerd dat er een Europese cultuur bestond
waarvan hij geen deel uitmaakte. In Engeland voelde hij zich klein en
rusteloos. Tegelijkertijd had zijn ervaring in Hamburg ertoe geleid dat
hij beducht was voor en zelfs een hekel had aan een deel van zichzelf dat
hij niet kon doorgronden.

Om zijn draak te overwinnen, besloot hij om hem te weerstaan en
tegemoet te treden. Zoals Bedevere zou hebben gedaan.

Hij beet zich vast in zijn studie, maakte van zichzelf een Duitser en
vergaarde de papieren om weg te komen. Zijn besluit om naar Hamburg te gaan markeerde een eerste speerpunt en zijn keuze van de universiteit bracht een tweede in de strijd. Hij koos voor het beroep dat
de voorkeur van zijn moeder had, maar dat was bijkomstig omdat zijn
vader dat ook graag had gewild – en hij dat nu ook wilde.

Achttien maanden na zijn zestiende verjaardag was hij zover om de
sprong te wagen. Om tegen de draad in te gaan. Om zichzelf te ontdekken door niet, zoals Leadley, te kiezen voor de gebaande weg via de
campus en de donkere gelambriseerde lokalen van Oxford naar een
gevestigd bedrijf in de City, maar voor het pad dat de andere kant op
voerde, naar een volk wiens taal hij gebrekkig begreep, langs de ruige
straten van de Reeperbahn waar hij 's nachts schoten had gehoord,
langs de grimmige woonkazernes naar het academisch ziekenhuis.

Zijn moeder kon haar geluk niet op. 'Medicijnen? Dat is geweldig,
schat. En waar wordt het? Oxford of Cambridge?'

'Hamburg.'

'Hamburg?' zei ze, en ze keek omlaag naar haar boek – ze las *Maurice
Guest.* 'Dat is vast een goede universiteit. Als je het aankunt moet je het
doen.' Wat kon ze anders zeggen?

De Universitätsklinik Eppendorf, of UKE, was niet Peters eerste keuze.

Hij had uitgezocht of hij in Leipzig medicijnen kon studeren, maar aan de inschrijving kleefde te veel bureaucratische rompslomp en nadat hij contact had opgenomen met de nieuwe Oost-Duitse ambassade in Belgrave Square zag hij geen mogelijkheid, tenminste niet voor hij was afgestudeerd. En dus koos hij voor de stad waar zijn vader naartoe wilde toen hij gevangen werd genomen en waar hijzelf voor het eerst van Duitsland had geproefd.

Dankzij de inspanningen van meneer Tamlyn werd er een onderhoud met de UKE geregeld met Pasen in Peters laatste jaar op St Cross. Tijdens een ontspannen gesprek werd hij getest op zijn kennis van de Duitse taal, biologie, scheikunde en Latijn. De arts-assistent die de toelating behandelde was een anglofiel met een schrille stem die erop bleef hameren dat in Engeland de medische opleiding veel beter was. Niettemin was hij bereid om Peters vier eindexamenvakken te accepteren in plaats van een baccalaureaat, op voorwaarde dat zijn resultaten goed waren en hij bereid was het brugjaar te gebruiken om zijn Duits op te vijzelen. 'De universitaire studie is gratis. Voor onderdak moet u zelf zorgen.'

'Schitterend nieuws,' zei Rodney. 'Ik betaal de rekeningen wel.'

Zijn moeder zei zwakjes: 'Je beseft toch wel, schat, dat Hamburg een heel andere plek is dan Leipzig.'

Door alzheimer steeds onsamenhangender geworden gaf zijn grootvader Peter te kennen wat hij ervan vond. Zijn geest raakte steeds meer versleten en hij verkeerde dag en nacht in een benevelde staat zonder terug te kunnen vallen op de Black Dog. 'Walter Hammond was de beste *cover fielder* die Engeland ooit heeft gehad. Je kunt Bradman terugroepen en over hem heen zeiken.'

HOOFDSTUK ZEVEN

OP DE AVOND VOOR Peters vertrek naar Duitsland kwam Rodneys oude schoolvriend Joseph Silkleigh eten. Rodney keek er een beetje van op toen hij van hem hoorde. Hij herinnerde zich Silkleigh van school maar heel vaag. En Peters moeder begreep ook niet waarom ze een vrijwel onbekend persoon zo nodig op Peters laatste avond moesten uitnodigen.

'Ik heb je nog nooit over hem horen praten.'

'Ik heb geprobeerd het uit te stellen,' zei Rodney in de verdediging, 'maar hij is maar tot morgen in Engeland. Hij heeft een soort plan om in Noord-Afrika drukpersen te gaan verkopen.'

Zijn moeder wilde er een speciale avond van maken, maar door de komst van Silkleigh raakte ze zo in de war dat ze de spruiten liet aanbranden. Niet dat het Silkleigh veel kon schelen. 'Nou, mevrouw Hithersay, ze zijn verrukkelijk, hoor.'

Ondanks het feit dat Silkleigh tijdens het eten amper de tijd nam om adem te halen, kon Peter er maar niet achterkomen wat hij deed. Kennelijk besteedde hij veel tijd aan diepzeeduiken voor de kust van een Spaanse enclave genaamd Abyla ('een plek met veel tegenstrijdigheden waar van alles kan gebeuren'). Ook was hij bezig aan een boek over zijn leven. Jarenlang was hij blijven steken omdat hij maar niet op een titel kon komen, maar nu had hij die.

'Ik ben al een heel eind in deel een, ouwe reus. Een flink eind. Het gaat nu van een leien dakje.'

'Hoe heet het?' vroeg Rodney beleefd. Hij duwde zijn bord weg.

'Pijn heeft geen geheugen.'

Peter vroeg zich af of Silkleigh een grapje maakte, maar kennelijk niet. Toen Rosalind begon te giechelen vroeg Rodney snel: 'En heb je al een uitgever?'

'Nog niet, nog niet. Eigenlijk had ik gehoopt dat je me na dit rijke diner,' met een knipoog naar Peters moeder, 'op het goede spoor zou kunnen zetten. Kijk, Abyla valt een beetje buiten het literaire circuit. Ik heb me suf gepiekerd, tot ik me jou herinnerde, Rodders. Je moet namelijk weten, Peter, dat je vader op school een beetje de dichter uithing, waar of niet, ouwe reus?'

'Is dat zo, Rodney?' vroeg Peters moeder met een twijfelachtige blik.

'Ik heb wel eens een of twee gedichten geschreven,' gaf hij toe, 'maar ik meen me te herinneren dat ze nogal triest waren.'

'O, maar op jonge leeftijd moet men voor zichzelf niet te streng zijn,' zei Silkleigh.

Rodney diepte de naam op van een uitgever in Donhead St Mary die hem jaren geleden de opdracht voor een boekomslag had gegeven. Zijn aanbod om voor Silkleigh een aanbevelingsbrief te schrijven toverde een stralende uitdrukking op het gezicht van zijn gast.

'Dat is het geweldige van schoolkameraden, mevrouw Hithersay. Laten. Elkaar. Nooit. Vallen. Uw man en ik, wij varen op hetzelfde morele kompas. Altijd al zo geweest. Daarom heb ik vanavond een kleine *proposizione* te doen,' en hij hief zijn glas. 'Volle kracht vooruit!'

Het was duidelijk dat zijn moeder Silkleigh onverteerbaar vond, maar Rodney was geneigd om elk woord te geloven. Peter twijfelde tussen de twee.

Alleen toen het gesprek op Peters vertrek naar Duitsland kwam, verscheen er een ernstige uitdrukking op Silkleighs gezicht. 'Rodders heeft me iets verteld over je Duitse bloedband,' waarna Silkleigh tot onvoorwaardelijk afgrijzen van Peters moeder onbevangen vervolgde: 'Ik ken de Oost-Duitsers. Ze maken je razend. Luisteren elkaar van de vroege ochtend tot de late avond af. Zoiets zou hier ondenkbaar zijn. Heb je enig idee waar ze hun camera's plaatsen? Ze stoppen ze zelfs in die verdomde tuinkabouters! Kun je je iets stompzinnigers voorstellen?'

'Bent u in Oost-Duitsland geweest?' vroeg Peter zeer geïnteresseerd.

'O, jazeker ben ik er geweest. Meedogenloos land. Veruit het smerigste regime van het communistische blok.' Hij schepte nog wat geblakerde spruiten op die hij zo lekker scheen te vinden dat hij er iets gestoords door kreeg. 'Iedereen knijpt een oogje dicht voor wat daar gebeurt, maar je hoeft waarachtig niet doorgeleerd te hebben om te zien dat het een politiestaat is. De meesten van hun kogelstootsters hebben een penis. En de honden die ze daar hebben! We hebben er eens een gehad die op zijn oude dag naar Noord-Afrika mocht. Verbijsterend beest. Hij kon bijna alles ruiken. We stopten hem in het washok, zodat als iemand zijn onderbroek weer eens kwijt was ik altijd kon zeggen: "O, mevrouw Herbert, is deze van u?" En verdomd, dat bleek altijd zo te zijn.'

'Schat, wordt het niet tijd voor het toetje?' vroeg Rodney.

Zodra Peters moeder naar de keuken was gegaan, trok Silkleigh even aan Peters arm en zei met gedempte stem: 'Als je terug wilt naar je vader, Peter, geef ik je even een waarschuwing mee, gratis en voor niets van Silkleigh. Het is volkomen normaal dat je hem als een romantische held en zo beschouwd, maar heb je er ooit bij stilgestaan dat hij misschien voor de andere kant werkt? Weet jij veel, misschien is hij wel hoofd van de geheime dienst.'

Peter verkeerde nog in het stadium dat hij moeilijk kon geloven in slechte dingen over het land van zijn vader, of over zijn vader zelf. 'Dat verzint u maar.'

'Ik vrees dat ik de volgende gang wat te lang in de oven heb laten staan,' zei zijn moeder, die de kamer weer in kwam en Silkleigh aankeek met een uitdrukking van onverholen antipathie.

'Natuurlijk. Natuurlijk.'

Na het eten nam Rodney Silkleigh mee naar zijn atelier. Een uur later kwamen ze terug.

'Laat zitten, ouwe reus, ik kom er alleen wel uit,' zei Silkleigh, rukte wat hij aanzag voor de voordeur open en zeilde met overweldigend bravoure de pannenkast in – 'Waarom zijn alle sterren gedoofd?' – waarna Rosalind naar bed geholpen moest worden.

'Hij is hartstikke geschift,' en ze giechelde zo hard dat ze er tranen van in haar ogen kreeg.

'Daar zou je wel eens gelijk in kunnen hebben,' zei Rodney, die ettelijke weken geheimhield dat hij voorzichtig had toegezegd om met hem in zee te gaan.

'Hij komt toch niet terug?' vroeg Peters moeder.

De volgende ochtend vloog Peter naar Hamburg.

Hij vertrok met het uitdrukkelijke idee om, gedeeltelijk als reactie op zijn grootvader, uit te vinden of hij zichzelf niet kon opofferen aan de herinnering van wat Duitsland voor Engeland had betekend. Hij weigerde om net zo te worden als Milo Potter of Tristram Leadley. Hij dacht niet zoals zij. Hij wilde zijn zoals die twee oud-leerlingen van St Cross die hun leven voor hun land hadden gegeven. In zijn geharnaste visie wilde hij niets liever dan zowel Engeland als Duitsland accepteren. Op St Cross was hij zich bewust geworden van de grote Protestantse Alliantie en van de ridderlijke banden die er tussen de twee naties hadden bestaan. Hij wilde een voorbeeld zijn van die brug, die alliantie, van het beste uit beide tradities. De eerste achttien jaar van zijn leven was hij de zoon van een Engelse moeder geweest. Het werd tijd om zich in het zadel te slingeren en zijn vaders cultuur te gaan ontdekken.

Hij bracht het brugjaar in Hamburg door. Sprak steeds vloeiender Duits. Werd steeds minder Engels.

In de zomer stierf zijn grootvader en hij werd met zijn wollen muts op begraven. Peter kon het zich niet veroorloven om voor de begrafenis over te komen, omdat Rodney alleen het geld voor een enkele reis had kunnen opbrengen. Hij schreef, hij belde, maar jarenlang ging hij niet naar Wiltshire terug. In plaats daarvan las hij Musil, Canetti, Fontane en zocht woorden als 'Eisenwaren' in het woordenboek op. En kwam van alles aan de weet over keizer Barbarossa die duizend jaar in zijn eentje op Kyffhäuser zat en over Christian Rosenkreuz, oprichter van de broederschap van de Rozenkruisers, die 106 jaar oud werd en wiens lichaam pas honderdtwintig jaar na zijn dood, volgens zeggen onaangetast door verval, werd ontdekt. Toen hij een gedicht uit de twaalfde eeuw van Wolfram von Eschenbach las, kwam hij nog een geval van hibernatie tegen – 'half-dood, half-slapend' – toegeschreven aan de koning van de Graal. Hij leerde veel, maar niet over zichzelf.

Op een zondagmiddag belde hij in een plotselinge vlaag van eenzaamheid en angst dat Duitsland hem niet wilde opnemen, Kirsten op. Haar vader nam op. 'Ach, de jongen met de kramp! Het spijt me, Kirsten zit in Insel. Trainingskamp. Ja, ik zal haar de groeten van je doen.'

De campus lag in een dode uithoek van Eppendorf. Een week voor het collegejaar begon las hij op het prikbord van de faculteit dat een groep studenten in Eimsbüttel een kamergenoot zocht. Twee dagen later verhuisde hij van de jeugdherberg naar de Feldstraße: een bruin geschilderde verbouwde pianofabriek met lage plafonds zonder voortuin, met een tweede gebouw in de kleine achtertuin waar zijn kamer lag en die hij aankleedde met een paar voorwerpen uit Engeland. Een cricketbat, de met plakgum tegen de muur aangebrachte prent van Bedevere, de antieke eikenhouten tafel uit Tansley.

Sindsdien was Peter alleen. Zijn jeugd was een bron waaruit hij bang was te putten en hij had heel weinig om zich aan vast te klampen. Alleen de gedachte aan zijn Duitse vader hield hem op de been. Hij koesterde een machinale hoop dat hij zijn vader vroeg of laat zou leren kennen. Hetzij als hoofd van een academisch ziekenhuis, hetzij als onderdeel van het smerigste, meest repressieve regime van het communistische blok.

DEEL II

DUITSLAND, 1983

HOOFDSTUK ACHT

O P EEN AVOND IN het derde jaar van zijn studie zat Peter nog laat te werken toen er werd geklopt en er een magere jongeman met lang, vroegtijdig grijs haar binnenkwam.

Teo, die in de kamer boven hem woonde, studeerde aan het conservatorium en had de viool opgegeven ten gunste van compositie. (Een keer liet hij Peter zien hoe je door een mes in een kool rond te draaien, het geluid kon nadoen van iemand die met een knuppel het hoofd werd ingeslagen.) Ze kenden elkaar niet goed, hoewel ze één keer per week in hetzelfde voetbalelftal speelden.

'Moet je horen, Peter, ik weet dat het slecht uitkomt, maar er doet zich een geweldige gelegenheid voor.'

Peter haalde de stapel boeken van de bank en Teo ging zitten. 'Ik kan wel zien dat Anita niet hier is geweest,' grijnzend.

'Verbannen – tot na mijn *Physikum*.'

'Wat zou je ervan vinden om naar Leipzig te gaan?'

'Leipzig?' Hij liep naar het raam om het gordijn dicht te trekken. Het was moeilijk om in deze kou te werken. Dreigende sneeuw. Maar zijn hart bonsde in zijn borst.

Teo legde het snel uit. Hij zat in een studententoneelgroep die was uitgenodigd om op te treden tijdens de week waarin de Handelsbeurs in Leipzig werd gehouden. Die middag had hun toneelmeester zich teruggetrokken. 'Kun je een gordijn open en dicht schuiven? Zo eenvoudig is het. Verder moet je een paar rekwisieten op het toneel brengen en wat met licht knoeien. Dat leer ik je in een uur.'

'Ik weet niets van toneel,' zei Peter op zijn hoede. Een van zijn minder aangename ervaringen op St Cross was toen hij als nachtwaker in *Othello* een lantaarn op moest houden.

'Het is strikt genomen geen toneel,' zei Teo en hij praatte luchtig over zijn antwoord heen. 'Het is mime.'

'Mime!' Nog erger. Dat riep beelden op aan publieksparticipatie en Marcel Marceau.

'Je hoeft helemaal niet op te treden, oen.' Op Teo's gezicht lag dezelfde uitdrukking als wanneer hij een bal doorspeelde. 'Waarom ga je niet met ons mee? We hebben alleen nog een paar handen extra nodig, Peter. Het is heel moeilijk om Oost-Duitsland te bezoeken zonder connecties. Je zou je vader kunnen opsporen, meer onderzoek kunnen doen.'

'Ik moet er eerst over nadenken,' zei Peter.

Teo liet zijn hoofd achterover zakken en keek naar de poster van Johnny Rotten, waarbij zijn blik over het Wehrmacht-insigne gleed dat ondersteboven op Rottens overjas was gespeld en bleef rusten op de prent van Bevedere boven Peters werktafel. 'Moet je horen, als je het niet voor elkaar krijgt, weet ik wel iemand anders die ik kan vragen.'

'Wacht even, wanneer is het?'

'Donderdag vertrekken, maandagochtend terug. We kunnen morgen achter de visa aan.'

Peter keek naar de vijf leerboeken – een voor scheikunde, een voor zoölogie en drie voor botanica – die hij voor maandag doorgenomen had willen hebben. 'O, barst. Ik kan niet – zelfs al zou ik willen. Dit weekend is de trouwerij van Anita.'

Anita, sinds twee jaar Peters Duitse vriendin, zou bruidsmeisje zijn voor haar collega, een kleuterleidster op dezelfde kleuterschool. De hele maand had ze moeten passen en was ze thuisgekomen met polaroidkiekjes waarop ze meterslange zalmkleurige satijn vasthield. Peter deed of het hem interesseerde, maar hij vond de hele toestand stierlijk vervelend.

'O, ja,' knikte Teo, 'de trouwerij waarop Anita koste wat kost het bruidsboeket wil vangen?'

'Ze heeft het boeket al eens gevangen,' verzuchtte Peter. 'Het staat in een vaas naast haar bed.'

Teo grinnikte en stond op. 'Je maakt geen schijn van kans. Moet je luisteren, ik wil onder geen beding je auditie in de weg staan. Ik vind wel iemand die vrij is.'

'Nee, laat maar!' De uitnodiging om zijn snor te drukken, Anita en het bruiloftsfeest in Blankenese te laten voor wat ze waren, was opwindend en verleidelijk. 'Ik ga mee. Dat lukt wel.'

Ze keken elkaar aan. 'Weet je het zeker?' vroeg Teo. 'Ik wil geen verantwoordelijkheid dragen voor wat Thomas en Michael misschien zullen doen...' Anita's potige oudere broers, ingenieurs met stekeltjeshaar, speelden in hetzelfde voetbalelftal.

'Dat zijn de kwaadste niet. Ik moet alleen iets verzinnen wat ik tegen Anita zal zeggen.'

Teo deed de deur open. 'Help me eens – wie is dat ook alweer?'

'Sir Bedevere.'

'Koning Arthur-gedoe?'

'De man met het zwaard.'

'O, die.'

Lang nadat Teo zijn kamer had verlaten bleef Peter naar het gezicht van de middeleeuwse ridder kijken. Terwijl hij zijn tanden stond te poetsen mompelde hij in het Engels tegen de spiegel:

> 'What saw you there? said the king.
> Sir, he said, I saw nothing but waves and winds.'

Een paar minuten later deed hij het licht uit. Als hij dit kon doen, hield hij kennelijk niet van Anita. Als hij van haar hield, zou hij er niet over piekeren om haar te laten zitten op een dag dat ze hem nodig had, en dat had ze heel duidelijk gemaakt. Maar Duitse meisjes waren stoïcijns. Ze zou er niet moeilijk over doen. Ze zou begrijpen dat het om zijn vader ging. Het duurde even voor hij insliep.

De volgende ochtend ging hij na zijn anatomiecollege met Teo naar een studio op de hoek van Bellevue, op de bovenste verdieping van een oud huis met uitzicht op de Alster. Een groot licht vertrek met veel blauw en geel voorzien van een roestvrijstalen bar en een wenteltrap die naar een galerij erboven voerde.

Het vertrek was leeggehaald om een toneel te vormen. Twee spelers zaten op krukken te repeteren voor een uit plastic golfplaten samengesteld hokje met een groen gordijn ervoor. Peter leunde tegen de muur om toe te kijken, maar hij kon geen touw vastknopen aan wat ze deden.

Aan zijn voeten stond een hondenmand en bij elkaar op een soort secretaire met getorste poten lagen de sporen van een vrouwelijke aanwezigheid. Een feloranje bh. Een platte strohoed zoals hij hem vroeger op St Cross had gedragen. Een zilveren handspiegel. Hij vroeg zich af met wie ze naar bed ging toen Teo naar het doucheachtige hokje knikte. 'Daar zit jij in.'

Toen de scène afgelopen was stelde Teo hem voor aan Sepp, de regisseur en hoofdrolspeler. Peter keek naar een uiterst markant gezicht. Hazenlip. Een bekvormige neus. En boven een dunne baard wangen die zo bleek en roze waren dat ze met de hand geschilderd leken.

Sepp boog zich voorover vanaf zijn kruk en strekte zijn hand ver boven de vloer uit. 'Bedankt dat je zo halsoverkop wilt invallen.'

Peter begon zich te verontschuldigen: 'Ik ben een nul op het gebied van alles wat met toneel te maken heeft,' maar Sepp stak zijn hand op. Er was maar één regel die Peter hoefde te onthouden. Die gold voor treurspel en voor blijspel evenals voor mime en voor het leven. 'Het wordt pas echt een drama als er geen kansen meer zijn. Zo is het en zo zal het altijd zijn.'

Deze stelling bracht Peter van zijn stuk en de voorgevoelens van de vorige avond tuimelden weer over hem heen. Meende de man dat serieus?

Voordat Peter weer vaste grond onder zijn voeten had, wendde Sepp zich tot zijn metgezel, een man met een streng gezicht en een schildpadbril, en hief een onzichtbaar glas. 'Marcus. Op ons vierde lid.'

Marcus reageerde door op een houten gong te slaan een reeks harde, korte geluiden voort te brengen.

Daarna hief Sepp zijn glas naar Teo, die plaats had genomen achter de bar en gebogen stond over een apparaat waar rubberen en metalen slangen uit kwamen en dat leek op een zuurstofmasker.

De regisseur deed alsof hij op Peters gezondheid dronk. Onmiddellijk vulde de studio zich met een luid geslik als van vocht dat in een enorme maag borrelde. Peter herkende het geluid. Het hele trimester had hij het van de verdieping horen komen waar Teo woonde.

De slangen en kleppen waren Teo's uitvinding, ontsproten aan een brein dat mensen graag mocht verrassen. Door in zijn machine te blazen, produceerde Teo geluiden die op de meest onwaarschijnlijke plekken opdoken, als een tovertruc, zodat iemand die zijn ogen op Sepp gericht hield nooit zijn geheven glas in verband zou brengen met de gedaante die op vijf meter van hem af voorovergebogen stond.

Teo kwam achter de balie vandaan om Peter naar het hokje te loodsen, waarvan hij het gordijn dichtrok. Door het gordijn werden ze onzichtbaar en dat maakte het aanvaardbaar. Zolang hij naar buiten kon kijken zonder gezien te worden was het prima.

Om elf uur moest Teo naar het conservatorium. Af en toe aangespoord door tekens van Sepp bediende Peter een aantal spots en katrollen tot ze aan het einde van het stuk kwamen.

'Zie je nou?' zei Sepp. 'Niks aan.'

Peter was zo opgelucht dat hij instinctief begon te klappen. Sepp stak nogmaals zijn hand op. 'O, heeft Teo je dat niet verteld? Er wordt niet geklapt'

'Waarom niet?'

'Op die manier worden de toeschouwers gedwongen hun energie vast te houden, zelfs als ze het theater uit lopen.'

Er was nog iets wat Teo vergeten was aan Peter te vertellen, waardoor hij eraan werd herinnerd hoe weinig hij eigenlijk van de Duitsers begreep. Na afloop van de derde voorstelling gaf de permanente vertegenwoordiger van de West-Duitse federale regering een receptie in het Astoria-hotel in Leipzig. Van Peter werd als lid van de groep verwacht dat hij daarbij aanwezig was. 'Neem een colbertje en een das mee, graag.'

Anita was niet stoïcijns. Helemaal niet. 'Ik dacht dat jij de pest aan toneel had. Hoe kun je me dit nou aandoen?'

'Niet alle toneel.'

'Ik heb je er nog nooit iets positiefs over horen zeggen.'

'Er zijn een hoop dingen die je niet van me weet,' zei zijn nogal hoge stem.

'Zoals? Zoals dat je met alle geweld naar de DDR wilt?'

'Mijn vader komt daar vandaan, Anita.'

Ze begreep het niet. 'En je examens dan?' tussen haar tanden door. 'Ik dacht dat je geen moment vrij kon maken.'

'Het spijt me, hoor,' zei hij. 'Ik ga toch.'

'Ik kan me niet voorstellen dat je dit doorzet,' haar ogen schoten vol. 'Geef je niets om mij?'

'Natuurlijk wel. Maar het is toch niet jouw bruiloft.'

Ze reed hem toch naar het station. Hij had er niet om gevraagd, maar was dankbaar voor de lift. Ze liep over het perron op onwennige hoge hakken en in een bruine jersey jurk. Later zou ze naar de kerk gaan voor de repetitie.

'Ik weet dat je niet van cadeautjes houdt, maar iedereen zegt dat het in Leipzig erg koud is.'

Ze ritste haar tas open en haalde er een donkerblauwe sjaal en een bijpassende Masaryk-muts uit. Ze zette de muts stevig op zijn hoofd. Zonder hem aan te kijken, maar blij dat hij paste. 'Je mag jezelf gelukkig prijzen dat je deze van me krijgt, weet je dat?'

De drukte die ze om hem maakte was verstikkend. Wat deden ze samen, zij twee, hier op dit perron? Hij voorzag een heel leven waarin zo afscheid werd genomen. Anita, deze praatzieke, bemoederende vrouw die helemaal niet bij hem paste en die hem almaar op de trein zette. Hem cadeautjes toestopte die hij niet wilde, gebreid van Schotse lamswol.

Toen haalde ze ook nog een kleine bruine papieren zak te voorschijn en hij voelde dat zijn hart nog verder ineenkromp. Nog een claim. 'Het eten in de trein is vreselijk,' zei ze, 'en wie weet wanneer je te eten krijgt – deze boterham vind je vast heel lekker.'

Hij nam de zak aan. Kuste haar. Kneep in haar arm. 'Tot maandag dan maar. En bedankt.'

Ze probeerde te lachen. 'De avond die ik in petto heb wordt een bezoeking – polaroidkiekjes van de trouwerij.'

Hij was blij dat hij alleen in de trein kon stappen.

HOOFDSTUK NEGEN

Pas op het laatste moment – dankzij de tussenkomst van Sepps vader, een verffabrikant die zaken deed met Oost-Duitsland – was Peter een vijfdaags visum verstrekt. Marcus was ervan overtuigd dat hij een verklaring had voor het nerveuze gedrag van de consul toen hij in de trein zijn krant opensloeg. Hij liet Peter het artikel lezen over drie Oost-Duitse grenswachten die op een vrouw hadden geschoten toen ze over het niemandsland kroop. Toen de mannen bij het lichaam kwamen, bleek het een gedeeltelijk ontleed lijk te zijn dat uit een lijkenhuis in West-Berlijn was gestolen. De jonge vrouw op wie ze hadden geschoten was met rukjes over het beton getrokken aan een lang zwart touw dat om haar pols gebonden zat en over de Muur verdween.

Terwijl de trein aan de grens stond te wachten was het de taak van Marcus om Peter apart te nemen en hem stevig toe te spreken. 'Wij zijn al eens in Leipzig geweest. Daarom is het des te belangrijker dat we ons behoorlijk gedragen. Dus laat je met niemand in. Wordt niet dronken en kuier niet van de gebaande weg af. Verder kun je doen waar je zin in hebt. Maar als je op zondagochtend vroeg niet uiterlijk om één uur terug bent, moeten we je achterlaten. En denk maar niet dat het Engelse ministerie van Buitenlandse Zaken je op borgtocht vrij kan krijgen!'

'Ik zal me netjes gedragen,' beloofde Peter.

Besloten was dat Peter zich zou ontfermen over de klerenkist, een rieten hutkoffer die leek op een grote wasmand met daarin de houten gong van Marcus en Sepps kostuums. Drie uur laten kwamen ze in Berlijn aan en Peter trok de hutkoffer uit het rek. Hij stond achter Teo in een S-vormige rij in de ondergrondse in de Friedrichstraße voor een tweede keer te wachten om zijn papieren te laten zien. Een politieman zette een stempel in zijn paspoort en wilde dat hij zijn geld wisselde in een nutteloze en waardeloze munteenheid die in een grote doos werd gegooid toen hij drie dagen later weer de grens overging.

'Entreeprijs,' grapte Teo alsof ze een dierentuin bezochten.

Ze namen de volgende trein. Toen stapte er nog meer grenspolitie in en bleef de trein staan en gebeurde er een halfuur lang niets. Er hing een spanning in de coupé die gekoppeld was aan hun voortgang. Een politieman nam Teo's krant af. Een andere vroeg aan Peter waar hij was geboren. Voor de hutkoffer toonden ze niet de geringste belangstelling.

Kort voor drie uur 's middags bereikten ze het Bahnhof Lichtenberg vanwaar hun trein naar Leipzig vertrok. Pas toen hij het station uitreed begon Peter het opwindende gevoel te krijgen dat hij de grens was overgestoken.

Sinds hij in Hamburg was komen wonen had hij verwacht dat hij op een bepaald moment Oost-Duitsland zou bezoeken. In de stille afwachting die zijn generatie eigen was, had hij zich erop voorbereid. Niet dat hij het had uitgesteld. Het was meer of hij een boek dat hij wilde lezen achter de hand hield om te genieten van het vooruitzicht. Tot dusver werd hij in beslag genomen door zijn studie. Vier dagen in Leipzig, waar hij de sfeer kon proeven, zouden hem misschien een stap dichter brengen bij het antwoord op een vraag die al sinds zijn zestiende op zijn tong brandde.

Tweeënhalf uur lang bleef hij naar het landschap staren. Langs de spoorlijn stonden rijen graafmachines voor het delven van bruinkool. Ze kwamen langs een open groeve en Teo trok een trollengezicht en mompelde iets tegen Sepp. Het was duidelijk dat ze het landschap lelijk en vervuild vonden. Peter onthield zich van commentaar. Met Anita's blauwe sjaal warm om zijn nek geslagen bracht hij zijn gezicht dichter bij het raam.

De velden en bossen hadden de vale kleur van Sepps leren jas. De bladeren waren van de bomen gewaaid, zodat Peter vogelnesten in de takken kon zien zitten. Hier had de landbouw de dieren nog niet uit hun natuurlijke omgeving verdreven of het gevoel van een Duitsland uit de negentiende eeuw tenietgedaan. De trein reed door dorpen waarvan de architectuur suggereerde dat de Duitse binnengrens ouder was dan het Warschaupact en overeenkwam met een oudere scheiding tussen beschavingen. Er nestelden ooievaars op de schoorstenen en straten waren geplaveid met kasseien. Het was het land van iemands jeugd. Niet die van hem, misschien die van zijn vader. Hij keek naar buiten en probeerde dromerig door te dringen tot de velden en dorpen, tot zijn adem het glas besloeg.

'En,' zei een kleine man met grove trekken en een Hollands accent, 'als ze deze roman niet uitgeven, ben ik bereid om al mijn andere boeken op te offeren,' waarbij hij veelzeggend op zijn bruine diplomatenkoffer klopte. 'Stuk. Voor. Stuk.' Daarop gooide hij zijn hoofd in zijn nek, nam afscheid van Sepp en liep met rasse schreden weg naar de restauratiewagen.

Peter ging rechtop zitten. Keek om zich heen. Marcus zat te lezen. Teo sliep. 'Wie was dat?' terwijl hij een voor een zijn gezwollen ogen uitwreef.

Sepp gaf een laconieke glimlach ten beste. 'Onze mede-eregast.'

Hoewel Peter nog nooit van de schrijver had gehoord, verzekerde Sepp hem dat hij enorm gewild was bij Oost-Duitse leraren vanwege zijn populaire verhandelingen over de geschiedenis van de wetenschap. 'Wat hen betreft is hij waarschijnlijk een van de beroemdste schrijvers uit het Westen. Maar daar is hij niet op uit.'

'Wat wil hij dan wel?'

'Hij wil graag als een romancier worden beschouwd.'

De schrijver had Sepp in vertrouwen genomen en gezegd dat hij des duivels was over de beleefde onverschilligheid die zijn uitgevers in Leipzig voor zijn fictie aan de dag legden. Om hen te dwingen hun mening te herzien had hij in zijn diplomatenkoffer een paar exemplaren van zijn eerste roman in Engelse vertaling meegesmokkeld.

'Hij heeft het in zijn hoofd gehaald dat ze onder de indruk zullen raken van het feit dat het boek is vertaald.'

'Waar gaat het over?'

Er lag een lichte spot in Sepps stem. Tegelijk toonde hij als collega-kunstenaar respect voor de ambities van de schrijver. 'Ik heb begrepen dat er veel zwanen in voorkomen.'

77

HOOFDSTUK TIEN

ZE KWAMEN 'S AVONDS in Leipzig aan. Een hol station met donkere gewelfribben en smerig glas. Sepp stond als eerste op het perron. Hij stak zijn neus in de lucht en snuffelde. 'Het ruikt hier verkeerd.'

Marcus gaf aan Sepp hun bagage door terwijl Peter Teo hielp met de grote metalen kist waarin zijn buizen en kleppen zaten. Hij ging terug om de rieten hutkoffer te pakken die hij boven op Teo's kist schoof. 'Jezus, je zou er een lijk in kunnen stoppen.'

Aan het einde van het perron wees een klok 7.25 uur aan. Onder de wijzerplaat met de rode rand zoende een jong stel elkaar, van wie het meisje een brief vast had om op de post te doen. Op dat moment kwam een jongeman – klein van stuk, met veel zwart krulhaar en een wapperende bruine jas – in het malarialicht aanhollen. Hij stelde zich voor. Een student gestuurd door de directeur van het Rudolph-theater, die zich liet verontschuldigen.

'Vinden jullie het erg om een kort stukje te lopen?' hijgend. Omdat de beurs in volle gang was, zaten alle hotels en studentenherbergen vol. 'Jullie hebben een kamer op een privé-adres.'

Hij zorgde ervoor dat een kruier Teo's kist en de hutkoffer met kostuums naar het bagagedepot reed. 'Die worden morgen opgehaald.'

Met zijn vieren liepen ze achter hem aan door een gat in de tijd. Met kasseien geplaveide straten zonder reclame. Boven hen een netwerk van doorgezakte bovenleidingen van de tram. Een paar auto's die rook uitbliezen. Peters eerste indruk van Leipzig: gaten in de weg, dampen, strakke gezichten.

Hun logeeradres lag in de Erich-Ferl-Straße, een huis dat tot aan de eerste verdieping was geschilderd, verder niet. Hun gids belde aan en zei zijn naam door een honingraatrooster en voegde eraan toe: 'De groep uit Hamburg.' Een forse, nette vrouw deed de deur open en voor ze naar binnen konden lopen schuifelde er een man in een vest langs hen heen.

De hospita nam hen mee naar een zolderkamer met porseleinen kranen en twee stapelbedden. Ze droeg een karpergroene batisten jurk en elke keer als ze glimlachte ontblootten haar lippen lange witte tanden. Toen ze weer beneden kwamen vroeg ze hen om het gastenboek te tekenen.

'Komt u ook uit Hamburg?' tegen Peter.

'Nee,' zei hij instinctief. 'Engeland.'

'Zo, Engeland.' En liet hem een briefkaart zien die ze ooit uit Winnipeg had gekregen.

Ze aten beneden. In een hoek van de kamer stond een tegelkachel en toen ze aan de maaltijd begonnen bracht de man in het vest uit de kelder een emmer vol zwarte achthoekige briketten naar boven die hij er een voor een in stopte. Op een plank in de hoek lag een door de bliksem getroffen steen en ernaast een aubergine die was doorgesneden om een boodschap van God te openbaren, die de hospita in een bruine oplossing had geconserveerd.

'Wat betekent de boodschap?' vroeg Marcus hevig geïnteresseerd.

'Dat weet ik niet. Ik heb het van een bezoeker van de beurs gekregen. Het is in het Arabisch.'

Ze ging in de buurt van een lamp in de hoek zitten en keek toe hoe iedereen at. Ze deelden de kamer met een homopaar dat aan het Comomeer woonde en hun eigen voorraad spaghetti, tomaten en olijfolie had meegebracht en dat aan een aparte tafel zachtjes tegen elkaar zat te fluisteren. Na elke gang kwam de vrouw krakend overeind om de borden af te ruimen. Ze zette hen een salade voor van asperges uit blik en een gerecht dat ze Toast Hawaï noemde, dat bestond uit ham, ananas en kaas en tot slot een metalen coupe met vanille-ijs verstikt onder een laag advocaat. Toen Peter haar bedankte voor een verrukkelijke maaltijd verstond ze hem verkeerd en vertelde hem dat haar gebit in Hongarije was gemaakt.

Na het eten zei het paar van het Comomeer goedenacht en kort daarop liepen Sepp en de anderen achter elkaar aan naar boven. Ze riep naar hen toen ze de trap op liepen: 'Wilt u worden gewekt als u nog niet wakker mocht zijn?'

'Waarom niet?' zei Sepp, zijn opvallende gezicht tussen de spijlen van de leuning zichtbaar.

'En jij?' tegen Peter.

'Ik heb nog geen zin om naar bed te gaan.' Van de ananas had hij een beslagen tong gekregen en hij hunkerde ernaar om deze stad te zien die hij al zo lang wilde bezoeken. 'Ik wil een eind gaan lopen.'

Ze haalde een sleutel van de voordeur voor de dag en zei dat hij hem op het gastenboek moest leggen als hij terugkwam.

Peter sloeg Anita's sjaal om zijn nek en liep door de Erich-Ferl-Straße naar de ingang van een klein park. Op de rivier dreef geel schuim en op een oever staken bomen, omgeven door de troep van niet bij elkaar geharkte bladeren, tegen de straatlantarens af. Hij raapte een twijgje op dat hij kaal pelde en weggooide, waarna hij er weer een opraapte. Er sprong een hond langs hem heen. Een van zijn voorpoten was gewond en steeds als hij die neerzette kneep hij zijn rechteroog dicht. Peter riep naar hem en stak een hand uit, maar de hond negeerde hem.

Zijn keel raakte al spoedig gehard tegen de bijtende smaak van de lucht. Hij stak het park over en liep door een achterstraatje waarvan de huizen aan een kant waren dichtgetimmerd. De stank van verrot hooi en dierenstront en vanachter een hoge schutting het gegrom van iets wilds. Door de steeg die aan de andere kant uitkwam op een ringweg. Gegier van trams en een paar grijze Wartburgs.

Er reed een auto langs, met de bestuurder laag achter het stuur. De koplampen beschenen Peters lopende gedaante en wierpen zijn schaduw tegen een muur en het licht scheerde traag over een deur en over ramen die zo smerig waren dat je je niet kon voorstellen wat erdoorheen te zien was. Zijn schaduw werd smaller en langer tot hij zich uitstrekten tot boven de gebouwen die zich in een monotone en grauwe rij voor hem uitstrekte, aangevreten gevels van donkere zandsteen tegen een nog donkerdere lucht, en hij stelde zich voor dat hij in de ramen de beelden aan zich voorbij zag trekken van alles wat hem naar deze stad had gevoerd.

Hij liep sneller, opgezogen door de straat. Als nooit tevoren voelde hij het vacuüm van zijn vaders afwezigheid. Gedreun van een fabriek. Uit een open gekletterde poort kwam een stroom mannen en vrouwen met gebogen hoofd en veelal met een plastic zak tegen zich aan gedrukt. De avondploeg, veronderstelde hij. Ze bogen naar hem af. Afgetrokken gezichten met een levenloze uitdrukking. Bonte en slecht zittende kleren van een synthetische stof die nooit tot het Westen was doorgedrongen.

Peter onderzocht hun gezichten terwijl ze langs hem liepen. Zou een van hen mijn vader kunnen zijn, dacht hij. Een neef?

Hij kwam langs een winkel. Op de muur erboven stond '*Eisenwaren*' geschilderd, het oude woord voor ijzerwinkel. Een vrouw tuurde uit een raam. Haar armen steunden op een kussen. Onder het raam zat een roetvlek alsof een vlam was uitgeslagen. Ze riep iets naar hem, maar hij begreep niet wat. Hij draaide om en liep terug.

Op een bepaald moment besefte hij dat hij de weg kwijt was. Hij bleef op een kruising staan waar alles op een eentonige manier uitwaaierde, een grauwe prairie van straten en trottoirs en lucht. Hij hoorde een gemompel en uit een verscholen steeg tussen twee huizen kwam een oude man in een lange, doorstikte jas in de kleur van een hazenvacht, haveloos, verwilderd en angstaanjagend. Wit krullend haar tot op zijn schouders. Hij praatte tegen zijn hond. Mager en spichtig als een zendmast.

Peter liep naar hem toe om de weg te vragen. Op het gegrom van de man stoof de hond tussen zijn benen vandaan en Peter herkende het lamme beest dat hij in het park had gezien. De man trok zijn jas om zijn schouders en schuifelde weg, terwijl hij in zichzelf sprak als iemand wiens geheugen verward en dimensieloos was.

Op de volgende straathoek zag Peter ineens de ingang van de dierentuin en haastte zich naar huis.

Hij bracht de ochtend door in het Rudolph-theater. De rieten koffer was van het station overgebracht en Peter pakte hem uit: kostuums met plooikragen, enorme valse neuzen, alle onderdelen voor het hokje. Tegen elf uur had hij alles opgezet. Bijgestaan door een zwijgzame lichtman koppelde hij het lichtorgel aan een lamp aan de rand van het toneel. Daarna vroeg hij Teo om met hem elk rekwisiet na te lopen en uit te leggen waar het voor diende.

Rond het middaguur verscheen de directeur en nam hen mee naar een bar die de Tagesbar Bodega heette, gedreven door een ouder echtpaar, waar hij een fles Roemeense witte wijn bestelde en op hun succes klonk. Ze zaten met anderen aan een tafel en aten Frankfurter worstjes terwijl hij met Sepp praatte over hoezeer het Oost-Duitse toneel vooruit was gegaan.

Hoe Peter ook zijn best deed, zijn aandacht bleef afdwalen. Hij keek steeds naar buiten. Hij werd door de straat aangetrokken als door een magneet. Hij wist dat zijn speurtocht vruchteloos en onnozel was. Dat hij nooit zijn vader zou vinden tussen deze vreemde, schichtige gezichten. Dat hij zelfs zijn eigen pantomime opvoerde, de parodie van de verloren zoon. Maar hij had de kracht niet om de impuls te weerstaan. Aan het eind van de maaltijd verontschuldigde hij zich.

De directeur keek op. Zijn broek was te kort en hij was zichtbaar geërgerd.

'Zorg dat je om zeven uur terug bent,' riep Marcus, die er meer dan ooit uitzag als een lutherse priester. 'En vergeet niet – pas op je tellen.'

'Ga nou maar, vooruit, wegwezen,' zei Teo.

In een miezer van bruinkoolas liet hij zich door de menigte meevoeren naar het centrum. Overal was roet neergedaald. Er hingen vegen van in de lucht als iets wat in water was gekruimeld en zelfs de duiven die op de antennes tegen elkaar aan kropen leken ermee overdekt.

Hij kwam aan het einde van een straat en toen hij de bittere kou voelde bleef hij staan om de sjaal strakker om zijn nek te wikkelen. Een ijzige wind blies in zijn rug en hij begon het plein op te lopen, achter de punt van zijn sjaal aan naar een groezelige basiliek van met koolstof besmeurde natuursteen.

Pas toen hij halverwege het plein was gekomen kreeg Peter de mannen in uniform in de gaten. Met zijn zessen stonden ze dicht tegen de kerkmuur aan enthousiast een man op de grond in zijn nieren en zijn rug te trappen. Een van hen, kort en dik, met een bleek gezicht en rossig haar, hield een dolle hond aan de lijn en hitste de anderen op alsof het hem geen zier kon schelen dat iemand het kon zien. En niemand keek, ook al waren er veel mensen op het plein. Iedereen wendde zijn ogen af behalve Peter, die zag hoe de man die bijna niet kon lopen naar een bestelwagen werd gesleurd waarop een vis geschilderd stond. Peter kon zien dat er zes kooien in zaten. Een kale bodem, midden in het plafond een peer en geen ramen. De man werd in een van de kooien gestopt. De mannen in uniform stapten in en de bestelwagen reed weg.

Buiten tegen de kerk was een onvoltooide graffiti gespoten: 'SORRY, KARL MAR'.

Peter liep naar de ingang, geschokt door het afgrijselijke geweld waarvan hij getuige was geweest. Nog vers in zijn geheugen hing een beeld van Oost-Duitse bewakers op de Muur, die klaarstonden om te schieten op een jonge vrouw die door het niemandsland was gebroken en haar daar op het koude beton te laten creperen.

Hij liep vier treden op en door een moskleurige deken naar binnen. Daar rook het muf, wat deed vermoeden dat de kerk niet vaak werd gelucht. Lampen wierpen een gele gloed op de achthoekige zuilen en de rode flagstones en boven hem zong een koor. Hij kon de koorleden en het hoofd van de organist onderscheiden en in een zijbeuk zat een rij jonge mannen en vrouwen geboeid te luisteren.

Knieën verschoven om hem door te laten. Hij ging in een bank zitten, rook de boenwas. De kerk was niet vol. Een paar geheel in vervoering gebrachte bejaarden draaiden stijfjes hun hoofd naar de zijbeuk, alsof hun nek van papier was en ze bang waren het te scheuren. Een oude dame op de eerste rij aan de overkant boog zich voorover om aan haar enkel te krabben en naast haar zat een man in een anorak als een marmot te slapen.

Het gezang van het koor maakte hem rustig. Zijn hartslag werd weer normaal en geleidelijk aan dacht hij niet meer aan het voorval buiten. Hij was zich bewust van de geheime warmte van deze gezichten. Wanneer hij om zich heen keek herkende hij zichzelf. In tegenstelling tot het gevoel van de avond tevoren voelde hij dat hij was teruggekeerd tot zijn genengemeenschap. Iedereen verwant.

Peter luisterde naar het koor en af en toe kwam het hem voor dat er een gezicht in zijn richting werd gedraaid, hem even aankeek en weer een andere kant op keek. Lang en mager met waterige olijfkleurige ogen en wangen als oude zeilen die aan weerskanten van een rechte neus zo strak gespannen waren dat de geringste bries hem zou kunnen laten kapseizen. Steeds als het gezicht zich afwendde stokte zijn adem.

Het koor hield op met zingen en een pastoor liep de preekstoel op en las voor uit Habakuk. "'Want zijne paarden zijn lichter dan de luipaarden en zij zijn scherper dan de avondwolven'." Hij liep de zwarte marmertreden af toen de man in de anorak zijn lichaam verplaatste zodat er in de bank achter hem een jonge vrouw te zien was die er heel anders uitzag dan de anderen.

Haar hoofd kwam in het licht en bewoog weer naar achteren. Peter zag haar vluchtig, lang genoeg om de lucht om haar heen te laten koken. Hij kon haar gezicht niet echt goed zien en boog zich voorover, verlangend naar nog een blik. Om haar te dwingen weer in het licht te komen.

Op de galerij begon het koor weer te zingen en nu greep de muziek hem meer dan tevoren aan. Hij dacht aan zijn moeder die in het jaar voor hij werd geboren voor een Bach-concours had gezongen. Hij zou willen dat ze naast hem zat om de naam van de cantate te fluisteren. En het was opwindend om naar de jonge vrouw te blijven kijken die naar de muziek luisterde zonder hem te zien.

Ze opende haar ogen en zag dat hij naar haar keek en hun blikken hielden elkaar vast. Haar mond viel een beetje open. Ze draaide haar hoofd wat en bleef hem aankijken naarmate ze langzaam vanuit de diepte naar de oppervlakte kwam. Ze schudde haar hoofd en kwam overeind.

Zijn ogen zwaaiden met haar mee. Ze stapte in het lamplicht met een groene jas over haar arm en een soort ketting om haar hals. Terug in Hamburg zou hij zich Musils denkbeeld herinneren dat ieder mens een tegenhanger in de dierenwereld heeft waarmee een verholen innerlijke verbondenheid bestaat. Toen en achteraf dacht hij aan haar als een giraffe. Fier en volbloed en verfijnd met een natuurlijke waardigheid die haar eigen kracht niet kende. Toen ze door het middenpad liep en alle licht in de kerk naar zich toe trok, ging haar neus voorop alsof ze omhoog reikte om aan een blad te knabbelen.

Hij zag haar door het schip lopen. Hij strekte zich uit om haar borsten te zien en het irriteerde hem dat hem dat niet lukte.

De gemeenschap liep tergend traag de kerk uit. Meisjes stonden op de trappen te wachten of met ouders te praten. Hij zocht naar een groene jas tussen de worstkleurige anoraks en zag hem. Ze stond aan de rand van een kleine groep te luisteren naar een man van ongeveer dertig jaar. Mollig en klein met een brede bruine baard en een jas van zeehondenbont met overal zakken.

Ze legde haar handen voor haar ogen. Liep weg. En met een onderdanige uitdrukking stak hij zijn handen diep in zijn jaszakken.

Peter liep de trap af en achter haar aan het marktplein op. Haar tred had iets doelbewusts in de manier waarop ze haar rug recht hield. Een tikkeltje slungelig gebruikte ze haar hele lichaam als ze bewoog.

Ze verdween in een gebouw van drie verdiepingen op de hoek. Op een spandoek tegen de gevel stond 'Leipzig – open voor de wereld' en er hing een affiche met informatie over de Boekenbeurs. Hij betaalde zeven mark en liep snel naar de eerste verdieping, een zaal met een laag plafond en rechts en links stalletjes die hij begon af te lopen.

Hij zag haar staan bij de stand van een uitgever uit München. Met haar rug naar Peter. Bladerend door een boek. Ze legde het zorgvuldig terug op de uitstalplank en toen ze niet opkeek zag hij dat haar blik gevestigd was op een diplomatenkoffertje op een tafel. Ze stak een arm naar achteren en krabde op haar rug.

'Jammer dat ze mijn proza niet kunnen retoucheren!'

Haaks ten opzichte van de tafel zat een gezette man met een grote neus en uitpuilende ogen en haar dat in zorgvuldige lijnen over zijn hoofd was geplakt. Zijn trekken kwamen nog maar in de verte overeen met de knappe verschijning op de affiches overal in de stand. Hij deed Peter denken aan het lijk dat hij tijdens de anatomieles had ontleed.

'Hé!' toen hij Peter zag die in hem de schrijver herkende met wie Sepp in de trein aan de praat was geraakt en wiens naam naast die van Pantomimosa op de uitnodiging voor het Astoria prijkte.

Peter liep naar de met boeken volgestapelde tafel. 'Herr C...' begon hij en de schrijver die zijn bedoeling verkeerd opvatte, sloeg de titelpagina op. 'Aan wie zal ik...?' Zijn vulpen bleef zweven.

'Ik hoor bij de mimegroep.'

De schrijver schortte zijn glimlach op. Sloot het omslag van *Verras-*

sende wetenschappelijke ontdekkingen: Deel 9 – Madame Curie en infor-
meerde kil beleefd hoe laat Peters voorstelling begon.

'Halfacht.'

'Het spijt me, ik moet vanavond een voordracht houden,' en hij
wenkte Peter dichterbij.

Achter hem een plotselinge beweging. Peter keek net op tijd op om
te zien dat ze een boek uit de diplomatenkoffer griste en in haar zwarte
spijkerbroek stopte.

Ze scheerde langs hem heen.

'Tot op de receptie,' zei hij tegen de schrijver.

Hij haalde haar op het plein in en hield gelijke tred.

'Ik heb gezien dat je het pakte.'

Ze verstond hem wel, maar draaide haar hoofd niet om. 'Gewoon
doorlopen,' en ze greep hem bij de arm. Nu was hij gelukkig.

Ze staken het plein over en liepen snel. Door een straat en een verscholen doorgang een steeg in. Pas toen ze aan het einde op een ander
plein uitkwamen keek ze snel om zich heen en vertraagde haar pas.

'Je hebt zijn boek weggepakt,' herhaalde hij.

Ze kauwde op de binnenkant van haar wang en ademde moeizaam.
Van een van haar tanden was een stukje af. Aan een ketting om haar
lange nek en van elkaar gescheiden door een hol botje droeg ze een paar
acetyleenblauwe oogbollen die misschien ooit aan een dood dier hadden toebehoord.

'Je moet wel stelen,' zei ze onverwacht. 'Tenzij je rommel wilt lezen.
Het is de enige manier om aan een goed boek te komen.'

Hij hield haar blik vast. Haar ogen lagen diep en waren groen – het
grijzige groen van kerkglas – met een lichte schaduw eronder. Ze is van
mijn leeftijd, dacht hij, en stak zijn hand uit. Hij verwachte min of meer
dat ze zou terugdeinzen, maar ze bleef pal voor hem staan, verroerde
zich niet en keek hem aan terwijl hij zijn vingers tussen haar middel en
haar jeans stak. Hij zocht naar de contouren van het gestolen boek.

Ze hielp hem. Een roman met een vlucht zwanen op het omslag. 'Jij
komt uit Noord-Duitsland, hè?' met een blik op zijn schoenen.

'Nee, Engeland.'

'Echt waar? Ik zou je niet voor een Engelsman hebben aangezien. Waarom ben je hier?'

'Ik hoor bij een mimegroep,' en beschreef zijn rol in Pantomimosa. Hij voelde dat haar belangstelling wegzakte.

'Waarom loop je achter me aan? Ik zou je moeten aangeven.'

'Ware het niet dat je gestolen goederen bij je draagt.'

Ze greep het boek terug en begon haar jas aan te trekken en tegelijk sneller te lopen.

'Ik heb je in de kerk zien zitten.'

'Dat weet ik.'

'Het komt zelden voor dat iemand niet in de gaten heeft dat er naar hem wordt gekeken,' en hij had een hekel aan de oppervlakkigheid die hij in zijn stem hoorde.

Ze zei niets.

'Ik hou van Bach,' ging hij verder en probeerde haar bij te houden. Toen hij naast haar liep maakte hij een stomme opmerking die hij helemaal niet had willen maken: 'Ik was vergeten dat Bach zo veel tijd in Leipzig heeft doorgebracht.'

Ze bleef prompt staan. Ze geloofde haar oren niet. 'Dit ís de stad van Bach! Hij heeft hier 27 jaar gewoond. Hij hóórt bij Leipzig.'

'Ja. Dat weet ik...'

'Wat leren ze jullie daarginds? Melchior Lotter heeft hier de eerste muziek gedrukt. Grieg heeft hier gestudeerd. Clara en Robert Schumann zijn hier hun leven samen begonnen.' Ze wees, haar gezicht verloor de Oost-Duitse grauwheid toen ze probeerde hem kennis bij te brengen. 'Kijk. Zie je de Konsum? Daar is Richard Wagner geboren.'

Terwijl ze aan het woord was kromp zijn hart samen, zoals dat soms ook gebeurde als hij met Anita was. Er was een droge ernst en iets plichtmatigs in haar geslopen. Een agenda die hij niet thuis kon brengen. Misschien leidde ze toeristen rond. Misschien was ze oersaai.

Hij verontschuldigde zich: 'Ik weet niet veel van Leipzig.'

'Het is een prachtige stad, altijd geweest.' Op het punt om weg te lopen veranderde ze van gedachten. 'Het geeft niet. Heb je een sigaret voor me?'

Hij bood haar een West Light aan en ze boog haar hoofd naar zijn aansteker. Lange wimpers en een braambeskleurige ondertoon in haar haar en een huid die hij wilde aanraken. Hij vergat zijn gepieker.

'Heb je een ogenblik?' Ze kneep hem in zijn arm. 'Kom, dan laat ik je wat zien.'

Ze liep met grote passen voor hem uit over een trottoir dat was gerimpeld en gebroken, alsof er onder de grond iets was verschoven. Ze sloeg een straat in en wachtte op hem terwijl ze zijn sigaret rookte. 'Dit is de Brühl.'

'Vernoemd naar graaf Brühl?' Hij was met zichzelf ingenomen.

'Nee, dat is in Dresden. Dit is de Brühl van Leipzig. Onze Brühl is Slavisch voor moeras. Zie je die ramen? Vijftig jaar geleden was deze straat het centrum van de wereldbonthandel.'

Ze haalde diep adem. Sloot haar ogen. Proefde de lucht die smaakte naar kolenstof. 'Ik zou hier naartoe gaan als ik een nertsmantel zou willen hebben. Of van ocelot. Of van mollenbont. Maar ik zou ervoor zorgen dat ik mijn jas bij zonlicht kocht. Niet op een dag als vandaag.'

Hij strekte zijn nek uit naar de zwart beslagen gevels. De bovenste verdiepingen en de lucht gingen in elkaar over. 'Moeilijk voor te stellen.'

'Nee, helemaal niet,' ze opende haar ogen en wierp hem een verhitte blik toe. 'Als alle studenten in het Westen op jou lijken, is het maar een dom zootje. Kijk, daar – onder de daklijst.'

Eerst zag hij ze niet: gecamoufleerd door vuil, de afgietsels van drie gezichten. Een Chinees. Een Afrikaan. Een roodhuid.

'Er is een verhaal over een Canadese pelsjager. Die stuurde een brief naar "Brühl" – alleen dat ene woord. Die werd in februari in Montréal verstuurd. Vandaar werd hij naar Bremen verzonden en in maart kwam hij hier in Leipzig aan.'

Zonder op zijn reactie te wachten, loodste ze hem aan de hand mee naar een gebouw van drie verdiepingen bedekt met groene tegels, waarvan er veel waren gebarsten of ontbraken.

'Je hoeft alleen maar je blik naar boven te richten om sporen uit de hele wereld te zien, maar niemand kijkt omhoog. Ze kijken allemaal omlaag en lopen door – net als jij,' en haar gezicht stond niet meer ernstig maar spottend.

'Je zou zitting moeten nemen in een commissie voor de stad.'

'Wat wil je daarmee zeggen?'

'Nou, je weet er kennelijk veel van.'

'O ja, dit wil ik je eigenlijk laten zien,' ze negeerde hem.

Het was de ingang naar een voormalig herenhuis, waarvan de gevel inmiddels was overdekt met de kleur van hetzelfde vuil – het grijs van Rodneys ansjovispasta – als de andere gebouwen aan weerskanten van de straat. Boven de deur stond op een tegeltableau de afbeelding van een man die naakt was op een bontmantel na. Op verschillende panelen droeg de figuur een bontmuts, bontlaarzen, een bontstola, handschoenen en een mof.

'Je houdt van bont, hè?'

'O ja. Vooral van bontmoffen.'

Ze kon zich niet bewust zijn geweest van de connotaties die dat woord voor hem kon hebben. En ze was ook niet beducht voor zijn oordeel. Kort tevoren leek ze meewarig, ernstig, opdringerig. Nu bezat ze het vertrouwen van de oude stad. Hij voelde zich tot haar aangetrokken op een manier die hij met Anita nooit had gekend.

'Mijn grootvader was bontwerker,' en ze gebaarde naar de verwaarloosde smerige deur. 'Hier is hij begonnen.' Ze drukte haar sigaret tegen de muur uit. 'Kijk!' Onder de saaie grijze verf een rode kras. Ze likte aan haar vinger en veegde over de kras waardoor haar speeksel de kleur donkerder maakte. 'Dat is de originele purpersteen. Ze proberen het na te maken door de ramen rood te schilderen, maar dat werkt niet.' Zelfs dit simpele gebaar ontroerde hem.

'Trouwens, ik heet Peter Hithersay.'

'Ik verveel je,' ze begon haar jas dicht te knopen.

'En jij?'

'Ik moet gaan,' besloot ze.

'Wil dat zeggen dat ik nooit zal weten hoe je heet?'

Ze glimlachte haar spottende glimlach. 'Waarom zou je willen weten hoe ik heet, je vertrekt toch over een dag of twee.'

'Best, best,' zei hij. 'Hoe noemt je moeder je dan?'

Haar mond hing open en op haar gezicht lag een onzekere uitdrukking. 'Mijn moeder is dood. Mijn grootmoeder noemt me Snjólaug.'

'Sneeuwlok?'

Ze verbeterde zijn uitspraak. 'Snjólaug. Dat is IJslands.'

Hij sprak het woord langzaam uit alsof het een voorwerp in zijn mond was. Het klonk nog steeds als Sneeuwlok.

'Waarom noemt ze je zo?' op zoek naar een manier om haar vast te houden.

'Je hebt gelijk. Het is niet interessant.'

Hij kon niet geloven dat hij ernaar vroeg, maar hij wist dat hij niet anders kon. Met dezelfde stem die hij gebruikte om zijn grootvader aan te sporen, zei hij: 'Nee, alsjeblieft. Ik wil het graag weten. Waarom word je Sneeuwlok genoemd?'

Ze vertelde Peter dat de naam had toebehoord aan een Canadese vrouw die bevriend was geweest met haar grootvader. Zijzelf had haar grootvader niet gekend – hij stierf in de Tweede Wereldoorlog – maar haar grootmoeder, bij wie ze doordeweeks woonde, sprak voortdurend over hem. Als kind geloofde ze dat ze maar over de glazen ogen van de opgezette bisamrat, zijn meest geliefde bezit, hoefde te wrijven opdat hij voor haar zou staan met zijn zachte stem, zijn wat gebogen rug en met een sigaar die tussen zijn lippen onder zijn roodbruine hoed heen en weer schoof.

'Ik heb hem alleen van een foto gekend.' Vanaf het kersenhouten tafeltje naast het bed van haar grootmoeder keek hij haar aan door een sluier van sigarenrook op de manier zoals ze zich voorstelde dat hij de pelzen onderzocht, met een blik van iemand die het lef had om de haren weg te blazen en het leer te bestuderen en hardop te mompelen: 'Geverfde huid!'

Als jongeman had hij in de Brühl op nummer 71 voor een jood uit Brody gewerkt, maar de meest waardevolle leertijd had hij gedurende twee jaar in Canada doorgebracht. In 1925 werd er vanwege de lage prijs voor eekhoorn in Leipzig een beperkte hoeveelheid ratten van Rainy Lake op een schoener met dieselmotoren aangevoerd. 'Op de terugreis was er een kooi vrij en die nam hij.'

'De jager moet de wolf zien,' had hij tegen haar grootmoeder gezegd op de avond dat hij haar vroeg met hem te trouwen. Hij had minstens honderd verschillende pelzen uit het raam van zijn werkgever gegooid om op de rekken te drogen, waaronder kruisvos, zilvervos, hazenflank, opossum, bunzing, vicuña, wallaby en Tibetaans lam. 'Maar ik heb er nog nooit een levend gezien.'

Hij had een zomer in Fort Chipewyan met drie pelsjagers opgetrokken en alleen 's nachts gejaagd vanwege de runderdaas. Tegen het ochtendgloren van de vijfde dag schreef hij aan zijn verloofde: 'Ik heb mijn eerste dier gevild – een bizon.' Hij smeerde de gevilde huid in met visolie, sloeg hem in zaagsel uit en gebruikte hem die winter als plaid op de slede over de monotone sneeuwvelden van Manitoba op weg naar het oosten.

In de loop van het jaar daarop leerde hij dat bont veel sneller verslijt op een slede dan wanneer je erin loopt. Hij versleet de pelzen van een eland, een lynx en een onbetaalbare zwarte vos.

Zijn favoriete bont – het werd ook zijn favoriete woord – kwam van de bisamrat. In Gimli woonde hij een seizoen bij een IJslandse indiaan en zijn vrouw Snjólaug die hem leerde hoe hij de huid aan de beide achterpoten van de hiel tot aan de anus moest insnijden, de tenen moest ontvellen en de klauwen eraan moest laten zitten om zo de huid van het lichaam te stropen. Vanaf die dag kon hij nooit een bisamjas tegenkomen zonder hem te strelen terwijl hij het dier nog voor zich zag dat het bont had geleverd, zijn gebleekte botten op de prairie en de coyotes die aan het bevroren vlees knaagden. Voor hij naar Duitsland voer liet hij in Toronto door een taxidermist een bisamrat opzetten.

Op een winteravond drie uur gaans van Kenora, was een wolf in zijn val gelopen. Speeksel schuimde in het maanlicht en gele ogen staarden hem dol en nijdig en woest aan. Hij zag de bloedige knie en hoorde het gerasp van verscheurd tandvlees op het metaal en besloot dat het tijd werd om naar huis te gaan.

Hij kwam net op tijd in Leipzig terug voor het eerste Wereldbontcongres. Hij hoorde de vurige openingsrede van Ernst Poland en woonde een lezing bij over oorschurft bij de zilvervos en een over de enorme problemen bij het bleken van huiden. In Gimli had Snjólaug hem geleerd hoe hij met de hand konijnenpels moest bleken. Binnen zes maanden had hij in de Brühl zijn eigen bedrijf opgezet waar hij haar procédé verder uitwerkte.

'Daarom noemt mijn grootmoeder me Snjólaug. Dankzij haar konden we een bestaan opbouwen.'

Peter rukte zijn blik met moeite los van de figuur op het tegeltableau. Haar enthousiasme had hem aangestoken. 'Jij kunt het niet weten, maar dit had mijn stad kunnen zijn. Misschien wordt het wel mijn stad. Misschien kan ik hier komen studeren.'

'Waarom, wat heb jij bij ons te zoeken?'

Hij legde uit hoe er eens een meisje uit Lancashire was dat in Leipzig ging zingen op een Bach-concours en een voortvluchtige man onderdak had gegeven. 'Mag ik vragen hoe jíj het zou aanpakken om hem op te sporen?'

'Luister eens,' zei ze terwijl ze haar vinger nat maakte en over de muur wreef. 'Je bent hier voor één weekend. Je kunt niemand bereiken. De enige mensen die enig idee hebben of je zouden kunnen helpen zijn van de Partij of de politie.'

'Ze hebben mij gezegd dat ik niet naar de politie kan.'

'Natuurlijk kan dat wel. Die mensen staan aan onze kant. Ze zijn er om ons te beschermen.'

'Ken jij iemand?'

'Ik ken iemand van de Partij,' terwijl ze meer purpersteen schoonmaakte. 'Die kan misschien helpen.'

'Zou jij met hem kunnen praten?'

'Met alle plezier. Geef me je adres. Dan kan ik je schrijven.'

Tevergeefs zocht hij naarstig naar een stukje papier.

'Schrijf het hier maar op,' ze hield het boek op.

Op de binnenkant van de achterflap schreef hij zijn adres en telefoonnummer. 'Mocht ik ooit in Leipzig komen om te studeren, ben jij dan ook hier?'

'Nou zeg, we kennen elkaar net.'

'Ik vind je mooi.'

Ze keek hem met een ernstige uitdrukking aan. 'Je hebt het recht niet om dat te zeggen.'

Hij luisterde niet. Hij voelde hoe hij een brok in zijn keel kreeg die zich uitbreidde naar zijn borst. Een overweldigende begeerte om haar te kussen. Op dat moment baadden de gebouwen om hen heen in een zee van licht.

Pas toen de straatlantarens aanflitsten besefte Peter hoe donker het was geworden. Ze nam hem mee naar een plein en hij herkende waar ze waren. 'Zijn we al weer hier terug?' niet in staat zijn teleurstelling te onderdrukken.

'Het centrum van Leipzig is nog geen vierkante kilometer groot,' zei ze luchtig. 'Wat zou je hier dan willen studeren?'

'Medicijnen.'

Haar glimlach verdween. 'Echt? Je hebt voor een beroep gekozen waarin corruptie op de loer ligt, dokter.'

'Hoe bedoel je?'

'Laat maar zitten. Ik moet weg,' en haar ogen kregen de uitdrukking van iemand die ineens een hele hoop te doen heeft.

'Wacht. Heb je tijd voor een glas bier?'

Ze keek bedenkelijk naar een klok op een toren. Vijf uur. 'Ik heb een afspraak met iemand.'

'Kun je die niet uitstellen?'

'Nee.'

'Wil je nog een sigaret?' om haar te paaien.

Ze wierp weer een blik op de klok. Haar gezicht zei: we moeten hiermee ophouden.

Hij tikte twee sigaretten uit het pakje West Light en stak ze op.

'Ben je al in Auerbachs Keller geweest?' vroeg ze.

'Nee.'

'Je hebt Leipzig niet gezien als je niet in Auerbachs Keller bent geweest! "Ons Leipzig is beroemd, Parijs in het klein..."' Maar er lag geen vrolijkheid in haar stem.

Ze nam hem mee naar een winkelpassage waar een dichte mensenmassa, de meesten in kantoorpak, onder een standbeeld door een stenen trap af schuifelde. Ze liepen mee, maar een geüniformeerde bewaker hield hen tegen. Auerbachs Keller was dicht – voor een speciale gelegenheid in verband met de Handelsbeurs.

Aan het verlopen einde van de passage lag een wijnbar. Een verwijfde ober begeleidde hen naar een ronde glazen tafel in de hoek. Bij het raam zat een oude dame, haar hoofd afgedekt met een strakke zwarte muts, in een fluit witte wijn te staren. Verder was de bar leeg.

'Weet je waar ik nou meer dan wat ook zin in heb?' Ze legde haar boek op de tafel, waardoor de tiffanylamp begon te flakkeren. 'Een wodka.'

De lampenkap was van rood gebrandschilderd glas met een patroon in de vorm van libellen. Zelfs nadat Peter twee wodka had besteld bleef ze eraan friemelen. Toen hun bestelling kwam haalde ze het plastic roerstokje uit haar glas en sloeg een teug wodka achterover als iemand die zich moed indrinkt.

Hij zei: 'Je had het erover dat ik een beroep had gekozen waarin corruptie op de loer ligt. Waarom?'

Ze keek om zich heen. De ober was in de keuken verdwenen en de oude dame zat met haar ogen dicht. 'Luister eens,' ze boog zich voorover en sprak zachtjes. 'Weet jij veel van kelen af?'

Hij wist niet zeker of hij het goed had gehoord. 'Kelen? Waarom vraag je dat?'

'Ik weet dat het vreemd klinkt, maar zou je eens naar mijn strotklepje willen kijken en me kunnen zeggen wat je ziet.'

'Je begrijpt natuurlijk wel,' zei hij bedachtzaam, 'dat ik als ik een volledig onderzoek doe van je keel, een consult moet berekenen.'

'Hoeveel?'

'Zou je het heel erg vinden als ik je kuste?'

Ze liet zijn woorden tot zich doordringen en glimlachte. En ze trok zich ook niet terug.

'Dank je wel,' met heel rustige stem. 'Daar was ik erg aan toe.' Zo kon hij voor het eerst haar trekken in zich opnemen. De hoge jukbeenderen. De groene lichtelijk oosterse ogen. Het donkere haar.

Ineens deinsde ze terug.

'Waarom doe je dat?'

'Ik ben bang dat ik iets besmettelijks onder de leden heb.'

Hij trok de lamp dichterbij. 'Laat eens zien,' en hij draaide de flakkerende kap naar haar toe.

Ze deed haar lippen weer vaneen.

Hij keek omlaag. 'Ik zou zeggen dat je mooie witte tanden hebt en een nogal lange tong.'

'Nee, nee – mijn stembanden?'

'Eerlijk gezegd kan ik bij dit licht niets zien.'

'Vooruit. Probeer het eens,' met een aanmoedigende glimlach.

'Ik heb instrumenten nodig. Misschien als ik een spiegel had.'

'Ik zal eens aan die dame vragen.'

Er werd een tas opengemaakt en er kwam een schildpadkam met een ingelegde spiegel uit. Ze gingen aan een andere tafel zitten, waar hij haar hoofd tegen zijn hand achterover legde. 'Heb je pijn gehad, bloedingen, een hese stem?' in een poging professioneel te klinken.

'Nee, nee, nee.'

'Doe je mond eens wijd open.' Hij drukte met het roerstokje haar tong naar beneden en hield de kam tegen zijn voorhoofd tot de spiegel het licht in haar keel weerspiegelde. Haar adem rook naar wodka en hij besefte dat hij hem opsnoof. Hij wilde haar weer kussen. Hij had nog nooit iemand zo graag willen kussen.

'Zo, en wat is het antwoord?'

Achter de luchtpijp viel het licht op een lichtroze huidflapje in de vorm van een miniatuurschopje. 'Ik kan niet anders zeggen dan dat ik een volmaakt gezond en nogal mooi strotklepje zie.'

'Echt! Weet je dat zeker? Zeg eens eerlijk.'

'Ik zweer het je. De banden zijn sowieso niet erg lang.'

'Nee, echt. Is er niets aan te zien?'

Hij genoot haar volle aandacht. 'Wat moet eraan te zien zijn?'

'Is dit niet het slechtste strotklepje dat je ooit bij een vrouw van mijn leeftijd hebt gezien?'

'Wat is dat nou voor onzin?'

Ze lachte meewarig. 'Het is een lang verhaal. Laat ik zeggen dat niet iedereen mijn stembanden erg gezond vindt.' Maar haar stem trilde. Haar ogen schoten vol. Ze dronk haar wodka op. Opnieuw had hij het gevoel dat ze zichzelf oppepte voor iets wat ze eigenlijk niet wilde doen. 'Zo, nou moet ik gaan.'

'Neem me niet kwalijk,' zei de oude dame. Ze kwam haar kam teraghalen. Ze griste hem mee en liep snel weg, alsof ze nergens bij betrokken wilde worden.

Sneeuwlok pakte haar jas. 'Succes vanavond.'

'Wacht. Misschien wil je wel naar ons komen kijken.'

'Nee, ik haat toneel.'

Hij lachte. 'Ik ook.'

Bij de deur draaide ze zich om. 'We zien elkaar nog wel. Kom morgen maar naar het feestje van mijn broer.'

'Hoe laat?'

'Hoe laat is jullie stuk afgelopen?'

'Ongeveer halfnegen.'

'Om negen uur wacht ik op je op de hoek van het plein. Bij de fontein.'

Ze was de deur al uit toen hij het opmerkte.

'Sneeuwlok!' Hij holde de passage in.

Ze nam het gestolen boek met een bedankje aan. Maar haar houding was veranderd. In de wijnbar leek ze humeurig en afgeleid. Nu stond haar gezicht vastberaden en strak zoals bij iemand die een onverwachte beslissing heeft genomen. Ze liep door de Mädler-Passage weg en hij zag hoe ze bij een van de beelden bleef staan en de gesp op de bronzen voet aanraakte, zoals Rosalind altijd de marmeren tenen van heiligen aanraakte om geluk te brengen.

Die avond schuifelde Sepp een paar minuten over halfacht mank en voorovergebogen en gekleed in de dracht van een oude man voor een volle zaal in het Rudolph-theater het toneel op. Ineens vertrok zijn gezicht alsof hij een mooie vrouw had gezien. Hij maakte een geluid als van de tik van een hak op een trottoir en werd weer recht en jong van leden, terwijl hij tot zijn volle lengte uitgroeide.

Hij keek toe hoe de onzichtbare vrouw langsliep. Schuifelde met kleine pasjes achter haar aan. Hijgend. Met Japans klinkende geluidjes. Waarna hij met elke stap weer terugschrompelde tot dezelfde oude man, zijn gezicht gespannen als een masker met dikke wenkbrauwen en samengeperste lippen.

De voorstelling, die *Kringloop van het leven* heette, was een imitatie van de strakke sfeer van het kabukitheater, maar de muziek en de geluidseffecten waren door Teo gecomponeerd. In alle twintig korte scènes die die avond door Pantomimosa werden opgevoerd was het streven om zo eenvoudig en ironisch mogelijk te zijn. Er kwam geen taal, geen politieke boodschap aan te pas.

'Ik ben geen schrijver,' had Sepp Peter in de trein naar Leipzig verteld, toen hij zich met de gefrustreerde schrijver vergeleek. 'Ik zie het als mijn taak om zo weinig mogelijk te doen. Op die manier hoop ik dat de mensen zullen voelen.'

Sepp verklaarde dat hij met een aantal aspecten van hun openings-voorstelling niet gelukkig was en wilde met alle geweld dat iedereen de volgende ochtend in het theater aanwezig was. Peter repeteerde en repeteerde tot alles min of meer tot in de puntjes verzorgd was. Het liep tegen één uur toen Sepp aankondigde dat hij bereid was iedereen te laten gaan.

Op het toneel hoorde Peter Marcus zachtjes tegen Teo zeggen dat een stel studenten met spuitbussen op de Moritzbastei was opgepakt. Hij deed het toneellicht uit. Even later stapte Marcus het hokje in. 'O, Peter, ik heb het er even met Teo over gehad. Ik weet dat je elke steen wilt om-keren, maar wees in godsnaam voorzichtig.'

'Waar heb je het over?'

'Ik neem aan dat je gisteren een knap meisje hebt ontmoet. Je beseft toch wel dat de meesten van die meisjes gelegenheidshoertjes zijn, hè? Het is niet verstandig om met een verlekkerde blik rond te lopen. Wees voorzichtig.'

'Dit is anders.'

Marcus snoof. 'Dat zeggen ze allemaal. Wakker worden, Peter. Uit louter belangstelling, heb jij dat meisje verteld dat je vader een Oost-Duitser is? Ja of nee?'

'Ja.'

'Wat ben je toch naïef! Je kunt net zo goed spiernaakt een politiebu-reau binnenlopen.'

'Waarom zouden ze zich voor mij interesseren?'

'Waarom zouden ze zich voor jou interesseren! Een Engelsman met een Oost-Duitse vader... Stel je voor, Peter. En wees ondertussen heel voorzichtig. Bedenk wel hoe stom je al bent geweest.'

Peter schrok van deze strenge vermaning en toen hij het theater uit liep keek hij links en rechts de straat af. Hij ging prat op zijn goede ogen, waarmee hij een stiekeme boomvalk tussen de takken van een conifeer kon zien nestelen. Er gerust op dat niemand hem volgde, liep hij door.

Het was een bewolkte en windstille dag. Dikke wolkenslierten hingen boven de tramleidingen. Hij was van plan om Leipzig verder te gaan ontdekken, maar zijn ontmoeting met Sneeuwlok had hem in een staat van koortsachtige opwinding gebracht. Hij kreeg het gevoel dat hij er al op een haar na achter was gekomen hoe zijn vader heette en waar hij was. Tegelijkertijd merkte hij dat hij op zoek was naar een ander gezicht, tot de abstracte gelaatstrekken van zijn vader, van wie hij nooit een erg helder beeld had gehad, waren vervangen door de verse indruk die Sneeuwlok had achtergelaten. Hij zag haar achter het raam van het Teehaus in Thomaskirchhof, in de gebogen rug van de nimf die om Friedrich Schiller treurde, in de witte baretten en de boodschappennetjes, de jazzposters, de paraplu's met oranje randen.

De rest van de middag verkeerde Peter in een verwachtingsvolle stemming, een emotie die hij altijd al had willen voelen en die nu binnen zijn bereik kwam. Tegen de tijd dat hij naar het theater terugliep voor de tweede voorstelling van Pantomimosa waren zijn zenuwen verdwenen. Dit was geen gevaarlijk vreemd land. Net zo min als Wiltshire.

Ze ontmoetten elkaar bij de fontein om negen uur. Hij zat op de rand van het bekken en sloeg haar gade toen ze over de flagstones kwam aanlopen. Ter hoogte van zijn blikveld knipoogden de ogen van haar halssnoer naar hem. Borsten vooruit onder een soepel wollen vest en de contouren van ondergoed zichtbaar door haar spijkerbroek.

'Hallo,' ze glimlachte.

'Hallo.'

'Waar lach je om?'

'Ik zat op jou te wachten.'

Ze ritste haar zwarte parka dicht en keek naar de lucht. 'Het gaat sneeuwen.'

Hij sloeg zijn arm om haar nek. Hij kon haar haar ruiken. Haar gladde huid. 'Je bent mooi,' zei hij. 'Net als je strotklepje.'

Ze liet haar kin op zijn schouder rusten en de opmerking afkoelen. 'Ik ben niet mooi.'

Hij pakte haar bij haar arm en ze staken het plein over naar de tramhalte. In de rij vroeg ze hoe de pantomimevoorstelling was gegaan. 'Vond het publiek het goed?'

'Dat is moeilijk te zeggen. De regisseur wil niet dat er geklapt wordt.'

'Wist je dat Faust ooit als een pantomime is begonnen?'

'Nee, dat wist ik niet.'

'In Leipzig,' zei ze met een vlakke stem, 'beschouwen we Faust als een voorloper van de socialistische geest.'

Pas toen ze in de tram zaten schoot het hem te binnen. 'Wat dat feest van je broer betreft. Wat viert hij eigenlijk?'

Ze zweeg. Zei toen: 'Hij gaat weg.'

'Waar naartoe?'

Haar voorhoofd trok in rimpels. Ze beet op de binnenkant van een wang en kneep haar lippen samen. 'Het Westen.'

HOOFDSTUK ELF

H ET FEESTJE WERD GEHOUDEN in een parochiezaal in een naargees-
tig deel van de stad waar de tram ophield. Voor het zaaltje stond
een witte Trabi geparkeerd met een wit lint aan de antenne. Ze knoopte
het lint los en wond het om haar hand.

'Van mijn broer,' en ze stopte het in het boodschappennetje dat ze
over haar schouder droeg.

Met haar verende tred liep ze naar de deur en klopte aan. Uit de dood-
lopende straat kwamen een paar jonge mensen op hen af die Sneeuwlok herkenden. Algauw was ze omringd door vijf of zes personen die
allemaal schreeuwden: 'Ik wil een analyse, ik wil een analyse! Vertel me
waarom ik mijn moeder haat.'

Een vrouw deed de deur open. 'Wat is er aan de hand? Wat moet
dat?'

'Het komt door haar. Ze wordt psychiater.'

'Ssst,' zei de vrouw. 'Hiernaast ligt een baby.'

Een van de leden van de groep, een meisje met kleine borsten en op
hoge laarzen, barstte in lachen uit.

'Jullie zijn aan de verkeerde deur.' De vrouw wees naar een deur ernaast en rilde. 'Jullie moeten die hebben.'

Toen het meisje ertegen duwde ging hij open. Ze volgden de groep
door een lange gang die naar muizenkeutels rook, naar een grote zaal
met dakbalken waaraan lampen met metalen kappen hingen. Sneeuwlok speurde met haar ogen de ruimte af. Bloemkronen van theekleurig
licht uit een roterende spot. Op het toneel speelde een jazzband 'Over
the Rainbow'. Vijftig of zestig mensen, maar haar broer zag ze niet.

'Zijn ze allemaal voor hem gekomen?' vroeg Peter.

'Nee, nee. Het is een vredesfeest dat door de kerk is georganiseerd. Hij
komt alleen langs om afscheid te nemen.'

Hij ging een glas rode wijn voor haar halen. Terwijl hij in de rij voor de lange tafel wachtte, werd hij zich bewust van een spanning in de ruimte. Hij voelde dat mensen naar hem keken. De puriteinse gezichten stonden ongerust omdat hij morgen misschien verslag over hen zou uitbrengen. Tegelijkertijd sprak uit hun ogen de nodige lef.

Ze stond te praten met de kleine man met de baard die hij voor de Thomaskirche had gezien.

'We zijn maar met zijn vijven,' zei hij. 'Bruno, Marta – en misschien ook dominee Konrad en Katharina.'

'Waar?'

'Bij mij thuis.'

'Ik moet erover nadenken.'

'Het is jouw kans om afscheid te nemen. En mij met mijn verjaardag te feliciteren.' Hij porde haar. 'Drieëndertig – voor het geval je dat was vergeten.'

Ze stelde hen aan elkaar voor. 'Dit is Stefan.'

Stefan hield een zelfgerolde sigaret tussen twee lange gele vingers. Hij stak hem tussen zijn lippen voor hij Peter een hand gaf.

'Ik heb je gisteren gezien,' zei Peter. 'Voor de Thomaskirche.'

'Hij heeft vroeger in het koor gezeten,' zei ze afwezig.

'Ben jij haar broer?'

'Ik ben een oude vriend van de familie,' zei Stefan veelzeggend. Hij had intelligente bruine ogen en een vriendelijk gezicht en zou knap geweest zijn als hij wat slanker was.

'En over vanavond?' wilde Sneeuwlok weten. 'Heb je hem verteld dat je me hebt uitgenodigd?'

'Nee.'

'Dat is jammer, Stefan.'

'Ga nou maar naar hem toe. Het komt wel goed. Hij is daarginds met dominee Konrad.' Hij nam een lange trek van zijn sigaret. Met een liefdevolle blik op Sneeuwlok. 'Het spijt me van je grootmoeder.'

'Ja, het is een schok.'

'Hoe gaat het met haar?'

'De dokter zegt dat ze een paar maanden in het ziekenhuis moet blijven.'

Hij klopte op een van zijn zakken. 'Hé, ik heb de plug die ze nodig heeft.'

'Waarvoor?'

'Voor de cassetterecorder. Ga jij morgen naar haar toe?'

'Kan ik nog niet zeggen.'

'Ik vind het geen probleem, hoor, om langs te komen en hem erin te steken.'

'Goed, ik zal mijn best doen om er te zijn.'

'Beloof je dat?'

'Voor de laatste keer, Stefan, ik beloof het.'

Hij tokkelde even op een luchtgitaar. 'Moet ervandoor.'

Ze gaf hem snel een kus en hij zwaaide naar Peter, draaide zich om en liep tussen de mensen door.

'Wie was dat?'

'Hij is een vriend van...'

Ze had hem in de gaten gekregen. Hij zat op een kruk aan de tafel. Lange handen boven elkaar gespreid om een omgekeerde biljartkeu.

'Kom, dan stel ik je aan Bruno voor,' zei ze.

Onder het kalende hoofd had de broer de grote, ernstige ogen van een kind. Ze waren gericht op een jonge vrouw met kortgeknipt oranje haar en afgebeten nagels die een blik op het plafond wierp. 'Negentig procent denkt niet verder dan zijn neus lang is. Dat is de onontkoombare waarheid. Ze missen het vermogen...' Ze kreeg Sneeuwlok in de gaten en haar stem stierf weg.

De man draaide op zijn kruk om en staarde haar aan vóór hij glimlachte. Hij was lang en zo mager als een mug. 'Mijn kleine zusje!'

'Bruno.'

Hij ging staan. Er vielen chipskruimels van zijn borst. 'Laat me eens goed naar je kijken.' Na een snelle omhelzing deed hij een stap terug. 'Ik had de halsketting moeten herkennen. Hé, Renate. Dit is mijn zuster.'

Renate keek Sneeuwlok glazig aan. 'Hai, schatje.'

Bruno klopte op de zitting van een lege kruk. Sneeuwlok ging zitten en hij stak zijn keu in de lucht en zwaaide ermee naar een vrouw met dikke lippen die flessen op een blad verzamelde. 'Lara, schat! Hier!

Iets te drinken voor mijn zuster. Die me als een schurftige hond heeft versmaad. Hoe lang al niet? Twee jaar of zo? Wat gaat de tijd toch godvergeten snel.'

Hij hief zijn glas, keek over de rand naar haar en terwijl hij ervan dronk wipte hij van het ene op het andere been.

Sneeuwlok streek een zilveren haarspriet van zijn oor weg en bekeek haar broer aandachtig.

'En dit?' Bruno zette zijn glas neer. Hij bekeek Peter met een sluwe glimlach.

'Dit is Peter. Hij komt uit Engeland.'

Hij boog zonder dat het op een buiging leek. 'Peter. Ik ben beroerd in namen. Het kan even duren voor ik hem onthoud.'

'Denk maar aan Peter de Grote,' opperde Peter.

Er zeilde een jonge geestelijke op hen af. Hij droeg een paardenstaart en kauwde luidruchtig op een appel. Hij legde een hand op Bruno's arm. 'Als ik je niet meer zie, het allerbeste.'

Bruno antwoordde met een dronken knikje. ''k Hou van je, Konrad. Blijf zoals je bent. En je mooie vrouw ook.' Hij wendde zich weer tot zijn zuster. Ernstige maar niet helemaal onbevangen ogen. Grote poriën op zijn Romeinse neus en op zijn blauwzwarte overhemd prijkte het initiaal B. 'Hoe wist je van vanavond?'

'Stefan,' met een vlakke stem.

'Stefan. Natuurlijk. Natuurlijk.' Hij haalde een lucifer uit zijn mond en ging zitten. 'Ik ben blij dat je er bent, hoor. Ik had je willen uitnodigen... Ik had je willen schrijven.' En met een stem die hij milder wilde laten klinken: 'Er moest gewoon zoveel gebeuren. Je hebt geen benul. De hele papierwinkel waar je doorheen moet...'

Ze staarde naar de grond. 'Wanneer ga je weg?'

'Ik moet maandag vóór twaalf uur het land uit zijn.'

De vrouw met het dienblad stond voor hen.

'Hallo, Lara, hoe is het met je? Met mij gaat het goed. In ernst, ga even zitten, maar niet te lang. Dit is mijn jongere zusje. We gaan 23 jaar terug.'

De vrouw ging bij Bruno op schoot zitten. 'Hallo.'

'Om te beginnen wil ik nog een Buhnerwachs. Groot glas. En nog zo

een. Dan moet je meteen terugkomen. Want zo heb ik – eh – het graag.'
Met een dichtgeknepen vrouwelijke stem voegde hij eraan toe: 'Mama,
neem me mee, hij zingt mijn discosongs.'

De vrouw liet zich op de grond glijden. 'Een Buhnerwachs. Een rode
wijn.'

Hij keek haar na terwijl ze zich een weg baande naar de lange tafel en
zei spijtig: 'God maakt ze sneller dan ik ze kan neuken.'

'O Bruno,' zei Sneeuwlok. 'Je kon het zelfs niet opbrengen om me
voor je afscheidsfeestje uit te nodigen.'

'Verdomd, ooit ga ik een knalfeest voor je organiseren... dat kun je je
niet voorstellen.'

Onder hun gesprek dreunde het treurige en indringende geluid van
een saxofoon.

Hij nam een slok van zijn glas en bracht zijn ogen ter hoogte van de
hare. 'En?'

'En?'

'Nee, ik vroeg het het eerst. Heb je die baan – die je wilde?'

Ze liet haar hoofd zakken. Amper bij machte om de woorden uit te
spreken. 'Waarom heb je het me niet laten weten?'

De vraag drong niet tot hem door. Hij zette zijn glas op de tafel, bracht
zijn hand naar zijn hoofd en krabde zijn droge hoofdhuid.

'Het zal Petra plezier doen als je die baan hebt gekregen.' Hij keek
om zich heen. Zwaaide naar een piepklein vrouwtje. 'Petra, Petra, kom
eens,' hij gebaarde ongeduldig alsof hij papier van een toiletrol scheurde. 'Kom eens hier.'

Bij de dansvloer zette de band een sneller nummer in.

Renate schaterde van het lachen. 'Ze spelen hoempapa.'

'Count Basie voor jou,' zei Bruno. Hij knipoogde naar Peter. 'Renate
gelooft dat degene die het laatst met je naar bed is geweest, je bezit.'

Er schoot een lichaam tussen hen door – de kleine vrouw naar wie hij
had gezwaaid. Of ze had Sneeuwlok niet gezien, of ze wilde haar liever
niet zien. Ze greep zijn hand. 'Kom op, Bruno.'

Met overdreven zorg zette hij de keu tegen de tafel aan. 'Neem me niet
kwalijk. Mijn vrouw heeft me ten dans gevraagd.'

Sneeuwlok greep haar lege glas en tuurde ernaar op zoek naar vuil, maar eigenlijk keek ze erdoorheen naar hem. Haar handen trilden. Ze wendde zich tot Peter met opstandige ogen. 'Dans met me.'

Het werd Peter pas duidelijk dat Sneeuwlok goed kon dansen toen de band overstapte op een rock-'n-roll nummer. Ze was lichtvoetig en vergat zichzelf en ze danste als iemand die had besloten om te genieten. Hij kon nooit zo dansen zonder zich meteen gegeneerd te voelen. Hij had altijd gedacht dat mensen alleen maar deden alsof ze van deze manier van dansen genoten. Nu zag hij dat het ook mogelijk was dat je je echt aan de muziek overgaf.

Ze trok haar arm van zijn rug weg en haar hand zocht zijn schouder en hij begon op haar te reageren en hij voelde dat er ettelijke ogen op hen gericht waren terwijl ze over de dansvloer bewogen.

Over haar schouder zag hij de droefgeestige blik van Stefan en daarna die van Bruno en plotseling zag hij zichzelf door hun ogen en hij kreeg het gevoel dat hij naakt in een droom ronddraaide. Hij probeerde tegen het gevoel te vechten, maar het kreeg de overhand en hij wist niet wat hij met zijn armen of zijn benen moest doen of waar hij ze moest laten of hoe hij moest ademhalen.

Ze zag zijn verwarring en kwam snel naar hem toe. Ze sloeg haar armen om zijn nek en hij voelde zijn wang tegen haar huid en ze schonk hem een blik die door zijn ogen tot ver erachter boorde en met een andere stem fluisterde ze: 'Niet wegglijden. Ik wil dat je hier bij me blijft. Niet wegglijden. Niet wegglijden. Blijf hier.' Haar adem warm en onschuldig als van een baby.

De muziek hield op en ze liepen samen terug naar de tafel. Ze pakte een fles wijn en vulde haar glas. Hand tegen haar keel. Bruin licht van de draaiende spot dat over haar gezicht likte. Haar schoonheid bezorgde hem een nieuwe pijnscheut.

Hij bood haar een sigaret aan.

'Nee, dank je.' Ze stak er een van zichzelf op met een Zippo en blies de rook uit. Ze was zich bewust van de indruk die ze maakte en dat wond hem op.

Haar broer kwam weer naar hen toe. 'Ik wist niet dat je van rock-'n-roll hield, schatje.'

'O nee? Nou, toch is het zo, dus jij kunt de pot op.'

'Wat een gekke meid is het toch,' zei hij tegen Peter. 'Maar dat weet je al, hè?' Hij ging op de kruk zitten, sloeg de rest van zijn drank achterover en likte over zijn lippen. Hij wees naar Peters glas. 'Nog een? Simon, was het toch?'

'Peter. Nee, ik niet meer.'

'Hé, Bruno,' zei Renate. 'Vraag je mij niets?'

'Niet bepaald,' zei Bruno over zijn schouder. Hij keek nieuwsgierig naar Peter. 'En hoe hebben jullie elkaar ontmoet, als dat geen al te persoonlijke vraag is?'

'Hij is dokter.'

'Ik hoor bij een mimegroep in het Rudolph-theater.'

'Kijk aan.'

Op het toneel zette de band 'Over the Rainbow' in.

Sneeuwlok keek nijdig naar de musici. 'Kunnen ze nou echt niets anders spelen?'

'Mijn verzoek,' zei Bruno. Met dichtgeknepen stem zong hij: '*Way up high*,' en hij luste zijn vingers om de keu en tilde hem de lucht in. 'Hé, zusje, je ziet eruit alsof je al een tijd lang niet hebt gezongen. Wanneer heb je voor het laatst gezongen?'

'Weet ik niet meer,' pruilend.

Hij liet de keu zakken. Er viel nergens een biljart te bekennen. 'Weet je dat niet meer?'

Ze tikte een sigaret uit het pakje.

'En die dan?' vroeg Bruno.

In een kniehoge metalen asbak lag een sigaret te branden. Ze pakte hem, stak de nieuwe ermee aan en drukte de oude uit. 'Waarom heb je me niets gezegd?'

Hij keek haar met een dwaze grijns aan. 'Luister, schatje, dit is niet de plek.'

'Maar je hebt het Oma verteld. En je hebt het papa verteld.' Haar woorden klonken als een verwijt. 'Waar of niet?'

'Ja.' Hij krabde de zijkant van zijn neus. De hoek van zijn droge mond. 'Maar de reden...'

'Nou?'

'Daar moet je niet naar vragen. Gewoon een hoop gezeik van jewelste. Het leven van mensen. Mijn leven!' Hij strekte zijn hand uit, maar zijn glas was leeg. Hij sloot zijn ogen. Hij concentreerde zich op het pad dat zijn gedachte was ingeslagen. En Peter had het gevoel dat aan weerskanten de afgrond steil was.

'Wat heb je tegen ze gezegd, Bruno?'

Hij schudde zijn hoofd. Zijn lippen trilden. Hij maakte een ingestorte en oude indruk, zoals hij daar zat steunend op zijn keu zonder een tafel om op te biljarten.

'Waarom heb je niets tegen míj gezegd?'

'Dat is het ergste van alles. Ik kan je eerlijk zeggen dat dat het ergste is. Ik kon het je niet vertellen.'

'Da's nou jammer,' zei Sneeuwlok genadeloos.

Zijn tong gleed roze over zijn lippen en verdween. 'Wie heeft je verteld dat ik wegga – Stefan weer?' zei hij verbitterd.

'Officieel? Falk Hirzel.'

'Hirzel!'

'Ik ben gisteren naar hem toe gegaan. Weet je, totdat hij het me vertelde wilde ik het niet geloven...' Tranen glinsterden in haar groene ogen. 'Wanneer heb je het aangevraagd?'

Hij haalde diep adem. 'Twee jaar geleden.' Dat zei hij met zijn ogen dicht.

'En je hebt er tegen mij niets over gezegd? Niet erg dapper, Bruno. Als je van me hield... als ik ook maar iets voor je betekende – zelfs maar een klein beetje – had je toch wel iets kunnen zeggen, maar niks hoor.'

'Ik ben er altijd van uitgegaan dat jij aan hun kant stond.'

Ze lachte en wreef in haar ogen. 'Waarom zou een beslissing die jij in jouw leven neemt mijn leven beïnvloeden, Bruno? Waarom heb je niet gewoon gezegd: "Hoor 's, ik weet dat dit je leven zal verpesten"?'

'Ik zou willen dat je dat niet zei. Hoe dan ook, ik doe niets verkeerds. Het staat in de grondwet van '49. Artikel tien. Iedereen heeft het recht om weg te gaan.'

'Hou je kop! Heb je gedacht aan degenen die je achterlaat?' Haar woede onderstreept met korte rukjes aan haar halsketting. 'Wat is er met ons gebeurd?'

'Je hebt geen benul! Er is geen tijd voor gevoelens. Luister, het is goed dat je er bent. Ik wil dat je dit aanneemt.' Hij leunde achterover en haalde een sleutelbos uit zijn broekzak. 'Pak aan.'

Ze keek naar de sleutels. Smeet ze in zijn gezicht.

Bruno hield een afwerende hand op, waardoor ze op de grond terechtkwamen. Ze begon weg te lopen, maar hij versperde haar met zijn keu de weg.

'Laat me gaan, Bruno.' Haar ogen konden rotsen splijten. De bloemkronen pulseerden over haar gezicht.

Hij sprong van zijn kruk en greep haar om haar middel beet. Ze probeerde zich los te wurmen, maar hij hield haar bij haar armen vast en draaide haar om tot ze Peter recht in de ogen keek.

Ze stonden in een wijde lege kring gevormd door mensen met een gespannen uitdrukking op hun gezicht, alsof ze zich afvroegen of ze er last mee konden krijgen als ze bij deze ruzie betrokken raakten.

Gegeneerd door de bijklank die het feestje kreeg, bukte Peter zich om de sleutelring op te rapen. Door de rook heen hoorde hij Stefans vriendelijke en kalmerende stem versterkt door de luidspreker. 'Doen we weer moeilijk?'

Renate stond op. ''k Zie je, Bruno. Maandag rond deze tijd zal ik aan je denken.' Ze begon te zingen. '*Hänschen klein ging allein in die weite Welt hinein.*'

Bruno boog levenloos. ''k Hou van je Renate. Blijf zoals je bent.'

Een hand op haar schouder. ''k Zie je, zusje.'

Sneeuwloks hoofd naar een kant met een nog doordringender blik.

De jazzband verliet het toneel en de plaats werd ingenomen door een groep in zwarte spijkerbroek en T-shirt. Stefan pakte opnieuw de microfoon. Om zijn nek hing een elektrische gitaar en hij klonk dronken. 'Ik wil een nieuw nummer spelen. Het heet 'Herten in het bos'. We weten allemaal voor wie dat bestemd is. En vooral niet voor Bruno.'

Een gespannen gejuich. Bruno stak als antwoord een hand in de lucht, waardoor Sneeuwlok zich uit zijn greep kon loswurmen.

Stefan sloeg hard een akkoord aan, waardoor het gejuich werd overstemd. Achter hem zette een drummer een rauwe, monotone dreun in.

Drie meter van Peter af begon het meisje met de hoge laarzen te stuip-trekken alsof ze geëlektrocuteerd werd.

'O god,' zei Sneeuwlok naast Peter.

Hij keek naar de gezichten die op de dansvloer begonnen te schokken en hij kreeg de indruk dat hij ze door de ogen om haar nek zag.

Terwijl zijn haar voor zijn gezicht viel, stampte Stefan naar de rand van het toneel, zwaaide zijn gitaar omhoog en krijste: 'Sneeuw ligt stil op mijn ijzige vlakte/ Waarom kan ik geen sneeuwvlok zijn/ En onge-bonden neerdalen/ Maar nee, ik word verliefd.'

Zijn stem steeg naar een crescendo terwijl de band het refrein opnam: 'We zijn als herten in het bos/ De maan schijnt fel/ De nacht is helder/ En jij kunt moeiteloos wreed zijn/ Jij gaat weg/ Zonder dat je weet hebt van de pijn/ Je bent hard, je bent zacht...'

Op de dansvloer danste Bruno alleen. Hij had de grote asbak gepakt en sloeg ermee tegen zijn hoofd waardoor de peuken in het rond vlogen samen met de vonken van de sigaret in zijn mond.

'We moeten echt weg,' zei Sneeuwlok.

HOOFDSTUK TWAALF

H ET SNEEUWDE. Ze droeg dunne schoenen en moest zich aan zijn arm vastklampen. 'Je gaat natuurlijk vragen waar dat allemaal op sloeg. Laat maar zitten.'

Hun voetstappen knerpten op de verse sneeuw. Ze liepen zonder te praten door de nacht vol gedempte geluiden. Bij de tweede tramhalte bleef ze staan. 'We kunnen beter wachten.'

Hij veegde de sneeuw van de kraag van haar parka. 'Wat doet Stefan?'

Ze keek de straat af. 'Hij werkt in de christelijke boekhandel.' Het was gemakkelijker om over hem dan over haar broer te praten. 'Hij heeft geprotesteerd tegen het opblazen van de oude universiteitskerk en mocht daarom geen technische wetenschappen studeren.'

'Hij is verliefd op je,' een tikkeltje te nadrukkelijk.

'Hij is niet verliefd. Hij doet aan overwaardering.'

'Dat is niet wat ik heb gezien.'

'O, Stefan wordt altijd verliefd op iemand en schrijft er dan nummers over. Als het goed gaat, geen nummers. Daarom valt hij op mensen die het hem moeilijk maken en problemen leveren nummers op.'

'En wat voel jij voor hem?'

'Stefan is een heel oude vriend. Hij en mijn broer kennen elkaar al heel lang. Maar er zijn oude vrienden die denken dat ze graag nieuwe vrienden zouden willen zijn,' waarbij ze met haar schouders schudde alsof er iets overheen kroop.

Een Trabi kwam langs gesist. Een van de ruitenwissers ontbrak en de metalen poot kraste over het glas tot de auto de hoek om reed en de straat weer leeg was.

Ze stampte met haar voeten. Ze tuurde opnieuw in de met sneeuw doorregen duisternis. 'Misschien hebben we de tram wel gemist.'

'Laten we ergens naartoe gaan,' zei hij ineens.

'We kunnen nergens naartoe.'

'Wat is dit dan?' terwijl hij de sleutelring ophield. 'Waar passen die op?'

Ze raakte de sleutels aan. 'Wat goed van je.' Haar gezicht straalde intens dankbaar. 'Ja. Laten we daar naartoe gaan.'

De grotere sleutel ontsloot de hoofdpoort van een Schreber-volkstuinencomplex in het centrum van de stad. Een bakstenen schoorsteen priemde de lucht in en hoog boven zorgvuldig gesnoeide fruitbomen schenen de lichtbakken van een gigantische sporthal. Voor het overige zou je bijna denken dat ze bij het hek waren gekomen van een park ergens op het platteland en helemaal niet in een stad waren.

Sneeuwlok morrelde met het slot. Peter wilde wat vragen, maar ze legde een vinger op haar lippen. 'Sstt.'

Hij moest erg nodig pissen. Naast het hek wierp een straatlantaren een zwak licht op een met glas afgedekt bord. Zijn ogen gleden over de mededelingen die erop waren geprikt. Nieuws over een aanstaande kinderdag. De datum waarop de watertoevoer weer zou worden opengedraaid. Een lijst van regels. Geen onkruid, badkuipen, waslijnen. En een herinnering aan de leden van de volkstuinvereniging dat het verboden was om er de nacht door te brengen.

'Kom mee,' ze greep hem bij zijn pols. Ze voerde hem mee over een pad tussen latten schuttingen en hij was zich ervan bewust hoeveel zekerder haar tred was vergeleken met de aarzelende stappen die hij zette. Bij een splitsing sloeg ze rechts af en daarna nog een keer, waarna ze bleef staan voor een borsthoge houten poort. 'Hier is het.'

'Ga maar vast,' zei hij, en liep met een overvolle blaas van haar weg naar een terracotta tuinkabouter. Hij ritste zijn gulp open en zijn pis dampte op de sneeuw.

In het huisje duisternis en de geur van verstoorde winter. Hij hoorde dat ze in een lade rommelde. 'We bewaarden ze toch altijd hier... Ah!'

Het geluid van een zak die wordt geleegd en een flits. Bij de vlam van de aansteker was haar hals een blauwe gloed, achter haar een knetterend straalkacheltje.

Ze stak de pit aan en haar ogen bleven op de kaarsstomp gericht.

Hij deed zijn sjaal af en sloeg die om haar schouders. Sneeuwvlokken glinsterden in haar haar. Haar ademdamp in de kou. Zijn begeerte beangstigde hem terwijl de kaarsvlam wegzakte en aanzwol.

Op de stoel lagen de voorwerpen die ze daar had neergeploft. Een wit lint. Twee sleutels. Het gestolen boek.

Hij pakte het op. Tussen de bladzijden zat een kaart gestoken. 'Je bent het aan het lezen?'

'Ja,' ze pakte een half opgebrande wierookkegel die iemand op een schoteltje had achtergelaten en hield hem in de vlam. De wierrook vermengde zich met de geur van eekhoorns en verschroeiend stof.

'Waarom heb je het gestolen?' wilde hij weten.

'Zij hebben alles. Wij hebben niets. Wat maakt één boek nou uit?'

Door de manier waarop het 'zij' werd uitgesproken voelde hij een nieuwe golf van begeerte. Daarmee werd hij voor het ogenblik aan haar kant geschaard.

'Ik bedoel, waarom heb je dít boek gestolen?'

'O, ik herkende zijn naam van school. Maar ik wist niet dat hij ook romans schreef.' Ze mompelde snel, net zozeer tegen zichzelf als tegen Peter. 'Ik bedoel, het is krankzinnig. Het is gore pech om ergens op te groeien waar je lef moet hebben alleen al om een boek te lezen. Er zijn boeken die je als je ze niet op je drieëntwintigste leest ook niet op je veertigste leest, of dan is het niet hetzelfde.'

Beschaamd voor de heftigheid van zijn gevoel, probeerde hij die te verleggen naar het boek. 'Waar gaat het over?'

Het verhaal klonk meer als een jeugdboek. Een jongen fokt zwanen op een schitterend onderhouden domein dat hij nooit zal mogen verlaten. Voortdurend zinnend op een ontsnapping, bekokstooft hij op een dag een plan om dertig zwanen bij elkaar te brengen en zichzelf aan hun poten vast te binden. Hij hoopt dat als hij een geweer afschiet de zwanen opvliegen en hem over de hoge omheining naar de vrijheid zullen voeren.

'En ontsnapt hij?' vroeg Peter in de wetenschap dat hij zich moest overgeven aan dit gebabbel en tegelijk dankbaar dat het boek hen zo samenbracht.

'Dat weet ik nog niet.'

Peter dacht aan een jongen vastgebonden aan de poten van dertig zwanen. Het was onmogelijk, bespottelijk. Dertig zwanen konden je niet van de grond krijgen. Zelfs als het je lukte om de zwanen van schrik de lucht in te krijgen, dan nog zouden ze in verwarring raken. Daarom hield hij niet van romans. Maar hij ging door met vragen. 'Denk je dat zwanen ons gewicht kunnen dragen?'

'Ik neem aan dat dat van de zwanen afhangt,' antwoordde ze met de kinderlijke behoefte aan oprechtheid. 'Of ze stuk voor stuk een andere kant op vliegen. Of dat ze besluiten om in een groep te vliegen. En ik neem aan dat je dat pas weet als het moment is aangebroken, en eerder weten zij het ook niet.'

'Weet Bruno het?'

Ze schrok toen hij haar broer ter sprake bracht. 'Zou jij me trouwens een plezier kunnen doen? Kun jij het van me overnemen?'

'Wil je niet weten hoe het verhaal afloopt?'

'Daar gaat het niet om.'

'Wat wil je dan dat ik ermee doe?'

'Lees het, geef het weg, stuur het terug naar de schrijver. Ik weet het niet. Dan verdwijnt het naar het Westen. Hier is het net of ik nitroglycerine in mijn tas heb.'

Hij haalde de kaart die ze als bladwijzer gebruikte eruit.

'Mijn ziekenfondskaart! Goddank dat je die hebt gezien,' en ze borg hem zorgvuldig in haar tas op.

'En,' zei hij om zich heen kijkend, 'waar zijn we?'

Op straat was ze boos en zwijgzaam geweest. Nu leek ze zenuwachtig over haar eigen vermetelheid. Alsof ze zich misdragen had en dit er het gevolg van was. Stamelend vertelde ze hem dat het huisje van haar grootmoeder was geweest. 'Vroeger was ik dol op deze plek. Als we een weekend vrij hadden, wilde ik het hier doorbrengen, in de tuin helpen, bollen planten.' Ze glimlachte kort en raakte haar lippen aan. 'Mijn grootmoeder zei dat mijn mond zo groot was omdat ik er als kind een hele anjer in stopte. En ik geloofde haar!'

'Waarom zei je "vroeger"?'

Dat was de schuld van Bruno. Toen hij met Petra trouwde had hij hun grootmoeder omgepraat om hem de volkstuin als zijn huwelijkscadeau te geven. Hij had zo vasthoudend gebeden en gesmeekt en haar murw gemaakt tot ze toegaf. Sindsdien had hij Sneeuwlok niet één keer meer uitgenodigd.

'Belachelijk – hij heeft in zijn hele leven nog nooit getuinierd.'

'Misschien heeft hij je willen beschermen? Hij is vast al een tijd van plan om weg te gaan.'

Ze was niet overtuigd. Uit haar woede bleek dat haar broer niet alleen haar, maar ook hun grootmoeder had verraden.

'Zo te horen heb je een hechte band met je grootmoeder?'

'Ja. Ik luister graag naar haar. En veel mensen praten niet, willen geen oordeel vellen, willen zich niet bloot geven. Maar zij wel.'

'Wat vertelt ze je zoal?'

'Als je iets doet, doe het dan goed, één ding tegelijk, met je volle aandacht. Als je eet, moet je eten. Als je liefhebt, heb dan ten volle lief. Als je naar iemand luistert, luister dan echt, laat je oog niet door de kamer dwalen en denk niet aan wat je zult gaan zeggen.'

Ze drukte haar handen tussen haar knieën tegen elkaar en haar ogen werden somberder en hij voelde een gevederd gezwiep vanbinnen.

Hij trok zijn muts af. Ze stond op om iets te pakken, maar hij hield haar tegen. Hij pakte haar handen en deed ze uit elkaar om ze een voor een te wrijven tot ze warm waren en daarna bracht hij de muis van haar rechterhand naar zijn kin. Het licht flakkerde tegen haar wang en met zijn tong ving hij druppels smeltende sneeuw uit haar haar op.

Hij nam haar mee naar het bed, haalde de sjaal van haar schouders.

Ze ging zitten en tilde haar trui op. Eronder droeg ze een vaalrode zijden bloes. Hij maakte aanstalten om hem los te knopen, maar ze pakte zijn hand en hield hem tegen en terwijl hij zijn hand liet zakken bleef ze hem vasthouden.

Hij kroop op het bed. Zij ging onhandig liggen en hij hield zijn hoofd boven haar buik, kuste met zijn lippen de huid waar het boek had gezeten, waar ze het had verstopt, terwijl hij tegelijkertijd zijn vingers onder de band van haar spijkerbroek liet glijden en haar onderbroek met de spijkerbroek omlaag trok.

Ze drukte haar benen tegen elkaar en rolde op haar buik. Hij zoende haar billen en de spleet tussen haar tegen elkaar gedrukte benen en draaide haar langzaam op haar rug.

'Ik ben maagd,' ze keek omlaag naar hem.

'Wat zeg je nou?'

'In dit soort dingen.'

Ze trok aan zijn haar zodat zijn hoofd omhoog kwam. Hij zoende haar, waarna hij weer naar beneden ging en zij zijn sjaal over haar gezicht trok en hij voelde dat ze ontspande, een hand om zijn nek klemde zijn mond dieper in haar duwde tot ze op het kussen terugviel, haar lange benen om zijn nek sloeg en hij de boog van haar keel en de punt van haar kin en de braambeskleurige ondertoon van haar haar zag.

Na een tijdje ging ze rechtop zitten en keek met een vluchtige uitdrukking van spijt op hem neer, waarna ze zich vooroverboog en hem hielp zijn broek uit te trekken en toen ze zijn erectie tussen haar borsten voelde, spreidde ze haar benen en geleidde hem naar de plek waar hij met zijn tong was geweest, haar lichaam warm en smeltend onder hem, zijn mond op zoek naar de hare, tot een lang, ijl geluid uit haar keel opsteeg en één precair moment alles in hun leven samenviel.

'Waar kijk je naar?' vroeg ze later.

'Niets.'

Ze stond op van het bed en hij dacht dat ze zich ging wassen, maar ze blies de kaars uit en kwam bij hem terug. Hij hield haar van achter vast en hij hield haar stevig vast. Voelde de lijnen van haar rug onder de dunne rode zijde van haar bloes tot de spieren minder gespannen raakten.

Hij mompelde: 'Ik zou je dolgraag in mijn rekwisietenkist willen vouwen en je meenemen.'

Ze zei: 'Als je dit blijft doen, dan mag dat.'

'Waarom heb je het licht uitgedaan?'

Ze gaf geen antwoord en hij besefte dat hij de geur inademde van haar slapende adem en dat ze anders rook wanneer ze sliep.

Hij werd wakker. Een ruit van zonlicht gleed schuin over zijn gezicht. Zij had zich op een elleboog opgedrukt. Groene ogen groot en open. Ze keek hem in de dageraad aan. Met de punt van haar vinger drukte ze tegen zijn kin en trok een lijn tot aan zijn oor.

'Ik had een goed gevoel over jou, maar je kunt over iemand een goed gevoel hebben zonder dat er iets van komt.'

Hij raakte de halsketting aan die nog steeds om haar nek zat. 'Big Brother die me in de gaten houdt.'

Ze lachte en trok zich terug. 'Wie, Bruno?'

'Jullie geheime politie.' Hij omsloot de knikkers met zijn handpalm. 'Men heeft me gewaarschuwd dat je met niemand kunt praten.'

'Lulkoek.'

'Ik heb het ook gelezen.'

'Lulkoek.'

'Nee, dat is het niet.'

'Dat is het verdomme wel. Ik weet met wie ik kan praten. Ik weet dondersgoed met wie ik kan praten.' Ze kwam weer dicht bij hem. Haar vingers kropen onder zijn hand en speelden met het holle botstaafje en de glazen ogen die erdoor gescheiden werden.

'Wat is dit eigenlijk?' Hij keek naar haar op en de spanning tussen hen was aangenaam.

Het was een bot van de bisamrat van haar grootvader. 'Oma heeft er na zijn dood een halsketting van laten maken.'

Hij streelde haar borst onder de rode bloes die ze nog steeds niet had uitgetrokken.

'Deze is ook van haar,' ze keek omlaag. Bedekte zich met de bloes.

'Die moet erg oud zijn.'

'Zij zei dat je altijd alleen het beste moest kopen,' en haar stem deed een oude dame na: '"Ik ben niet rijk genoeg om goedkope dingen te kunnen kopen!"'

'Nog andere woorden vol wijsheid?'

Ze glimlachte. 'Die heb ik je al verteld.'

'Vertel me er nog eens wat meer.'

'"Het is niet nodig om je schuldig te voelen, maar het is wel nodig om schaamte te voelen."'

'Je hebt een hechte band met je oma, hè?'

'Dat heb je me al eens gevraagd. Luister je niet?'

Hij gaf geen antwoord, maar begon haar bloes los te knopen en dit keer nam ze kennelijk een beslissing. Ze wachtte tot zijn vingers bij haar schouders zouden komen, zette zich schrap voor de vraag en terwijl zijn handen over haar rug naar boven kropen hield ze haar adem in. Ze voelde hoe zijn vingers de eerste huidplooien voelden. Zag hoe hij inademde. Voelde dat hij ineens stopte. Zijn duimen er stevig op drukten alsof ze de huid uittestten – 'dat kan ik voelen' – en hun reis vervolgden.

Hij kietelde haar en ze schudde haar hoofd en verbrak de betovering. 'Dat vind ik heerlijk.'

En omdat hij er niet naar vroeg vertelde ze het hem.

Ze was met Bruno in de keuken aan het spelen. Haar hoofd raakte het handvat van een koffiepot op het fornuis. De inhoud ging over hen allebei heen. Zij was negen jaar oud.

Ze trok de bloes op en bleef stil zitten zodat Peter kon zien waar de kokend hete koffie haar huid had doen smelten.

Hij had meteen geweten wat het was en was geroerd door hoe haar schoonheid erin besloten lag. Toch verraste het hem om de brandwonden te zien. De littekens waren wasachtig en parelkleurig, als rijp, en overdekten haar schouders.

Hij besefte dat ze inzat over zijn reactie. Ze zei: 'Vroeger droeg ik mijn haar lang om het af te dekken,' toen hij over haar lippen streelde om haar het zwijgen op te leggen en haar op haar buik draaide.

Achteraf veegde ze de tranen uit haar glimlachende ogen. *'Einmal ist keinmal.'*

Hij keek haar vragend aan. Ze rolde op haar rug en strekte een arm uit. 'Dat is iets wat mijn grootmoeder ook graag mag zeggen. Dat is haar beste advies.'

Het was koud in het huisje en ze kroop tegen hem aan.

'En Bruno? Was die ook verbrand?'

Ze schudde haar hoofd. 'Iedereen zei dat dat een wonder was.'

'Heb je hem dat kwalijk genomen?'

'O nee. Ik verafgoodde hem.'

Hij zei dat hij alles wilde weten en zij vertelde het hem. In de kou maakten haar woorden twee keer zo veel indruk.

Als kinderen hadden ze alles samen gedaan. Bruno nam haar mee naar het Natuurhistorisch Museum in Oost-Berlijn om de dinosaurussen te bekijken. Hij smokkelde haar de bioscoop in de Grimmaische Straße binnen, zij met haar schoenen op zijn schoenen meelopend in de maat onder zijn lange jas, om een verboden film te zien. Op een keer in de lente nadat hun moeder was gestorven hadden ze drie dagen langs de Baltische kust gelift.

'En toen werd hij verliefd.'

Petra kwam uit Dresden, maar ze had familie in het Westen. Ze was van meet af aan erg bezitterig over Bruno. Na hun huwelijk zag Sneeuwlok hem amper meer. Ze hadden elkaar voor het laatst gesproken op een feestje dat haar grootmoeder op touw had gezet om de uitslag te vieren van haar *Vorphysikum*.

'Wanneer was dat?'

'Drie jaar geleden.'

Bruno kwam alleen. Hij had zijn witte Trabi volgestopt met flamingobloemen zo lang als schuttingpalen en voor hij woedend vertrok gaf hij haar tweehonderd Ostmark. Ze hadden een zeer kort gesprek. Zij vertelde hem dat ze psychiater wilde worden, iets interessants van haar leven wilde maken en hij moedigde haar aan.

'Dat moet je doen, zusje. Je moet vooral doen wat je graag wilt.'

Toen liep het feest uit op een woordenwisseling met haar vader en grootmoeder en niemand had haar ooit uitgelegd waar de ruzie over ging. Bruno was nijdig vertrokken en sindsdien had ze hem niet meer gezien, tot op het feestje van de vorige avond.

'Ik hoor niets van hem tot Stefan me een paar dagen geleden vraagt of ik al weet dat Bruno naar het Westen gaat. Ik ben verbijsterd, maar ik ben nog meer verbijsterd als ik erachter kom dat ik ervoor word gestraft.'

'Hoe word je ervoor gestraft?'

De vlek zonlicht had zich van het bed naar de grond verplaatst en gleed over de rode bloes die ze had uitgegooid, tegen de tijd dat ze had kunnen uitleggen hoezeer ze overrompeld was door de gebeurtenissen van de afgelopen vierentwintig uur. Hoe elke basis van vertrouwen op zijn grondvesten schudde.

Tot voor kort had ze nooit enige reden gehad om het systeem te dwarsbomen. Ze werd op school als heel pienter beschouwd. Ze was actief geweest in de Freie Deutsche Jugend. Had concerten en voordrachten georganiseerd. Ze geloofde wat haar werd verteld, dat de Duitse Democratische Republiek echt democratisch was en dat haar vrijheid door de grondwet werd gewaarborgd. Ze geloofde dat haar land het 'goede Duitsland' was en dat de federale republiek daarentegen een broeinest was van fascisten die zich iedere dag op hun kop krabden om nieuwe methoden te vinden waarmee de DDR ondermijnd kon worden. Lang voordat ze naar de universiteit ging wist ze dat de westerse televisie in principe taboe was, dat openbare telefooncellen werden afgeluisterd en dat er mensen in het regime zaten die vreemde dingen konden uithalen met mensen die een bedreiging vormden voor wat het had bereikt. Maar ze meende dat als ze zich als een braaf meisje gedroeg alles wel goed zou komen. Dat de dingen anders zouden worden. Haar zouden ze met rust laten. 'Ik heb het regime nooit als een bedreiging beschouwd.'

Twee weken tevoren verwachtte ze bericht te krijgen dat ze in aanmerking zou komen voor een postdoctorale aanstelling aan de Karl Marx-universiteit om zich te specialiseren in psychiatrie. 'Van iedereen kreeg ik te horen dat het me zou lukken. Ook al twijfelde ik nog steeds aan mezelf, toch had ik er vertrouwen in dat ik de tentamens er goed had afgebracht.' Het hoofd van de faculteit had haar verzekerd dat ze zou worden aangenomen. De decaan eveneens. Ze had geen reden om te twijfelen aan de toekomst waar ze steeds bewust naartoe had gewerkt. 'Het is een misdaad om geen baan te hebben en ik had geen misdaad begaan. Dit was precies wat ik altijd graag had gewild.'

Toen de afwijzing kwam legde ze geen verband met Bruno. Haar stem viel bijna weg toen ze zich herinnerde dat ze twaalf dagen eerder terugkwam in de flat van haar grootmoeder waar haar vader in de keuken op haar wachtte.

'Ze hebben je afgewezen.' De brief in zijn hand trilde boven het fornuis. 'Mijn dochter.'

'Geven ze een reden op?'

'Nee, geen reden.' Hij was mijnwerker, lid van de Partij die al zijn hoop op Honecker had gevestigd. 'Misschien is er een mogelijkheid dat ze een andere baan hebben. Maar je moet een week wachten.'

Diezelfde avond hoorde ze hem zonder dat hij het wist tegen haar grootmoeder roepen: 'Dit is de schuld van Bruno!'

Door haar verhaal moest Peter terugdenken aan de onverdraaglijke eenzaamheid die hij tijdens de laatste twee jaar op St Cross had gekend. Zonder te weten wie hij kon vertrouwen, wie hij was. Hij trok haar dichter tegen zich aan en toen hij de structuur van haar huid tegen zijn borst voelde onderzocht hij de huidplooien en streelde ze met zijn lippen en zijn vingers.

'Mijn grootmoeder nam het voortouw. Ze eiste een onderhoud.'

Dat vond plaats op de medische faculteit. Tussen haar vader en grootmoeder, het hoofd van de faculteit en een man van de universiteit, Sontovski. Toen ze plaatsnamen zag ze voor Sontovski een geel vel liggen met een korte geschreven evaluatie met daaronder haar punten en nog iets wat ze niet kon ontcijferen.

Sontovski begon onmiddellijk op haar af te geven. 'Met dit soort slechte beoordelingen is het geen wonder dat je niet op de universiteit kunt blijven.'

Ze was verlamd. 'Ik dacht almaar: hij heeft het verkeerde formulier. Hij ziet me voor iemand anders aan.'

Maar hij ging gewoon door en werd persoonlijker. 'Iemand die zo dom is als jij zou geen psychiater moeten willen worden.'

'Ik dacht: het gaat niet over mij. Ze moeten een fout hebben gemaakt. Ik heb niets fout gedaan.'

Het hoofd van de faculteit was het kennelijk met Sontovski eens, want hij keek naar haar en knikte instemmend bij wat hij zei. Toen nam hij het woord en ze stond versteld. Hij had altijd elke gelegenheid aangegrepen om Sneeuwlok met haar werk te feliciteren, maar nu sprak hij in haar bijzijn over haar alsof hij openlijke, zij het opbouwende kritiek had.

'Ze is sympathiek. Misschien is dat haar ondergang. Ze heeft de bijzondere gave om op elke situatie harmonieus te reageren, maar ze brengt dingen nooit in verband met elkaar. Nu heb ik niets tegen harmonie, maar dit vermogen tot harmoniseren gaat zelden samen met buitengewone gaven. Zeker niet in het soort werk dat zij wil gaan doen.'

Haar vader stond op het punt te ontploffen, maar haar grootmoeder kwam als eerste tot uitbarsting. 'Hou op, hou hiermee op!'

'Met wat?' zei Sontovski verbijsterd.

'U weet net zo goed als wij dat ze uitstekend geschikt is. U kunt haar dit niet aandoen.'

Op dat moment barstte haar vader los: 'Kunt u me soms vertellen of het waar is dat mijn dochter wordt afgewezen vanwege haar broer?'

Sontovski gaf geen antwoord en kwam met holle frasen. 'Dat is een zaak waarop we hier niet kunnen ingaan. Wij zijn geen inquisitie. Je zou de Duitse Democratische Republiek dankbaar moeten zijn omdat we je werk kunnen aanbieden. We hebben zojuist de uitslag ontvangen van de vacaturelijst. Er is een plaats vrijgekomen.' Hij bestudeerde het gele vel papier. 'De centrale van de universiteit zit verlegen om een telefoniste.' Hij schonk haar een afzichtelijke glimlach. 'Dan blijf je toch nog op de universiteit.'

Haar grootmoeder sprak voor de tweede keer. 'Nee. Nooit. Van zijn leven niet. Ze wordt geen telefoniste. Ze wil psychiater worden.'

'Dan wijst u de enige mogelijkheid af die ze heeft om waarschijnlijk nog ooit aan werk te komen.'

Haar vader probeerde er nog steeds achter te komen. 'Haar broer vertrekt naar West-Duitsland en jullie stellen haar daar verantwoordelijk voor?'

Sontovski staarde haar aan. 'Je zult een stemtest moeten doen. Waarom grijp je de kans die ik bied niet aan?' Hij zei dat ze er buiten maar eens over na moesten denken.

'Jij hebt niets gedaan en zij behandelen je op deze manier,' zei haar vader verbitterd. Hij verfoeide Bruno dat hij haar carrière, haar toekomst had verpest. Dat hij zijn familie zo belastte.

Zij was te verdwaasd om helder te kunnen denken. Ze was bang. Ze kon wat ze zojuist had gehoord niet volgen. Ze begon te geloven dat ze echt zo dom was als zij zeiden. En dan die informatie over Bruno!

Sontovski deed de deur open. Wat had ze besloten? Haar vader en haar grootmoeder keken haar aan. Ze kon het aan hun gezicht zien. Ze wisten niet wat ze moesten zeggen.

'Misschien heeft u gelijk,' zei ze. 'Misschien kan ik beter telefoniste worden.'

Onderweg naar huis was haar grootmoeder ongebruikelijk stil. Ze sloot zichzelf op in haar kamer, trok 's avonds haar jas aan, pakte haar wandelstok en mompelde dat ze naar de 'Paulaner' ging. Toen ze niet terugkwam, ging Sneeuwlok ervanuit dat ze er was blijven eten. De Paulaner was haar favoriete café-restaurant. Vaak at ze daar en gaf de band fooitjes om Weense muziek te spelen.

De volgende ochtend klopte Anne-Katrin van de winkel op de hoek bij hen aan. Het ziekenhuis had gebeld: haar grootmoeder was op het ijs uitgegleden toen ze uit de tram stapte.

Sneeuwlok ging onmiddellijk naar het ziekenhuis in Dösen. Een ernstige jonge dokter had de verbrijzelde knie onderzocht. Het was niet waarschijnlijk dat haar grootmoeder nog ooit zou kunnen lopen.

Ze bleef drie uur aan het bed van haar grootmoeder zitten voor ze zich los wist te rukken. 'Ik moest die stemtest doen.'

Om twee uur 's middags werd ze in een kamer van de medische faculteit binnengelaten. Een man van in de vijftig met een vaal gezicht schoof een boek over het bureau naar haar toe. 'Lees dit eens.' Het was een passage uit Goethes *Faust* en volgens de uitleg van dokter Behrendt gekozen omdat er veel *ss*-klanken in voorkwamen.

Ze las hardop terwijl hij door een dossier met haar naam erop bladerde. Toen ze klaar was keek hij in haar keel.

Hij haalde de spatel weg. Schudde zijn hoofd.

'Wat is er?'

'Je strotklepje.'

'Hoezo, wat scheelt eraan?'

'Ik heb bij een meisje van jouw leeftijd nog nooit zo'n aangetaste keelklep gezien.'

'Maar ik heb vroeger in het koor gezongen!'

Zelfs toen hij zijn hoofdband verwijderde wist ze dat hij loog. Hij begon iets op te schrijven en hij had dezelfde uitdrukking als Sontovski.

Hij wilde dat ze het ondertekende. Een formulier waarom ze niet als telefoniste kon worden aangesteld.

'Ik kan niet tekenen.'

'Maar je moet hier tekenen.'

'Het spijt me, maar dat kan ik niet. Mijn hand kan ineens geen pen meer vasthouden.'

Ze holde naar buiten, de trap af. De klokken van de Thomaskirche luidden.

Op de zaterdagen dat ze niet met haar vader de stad uit ging, liep ze altijd naar de Thomaskirche om naar het jongenskoor te luisteren als ze Bach zongen. Daar vond ze de ruimte om na te denken. Binnen de muren van de kerk was ze vrij. Iedere week kon ze daar een halfuur haar ogen sluiten en zichzelf zijn.

Doorgaans zat ze bij het koor in de banken die voor vriendinnen en familie waren gereserveerd, maar na haar ervaring bij dokter Behrendt kon ze het niet opbrengen iemand tegen te komen die ze kende. En in plaats van boven op de galerij in de vaste bank te schuiven, bleef ze beneden in het schip tussen de gelovigen zitten.

'Toen het gezang was afgelopen deed ik mijn ogen open en zag ik jou.'

Op een doodgewone dag zou ze er geen moment over hebben gepiekerd om met iemand uit het Westen te praten. Maar die middag was ze in een opstandige stemming. Ze was altijd zo'n oppassend meisje geweest en wat was ze ermee opgeschoten? Ze kon niet eens voor een stemtest slagen om telefoniste te worden. Toen ze in de Thomaskirche zat, voelde ze dat iets in haar versteende. 'Daarom heb ik het boek gestolen. Daarom heb ik jou aangesproken. Daarom heb ik je gevraagd om naar mijn keel te kijken. En toen jij zei dat er niets te zien was, heb ik een beslissing genomen.'

Toen ze de boekenbeurs uit liep was Sneeuwlok van plan geweest om haar broer op te zoeken en open kaart met hem te spelen. Maar nadat ze met Peter had gesproken veranderde ze van gedachten. In plaats van naar Bruno te gaan, liep ze regelrecht naar het hoofdkantoor van de Partij in de Karl-Liebknecht-Straße.

Vanwege de Handelsbeurs werd er nog gewerkt. Ze besloot op iemand een beroep te doen en te smeken om uitleg. Als ze in dit systeem moest leven wilde ze met alle geweld weten waarom ze niet kon worden waarvoor ze zo hard had gestudeerd. 'Ik kon nog steeds niet aanvaarden dat het iets met Bruno te maken had.'

De deur van het kantoor van Falk Hirzel stond open. Hirzel was de derde man in de Partijtop. Na een prijsuitreiking had hij haar een keer mee uit eten gevraagd en een andere keer had hij haar uitgenodigd om mee naar zijn huis te gaan, waar ze een verhitte discussie over Fontane hadden gehad.

Ze liep naar binnen en hij herkende haar. Zijn gezicht straalde tot ze hem vertelde over de belachelijke stemtest.

Hirzel deed de deur dicht en een paar minuten later kwam een secretaresse een map brengen. Daar zat alles in. Haar aanvraag voor een postdoctorale opleiding. De uitslag van haar examens – hij gaf toe dat ze voor alles was geslaagd – en een kopie van de brief waarin haar toelating werd afgewezen.

Hij schoof zenuwachtig op zijn stoel. Zijn bril wiebelde onvast op zijn neus. Hij las nog een formulier en schudde zijn hoofd. 'Je maakt geen schijn van kans, vergeet het maar.'

'Waarom niet?'

'Het komt door je broer.'

'Dus het is waar?'

'Kennelijk heeft hij een visum van de Verenigde Naties gekregen en vertrekt hij op maandag.'

'Zelfs als dat zo is, wat heeft dat met mij te maken?'

Hij was door de vraag geschokt. 'Je weet toch wel dat het zo werkt: als iemand in je familie weg wil, val je in een groot gat.'

Ze staarde hem aan. 'Hoe kun je in godsnaam aan hun kant staan?'

'Ja, ja, breek me de bek niet open.'

'Waarom? Waarom moet ik boeten voor iets wat niet mijn schuld is?'

'Helaas werkt het nu eenmaal zo.'

'In de tijd van de nazi's noemden ze dat *Sippenhaft*.'

Hij keek haar lang aan. Het was een eenvoudige uitspraak die hem echter in een hoek dreef. 'Je hebt gelijk,' met gedempte stem. 'Ons systeem zou niet zo moeten werken.' Hij sloot het dossier. 'Wat zou jij willen?'

'Ik wil psychiater worden.'

'Psychiater?'

'Psychiater.'

Dat schreef hij op. 'Wat is het vandaag? Geef me tijd tot woensdag. Op woensdag heb ik een afspraak met de rector magnificus van de universiteit. Ik zal zien wat ik kan doen.'

'Waar ben jij volgende week?' vroeg ze aan Peter.

'Hangt van het uur van de dag af. Maar ergens in Hamburg.'

'Wil je op woensdagochtend om elf uur alsjeblieft aan me denken.'

'Dat doe ik zeker.'

'Hirzel is een man die deugt. Hij weet dat er een fout is gemaakt.'

'Ik hoop dat je gelijk hebt.'

Ze draaide zich op haar buik. Haar lippen vormden een glimlach, waardoor de tand te zien was waar een stukje af was. 'Ik heb hem trouwens ook naar je vader gevraagd.'

Ze had geen reden om er niet naar te vragen. 'Ik heb tegen Hirzel gezegd dat hier iemand van de universiteit van Hamburg was die wilde kijken of hij een spoor van zijn vader kon vinden. Hoe kunnen we hem helpen? Met wie moet hij gaan praten, welke afdeling?'

'Wat heeft hij gezegd?' en Peter stelde zich voor hoe Hirzel alle details nauwgezet opschreef. De gedachte die door het hoofd van de man moest spoken: iemand in Oost-Duitsland heeft een tot dusver nog niet ontdekte zoon die Engels is. De onschuldige vraag: 'Je zegt dat hij niet weet dat hij een zoon heeft?'

'Hij heeft beloofd om er iemand op te zetten. Maar hij moet data hebben. Kun jij me data geven? Hij zegt dat hij, als je hem data kunt geven, de informatie morgen kan hebben.'

De vorige dag nog vond Peter het opwindend te bedenken dat Sneeuwlok hem misschien kon helpen bij zijn speurtocht, maar nu was hij ontzet dat dit onschuldige schepsel het onderwerp ter sprake had gebracht. Hij wist hoe hachelijk dat was omdat hem dat keer op keer was verteld. Tegelijkertijd raakte het hem dat zij dat zoveel minder inzag dan hij. En omdat het hem raakte was het nog maar een kleine stap voor Peter om te denken: wat als ze gelijk heeft? Wat als Hirzel een man is die deugt? Wat als dit de enige kans is die hij zal krijgen? Hij beloofde: 'Ik zal mijn moeder bellen.'

Ze openden een deur naar een toverwereld, de tuinen overdekt met verse sneeuw en de zon die boven het geteerde dak uit bolde als geblazen glas.

'Kom op – buiten is het warmer.' Ze zat op de stoep met alleen zijn overhemd aan en haar parka losjes om haar schouders geslagen.

Hij trok zijn trui aan en kroop naast haar. 'Het eerste huis waar ik heb gewoond,' hij speelde met haar aansteker, 'had net zo'n gemeentetuin.'

'Waar was dat?'

'In Londen. Vlakbij Portobello Road.'

Ze glimlachte. 'Voor mij is Londen Karl Marx.'

'Hoe dat zo?' Hij had zich nog nooit zo gelukkig gevoeld. Sneeuwlok was na Anita een geweldige bevrijding. Dit is liefde, dacht hij. Dit is volmaakte liefde.

'O, vanwege een kinderboek over Karl Marx die kinderen van de textielfabrieken meeneemt naar Hampstead Heath. *Mohr und die Raben von London*. Het was mijn eerste kinderboek en ik was er weg van. Hij heeft een grote zwarte baard en hij laat hun ruimte, frisse lucht, eten, bomen en de zon zien.'

'Wil je het niet met eigen ogen zien?'

'Natuurlijk! Ik vroeg altijd aan mijn vader: "Waarom mogen wij niet reizen?" Ik vond dat stompzinnig. Londen zou ik nooit zien, maar ik leerde wel alles over de Tower van Londen. Van de andere kant wist ik dat ik er niets aan kon veranderen. Ik hield mezelf voor: als je goed bent in je studie krijg je misschien een kans om te reizen.'

'Misschien zou je met je broer mee moeten gaan,' zei hij.

'Denk je dat het zo eenvoudig is? Wat zou ik in West-Duitsland moeten doen? Mijn leven ligt hier.'

'Noem je dit een leven?'

'Het westerse systeem trekt me niet. Om nieuwe boeken te lezen, dat wel – maar niet om daar te wonen.'

'En als je nou eens met mij meeging?' en hij was zich ervan bewust dat hij zijn wenkbrauwen fronste.

Ze porde hem met haar knie. 'Hoe – in je rekwisietenkoffer? Ik denk het niet, Peter.'

Hij probeerde van onderwerp te veranderen. 'Dan zou ík graag iets van hier meenemen.'

'Wat dan?'

'De ogen om je nek?'

'De ogen om mijn nek mag je niet meenemen!'

'Ik moet een aandenken meenemen aan de gelukkigste dag van mijn leven, hoor. Mag ik de sleutel van het tuinhuisje meenemen?'

'De sleutel van het huisje mag je niet meenemen.'

Hij keek om zich heen, dwong zichzelf om de enormiteit te voelen van iemand die zal vertrekken. Kan vertrekken. Aan de rand van de tuin voor hen stond de terracotta tuinkabouter waartegen hij had gepist.

'En hem?'

'Hoezo hem?'

Hij lachte. 'Ik ben dol op kitsch,' hij sprong op en vatte ter plekke het plan op om de tuinkabouter uit haar grootmoeders tuin mee te nemen. 'Ik zou hem in mijn studeerkamer kunnen zetten. Maar dan moet ik hem wel eerst schoonmaken.'

Hij pakte een handvol sneeuw en begon er het terracotta gezicht mee af te vegen. Toen tilde hij de tuinkabouter op. 'Wat krijgen we nou...?' Er liep een draad van de voeten de bevroren grond in. 'Wat is dit?'

'O nee!' De pezen in haar nek trokken strak.

'Kijk eens, er zit iets in zijn mond.' Een apparaatje ter grootte van een walnoot. 'Sneeuwlok... ze nemen foto's van ons.'

'Ze nemen geen foto's van ons, ze nemen foto's van Bruno.' Ze keek nijdig naar de tuinkabouter met dezelfde ziedende blik waarmee ze haar broer had aangekeken. 'Ik zal je wat geven om foto's van te maken,' en in blinde woede trok ze de draad uit de grond.

Ze holde naar het huisje en begon zich snel aan te kleden. 'Je moet weg.'

Hij probeerde haar gerust te stellen, maar zijn woorden kletterden op de grond op dezelfde onvoorspelbare manier waarmee hij in zijn dromen viel als hij meende dat hij kon vliegen. 'Ik wil niet weg.'

Ze trok de punt van zijn overhemd omhoog en veegde haar oog af. 'Je moet weg. Nu meteen.'

'Wanneer zie ik je weer?'

'Dat weet ik niet.'

'Kom je naar het theater?'

'Ik zal komen als ik kan, maar misschien is het niet mogelijk.'

Hij liep weg en keek om de paar passen om tot ze tussen de tuinen en bomen wegsmolt, een witte vogel die net zo weinig schaduw had als alles om haar heen dat het leek of ze van dezelfde sneeuw was gemaakt.

HOOFDSTUK DERTIEN

'WAAR HEB JIJ UITGEHANGEN?' Teo zat alleen in de eetkamer met lege ontbijtborden om zich heen.

'Ik heb de nacht doorgebracht in een Schreber-volkstuintje,' zei hij ontwijkend.

'Wat?'

'Oké, je had gelijk. Het was stom om dat te doen.'

'Mag ik vragen wat er is gebeurd?'

'Hoor eens, ik wil liever even uit Leipzig weg.'

'Enig idee waar naartoe?'

'Ja.'

Door de ontdekking van de verborgen camera was Peter echt de schrik om het hart geslagen. Op de kaart had hij gezien hoe dicht Dorna bij Leipzig lag. Op deze besneeuwde ochtend in deze grijze waakzame stad lokte het plaatsje hem als de meest voor de hand liggende plek ter wereld om te bezoeken. Hij verwachtte niet dat hij er iets zou vinden. Hij wilde het dorp waar hij was verwekt alleen ruiken, het gevoel hebben dat hij er was geweest. En wegkomen uit Leipzig tot hij enige lijn kon ontdekken in de afgelopen vierentwintig uur.

'Waarom wilt u het platteland zien?' vroeg de hospita. 'Daar is niets te zien. Alleen duisternis en dieren.'

Toen ze hem vertelde dat Dorna maar een uur met de trein was, haalde hij Teo over om met hem mee te gaan. Ze kochten kaartjes en vertrokken kort voor elf uur 's ochtends.

De trein reed door de stad naar het zuiden. Betonnen gevels rezen op, doods van kleur tegen de sneeuw, alsof er bont vanaf was gevild. Al spoedig lag Leipzig achter hen en had de lucht niet meer de smaak van kolenas. Ze reden door een bos. Peter tuurde naar de witte bomen en probeerde zich tevergeefs een Oost-Duits dorp voor te stellen, het huis van een muziekleraar; maar in plaats van een keuken en een blauwe tegelkachel waar zijn moeder een uitgehongerde man te eten had gegeven, zag hij een jonge vrouw die in een tuinhuisje wakker werd. Hij dacht aan de onschuldige glimlach die door zijn ribben sneed, het zwiepende gevoel in zijn buik, haar witte glanzende litteken, haar borsten die tegen zijn overhemd drukten. En een paar tellen later de uitdrukking van afgrijzen op haar gezicht.

'We zijn er,' zei Teo, die zoals hij had gezegd alleen mee was gekomen om een oogje op Peter te houden. 'Het kan me trouwens niet schelen wat je zegt, maar we stoppen nergens om vragen te stellen.'

Ze liepen van het station van Dorna door een hoofdstraat vol kersenbomen. Zijn moeder had een beschrijving gegeven van een vakwerkhuis op de hoek van de Breitscheidstraße. Het stond er nog, een bescheiden witgekalkt huis met een doorgezakt dak en ramen met blauwe kozijnen die uitkeken op een voortuin. Op een vensterbank een kinderversiering, een uit cellofaan geknipte vlinder, en achter het huis een manege met caravans. Hij voelde geen behoefte om aan te kloppen.

Peter bracht een uur in Dorna door zonder enige nieuwe aanwijzingen te ontdekken. Met Teo liep hij door de hoofdstraat naar een plein met kasseien waar een bar gesloten bleek. Ze liepen over een kerkhof vol met graven van Russische soldaten. Ze liepen naar de rand van een bevroren en vervuild meer. Een vrouw die langs fietste keek in hun richting en meteen weer een andere kant op. Zelfs als hij haar van Teo had mogen aanspreken, zou Peter niet weten wat hij had moeten zeggen. Hij voelde geen verwantschap. Hij had niet tegen Sneeuwlok gezegd dat hij van haar hield.

'Genoeg gezien?' vroeg Teo.

'Ik geloof van wel,' zonder dat hij zich zelfs maar binnen gehoorafstand van zijn vader voelde.

'Laten we dan teruggaan.'

De volgende trein naar Leipzig vertrok pas over twee uur. Ze kregen een lift van een vrachtwagen. De chauffeur was een forse, zwijgzame man. Gezicht uit het stenen tijdperk. Brede neus. Donker leren jack. Hij zat met zijn handen stevig om het stuur geklemd voor zich uit te kijken zonder zijn mond open te doen.

De weg liep recht door vlak land. Geen enkel weiland onderscheidde zich van het andere. Het enige wat er te zien was waren de weilanden, de hagen en de koude witte sneeuw.

Ze kwamen bij het bos toen het donker begon te worden. De chauffeur deed de koplampen aan. De weg verkeerde in een erbarmelijke staat, bevroren met grote gaten en stenen, en de koplampen hotsten op en neer. De gaten in de weg dreven schokken door Peters ruggengraat, rolden hem tegen het portier. Hij had honger, voelde zich koud en had een volle blaas.

Teo wreef in zijn handen. Hij maakte een geluid en Peter zag zijn lippen in silhouet bewegen en zijn denkbeeldige muziek mimen. Niet één keer had hij naar de Schreber-volkstuin gevraagd en daar was Peter hem dankbaar voor.

Toen flitste er iets uit het bos en volgde er een klap.

De chauffeur zette de motor af en voegde zich bij Peter en Teo op de weg, waar hij neerhurkte om meer te kunnen zien.

Het hert lag op de grond in het licht van de koplampen te hijgen, zijn kleverige hersens lilden uit zijn verbrijzelde schedel en de damp steeg op door de sneeuwvlokken. Zonder te weten wat ze moesten doen bleven de drie mannen geknield zitten. Voor hen bloedde het hert uit zijn neus, ademde zwaar, met open ogen, levend.

'Er zit bloed in zijn longen,' zei Peter. Hij voelde een wanhopige impuls om het dier te redden. 'We zouden hem achter in de vrachtwagen kunnen leggen.'

'Dat is illegaal,' mompelde de chauffeur met ogen die van angst gekleurd tegen bomen afstaken.

Een hoef zwaaide uit en schraapte een hiëroglief in de sneeuw.

'U zou hem kunnen opeten,' opperde Teo.

'Nee! Dat is illegaal,' zei de chauffeur. 'Ik moet het bij de politie aangeven.'

'Waarom laten we het hier niet liggen?' zei Teo.

'We kunnen het hier niet achterlaten,' zei Peter. Alsof het hert hem kon verstaan draaide het een oog omhoog en keek hem borend aan, en zijn tong zakte met bloed en grind eraan naar buiten.

Toen hij jong was had Peter het heerlijk gevonden om in het zadel op een geleend paard door de bossen van de Leadleys te rijden. De hoeven op de heuvel boven Wardour. De gloed en het geknister van de herfst. Toen veegde hij de twijgen van zijn ogen weg en galoppeerde hij in de richting van het gejank van de jachthonden. Maar sinds hij medicijnen studeerde was hem het plezier in de jacht vergaan.

De tong gleed over de neusgaten, alsof het hert had gedronken. Een gewei was gebroken en bloed vormde druppels en trillende ijspegels op het fluweel. Peter liep een paar passen en toen weer terug. Overal om hem heen was het donker en alles was gericht op de zware ademhaling van het dier en de intens zwarte blik in zijn oog, een glinsterende halve bol die Peter aanstaarde terwijl het bloed uit zijn mondhoek bleef borrelen.

'Denk je dat hij ons heeft gezien?' vroeg de chauffeur.

'Dat weet ik niet,' zei Peter. 'Waarom?'

Hij gromde. 'Als het hert je ziet is het vlees niet zo goed.' Hij liep terug naar de cabine en pakte onder zijn stoel een lange koevoet die als een slang omkrulde. 'Uit de weg.'

Met een voet aan weerskanten van het hoofd van het dier tilde hij de koevoet op en richtte. Het hert lag daar met zijn hoofd gedraaid. Het stoorde zich niet aan de chauffeur, maar keek naar Peter die zijn handen tegen zijn hoofd legde om het geluid te smoren. Even later werd hij zich ervan bewust dat de chauffeur zei: 'Pak hem bij de achterpoot.'

Aan de poten trokken ze het dier over de sneeuw en gooiden het achter op de vrachtwagen.

'Ik breng het naar de politie,' zei de beul. Hij legde de koevoet weer onder de stoel, klom in de cabine, trok de deur met een klap dicht en reed weg. Peter volgde de zwaai van de koplampen en voelde de dikke vlokken op zijn wang en zijn neus vallen, zonder dat ze smolten maar hem juist bedekten en hem aan de wereld onttrokken.

Hij liep terug de weg op achter Teo aan. Vrij kort daarop stopte er een auto langs de kant.

'Waar gaan jullie heen?' vroeg een jongeman.

'Terug naar de stad,' zei Teo.

'Mooi, stap dan maar in.'

Teo probeerde luchtig te doen over wat ze hadden meegemaakt. 'Geloof jij dat het vlees is bedorven als het hert je ziet? Een kip smaakt veel beter als je hem over het erf opjaagt!'

Peter zat stilzwijgend met zijn ogen gericht op de rug van de bestuurder die de radio had aangezet waarop een stem een droevig lied zong vol nostalgie, spijt en verloren gegane liefde.

'Heb jij ooit in je leven iets gehoord wat op dat geluid lijkt?' vroeg Teo na een poosje met een wat somberdere stem.

'Nee.'

'Ik ook niet.'

De bestuurder zette de radio harder tot hij Teo overstemde en ook het geluid van het zware gehijg van een dier en de klap van een koevoet op nog levend bot. Hij had niet tegen haar gezegd dat hij van haar hield.

'Ik hou van dit nummer!' riep Teo uit en begon mee te zingen.

De bestuurder knikte met zijn hoofd mee op de muziek. Hij probeerde te delen in hun opgeluchte stemming.

Teo draaide zich om. 'De eerste keer dat ik een meisje heb gekust was op deze muziek.'

Peter had steeds geprobeerd om zijn gevoelens te onderdrukken, maar door de muziek zakte hij weg in een verscheurende bui. Hij dacht: ik heb de liefde van mijn leven ontmoet en misschien zie ik haar nooit meer. Hij was zich ervan bewust dat hij zijn ruggengraat tegen de leuning drukte en met zijn duimen de vinylbekleding kneedde. Het lied had rode ogen en raasde heimelijk heen en weer door zijn geest, die schommelde tussen tranen en geweld en onder spanning stond omdat hij zijn best deed om zich in te houden. Het was een rat vermomd als een belofte en hij wilde hem tussen zijn tanden pakken en door elkaar schudden tot hij ophield. Het was een lied dat hem het gevoel gaf dat zijn hart was verwijderd en vervangen door een koude glazen stolp waarin hij zich bewust was van iets wat verwoed spartelde.

Hij leunde voorover. 'Kun je dat kloteding afzetten?'

HOOFDSTUK VEERTIEN

ZE GINGEN TERUG NAAR hun kamer om het bloed af te wassen en kwamen maar net op tijd in het theater.

Sepp en Marcus waren de hele dag de gast geweest van de directeur op een culturele tocht door de stad.

'Wat hebben jullie uitgespookt?' vroeg Marcus argwanend.

'Straks,' zei Peter, dankbaar dat hij in zijn hokje kon verdwijnen en het gordijn dicht kon trekken om zich op niets anders te concentreren dan op een paneel met knoppen.

In de slotscène begon de lamp van vijf kilowatt onzeker te flakkeren en als een hartslag te pompen. Omdat hij verwachtte dat de lamp zou klappen voerde hij het licht heel voorzichtig op.

Op het toneel mimede Sepp een ongelukkige visser wiens tegenslag werd versterkt door het flakkerende licht. Hij zat in een onzichtbare boot met zijn hengel lange tijd naar zijn lijn te turen. Toen hij almaar niet beet kreeg haalde hij een denkbeeldig papieren pakje uit zijn zak, toverde er een schijnboterham uit en gooide het papier in het water. Op datzelfde moment verfrommelde Marcus een vel papier en bevestigde het aan een draad die Peter begon in te halen, zodat de papieren bal over het toneel deinde alsof hij dreef.

Ineens zag Sepp een eend en gebaarde om hem weg te jagen. Teo blies in zijn pijpen en bracht kwakende geluiden voort terwijl Marcus met zijn gong het geflapper van vleugels op het water nabootste. Sepp deinde in de boot en het geluid van golven sloeg tegen de boot tot hij weer stil lag. Peter dimde het licht en een fractie voor alles donker werd, sprong Sepp opgetogen overeind: BEET!

Peter hield het toneel nog even in het donker voor hij het hakkelende voetlicht opdraaide. De zaal zat net als de twee vorige avonden vol, maar of het kwam door de aanwezigheid van een West-Duitse diplomaat, of omdat het de laatste voorstelling was, of omdat iedereen Peters opluchting deelde dat de lamp niet was geklapt, vanavond hadden de toeschouwers intens geconcentreerd op de punt van hun stoel gezeten. Ze hadden naar Sepp zitten kijken die bijna niets deed – die zich niet bloot gaf, geen woord zei – en ze begrepen hoe toepasselijk dat was voor hun situatie. Toen het mimespel afgelopen was verlangden ze ernaar hun waardering te uiten.

Het publiek begon te klappen, maar Sepp legde een vinger tegen zijn gerimpelde lippen en gebaarde met vlakke hand. Toen de zaal eensgezind stil was gevallen schoof hij het gordijn van het hokje open en trok Peter er aan de hand uit en sloop het toneel af gevolgd door Marcus en Teo. Toen Sepp hen even later weer meebracht begon het applaus in de zaal opnieuw. Sepp stak zijn vinger op en herhaalde zijn gebaar tot het publiek tot bedaren kwam. Hij stond midden op het toneel met de stilte als een glanzende beker in zijn hand, waarna hij met een vinger tegen zijn lippen op zijn tenen in de coulissen verdween en dit keer bleef het publiek volmaakt stil in de verwachting dat hij terug zou komen, maar dat deed hij niet.

De receptie in het Astoria-hotel zou pas om negen uur beginnen en dus had Sepp voor ze het theater verlieten en nadat ze de rekwisietenkoffer hadden ingepakt, namens hen de uitnodiging van de directeur aangenomen om in de foyer van het theater ten afscheid wat te drinken.

De ruimte stond vol met jonge mensen die waren gebleven om hen te kunnen feliciteren, maar ook om ideeën uit te wisselen. 'De boekenbeurs is voor sommigen van deze mannen en vrouwen de enige kans om andere mensen te ontmoeten,' had de directeur Peter in de Tagesbar Bodega verteld. 'Misschien wel de enige káns in hun hele leven.' Door Sepps weigering om hen te laten klappen waren veel mensen in de zaal gefrustreerd geraakt en hoopten hem nu te kunnen aanklampen om hem persoonlijk te bedanken.

Peter keek over zijn schouder en zag dat Sneeuwlok achter hem stond. Ze was gekleed in een zilversatijnen bloes met een hoge kraag die van achter was dichtgeknoopt en een zwart leren minirokje dat zo kort was dat het bijna als een riem om haar heen sloot. Ze droeg donkerrode lippenstift en mascara en leek vijf jaar ouder. Ze droeg de Masaryk-muts die hij samen met de sjaal in het tuinhuisje had achtergelaten.

'Dag Peter.'

'Sneeuwlok! Wat doe jij hier?'

'Je had me toch uitgenodigd?'

'Ik dacht dat je een hekel aan toneel had.'

'Ik ben voor jou gekomen.'

Hij probeerde te glimlachen. 'Er viel niks te zien. Ik zat verborgen achter een gordijn.'

Ze trok aan haar minirok. 'Ik dacht dat je het leuk zou vinden.'

'Dat vind ik ook.' Hij verlegde zijn blik naar de muts die ze droeg. Anita's muts. 'Dat vind ik ook.' Maar hij wist niet wat hem beving.

'Wanneer vertrek je?'

'Vanavond. Ik heb trouwens geen tijd gehad om mijn moeder te bellen.'

'Je moeder?' Ze was het vergeten.

Hij ging een drankje voor haar halen en toen hij terugkwam stond ze te praten met de jonge vrouw met marmeladekleurig haar.

'Jou heb ik gisteren gezien,' zei de vrouw tegen Peter. 'Ik heb een fotografisch geheugen voor gezichten. Ik heet trouwens Renate.'

Op dat moment kwam Teo aanlopen. Al spoedig waren Teo en Renate druk in gesprek.

Sneeuwlok nipte van haar bier. Zenuwachtige slokken net als in de wijnbar. Ze wapende zich voor wat ze ging doen. 'Ik dacht dat je zou denken dat ik onverschillig was als ik mijn plannen niet kon veranderen.' Ze sprak hortend en grapsgewijs alsof iemand hen misschien afluisterde. 'Wat ik vanavond moest doen – daar kon ik gemakkelijk onderuit komen.'

'Wat moest je dan doen?'

'Doet er niet toe.' Toen: 'Het is Stefans verjaardag.'

'Moet je dat niet met hem vieren?'

'Ik ben liever hier.' Ze keek hem op een vreemde manier aan. 'Misschien dat als je iets echt graag wilt, je het ook kunt laten gebeuren.'

'Je grootmoeder?' Maar hij wist dat wat hij zei, de onbeholpen manier waarop hij zich uitdrukte, niet weergaf wat hij in zijn hart voelde.

Blozend ging ze verder. 'Ik dacht aan Bruno.' Toen sloeg ze haar armen om hem heen in een zo onverwachte beweging dat zijn adem erdoor werd afgesneden. Ze sprak gejaagd in zijn oor: 'Ik ga met je mee. Ik wil in de rekwisietenkoffer mee. Ik zal mezelf zo klein opvouwen dat je me niet eens ziet. Ik kan geen nacht langer in dit land blijven.' Haar omhelzing ontspande. 'Ach, Renate...'

'Wacht even,' zei Peter en pakte haar lege glas. Hij baande zich duwend een weg naar de bar en probeerde zijn verwarring, de twist in zijn hoofd de baas te worden. Toen ze die ochtend uit elkaar gingen had ze hem opgezadeld met een angstig gevoel en gebrek aan zelfvertrouwen, maar hij dacht aan haar alsof ze in hem een vraag had geplant die vitaal was voor zijn welzijn. De hele dag had hij geprobeerd zijn verlangen uit te bannen. Nu hoorde hij zijn hart in zijn oor bonzen: ze wil met me mee, ze wil met me mee.

Hij betaalde voor het bier en zocht moeizaam zijn weg terug naar Sneeuwlok. Renate was verdwenen en ze stond hem aan te kijken en hij dacht: ze is zo aantrekkelijk. Haar groenige, sensuele ogen vulden de ruimte en ze keek hem aan zoals ze dat op Bruno's feestje had gedaan, zich bewust van zijn begeerte.

Hij begreep zijn gevoelens niet. Een minuut geleden voelde hij paniek. Nu voelde hij zich dapper, edelmoedig, tot het niet meer Peter was die voor haar stond, maar Sir Bedevere. Hij gaf het glas aan Sneeuwlok en zijn blik wakkerde iets in haar ogen aan. Waarom zou ik haar niet meenemen? Ze verkeert in nood. Natuurlijk moet ik haar helpen.

Hij liep met haar naar de kleine kleedkamer en maakte de rieten koffer open. Hij gooide de inhoud op de grond. De gong van Marcus. Sepps kleren. Het haperende voetlicht. Hij bekokstoofde het plan terwijl hij bezig was. 'Moet je horen, dit wordt dalijk naar het station gebracht. Onze trein vertrekt morgenochtend om één uur.' Hij hield het groene gordijn apart en sloeg het om haar schouders, terwijl hij haar hartstochtelijk in zijn armen nam. Toen ze de grens overgingen hadden ze de koffer niet onderzocht. Waarom zouden ze dat op de terugweg wel doen? 'Kruip erin.'

Ze stond op het punt om erin te stappen toen een stem haar ervan weerhield.

'Aha!' Teo's ogen bleven op haar rusten. 'Híer hang je uit. Je hebt natuurlijk een verrukkelijke reden om te blijven hangen. Maar we zijn al te laat. We moeten opschieten.' Tegen Sneeuwlok zei hij: 'Het spijt me dat ik deze man mee moet nemen, maar hij wordt ergens anders verwacht.'

'Waar zijn de anderen?' vroeg Peter.

'Al vertrokken. Kom op.'

Op dat moment verscheen Renate. Met een flesje bier in iedere hand. 'Hé, kleren aan het passen?'

'Ik was aan het inpakken,' zei Peter, die het gordijn van Sneeuwloks schouders pakte en in de koffer gooide.

'Waar gaan jullie heen?' vroeg Renate.

'O, een of ander feestje,' zei Teo.

'We zouden met jullie mee kunnen gaan.'

'Daar zouden jullie niet veel aan vinden,' zei Teo. 'Gewoon een stijve receptie. Eigenlijk maar godvergeten saai.'

Sneeuwlok raakte Peters arm aan. 'Ik ga met je mee.'

'Ja, waarom gaan we niet met zijn allen?' zei Renate.

Er viel een ongemakkelijke stilte. Peter keek Teo aan. 'Wat denk jij? Zouden ze binnen mogen?'

Teo zei met een zeer nuchtere stem: 'Kan ik je even apart spreken?' En toen ze in de gang stonden: 'Hier komt niks van in, Peter. Dat kunnen we niet doen. Wil je wel of wil je niet voor de rest van je leven in dit trieste land in een inrichting terechtkomen?'

'Dus jullie nemen ons toch mee?' vroeg Sneeuwlok, die de gang in kwam lopen.

'Hoor eens, meisjes,' zei Teo. 'Peter en ik gaan samen naar dat feest want leuk of niet, wij zijn officiële genodigden.'

Peter keek naar Sneeuwlok. 'Ik wil graag dat je meegaat.'

Het sneeuwde hard. Met zijn vieren propten ze zich in een taxi en wreven zich rillend in hun handen.

'Pas op!' riep Renate toen ze bijna inreden op een bestelwagen met een vis op de zijkant geschilderd.

Op de radio zong een vrouwenstem: '*Komm, gibt mir dein Hertz.*'

Renate giechelde en Teo luisterde stuurs terwijl ze sprak en naast hem zat Sneeuwlok naar Peter te kijken met de uitdrukking van iemand die in grote haast wakker was geschud voor de werkelijkheid van het leven. Als ze al verwachtingsvol keek, kwam dat dan niet omdat hij haar daarvoor aanleiding had gegeven? 'Ik stop je er na de receptie wel in,' had hij gefluisterd toen ze het theater verlieten. 'Hij staat dan op het perron. Je zult vliegensvlug moeten zijn.'

'Wat is dat voor geur?' Teo pakte Renates arm en rook aan haar pols.

'Nee.' Hij keek met een verwilderde blik naar Sneeuwlok. 'Lekker parfum.'

'Frans,' ze bloosde.

Peter was haar geur nog niet eerder opgevallen. Ineens kleefde hij aan iedereen in de auto.

Teo boog zich voorover. Hij fluisterde: 'Wilde je dat meisje in de koffer meesmokkelen?'

'Ja.'

'Niet doen, Peter. Dat is niet volgens de afspraak.'

'Val dood,' zei Peter.

Maar Teo negeerde hem. 'Dat is ongelooflijk stom. Wil je nou echt de komende veertien jaar alleen maar cement mengen, omzetten en weer mengen?'

Teo ging weer achterover zitten en Sneeuwlok glimlachte naar hen en wilde iets uitleggen. 'Mijn grootmoeder wilde dat ik het kocht. Het enige parfum dat ik had was Pools. "Dat kun je niet opdoen!" zei ze tegen me. "Het is echt smerig." Toen gaf ze me honderd mark om Franse parfum te kopen.'

Maar Peter werd misselijk van de geur. Alles waardoor Sneeuwlok blijk had gegeven van zuiverheid en ongekunsteldheid leek ineens te getuigen van een mondaniteit die niet bij haar paste. Het deed Peter op een verstikkende manier aan zijn moeder denken.

Je kunt in een nacht leven verwekken. Hij haalde zijn stropdas uit zijn zak en begon hem om te doen en wilde met alle geweld de stem van zijn moeder uit zijn hoofd bannen.

Hoe had hij zich in godsnaam in deze positie gewerkt? Op een vurig moment had hij een onmogelijke romantische belofte gedaan en

Sneeuwlok hield hem eraan. Hij tilde zijn kin op en strikte de das van St Cross met de mauve en groene diagonale strepen om zijn nek. Hij zag de tand waar een stukje af was en hoorde de zwijmelende woorden, het zware Saksische accent en een flits van weerzin schoot door hem heen. Ze is niet anders dan Renate. Hij probeerde zichzelf tegen te houden, maar dat lukte niet. Hij had een zwarte gedachte naar boven gehaald en er kleefde al weer een volgende aan. Waarom had ze die kleren aangetrokken? Waarom heb ik haar voor de receptie uitgenodigd? Waarom heb ik gezegd dat ze erna naar het station moet komen? En hij bekladde haar met zijn zwarte gedachten tot ze onzichtbaar was geworden.

Hongerend naar Teo's aandacht pakte Renate zijn hand en legde die tegen haar wang. Sneeuwlok wendde zich naar Peter en zei met een zachte stem: 'Ik wist niet welke ik moest kopen en daarom ben ik naar dat café op de Neumarkt gegaan. Daar komen kunstenaars 's middags eten. Er zat een docent van de grafische school. Hem heb ik gevraagd om met me mee te gaan om in Exquisit een parfum uit te zoeken. Hij heeft dit gekozen.'

Ze hield haar blik op Peters gezicht gericht om te zien of hij het lekker vond. Dat hij inderdaad van plan was om haar in de rekwisietenkoffer op te vouwen. Maar ze zag aan zijn gezicht dat ze het verkeerd had gezien. Toen moest ze een beeld van haarzelf hebben opgevangen terwijl ze vooroverboog. Ze tikte op zijn knie, maar in plaats van iets te zeggen begon ze te zingen en hij vermoedde dat ze zojuist in de spiegel een flits van Stefan had opgevangen en had gezien dat ze er precies zo uitzag als Stefan op het feestje van haar broer, als een droevig en hongerig dier. 'Jij kunt moeiteloos wreed zijn...'

De rest van de woorden hoorde hij niet. Alleen het gebulder van zijn eigen paniek. Ze is overstuur, ze zoekt steun en ik heb beloofd haar mee het land uit te nemen.

Het Astoria was afgezet, maar een politieagent gebaarde dat de taxi kon doorrijden. Die zette hen af onder een lange, bruine ijzeren overkapping die zich vanaf de hotelingang tot in de vrieskoude avond uitstrekte.

Een portier stond achter een glazen schuifdeur met oplettende blik toe te kijken toen ze naar hem toe liepen. Hij was tenger van bouw en droeg een struikroversjasje bezoedeld met een overdaad aan goudgalon.

Peter liep voorop en vergrootte al de afstand tussen hem en Sneeuwlok. 'Wij zijn hier voor de Hansen-receptie.'

De portier tikte met een witte handschoen tegen de klep van zijn pet. 'Het spijt me, meneer, zij mogen niet naar binnen.'

Sneeuwlok haalde hem in. Pakte hem bij de arm.

'U kunt niet naar binnen.' De portier sprak haar rechtstreeks en op gebiedende toon aan. Als een veiligheidsagent.

'Maar zij is mijn gast,' zei Peter.

'Het spijt me. Alleen op uitnodiging.'

'Laat mij dit maar afhandelen,' zei Renate met een stem waardoor de portier zijn hoofd naar haar toe draaide.

Peter voelde Teo's hand op zijn schouder en ze waren binnen.

Eenmaal in de hal ontplofte Teo. 'Je bent gestoord! Je bent gek geworden, man. Dacht je nou echt dat je haar het land uit kon smokkelen? Zie je dan niet wat er zou gebeuren? We zouden aan de grens tot op de graat worden onderzocht. Ze zou om twee uur 's ochtends op een ijskoud perron de trein uit worden gesleurd en wij zouden allemaal worden opgesloten. We kunnen nog maar drie uur in dit land blijven. Verpest het in godsnaam niet, Peter.'

'Eíndelijk, jullie zijn er!'

Sepp gebaarde aan het einde van een gang voorzien van luchters als afhangende kwallen. Hij stond naast een zenuwachtig uitziende man in een goed gesneden pak. Hij was nog steeds geschminkt.

'Waar bléven jullie nou? Herr Wettiner hier begint onderhand zijn geduld te verliezen.' Sepp loodste Peter met zich mee voor hij uitleg kon geven. 'Iemand staat op het punt om niet voor de eerste maar voor de derde keer een toost uit te brengen. Zorg dat je als de wiedeweerga in die zaal komt.'

Peter keek snel om zich heen. Buiten stond Renate met de portier te praten en de portier luisterde. Sneeuwlok zag hij niet.

De feestzaal lag achter in het gebouw. Tsjechische kroonluchters en olieverfschilderijen in vergulde lijsten en in het midden een rij vierkante witte zuilen met bladgoud afgezet. Tegen de achtermuur en van de rest van de zaal gescheiden door een versleten gordijn met een patroon van tropische bloemen strekte zich een lange ovale tafel uit.

Sepp had kennelijk niet voldoende tot Peter laten doordringen dat de receptie in feite niet een cocktailparty maar een officieel diner was. Er zaten ongeveer dertig mensen om de tafel. Peter werd te snel aan hen voorgesteld om zich te herinneren wie ze waren. Hij herkende de schrijver van de boekenbeurs en een uitgever van jeugdboeken die hun treinkaartjes had betaald. De rest waren diplomaten en zakenlui die de handelsbeurs bezochten. Ze schudden hem de hand en kwamen half van hun stoel overeind voor ze hun gesprek voortzetten.

Peter zat naast de echtgenote van de vaste cultureel attaché, een bolle vrouw met wit haar in een robuuste bleekgroene jurk met vleermuismouwen. Zodra ze hoorde wie hij was opende ze haar mond en begon meteen een beleefd gesprek, terwijl ze af en toe kruimels op het witte tafellaken verplaatste.

'Wat een schitterende voorstelling,' begon ze. 'Knap gedaan hoor.'

Toen hij ging zitten maakte hij zich nog zorgen over Sneeuwlok, maar de loftuiting van deze chic geklede vrouw die veel ouder was dan hij, overrompelde hem. Ze vroeg naar zijn plannen na de universiteit en of hij van plan was met acteurs te blijven werken en toen hij haar vertelde dat hij hoopte zich in de pediatrie te specialiseren, bekende ze dat ze ook een hekel aan toneel had en het fantastisch vond dat hij kinderarts wilde worden, omdat mensen die kinderen hielpen bij haar weten een waardevol leven hadden. Hij liet haar woorden over zich heen spoelen en zich imponeren door haar huis in de wijnstreek van Beieren, een bibliotheek die hij te allen tijde met een bezoek mocht vereren, een rivier – hield hij van vissen? – en zelfs hun officiële residentie in de Hannoversche Straße, waar zij en haar echtgenoot – 'inderdaad, het lugubere heerschap aan het hoofd' – gasten ontvingen die Oost-Berlijn bezochten.

De obers begonnen de soepborden af te ruimen en de witharige dame had het over de laatste post van haar man in Afrika, toen hij zich bewust werd van commotie achter zich.

Hij draaide zich om op zijn stoel. In de hoek bij de deur probeerde de portier een jonge vrouw tegen te houden. Sneeuwlok. Hij voelde zijn maag samentrekken.

Iedereen keek die kant uit. In het felle licht van de kroonluchters zag haar rokje er ordinair uit, haar make-up opzichtig en haar Japanse bloes namaak. Onder de zilversatijnen stof zag Peter de halsketting aftekenen en hij maakte zich klein in zijn stoel en verwenste de lippenstift, de kleren en de ongekende uitwerking. Op dat moment sloeg alles om.

'O hemeltje, wat vervelend nou,' mompelde de vrouw van de attaché. Voor haar en iedereen in de zaal was het duidelijk: dit was een Leipzigs straatmeisje.

Van achteren vastgehouden door de portier keek Sneeuwlok de zaal in. Haar verschrikte ogen vestigden zich op Peter en ze wees. 'Daar is hij.'

De portier duwde haar, nog steeds aan haar arm naar voren en dertig gezichten wisselden geïntrigeerde, geschokte, verbaasde blikken uit. Het stel liep naar de tafel waaraan de gasten met hun Potsdammer bestek in het varkensvlees sneden en hun ogen afwendden naar het tafelkleed, de wijnglazen, de wonderlijke bloemen op het gordijn, de vloerbedekking.

De portier liep stap voor stap de tafel langs tot ze voor Peter stond. 'Deze jongedame beweert dat u haar voor het diner heeft uitgenodigd, meneer. Bent u samen met haar gekomen?'

Buiten de zaal was zijn toon vinnig geweest, maar nu stelde hij de vraag met een ingetogen stem. Zelfs bijna alsof hij hoopte dat Peter 'ja' zou zeggen.

Peter hoorde de ruisende stilte in de zaal. De mensen om hem heen vervaagden en Sneeuwlok keek hem met grote smekende ogen recht aan. Nu zou ze in het gelijk gesteld worden. Nu zou hij overeind komen. Nu zou hij een van de ingelegde stoelen tegen de muur achter zich pakken en zeggen: 'Inderdaad, ik heb haar uitgenodigd. Wat goed om je te zien. Ga alsjeblieft zitten.'

Ze wachtte op een bevestigend sprankje, maar hij keek haar aan met een verschrikte waas voor zijn ogen.

'Nee.'

Eén lettergreep, maar zodra hij hem had geuit overviel hem het afgrijselijke inzicht dat hij iemand anders was geworden.

Sneeuwlok ontving het nieuws met een blik die hij nooit meer zou vergeten. Waarna alle expressie uit haar gezicht wegvloeide en verdween, zodat haar ogen doods achterbleven alsof ze in een gat waren gevallen.

'Dank u wel, meneer,' zei de portier met een kalme, teleurgestelde stem.

Ze stond daar een tijdje haar stilzwijgen te wiegen en hij moest denken aan Sepp op het toneel aan het slot van de mimevoorstelling. Het was het zwijgen van iemand die was verraden en toen de portier haar begon weg te trekken galmde het door de ruimte.

Hij had onmiddellijk spijt van zijn antwoord. Met een afgrijselijke afstandelijkheid kon hij opnieuw zien hoe mooi ze was. Iets in de lijn in haar rug leek rechter dan voorheen en het woord 'waardigheid' schoot hem te binnen en bleef hangen. Wat hem kwelde was dat hij zichzelf kon zien opstaan en achter haar aan hollen en het kwam als een verrassing dat hij daar nog bleek te zitten alsof hij zich onder water bevond. Hij kon zichzelf niet voelen, en evenmin de lucht op zijn huid. Hij zag Sneeuwlok zoals hij haar voor het eerst in de kerk had gezien, in verschillende lagen van intensiteit.

'Ik geloof dat er een vergissing in het spel is, een vergissing...' Hij kwam weer boven en zij was verdwenen en de hand van de vrouw op de zijne was niet die van haar, maar van de vrouw van de attaché.

'Zit er maar niet over in. In Afrika kregen we altijd met dat soort mensen te maken.'

Om hem heen begon iedereen plotseling te praten, maar niets was hetzelfde. Zijn lippen voelden verschroeid. De lucht was wansmakelijk, niet in te ademen. Hij had gestraald. En dat kun je niet maken als je een volmaakte, nobele Engels-Duitse ridder bent. Dat was gewoon ondenkbaar. Aan tafel knipoogde iemand naar hem en een ander keek hem hardvochtig aan. Teo boog zich naar hem toe, klopte hem op zijn schouder en zei iets, maar het enige wat hij kon horen was het gebulder in zijn bloed, de wegstervende galop van hoeven, van de figuur met vizierhelm en kletterend harnas die hij ooit had gedroomd te zijn en die met gevelde lans op de open plek in het woud verscheen om deerns uit de geschubde klauwen van draken te bevrijden. Hij schoof zijn stoel naar achteren en wilde opstaan, maar bleef aan de plek genageld zitten.

HOOFDSTUK VIJFTIEN

'HOE WAS LEIPZIG?' De volgende avond in Hamburg zat Anita naast hem op de bank. 'Ben je meer over je vader te weten gekomen?'

'Nee.'

'Waar zijn de muts en de sjaal gebleven die ik je heb gegeven?'

'Die ben ik verloren.'

'Allebei?' met haar blik op haar schoot gericht. Bedroefd begon ze polaroids te sorteren. Grijnzend in een overvolle kerk. Met een vol boeket van kleine witte bloemen in haar hand. De sluier passend.

Peter schoof op om haar te omhelzen. Om haar ervan te verzekeren dat zijn gevoelens niet waren veranderd. Maar hij had meer achtergelaten dan alleen een wollen muts en een sjaal. Hij was op alle fronten aangeslagen uit Leipzig teruggekomen. Zo verliefd, zo verward, zo belast dat hij toen Anita haar rug voor hem boog om haar jurk open te ritsen, zich voelde als een iemand bedwelmd door chloroform. Zijn trekken verstard als een afspiegeling van zijn lafheid.

'Peter, ik wacht.'

Maar hij droomde nog steeds, hij droomde van Sneeuwlok. De gedachte aan wat hij haar had aangedaan sneed in zijn vlees. Dat was zo toen hij het perron van het Centraal Station in Leipzig op holde en dat bleef zo toen de conducteur, die de traan in zijn ooghoek zag, zei: 'Inderdaad, het is heel moeilijk om dit prachtige land te verlaten.'

Aan het einde van het perron hadden drie mannen in rijbroek en kaplaarzen en een woest uitziende man met een Duitse herder gestaan. Peter herkende hem als een van de mannen voor de Thomaskirche. Zijn hond snuffelde opgewonden aan een hoek van de rieten hutkoffer. De man trok zijn pistool uit de holster en hij wasemde vijandigheid uit als de adem van zijn hond. Hij drukte de loop tegen het deksel.

'Wilt u dat ik hem openmaak?' vroeg Peter.

De man keek hem aan met een glimlach die bijna vergenoegd was. 'Niet nodig. Ik schiet wel drie keer in het midden. Je weet maar nooit.'

Het verbaasde Peter dat de hutkoffer zo zwaar was, maar in Hamburg werd duidelijk waarom.

'Wat is dat, verdomme?' riep Marcus. Op de plek waar Sneeuwlok had moeten liggen lag een opgerold dik zwart geverfd touw.

Het vervulde Peter met afschuw te bedenken dat het touw erin was gestopt door mensen met wie Sneeuwlok over hem had gesproken. Nog onverdraaglijker was het idee dat ze door zijn lafheid mogelijk in hun handen was gevallen. Hoe heel anders had zijn moeder gehandeld. Ze was bij zijn echte vader gebleven en had onwankelbare moed aan de dag gelegd. Hoe had Peter, vergeleken met haar hoffelijkheid en gulheid, haar roekeloze avontuurlijkheid, gereageerd toen het noodlot hem bij de hand nam en wilde weten wat voor iemand hij was?

Zijn verloochening van Sneeuwlok in het Astoria-hotel was het moment waarop Peter voor zichzelf werd getypeerd. Nu wist hij wie hij was. Een *Duckmäuser*. Iemand die zijn snor drukte. Iemand die zei: 'Ik ken den mens niet.'

De daarop volgende woensdagochtend om elf uur schreef hij Sneeuwlok een briefkaart die hij in de dierentuin van Hamburg had gekocht. 'Hoe kun je me ooit vergeven?' In een PS voegde hij eraan toe dat de giraffe op de voorkant hem aan haar deed denken. Hij adresseerde de kaart aan 'Snjólaug' op de faculteit voor psychiatrie van de Karl Marx-universiteit. Op vrijdag belde hij de faculteit om te informeren of ze de aanstelling had gekregen. Hij belde de volgende dag en de dag daarop. Er werd niet opgenomen.

Zes weken later schreef hij nog steeds brieven. In mei stuurde hij haar vier van zijn favoriete romans en een uitgave van Malory. Hij kon er niet achter komen of ze het pak had ontvangen, of dat ze hem liever negeerde.

Op een avond zei Anita: 'Waarom doe je dat?'

'Wat?'

'Je ogen dichthouden.'

'Doe ik dat?' en hij deed ze onmiddellijk open. 'Dat was niet tot me doorgedrongen.'

'Misschien is dat Engels,' met een verstoorde blik. De vrouwen scheerden hun oksels terwijl de mannen de liefde bedreven met hun ogen dicht. 'Je hebt het alleen nooit eerder gedaan.'

Twee weken later belde hij de Karl Marx-universiteit en dit keer nam er iemand op.

Hij spelde de letters.

'Snjólaug?' herhaalde een ambtelijke stem.

'Dat is haar bijnaam,' zei Peter. 'Misschien dat iemand op de afdeling hem herkent.'

'Bij ons is een achternaam vereist,' bits.

Haar stilzwijgen was een verwijt aan hem. Hij wachtte tevergeefs op een brief uit Leipzig, een telefoontje. Hij dorst nauwelijks het huis uit te gaan. Bang dat de muntjestelefoon in de gang zou rinkelen. Met Sneeuwlok aan de andere kant.

Slaap was zijn enige toevlucht voor haar stilzwijgen. Hij kon het niet verdragen om wakker te worden omdat hij dan weer zichzelf was. Hij verlangde naar de ochtend dat hij zijn ogen opendeed en niet onmiddellijk aan Sneeuwlok zou denken.

Elke keer dat hij aan haar dacht gingen er angstscheuten door hem heen. In zijn grauwe vertwijfeling bleef hij zich afvragen: is ze die avond in moeilijkheden geraakt? Zou ze hem ooit vergeven? Was ze op de universiteit aangenomen?

Op goede dagen kon hij zichzelf ervan overtuigen dat zijn verloochening van geen belang was. Niemand had haar gehoord toen ze met hem in het Rudolph-theater sprak. Niemand wist van haar plan om te ontsnappen. Ze liep geen gevaar.

Om het schuldgevoel kwijt te raken, zijn schokkende gedrag uit zijn hoofd te zetten, probeerde hij zichzelf te troosten. Hij was niet de eerste die zo had gehandeld. Hij had gedaan wat iedere jongeman onder dergelijke omstandigheden had kunnen doen. Sneeuwlok wist vast wel hoe de zaak lag. Misschien dat ze een poosje kwaad was geweest, maar daarna zou ze het voorval zijn vergeten. Zijn zonde was een kruimelzonde. De kans was groot dat ze hem had opgeborgen en niet meer aan hem dacht, helemaal niet meer. Soms gaat het zo, hield hij zichzelf voor. Zij die onrecht zijn aangedaan vergeten alles terwijl het onrecht dat iemand doet hem voor de rest van zijn leven naloopt.

Op kwade dagen zag hij zichzelf als de jongen op de fiets die zijn vader in Dorna had aangegeven. In zijn geest had hij haar vermoord. En in zekere zin vermoordde hij haar door een afgezwakte versie van die avond op te dissen.

In juni ging hij, zonder Anita iets te zeggen en zonder zijn ouders iets te laten weten, terug naar Engeland voor een schoolreünie. Het was de eerste keer dat hij naar zijn land terugging sinds hij in Duitsland was gaan wonen. Aan het einde van het diner – in een zaal op de begane grond van het Garrick-hotel – zaten de oud-leerlingen in een kring en lieten de meest gênante momenten de revue passeren die ze in zes jaar hadden meegemaakt voor ze bankiers, advocaten, journalisten waren geworden.

Leadley vertelde een onwaarschijnlijk verhaal over hoe hij in zijn onderbroek op het balkon van de Britse ambassade was gaan staan en door mensen beneden ten onrechte was aangezien voor president Nixon.

Tweed onthulde dat hij een druiper had opgelopen van de zuster van een vriend in Cambridge die graaf was.

'En jij, Hithers?' vroeg iemand. 'Nog strippers op de Reeperbahn geneukt?'

'Ik heb wel degelijk een meisje gekend,' antwoordde Peter, aangemoedigd door calvados en gelach en een onverwachte wens om erbij te horen. 'Maar niet in Hamburg.'

Ze draaiden hun hoofd naar hem om te luisteren.

Soms vertel je een verhaal om het moreel bij te schaven en verteerbaar te maken. Die avond probeerde Peter, zoals zo veel mensen die iets verschrikkelijks de kop in willen drukken, zijn ervaring met Sneeuwlok te verfijnen en glad te strijken tot een versie waarmee hij kon leven. Zelfs toen hij het in een nieuwe vorm goot, vroeg hij zich af of hij elk detail moest opnemen. Net als zijn moeder had kunnen doen begon hij een afgezwakt verslag op te dissen. Een dat daarna zijn eigen versie werd. Waarin Sneeuwlok was veranderd in een meisje dat hij voor het eerst ontmoette in de foyer na de laatste voorstelling. Iemand die hij amper kende. Die alleen maar mee naar die receptie wilde.

Toen Peter was uitgepraat leek de stilte op de stilte in een ruimte waar een horzel is neergestreken maar niemand weet waar.

'O, maar dat is toch niet zo erg,' zei iemand.

'Nee, maar op dat moment was het wel heel erg.'

'Was ze nou wel of geen hoertje?' vroeg Tweed.

Peter glimlachte geheimzinnig.

Hij werd gered door Leadley met de droevige blik van een bullebak in zijn kleine ogen. 'Zijn ze dat niet allemaal?'

Hij vloog naar Hamburg terug en sloot zich in zijn kamer op.

Anita liet briefjes achter. Ze klopte aan en hij hoorde haar aan de andere kant van de deur zuchten. Hoe meer hij haar negeerde hoe vaker ze in de Feldstraße aanklopte tot hij haar op een middag toen hij van college terugkwam als een hoopje ellende op de overloop aantrof.

'Teo heeft me erin gelaten.' Ze keek naar zijn gezicht als een hond die de koffer van zijn baas heeft zien staan. 'Waarom antwoord je niet op mijn boodschappen?'

'Ik ben weg geweest.'

'Wat is het probleem? Vertel het me.' Ze wilde dat hij het uitspelde. Een reden. Kwam het door iets wat ze had gezegd of gedaan? 'Ik heb er toch geen tweede hoofd bij gekregen terwijl jij in Leipzig zat. Wat is er gebeurd? Heb je iemand anders ontmoet? Wees eerlijk.'

Hij vocht tegen de aandrang om alles eruit te gooien, maar het was nu te laat om het te vertellen. 'Oké, je wilt dat ik eerlijk ben. Goed dan.' Hij streek wild door zijn haar. 'Ik moet wat ruimte hebben.'

'Ik dacht dat je van me hield.' Omdat ze er niet door wilde worden buitengesloten, kon ze het niet verdragen om hem in zijn ogen te kijken.

'Dat is ook zo, maar ik ben niet verliefd op je.'

Ze keek hem aan en barstte in tranen uit. 'Dat is te verschrikkelijk! Hoor eens, neem over ons nog even geen beslissingen. Ik kan je ruimte geven als je dat wilt.'

'Ik wil geen... Dat is niet wat ik bedoel,' met de hijgende stem van iemand die niet meer verliefd is.

Twee dagen later liep ze hem tegen het lijf. Hij zat in een bar met iemand van de verpleegstersopleiding van de UKE. Hij deed of hij Anita niet zag. Haar kwetsbare, bleke gezicht. Haar dikke ogen. Ze wisselden blikken uit, maar toen hij weer haar kant uit keek was ze verdwenen. Hij babbelde door terwijl hij diep vanbinnen Anita haatte voor het openlijke blijk van haar verdriet en schreef haar de volgende ochtend een brief: 'Ik kan je niets beloven en het zou verkeerd zijn om je aan het lijntje te houden. Maar ik zie geen toekomst.'

Toen zijn deur uit de hengsels was gelicht, ging hij ervan uit dat het het werk was van Anita's broers.

In augustus verhuisde hij naar kamers in de Haydnstraße. Hij ging niet meer met Teo's elftal voetballen en hij deed alle moeite om de twee andere leden van Pantomimosa te ontlopen. Nu al zijn ridderlijke streven op niets was uitgelopen zwoer hij trouw aan de medische wetenschap en stortte zich op zijn studie. Hij probeerde zo hard te werken dat het geen pijn meer deed.

Zo verstreek een trimester. Daarna nog een. Tot in het laatste jaar van zijn doctoraal zijn zuster kwam logeren

Rosalind had die zomer de cateringopleiding voltooid. Om dat te vieren nodigde hij haar uit naar Duitsland te komen.

'We zien elkaar in Berlijn.' Ze wilde dolgraag over de Muur kijken.

Op een koude ochtend in juli bekeek hij intens alle passagiers die op het vliegveld van Tegel aankwamen. Hij had haar in geen zes jaar gezien, niet meer sinds zij hem naar Hamburg had uitgezwaaid.

'Bedevere!'

Hij herkende de stem, maar niet het gezicht. Pafferiger, met de diepliggende ogen van haar vader en omlijst door dik krulhaar dat in het decolleté van een gelige Laura Ashley-jurk bij elkaar kwam. Hij verbaasde zich erover hoe klein ze was. Hoe wit haar huid. Hoe ontzettend Engels ze eruitzag terwijl zij hem van top tot teen opnam.

'Rosalind,' zei hij formeel.

Op hun eerste ochtend samen gingen ze naar een Turks restaurant in Charlottenburg. Ze vroeg hem haar het menu uit te leggen en toen hij dat had gedaan zei ze met een strenge uitdrukking: 'Je moet van iedereen de hartelijke groeten hebben.'

'Hoe gaat het met iedereen?'

'Mam wil weten of je per adres haar laatste pakje hebt ontvangen.'

'Natuurlijk.' Een cd van Beethovens *Missa Solemnis* met haar zoveelste brief: 'Ik heb dit voor Kerstmis van Ros gekregen, maar ik heb hem al. Ik weet zeker dat je hem mooi zult vinden. Schrijf eens af en toe. Ik vind het niet erg dat je vijf maanden weg bent, maar je bent al zes jaar weg. Is er enige hoop dat ik grootmoeder word? Want voorzover wij kunnen opmaken hebben we in dat opzicht niets aan Rosalind. Misschien heb jij vrienden die ze eens kan ontmoeten...'

'Je zou haar eens een briefje kunnen sturen,' zei Ros. 'Misschien wil ze van mij niet aannemen dat je nog leeft.'

'En pa?'

'Met pa gaat het niet zo goed, hoor. Hij wordt gek van mam en haar muziek. Hoewel zij op een andere manier van hem knetter wordt.'

'O?'

'Hij heeft die vriend uit Marokko op bezoek gehad.'

'Toch niet Silkleigh?'

Ze lachte. Het droevige lachje van haar vader. 'Hij komt en gaat en belooft met zijn plannen steeds om papa's financiële situatie te verbeteren, maar tot dusver nop.'

'Ik dacht dat hij een boek aan het schrijven was.'

'O, dat staat op een verdomd laag pitje, zegt ie, tot hij een goede titel kan bedenken. Van de laatste is hij helemaal afgestapt! Nee, op het moment is zijn grote ambitie om in Abyla een restaurant te openen – dat ligt in Marokko. Ik heb een vermoeden dat hij ondergetekende om advies wil vragen, maar tot dusver heeft hij me alleen uitgenodigd om te komen snorkelen. Ik moet zeggen dat hij eigenlijk wel een giller is. Je zou hem moeten zien als hij ma zover probeert te krijgen dat ze een duet met hem zingt. Na de laatste ruzie die ze hadden nam hij me apart en fluisterde: "Je moeder is niet geboren, schat, ze is gedólven".'

Maar Peter wilde niets over Silkleigh horen. 'En hoe is het met jou, Ros?'

'O, prima.'

'Geen vriendje?'

'Geen vriendje,' en snel vroeg ze: 'Hoe lang ben jij van plan in Duitsland te blijven?'

'Ik heb geen idee.'

'Maar je wilt toch wel terugkomen?' Ze deed geen moeite haar irritatie te verbergen over het feit dat zij vond dat haar broer Duitsland najoeg, of liever nog zijn misvatting over het land, op dezelfde gênante manier als hij vroeger achter haar vriendinnen aanzat. 'Ma heeft niets gezegd, maar nu grootvader dood is hoopt ze, ach, je weet wel, dat je tot bezinning zult komen.'

'En dat houdt in?'

'Dat je in Engeland dokter zult worden, verdorie.'

'Nee, dat kan ik niet, nog niet. Ik zit hier vast. Ik kan dit leven niet eeuwig voortzetten, maar ik moet eerst afstuderen.'

'Peter, weet jij wel wat je onze ouders aandoet door niet in de buurt te zijn, nooit over te komen? Opa was zo trots op je en je bent niet eens naar zijn begrafenis gekomen.'

'Dat spijt me, Ros. Ik had er het geld niet voor. Maar ik heb beloofd dat ik overkom als de examens achter de rug zijn.'

Ze liet zich niet afschepen. 'Je hoeft je tegenover mij niet te verontschuldigen. Het enige wat ik wil begrijpen is waarom je hier bent en waarom je zo ongelukkig bent? Daar moet een reden voor zijn. Je bent mijn broer. Waar loop je van weg? Was er iets op school waar ik niets van af weet? Ik heb Tristram laatst gesproken en hij zei dat je na je verjaardag volkomen was veranderd.' Ze schonk hem een vrolijke blik. 'Overigens is Tristram helemaal hoteldebotel van Camilla.'

'Ros, ik loop niet van Engeland weg.'

'Als je dan niet ergens van wegloopt, wat houdt je dan hier? Het is hier verschrikkelijk. Humorloos en verschrikkelijk. En wat het eten betreft...'

'Ik ben hier niet voor het eten.'

'Volgens mij zit er in je leven iets goed scheef. Maakt het enig verschil dat je hier bent?' En toen: 'Je gaat me toch niet vertellen dat je nog steeds op zoek bent naar je vader?'

'Zo zou je het kunnen noemen.' Hij had er met niemand over gesproken, en nu die extra dimensie van eenzaamheid door haar aanwezigheid werd benadrukt vertelde hij zijn zuster het verhaal over zijn frustrerende bezoek aan Dorna twee jaar terug. 'Ik heb kans gezien om het dorp te bezoeken waar mam hem heeft ontmoet. Maar dat was niet genoeg. Ik kon nergens zijn naam vinden. Overigens kun je tegen moeder zeggen dat als ze op een of andere manier achter een naam of datum kan komen...' Maar zelfs toen hij het vroeg wist hij al dat zijn moeder hem alles had verteld wat ze aan hem kwijt wilde, waardoor het gevoel van spijt alleen maar sterker werd.

Hij ging verder: 'Je kunt je niet voorstellen hoe geweldig moeilijk het is. In Engeland ga je gewoon op het plaatselijke stadhuis informeren. Daar niet. Zelfs als ik hem of familie van hem zou zijn tegengekomen, zou ik ze met geen mogelijkheid herkend kunnen hebben. Ik kon daar niet rond blijven lopen en vragen: "Neem me niet kwalijk, doe ik u aan iemand denken?" Hoe dan ook is het dorp geheel uit mijn herinnering weggevaagd door de terugreis. Ik kan nog steeds horen hoe het hert werd afgemaakt. Het was afgrijselijk, Ros.'

Maar ze kende hem te goed. Ze nam er geen genoegen mee dat zijn ongeluk geheel en al in de schoenen van zijn Duitse vader werd geschoven. 'Er is nog iets anders, waar of niet?'

'Misschien heb je gelijk.'

Stralend als een vroedvrouw zei Rosalind: 'Is het een vrouw?'

Hij deed er het zwijgen toe.

'Peter, ik ken dat gezicht. Ik zou bijna willen dat we in Hamburg waren omdat ik graag zou willen zien met wie je naar bed gaat. Wat is er van Anita geworden? Zie je die nog?'

'Nee, we hebben min of meer ruzie gekregen. Eigenlijk heb ik het helemaal gehad met de meisjes, deels omdat ik zo hard werk en deels omdat ik, nu je het toch vraagt, wel degelijk mijn hart heb verloren.'

'Waar is dat gebeurd?'

'In Leipzig.'

'Voor de draad ermee, we zijn allebei volwassen.'

'We hebben samen de nacht doorgebracht. Het was maar voor één nacht, maar ik ben er nog steeds niet overheen. Ik heb iets weerzinwekkends gedaan. Ik heb me heel laf gedragen... op zo'n manier dat ik het bijna niet over mijn lippen kan krijgen.'

'Vertel het me toch maar.'

Daarvoor had hij een nieuw pakje West Light nodig.

Achteraf vroeg ze: 'Heb je nog iets van haar gehoord?'

'Geen woord. Ik heb de ene brief na de andere geschreven. Maar ze is een jonge vrouw,' zei hij geknakt. 'Ze doet het waarschijnlijk met allerlei mensen, allerlei toneelmeesters.'

'Ho even. Ze moet het toch wel goed van je te pakken hebben gehad om zo maar dat hotel binnen te stormen.'

'Het zal wel een mengsel van liefde en angst zijn geweest, maar feit is dat liefde alleen onmogelijk een verklaring kan zijn.'

'En waarom verdomme niet, nobele ridder?'

'Omdat we op de keper beschouwd niet meer samen hebben gehad dan twee sigaretten en een glas wodka. Ze zag mij als een enkele reis het land uit.'

'Peter,' haar wangen bol met brood, 'jij begrijpt geen snars van bekoring. Mag ik weten hoe ze heet?'

'Sneeuwlok.'

'Sneeuwlok! Dat klinkt niet eens Duits.'

'Nee, het is geen naam. Het is de bijnaam die haar grootmoeder haar heeft gegeven.'

Rosalind kon niet geloven dat hij op een jonge vrouw was gevallen die geen naam had. 'Eerlijk gezegd een beetje stompzinnig, hoor. Zelfs voor iemand als mijn grote broer.'

De volgende ochtend nam hij haar mee naar de Muur. Ze stond bij Checkpoint Charlie en staarde vol afgrijzen over de grens. 'Mijn god, Peter, hoe kunnen ze dit elkaar aandoen? Hetzelfde volk!'

'Zeg dat wel,' en hij bleef over de Muur staren. Zag een zwartgeverfd touw voor zich. Verstrikt tussen getob en hoop en de enorme opluchting dat de Muur er stond.

Bij een biertje kwam hij onwillekeurig op Sneeuwlok terug. 'Waarom heb ik gezegd dat ik haar niet kende, Ros? Waarom?' Moedeloos, omdat hij geen antwoord had.

Zijn zuster doofde haar sigaret in het lege flesje. 'Je doet net alsof er een reden voor moet zijn. Misschien is er wel geen verklaring. Mensen doen onverklaarbare dingen.' En ze probeerde de irritatie te onderdrukken die in haar stem doordrong. 'Hoor eens, het overkomt ons allemaal wel eens dat we iets verknallen. Dat is menselijk. Het is een hele klus om iemand te zijn. Je moet het denkbeeld maar eens laten varen dat je een geweldig stempel op het leven van deze persoon hebt gedrukt. Misschien was dat moment voor jou van uitzonderlijke betekenis en kun je er niet van loskomen. Maar voor haar was het misschien maar een millimoment in een stroom van ontelbare momenten. Misschien dat als ze nu op mijn plek zou zitten, ze tegen je zou zeggen: "Jazeker, ik ben toen verraden en daarom is mijn leven anders verlopen, maar het is nog veel meer veranderd door dingen die daarna zijn gebeurd." Misschien dat ze tegen je zou zeggen dat ze je al lang vergeten is. Dat je haar niets hebt aangedaan wat haar land haar al niet zonder pardon heeft aangedaan. Denk in godsnaam aan de Muur. Die kan ik maar niet uit mijn hoofd zetten.'

Niet dat de Muur Sneeuwlok kon wegvagen. Hij had geprobeerd de herinnering aan haar uit te wissen als een bloem tussen de bladzijden van een zwaar boek dat hij op de plank terug had gezet, maar ze bleef als een onontplofte bom in hem sluimeren. Sinds hij terug was uit Leipzig had hij zich opgesloten gevoeld in de aanhoudende schemer van het uur van zijn verloochening, met vallende sneeuw en de koude schrik om zijn hart. Hij wilde niets liever dan van iemand houden. Het gebeurde nooit. Hij kon tegenover zijn zuster niet toegeven dat hem de lust was ontgaan om van iemand te houden.

In de maanden die op Rosalinds bezoek volgden sloop Sneeuwlok zijn gedachten binnen zonder dat hij erop verdacht was. Een keer zag hij haar op een perron in Blankenese, met haar slanke taille en fiere borsten in een kersrode jurk. Maar de vrouw die hij aan het schrikken maakte was een Italiaanse. Een andere keer zat ze in kleurige kleren op een bank aan de Alster, verdiept in een tuinierblad. Ze keek slechts terug op een schilderij. Met Pasen, net voor zijn afsluitende examens, bezocht hij het Kunsthistorisches Museum in Wenen en schrok toen hij Sneeuwlok zag in het portret van een jonge vrouw van Bellini. Ze keek hem aan en had met hem te doen.

Soms voelde hij een moment van rust alsof iemand ver weg met tederheid aan hem dacht. Soms voelde hij een moment van afgrijzen als-of zich het tegendeel voordeed. Maar die ogenblikken deden zich steeds minder vaak voor tot hij, tegen de tijd dat hij aan het einde van zes jaar aan de medische faculteit het examenlokaal betrad, zichzelf ervan had weten te overtuigen dat hij, zoals zijn moeder zou hebben gewild, het verleden achter zich had gelaten.

Een week nadat hij het staatsexamen had afgelegd vloog Peter terug naar Engeland om de belofte na te komen die hij zijn ouders had ge-daan. Toen hij eenmaal in Waterloo in de trein stapte had hij het be-sluit genomen om onder Sneeuwlok een streep te zetten. Hij zou niet zijn verdere leven 'had ik maar' blijven jammeren. Hij wilde niet als zijn grootvader op zijn vijfennegentigste sterven zonder zich te binden. Zijn seksuele antennes lieten hem weten dat hij de teugels moest laten vieren, vooruit moest kijken. Nu hij binnenkort waarschijnlijk dokter zou worden besloot hij voortaan zo min mogelijk aan Sneeuwlok, aan Oost-Duitsland te denken. Wat daar was voorgevallen had in elk geval tot gevolg gehad dat hij erdoor gedepolitiseerd was. Zijn handelwijze had dat land besmet en hij wilde niets liever dan het de rug toekeren. Omdat hij er niet aan herinnerd wilde worden wat hij had gedaan, zou hij proberen om het als een zonde te vergeten.

DEEL III

ENGELAND, HAMBURG, BERLIJN
1986 – 1996

HOOFDSTUK ZESTIEN

'P ETER!'
Zijn moeder zat op de pianokruk, geheel verrast. Meringues van ongekamd wit haar en een blauw trainingspak tot aan de knieën bestoft met stuifmeel. En een dier dat blaffend over het tapijt sprong. Zijn hond.

'Honey!' Ze sprong op en pakte Honey bij de halsband en hij herinnerde zich de woorden van zijn grootvader. *Met honden krijg je wat je erin stopt, jongen.*

'Mam.'

Ze kusten elkaar. Zijn moeder met veel gezichtscrème en rouge. 'Ik hoorde de deur slaan en ik dacht: dat is Peter.'

'En dat was ook zo.'

'Waarom heb je niet even gebeld? We verwachtten je morgen pas.' Maar ze wilde meer naar hem kijken dan dat ze wilde weten waarom. 'Hoe lang kun je blijven?'

'Een week,' en hij gaf Honey een vluchtige aai onder haar kin. 'Als dat uitkomt?'

'Malle jongen.' En ze meende het.

Hij trof Rodney aan op een stoel met gebogen rug tussen zijn fotochemicaliën en open potten zwarte inkt.

'Peter!' en hij gooide de kaart die hij aan het tekenen was op zijn werktafel. *Kapitein Rickards en echtgenote hebben het genoegen u uit te nodigen voor het huwelijk van hun dochter Camilla met de edelachtbare heer Tristram Leadley.*

'Pa,' terwijl hij zich afvroeg waarom hij niets voelde en het door hem heen ging dat ze hun kinderen Annabelle, Horace en Lavinia zouden noemen. 'Hoe gaat het met je?'

'Prima, prima.' Maar de bobbel op zijn keel was gegroeid en zijn huid had de bruinige tint gekregen van zijn ontwikkelaar.

'Ik hoop dat iemand je daarvoor behandelt.'

'Geen zorg.' Rodney had zijn kwaal altijd luchthartig opgevat. 'Ik ben in goede handen.'

'Waar is Ros?'

'Die woont nu in de flat van grootvader. Tot ze op eigen benen kan staan.'

Peter had zeven jaar in Duitsland gewoond en een fractie van een seconde vatte hij Rodneys woorden letterlijk op. 'Haar benen? Is er iets met haar gebeurd?'

Rodney glimlachte. 'Ze gebruikt de flat voor haar cateringzaak. Je moeder dacht dat je daar geen bezwaar tegen zou hebben.'

'Bezwaar? Waarom zou ik?'

'Nou, de flat is net zo goed van jou als van haar.'

Twintig minuten later remde een rode Mini in een boeggolf van wit grind en zijn zuster zwaaide uit het open portierraampje.

'Waarom heb je ons niets laten weten, verschrikking? Dan had ik iets bijzonders klaargemaakt,' en ze holde naar hem toe om hem te omhelzen. Nog altijd krulhaar, nog altijd pafferig. Wilde nog altijd na het eten scrabbelen.

Die avond haalde Rosalind met een doorgewinterd gebaar zeven stenen uit de vilten zak, waarin Rodney oorspronkelijk zijn waterverf had bewaard.

'Jij begint.' Maar dat was haar enige concessie. Na een buitengewoon lange bedenktijd waarschuwde ze: 'We zullen een tijdslimiet moeten instellen.'

Peter bestudeerde het bord. Er lag een woord open, SNEE. Hij hergroepeerde zijn letters. Toen staarde hij er met kloppend hart naar. Als hij een blanco steen gebruikte kon hij SNEEUWLOK leggen.

'Nog één minuut,' maande Rosalind.

'Wat dacht je hiervan?' Hij legde twee stenen op het bord.

'SNEEUW.' Rosalind articuleerde het woord met de inhalige blik van een doorgewinterde scrabbelaar. 'Wat een verspilling van een w.' En daarna: 'Papa zegt dat je je Engels vergeet. Is dat zo?'

Op zondag was het warm genoeg om buiten te zitten. Hij lag in het gras de *Observer* te lezen. Het nieuws had iets bekrompens met allerlei namen van mensen die hij niet kende. Hij dacht: ik ben teruggekomen naar wat ik als kind heb gekend en ik voel me een spion. Hij overdacht wat er gebeurd zou zijn als hij nooit de 'heuvel van de openbaring' was op gelopen. Dan zou hij nu journalist of uitgever zijn.

'Schat?' Zijn moeder liep met een kartonnen doos naar hem toe. 'Kan ik je hiermee verleiden?'

Wat had ze nu weer bedacht? Ondanks zijn lange afwezigheid voelde hij nog steeds haar hongerigheid. De overdonderende biologische motor van haar claim op hem. Sinds zijn zestiende verjaardag, eigenlijk sinds ze hem Honey had gegeven (op aanraden van haar dokter die had gezegd dat een huisdier misschien goed voor hem zou zijn), schrok hij terug voor haar cadeautjes.

Ze knielde op het door de zon verwarmde gras. Opgerold in de doos lag een ziekelijke puppy, de kleinste van de worp van Honey.

'Het ziet eruit als een oogontsteking. Ik heb zijn ogen met koude thee gewassen, maar het wordt er niet veel beter op.' Erg veel gedroogd slijm – groengrijs dat geel begon te worden – was in de hoeken gelekt waardoor de ogen waren dichtgekit.

Hij had Honey al afgewezen. Tijdens zijn bezoek had hij zijn hond niet één keer uitgelaten. 'Ik denk van niet, mam.' Maar hij bleef de puppy onderzoeken die in haar armen sliep, piepende geluidjes voortbracht met oogjes die glinsterden onder de door slaap klittende leden. Hij stak een vinger uit en pelde de korst eraf. 'Ik denk echt van niet.'

De volgende ochtend een telefoontje van de UKE. 'Je bent geslaagd,' zei zijn studieleider. 'Elfde op de lijst!'

Hij holde naar zijn moeder toe die een was van zeven jaar, had Rosalind gegrapt, aan het ophangen was. 'Ik heb het gehaald.'

'O, Peter.'

Ze knuffelde hem. Met vochtige ogen. 'Ik zou alleen zo graag willen...' En ze schudde haar hoofd. 'Opa zou apetrots zijn geweest.'

'En wat de puppy betreft,' ging hij verder.

Dat hij van gedachten was veranderd gaf zijn moeder een sprankje hoop dat hij alsnog zou besluiten te blijven. Om net als haar vader plattelandsdokter te worden. Maar de hond die hem in Engeland had moeten houden, werd zijn excuus om weg te blijven.

HOOFDSTUK ZEVENTIEN

IN DE ZOMER VAN 1986 keerde Peter op zijn vijfentwintigste terug naar Hamburg om zich te specialiseren in pediatrie, met een dagelijks hernieuwde vastberadenheid om te worden wat zijn Duitse vader had willen zijn.

Hij woonde in Eppendorf in een flat op de tweede verdieping die werd onderverhuurd door een stotterende verloskundige van de UKE. Een slaapkamer, een sinds de jaren vijftig niet meer opgeknapt keukentje en vier treden omhoog naar een woonkamer met een laag plafond, twee ramen en een straalkachel. 'Mijn oude sp-p-peelkamer,' zei zijn huisbaas, die zijn gebrek toeschreef aan het feit dat zijn ouders toen hij nog een kind was in zijn bijzijn ruziemaakten.

's Avonds bracht hij in een braadpan water aan de kook, druppelde er wat blanke azijn in en keek toe hoe het ei pocheerde tot een volmaakte rubberachtige planeet. Zoals Rosalind hem had geleerd.

En 's ochtends beende hij over het smalle pad tussen zijn voordeur en de pediatrieafdeling. Met zijn hoofd bij zijn werk begroef hij Sneeuwlok onder een aaneenrijging van zieke kinderen, neonverlichte gangen en lange uren. Gesterkt door zijn Engelse talent om zeer ernstige zaken schijnbaar moeiteloos onder het tapijt te schuiven. En door Gus, die hij twee keer per dag in de botanische tuin uitliet, waar hij andere hondenbezitters tegenkwam met wie hij praatte over de druipneus van hun kinderen en het koude weer voor de tijd van het jaar. Zo extreem dat hij de schors in het arboretum kon horen barsten.

De grote angst van kinderartsen was dat kinderen heel snel ziek werden. Wat het vak zo aantrekkelijk maakte was dat ze meestal snel genazen.

Wat hij in zijn werk strijk-en-zet tegenkwam was astma, uitslag en koorts van allerlei onbekende oorsprong. Hij leerde dat de omgang met kinderen draaide om afleiding, afdalen naar hun niveau en ze niet afschrikken. Het werd er niet gemakkelijker op dat hij net als de co-assistenten in andere specialisaties een witte jas moest dragen. Hij maakte zijn ronde door de zaal met een teddybeertje aan zijn stethoscoop en zijn zakken vol suikervrije lolly's en stickers die op gips konden worden geplakt met leuzen als 'Ik ben doorgelicht en leef nog'.

Als Peter alleen met een kind bezig was voelde hij zich in zijn element, maar pediatrie hield ook in dat je met ouders moest omgaan. In veel gevallen waren zij de lastigste factor in het hele proces. Als aankomend arts voelde hij niet altijd aan hoe traumatisch het voor hen kon zijn, vooral als zij in hem enige onzekerheid bespeurden.

De herinnering uit zijn eerste jaar als co-assistent die de meeste indruk op hem had gemaakt was aan een patiënt op de urologieafdeling. De jongen had last van urineretentie en zijn blaas was vol, maar zijn urinebuis was te geïrriteerd om een sonde te kunnen verdragen.

'U ziet er nogal jong uit voor zo'n ingreep,' zei de moeder van de jongen. 'Bent u afgestudeerd kinderarts?'

'Nee.'

'In welk jaar zit u?'

'Het eerste.'

'Hoe vaak heeft u dit al gedaan?'

'O, ik heb er al aardig wat achter de rug.'

'Hoeveel heeft u er gemist?'

'Dat hangt er van af.'

'Neemt u me niet kwalijk. Ik wil dat mijn kind wordt behandeld door de meest ervaren persoon.'

'Hoort u eens,' zei hij rustig, 'ik ga af op mijn oordeel en als ik er niet gerust op ben haal ik er iemand met meer ervaring bij.'

Dit keer drong hij door tot boven het schaambeen, stak de naald door de maagwand en verankerde de sonde aan de blaas.

Achteraf feliciteerde zijn arts-assistent hem en voegde eraan toe: 'Je kunt beroepshalve oordelen dat de handeling je competentie te boven gaat, maar je mag nooit in paniek raken.'

Door dat soort werk kwam hij in contact met Bettina Grau.

Een paar maanden voor hij Bettina leerde kennen, had Peter in de kantine een gesprek met een tweedejaars co-assistent die Draxler heette.

'Je ziet er een beetje afgetrokken uit, Peter.'

'Ik ben doodop.'

Draxler keek op. Net als alle mensen op pediatrie was hij klein van stuk en Peter torende boven hem uit. 'Ach, we lopen bijna allemaal voortdurend op ons tandvlees. Heb je wel eens fentanyl geprobeerd?'

'Nee, nog nooit.'

'Probeer het eens,' zei Draxler.

Op een middag in januari kwam er een jongen van drie jaar binnen voor een herniaoperatie. Peter vroeg de zaalverpleegster om een ampul fentanyl en tekende voor het recept. Maar toen hij de jongen na de operatie onderzocht had, besloot hij dat hij meer baat zou hebben bij een eenvoudige pijnstiller en bracht een Panadol-zetpil in. Hij liet de ongebruikte ampul in de zak van zijn laboratoriumjas glijden en vergat hem verder tot hij om twee uur 's middags een balpen zocht. Hij liet de ampul in zijn handpalm rollen. Inmiddels – na zeven maanden intern – sliep hij 's nachts amper vier uur. Hij werkte zo lang door dat hij niet kon slapen en niet wakker kon blijven. Alsof hij niet meer wist wanneer hij ergens een punt achter moest zetten.

Hij sloot zich op in de wc, tikte de ronde top eraf, vulde een injectienaald en spoot zichzelf tussen zijn tenen in. De uitwerking kwam snel en duurde een uur.

Fentanyl werd de lijn waaraan hij uit het labyrint werd getrokken – de jungle van ziekenhuisgangen, de hartbeklemmende lichamelijke en emotionele uitputting van kinderartsen – omhoog naar de jazzclubs en theaters van Hamburg. De mensenschuwe lijder aan slapeloosheid die, sinds hij niet meer met Anita omging, niets meer gaf om cafés en films en cappuccino's, kwam schrikbarend snel achter zijn neiging tot seriële zelfondermijning. Iedere keer was het de laatste keer, beloofde hij zichzelf. Maar algauw nam hij regelmatig een injectie als hij wilde ontspannen.

En fentanyl had nog een bijwerking op zijn koortsige geest, in elk geval de eerste dagen. Door fentanyl werd Sneeuwlok volledig uit zijn bewustzijn weggevaagd alsof het een ervaring was die niet hem maar iemand anders was overkomen, een oudere broer of een familielid vóór hij was geboren, of een jongen die hij op een foto niet herkende. Alsof het een verhaal was waaraan hij part noch deel had gehad.

In juni sloeg na een korte periode van kou het weer om. In dezelfde week kreeg hij een uitnodiging voor een mimevoorstelling die Panto-mimosa in Uhlenhorst zou geven, een verwaarloosde wijk van de stad waar de ondergrondse niet kwam. Op een snikhete avond zeilde Peter laat het Kampnagel-theater binnen. Hij had Sepp en Teo vijf jaar niet gezien.

Hij liep naar de bar toen hij over een turquoise hondenriem strui-kelde en een doordringend gejank veroorzaakte.

'Pericles!' Een vrouw met rechte rug sprong naar voren. Eind dertig, van gemiddelde lengte en duur gekleed in een blauwe genopte jurk en een platte strohoed. Ondanks de warmte droeg ze zwarte suède mitai-nes, als motorrijdershandschoenen zonder vingers. Ze knielde om een langharige teckel te aaien.

Peter verontschuldigde zich. Hij bood de eigenaar een drankje aan.

'Nee.'

Maar hij drong aan.

'Een malt whisky dan,' zei ze.

Hij bracht haar haar glas en hief het zijne naar Pericles. De hond keek alsof hij flink zijn tanden in zijn broek wilde zetten.

'Bettina Grau,' zei ze, en zette haar hoed af waardoor een gebeiteld wit gezicht zichtbaar werd en een dos blond haar met een scheiding in het midden dat rook naar kokosshampoo.

Donkerbruine ogen namen hem intens op om zijn reactie waar te nemen. En toen, omdat ze met een lichte opwinding besefte dat haar naam hem niets zei, dat hij geen flauw benul had wie ze was: 'Ga je altijd met je shirt binnenstebuiten de straat op?'

Gezeten op een barkruk praatte ze met gemak over zichzelf. 'Jij bent dokter? Mijn vader is dokter. Mijn kunst is voornamelijk geïnspireerd door alles wat met geneeskunde te maken heeft,' en ze beschreef een tentoonstelling die ze in voorbereiding had: 'Het Lichaam en zijn Transgressies', waarvoor ze projectieplaatjes van het vroege werk van

Freud had gebruikt die ze over de medische grafieken van de Ojibway-stammen heen had afgedrukt.

Peter knikte. Hij had nog nooit gehoord van een medische installatiekunstenaar. Maar het begon hem te dagen dat hij een van haar montageobjecten kende, een boomhut in de UKE-vleugel waar hij werkte, opgebouwd uit protheses voor kinderen. Ze wilde zijn oordeel erover horen en toen hij zich daarvan onthield – hij vond het een belachelijk kunstwerk – boog ze zich dichter naar hem toe. 'Nee, je moet precies zeggen wat je denkt. Dat is belangrijk voor me.'

Op dat moment kwam Sepp aanlopen die zonder Peter op te merken iets in haar oor fluisterde. Toen hij zich terugtrok kon Peter aan zijn uitdrukking zien dat hij verwachtte dat Bettina mee zou komen.

Ze zette een paar passen. Ze werd bijna door de andere mensen opgeslokt toen ze bleef staan. Een gehandschoende hand werd weer naar Peter uitgestoken en in haar eerst zo felle ogen lag een soort verlangen. Ze was waarschijnlijk tien jaar ouder, maar op dat moment lag er een kinderlijke uitdrukking op haar gezicht. In de ban van haar blik raakte Peter vervuld van een tederheid die hij lange tijd voor een volwassene niet meer had gevoeld.

'Peter!' riep Sepp uit, die hem eindelijk herkende. 'Waarom ga je niet met ons mee uit eten? Als Bettina dat goed vindt.'

Hun vingertoppen streken langs elkaar.

'Bettina vindt het goed.' Haar ogen glanzend bruin als een Vietnamese pop. Gehouwen uit een steen die hij nog nooit had gezien. Die elke centimeter van zijn lange, magere gestalte in zich opnamen.

'We gaan naar de Syracuse,' zei Sepp. 'Teo geeft je wel een lift.'

In de auto begon Teo tegen Peter: 'Ik ben nogal boos op je, hoor, Peter. Ik heb je minstens tien uitnodigingen gestuurd. Voor concerten, voor etentjes – zelfs een uitnodiging voor mijn huwelijk. Concerten zijn tot daaraan toe, maar een huwelijk... Toen je daar niet op reageerde dacht ik dat ik je wel nooit meer zou zien.'

'Je huwelijk?'

'Jazeker.' Plagerig maar een tikkeltje gepikeerd zei Teo: 'Mijn vrouw heeft tegen me gezegd dat ik mezelf verneder als ik weer de volgende stap zet.'

'Wat moet ik zeggen? Ik heb alleen maar tijd gehad om te werken.'

Ze praatten over onbenulligheden, lachten en na een poosje kwamen ze bij het restaurant.

Teo parkeerde de auto. Hij deed hem op slot toen hij zei: 'Ik heb het gevoel dat je niet jezelf bent.'

'Met mij is alles goed.'

'Wat is er aan de hand, Peter?'

Het weerzien met Teo bracht Peter meer in verwarring dan hij had verwacht. Tien jaar later had hij misschien tegen Teo kunnen zeggen dat hij geen contact meer had opgenomen omdat hij liever niet wilde terugdenken aan die periode in zijn leven, de vier dagen die ze in Leipzig hadden doorgebracht. Bovendien dat hij Teo op een duistere manier verweet dat hij hem had verhinderd om zijn moed te tonen en zijn avontuur had verpest. Op deze warme avond in Hamburg zocht hij naar een uitleg waardoor de lucht zou opklaren, maar toen hij bijna zover was werd hij overmand door vermoeidheid – een knagend naar gevoel – waarin de taal verzonk.

Omdat hij niet wist hoe hij moest beginnen, zei hij: 'Bettina. Vertel me eens wat over haar.'

Toen de naam van Bettina viel, slaakte Teo een vreemde waarschuwingskreet als van een kaketoe.

'En wat wil je daarmee zeggen?' vroeg Peter.

'In haar eigen woorden? Een instinct als een riool, een hart als een ijskast. Ze is intelligent. Rijk. En hartstikke labiel.'

'Hoe dat zo?'

Teo koos zijn woorden met zorg. 'Bettina heeft een hoop littekenweefsel.'

'Leg dat eens uit.'

'Niets hierover tegen Sepp?'

'Is beloofd.'

'Niet meer dan losse flarden die ik van hem heb opgepikt. Een oom door wie ze ooit is mishandeld. Een heel goede vriend die medeplichtig was aan de moord op Jürgen Ponto. Sepp dacht dat hij haar wel weer op poten kon krijgen. Ze heeft hem zowat kapotgemaakt.'

'Hoe?'

'O, ik geloof dat Bettina denkt dat ze omdat ze een hond heeft ook een hart heeft. Ze is ervan overtuigd dat ze een massa liefde te geven heeft, maar ze houdt zichzelf voor de gek. Nemen is haar grootste kracht die ze gebruikt om een wond te stelpen die niets met liefde te maken heeft.'

'Wat dan wel?'

'Alles wordt ingelijfd in haar kunstzinnige ambitie. Blijf uit haar buurt, Peter, dat is mijn advies. Ik heb eens samengewoond met een kunstenares. Het was een hel. Nee, erger dan een hel.'

Zelfs terwijl Teo zijn vonnis velde hardde Peter zich ertegen. Toen hij eenmaal in het restaurant was had hij het uitgewist. De Syracuse was een Grieks restaurant in de Barmbecker Straße. Er zaten twaalf mensen rond een tafel. Bettina had met haar suède handschoenen voor Peter een plaats pal tegenover haar vrijgehouden. 'Sepp heeft me bijgepraat. Ik weet wie je bent.' Haar vader was een naaste collega van Peters arts-assistent. Tijdens het eten vroeg ze Peter van alles over zijn werk. Omdat ze met de geneeskunde was opgegroeid wilde ze zich ervan vergewissen dat hij het ging maken. Hij kreeg het gevoel dat haar belangstelling voor hem zou vervagen als hij zijn ambitie niet de nodige luister zou geven.

Omdat ze in haar atelier lekkage had logeerde ze in een hotel in een zijstraat van de Barmbecker Straße. Hij bood aan met haar mee te lopen. Ondanks de warme avond rilde ze alsof ze door iets werd gekweld en was blij toen hij zijn colbert over haar blote schouders legde. Ze nodigde hem op haar kamer uit en ze zaten op de bank Lagavulin uit badkamerglazen te drinken. Ze sprak over haar vorige carrière als me-disch illustrator en vertelde hem in ijzingwekkend detail hoe ze door haar oom was mishandeld, hoe ze hem met een mes had gestoken en daarna een jaar in een hervormingsschool in de buurt van Muntz had gezeten, een zwak aftreksel van een gevangenis voor meisjes. Opnieuw ging er een golf van tederheid door hem heen.

Ze maakte een tweede fles open: 'Hoe heb je Sepp leren kennen?'

'Ik ken hem niet goed.' In plaats van over Leipzig te beginnen vertelde hij over Engeland en de boeken die hij regelmatig herlas. Met een sen-timentele stem en een dikke tong van de drank citeerde hij een couplet uit een geliefd gedicht.

'Ik ben dol op Tennyson,' zei ze instemmend. Hij was verrast en geïmponeerd.

Het was twee uur in de ochtend toen hij bij haar wegging. Terwijl hij haar ten afscheid zoende ging hij voor de tweede keer die avond door zijn knieën. Hij voelde zijn gespreide vingers op haar schouders terwijl zijn nagels over de huid krasten. Hun monden ontmoetten elkaar en ze stortten zich terug de kamer in.

Na afloop lag ze met een vage rode glimlach op bed. Hij hoorde een regelmatig geslurp en haar glimlach verbreedde zich toen hij zich opdrukte om het geluid thuis te kunnen brengen. Hun gelach was intiem toen hij besefte dat het haar hond was die zich likte.

'Waarom ben je zo snel klaargekomen?' vroeg ze terwijl ze haar heupen optilde en haar zwarte panty over haar achterste trok.

De tweede keer dat ze de liefde bedreven beschreef ze als 'exponentieel beter'. Mettertijd ontdekte hij dat ze enigszins frigide was. Over seks nam ze geen blad voor de mond, maar ze was niet echt sensueel. Ze kon geen seks hebben – zelfs geen orale seks, waaraan ze de voorkeur gaf – zonder eerst een barbituraat of zoiets te slikken. Anders was ze niet zo geïnteresseerd.

De tweede keer, in haar atelier op de zesde verdieping in de Sierichstraße, had hij fentanyl gespoten en zij had ecstasy geslikt. In de vroege uurtjes werd hij van iets wakker. Eerst dacht hij dat het Gus was – hij had zijn hond in de badkamer moeten opsluiten omdat Pericles agressief was geworden. Toen zag hij Bettina's silhouet op de vensterbank. De gordijnen waren open. Ze droeg zijn colbert, had haar lange benen onder zich opgetrokken en keek uit over de Alster. Ze rookte een sigaret en huilde.

'Bedankt.'

'Waarvoor?'

'Je hebt me bevrijd...'

Hij sloeg zijn arm om haar heen.

'Van de sociale buitenkant.'

Hij had geen idee waarover ze het had. Teder streelde hij haar arm door zijn colbert heen. 'Welke sociale buitenkant?'

'Mijn maatschappelijke ik.'

Hij nam haar mee terug naar bed. Drukte haar sigaret uit. Hield haar tegen zijn borst. Ze liet hem begaan toen hij het colbert uittrok en haar armen bevrijdde. Voor ze toeliet dat hij haar aanraakte moest ze hem iets vertellen. 'Jij hoeft niets te zeggen.' Haar woorden roken naar shagtabak, waarvan hij een sliertje had geproefd bij hun eerste zoen. 'Ik heb dit nog nooit tegen iemand gezegd. Maar ik moet het kwijt.' En ze verklaarde hem haar liefde.

Hij proefde de stilte. Hij voelde nog niet wat hij wel ging zeggen, maar dacht: dat komt nog wel. Hij lag in het donker naast haar en zei na een poosje: 'Ik hou ook van jou.' Hij kon Gus horen janken.

In de dageraad gloorde de lucht rood als een zaklantaarn die bij een hand wordt gehouden. Toen de zon boven de Alster opkwam en door de twee ramen aan de voorkant naar binnen viel, herkende hij het atelier. De plek waar hij Sepp voor het eerst had ontmoet.

Boven op hem vroeg Bettina naar zijn andere relaties. Hij vertelde haar over Anita.

'Waarom zijn jullie uit elkaar gegaan?' zei ze geanimeerd en hij vroeg zich af of dit haar dreef.

'Het had zijn tijd gehad.'

'O, toe zeg. Wie van jullie is vreemdgegaan? Iemand wordt afgedankt of iemand dankt af.'

'We zadelden elkaar op met onze groeistuipen,' zei hij opgelaten.

'Je kunt aan een man zijn kin zien of hij vreemd is gegaan,' ze aaide de zin als een hond die ze net te eten had gegeven.

'Wat zie je aan mijn kin?'

Ze lachte ergerlijk, ging rechtop zitten en vouwde haar armen op zijn borst. 'Wie was ze?'

'Niemand.'

'Een relatie?'

'Nee, het was geen relatie. Ik was erg jong. Ik was onbesuisd. Ze was niet belangrijk.'

'Als je het maar niet waagt om dat op een dag over mij te zeggen.'

'Dat zal niet hoeven.' Toen: 'Hou me vast.' Toen: 'Alsjeblieft, sta niet toe dat ik je laat gaan.'

Later op de ochtend liep hij Teo op de Gänsemarkt tegen het lijf. 'Wat lijkt het toch gemakkelijk. Het is echt of je valt.'

Ze gingen samen naar tentoonstellingen en restaurants, waar hij betaalde, en naar kledingzaken op de Gänsemarkt, waar zij betaalde. Ze wilde dat hij kleren van Thomas I-Punkt droeg. 'Lief, ik ben het zo zat om je in die studentikoze kleren te zien dat ik je nu meeneem naar een echte winkel.'

Zij werd sinds Anita de eerste met wie hij echt optrok. Hij kon merken dat haar kunstenaarsvrienden vonden dat ze absoluut niet bij elkaar pasten, maar hij voelde zich gelukkiger dan hij in lange tijd was geweest. Zij was twaalf jaar ouder dan hij met veel meer ervaring. Het was voor het eerst dat zijn geharde ziel onder druk werd gezet. Die zomer liet hij zich meetronen in een aaneenrijging van mondaine premières en champagnediners, in het flitslicht van fototoestellen.

Hij kende haar zes weken toen er in een roddelkolom een foto verscheen onder de kop 'Trouwklokken voor kunstenares Bettina Grau?' In de tekst werd Peter omschreven als kinderarts, waarmee er twee jaar vooruit werd gelopen op zijn aanstelling.

'Je ziet eruit of je in een mortuarium poseert,' zei hij.

Dat vond ze wel leuk. 'Dan weet jij waar jij voor doorgaat, lief.'

Aan het einde van een warme dag met fel maar geen stralend licht, vroeg ze hem ten huwelijk. Hij had haar mee uit eten genomen in een nieuw Italiaans restaurant in een zijstraat van de Gänsemarkt. Ze liepen langs de Alster naar haar atelier toen ze zei: 'Wil je met me trouwen?'

Hij werd erdoor overdonderd en was op een vreemde manier opgelucht. 'Ja,' zei hij. En omdat hij bang was dat ze hem niet had verstaan: 'Ja.'

'Maar geen kinderen,' zei ze terwijl ze bleef staan om de riem van Pericles te ontwarren. 'Je kunt geen echte kunstenaar zijn en kinderen hebben.'

Hij, wiens specialisatie kinderen was, voelde zich klemgezet. Zelfs al wilde hij op het moment geen kinderen, het was wel even iets wat hij moest verwerken en wegwerken. Om haar niet af te vallen slikte hij zijn paniek weg. 'Natuurlijk,' en hij keek snel naar het meer met een als door een bij gestoken gloedvolle lucht. 'Misschien nemen de beste kinderartsen zelf geen kinderen.'

Ze liepen naar boven waar ze elkaar zoenden. Ze raakte zijn lippen aan met de toppen van haar vingers en hij rook de donkere nagellak en voelde haar volle borsten tegen zijn borst, waarbij de bijna paarsige tepels tegen haar bloes drukten, als de neus van Pericles.

'Ik wil in je mond klaarkomen,' fluisterde ze.

Er werd voor het huwelijk geen datum vastgesteld. Zij vertelde het aan niemand en hij evenmin. Ze hadden verlovingsringen uitgewisseld maar besloten om die niet te dragen.

Hij kwam langzaam tot het besef dat ze op een pathologische manier met elkaar verbonden waren. Bettina had eczeem aan haar handen en in haar knieholtes en een hele hoop andere klachten waar hij haar overheen kon helpen. Ze slikte vrij vaak ecstasy en soms nam ze cocaïne. En onder keurige uitgaanskleren mocht ze graag bh's en slipjes dragen in de neonkleuren van haar hondenriemen.

Een tijd lang vond Peter Bettina's extravagante gedrag wel leuk. Hij zorgde ervoor dat deze kunstenares op een gespannen en een tikkeltje opgefokte manier gelukkig was en het leek niet uit te maken dat zij er niet op uit was om bij hem eenzelfde behoefte te kweken. Hij verrijkte zijn leven, dacht hij. Er was geen reden dat het niet kon duren. Met zijn kin op haar blonde schaamhaar zei hij tegen haar: 'Ik wil duurzaam met je kunnen praten.'

Twee weken na hun verloving lanceerde ze in augustus een nieuw parfum in de Ascan Krone-galerie in de Isestraße. Ze deelde flesjes met eigengemaakte parfum uit en daagde haar modieuze gasten uit er wat van op te spuiten. De respons was overweldigend. Het was de nieuwe groene-thee-geur, maar beter dan groene thee. Een mengsel van bergamot en perzikpit. In de *Tagesspiegel* werd ze geprezen als de nieuwe Annick Goutal. Toen kwam de aap uit de mouw: het parfum bestond voor een groot deel uit gekoelde hondenurine. Zelfs Gus had in de flessen gepist. De discussie werd in Berlijn door *Lettre Internationale* opgepakt. In de herfst werd Bettina ingehaald als de nieuwe Damien Hirst.

Ze sliep nooit in Peters flat. Ze stelde koppels die er hun eigen bedoening op nahielden als voorbeeld. Als zijn co-assistentschap erop zat

zouden ze misschien gaan samenwonen. In de tussentijd zat hij doordeweeks in Eppendorf en de weekends in haar atelier, twaalf minuten
fietsen, waar ze een bureau voor hem vrij had gemaakt, een secretaire
met een schuin blad waar hij graag aan mocht zitten om toe te kijken
hoe ze boven op de mezzanine aan het beeldhouwen was. Ze fascineer-
de hem nog steeds. Hij wilde in haar buurt zijn ook al wist hij dat ze een
fantaste was. Terwijl zij, ook al keek ze neer op zijn burgerlijke smaak,
hunkerde naar zijn hardnekkige bewondering.

Zo verstreken zes maanden en toen de dagen begonnen te lengen liep
alles mis.

Wanneer geliefden elkaar voor het eerst ontmoeten stellen ze hun ge-
voeligste snaren bloot aan de schok van een intieme ademstoot. Maar
naarmate ze elkaar leren kennen raken ze geharnast.

Wat hij zich het beste herinnerde van de zomer waarin het tussen
hen spaak liep was niet de toestand in Oost-Duitsland – de schijnver-
kiezingen in mei, de gebedsdemonstraties op maandagen – maar het
beeldhouwwerk waaraan Bettina op de mezzanine werkte: de van een
reling voorziene werkplek waar je via een groene wenteltrap kwam en
hij van haar nooit mocht komen.

Het beeldhouwwerk werd haar excuus. Haar alibi. Steeds weer moest
ze in verband daarmee naar iemand toe. Ze moest eraan werken. Ze
struinde winkels voor medische attributen en vuilnisbakken van het
ziekenhuis af op zoek naar esoterisch materiaal dat volgens haar absoluut onontbeerlijk was voor de totstandkoming van het werk.

Ze zei er toen niets over, maar het beeldhouwwerk was van Peter.
Jaren later liep hij door een gang in een Berlijns ziekenhuis toen zijn
adem stokte. Niet zozeer bij het zien van het beeld als wel door de titel:
De heilige Petrus.

Door de eisen die zijn co-assistenschap stelde was zijn tijdsindeling
onvoorspelbaar. In het begin gooide hij de spanningen tussen hen op
de pediatrische afdeling van de UKE en een werkschema dat hem lichamelijk en geestelijk ondermijnde.

'Jij zou toch de eerste moeten zijn die het begrijpt,' zei hij tegen haar
toen hij te laat op een vernissage kwam. 'Jij bent de dochter van een

arts.' Hij stapte in haar bruine Mercedes-coupé en ze reed in vliegende vaart naar Blankenese waar ze de schepen nakeken die in de nacht het zeegat uitvoeren tot ze niet meer konden zien dan de fosforescentieflitsen in het kolkende water. Ze aten in een restaurant aan de Elbe waar ze door een echtpaar werd herkend en ze te veel dronk en te veel praatte. Met moeite kreeg hij haar tot rust. Hij betaalde de rekening en ondersteunde zijn verloofde op haar hoge hakken de steile trap af naar de plek waar haar auto stond en ze werd minder hysterisch en lastig.

Maar het was duidelijk dat ze nooit eerder te maken had gehad met iemand op wie ze geen greep had of wiens schema niet kon worden omgegooid. Ze kwam met represailles.

Om te vieren dat ze eindelijk de vier maanden achter zich konden laten waarin ze zich dik moesten inpakken, hun benen in plassen werden weerspiegeld en de wind als een hand onder zijn overjas graaide en de oren van Gus binnenstebuiten wapperden, maakte hij in de lente vakantieplannen.

'Hé, waarom gaan we niet in Helgoland kamperen?' Inmiddels, begin april, zat er al blad aan de bomen.

'Prima,' zei Bettina.

Toen liet ze het op het laatste moment afweten. Het beeldhouwwerk. Ze had het voor een tentoonstelling toegezegd. Het was nog niet af.

'Het spijt me nog van die vernissage,' zei hij.

'Stel je niet aan. Het doktersbestaan roept jou – en "de toko" roept mij.' Hij slikte het. Maar het gebeurde weer.

'Waar was je?' vroeg hij dan. Niet zomaar een keer, maar een of twee keer per maand. 'Ik heb een uur gewacht.' Hij wist dat het niet onredelijk was het te vragen. Hij wist dat hij niet zo vervelend was als hij klonk. Soms kwam ze pas na twee of drie uur opdagen met Pericles aan een felgekleurde riem.

'O, ik moest een handelaar uit Berlijn spreken.' Of een agent. Of een journalist.

Ze had beweerd dat ze met Peter wilde trouwen, maar hij kon de mogelijkheid niet negeren dat hij verwaarloosbaar was. Stukje bij beetje, met elk blijk van onverschilligheid, verwerd hun verloving tot iets gênants waar ze het maar beter niet over konden hebben tot het hem duidelijk werd dat er van een huwelijk geen sprake kon zijn maar dat hij door het onderwerp aan te roeren het risico nam dat het kaartenhuis zou instorten.

En toen kwam hij in deze frustrerende situatie iemand tegen.

'Je neukt niet mij,' zei ze op een ochtend en haar ogen spoten vuur alsof hij haar oom was. Ergens onder het bed hoorde hij geslurp. 'Het is iemand anders. Wie?'

Begin januari had hij op een zondag in haar atelier gewerkt toen hij de radio aanzette en zich gewaar werd van een overweldigend déjà-vu. Het was een koude winterdag en hij had een kater en iets in de lichtval buiten deed hem huiveren. Hier zit ik dan, dacht hij, aan het bureau van een ander. En hij moest denken aan zijn bureau op school. Aan het hokje waarin hij in deze zelfde ruimte had gestaan. Aan het feit dat hij zijn leven niet in eigen hand had. Dat hij nog achter het gordijn zat. Zichzelf ontliep.

Op de radio werd Bach gespeeld. Bettina zei: 'Het spijt me, lief, ik moet vanavond werken. Ik moet dit ding afmaken,' toen hij zich een cantate herinnerde die hij op zijn drieëntwintigste in de Thomaskirche had gehoord.

Hij kocht vijf cd's met Bach-cantates en bleef er die avond in Eppendorf samen met Gus naar zitten luisteren. Er was geen opname bij van de muziek waarnaar hij zocht.

De gedachte dat hij die moest opsporen verteerde hem en toen Teo vrijkaartjes stuurde voor de Musikhalle waar een vriendin in een vioolkwartet van Bach zou optreden, ging hij erheen.

Teo keek over zijn schouder. 'Bettina?'

'Laat zich verontschuldigen.'

Na het concert stelde Teo hem voor aan een lange violiste, zeven jaar ouder dan hij, met opmerkelijke ogen. Peter vertelde haar dat hij uit Engeland kwam, het land zonder muziek. 'Er zijn ergere dingen,' zei ze. 'Misschien had je het erg druk met iets anders.' De volgende avond wachtte hij haar op bij de artiesteningang.

De eerste keer samen in bed vroeg hij of ze hem kon helpen. 'Ik ben op zoek naar een muziekstuk. Een Bach-cantate.' En hij begon hem te neuriën, maar niet zo dat zij het origineel kon thuisbrengen.

Het werd een vaste gewoonte. Iedere keer dat ze de liefde bedreven moest ze een andere cd draaien om te zien of hij de cantate herkende. Haar lange gezicht leek steeds hoekiger te worden elke keer als hij zijn hoofd schudde, tot het moment aanbrak waarop ze hem vertelde dat het onmogelijke was gebeurd. Ze begon van de muziek van Bach depressief te worden.

De laatste nacht samen zette ze een cantate op die Bach in 1727 had gecomponeerd en waarvan alleen deze opname bestond. Ze had hem met de grootste moeite en voor een smak geld gekocht van een verzamelaar in Wedding. Ze was ervan overtuigd dat dit het stuk was dat hij zocht. Hij schudde zijn hoofd.

's Ochtends nam ze haar duffel van de haak voor de korte wandeling naar de repetitieruimte. Ze deed de namaakbenen knopen dicht en pakte haar vioolkist op. Toen deed ze het licht uit en wachtte in de deuropening op hem. 'Ik ben dit beu. Tijd om op te stappen. Nu.'

Hij had zijn uitstapje gehad. Nu moest hij zijn koffers uitpakken.

'Er is niemand,' zei hij tegen Bettina. Waarvan in elk geval gezegd kon worden dat het inmiddels waar was. Maar na zijn ervaring met de musicienne was hij tot bezinning gekomen. Hij moest zich verantwoordelijk gedragen. Over een paar maanden zouden zijn eindexamens plaatsvinden en hij kneep hem.

Hij stapte uit bed, liep naar het raam en keek de Sierichstraße in. Het liep tegen het middaguur en het verkeer dunde uit en zou spoedig van richting veranderen.

'Peter?' zei Bettina, op het woord kauwend alsof haar hoofd nog in zijn kruis begraven was. Pericles die de klank van haar stem opving, hield zijn kop schuin. 'Er is maar één ding dat ik wil weten. En je moet me er alsjeblieft antwoord op geven.' Ze nam een pillendoosje uit haar zak, haar gezicht verstarde, haar Omen-jack had de kleur van de autozitting waarop Kirsten haar lange in lycra gestoken benen had gespreid. 'Waarom ben je weggedreven? In het begin was je niet zo, toen ik je op mijn kamer heb uitgenodigd voor een glas whisky en jij dat gedicht citeerde over de dood van Arthur. Ik zou je tot aan het einde van de wereld zijn gevolgd. Tot het laatste klif. En toen werd je afwezig. Waarom?'

Ze wilde het weten. Echt.

'Ik weet het niet,' zei hij doodmoe. Zijn kin wees omlaag naar de straat.

Ze sorteerde de ADHD-pillen en nam er een in. 'Liggen, Pericles.' En toen, omdat hij maar voor het raam bleef staren naar een meisje in een met bont afgezette zeekraalgroene jas: 'Weet je zeker dat je niet liever met iemand anders zou willen zijn?'

'Ja.'

'Vooruit, kom eens mee.'

Ze trok haar paisley mannenpeignoir aan en liep als eerste de wenteltrap op.

Eindelijk was het beeldhouwwerk af. Ze wilde weten wat hij ervan vond.

Hij zei niets, omdat hij haar gevoelens niet wilde kwetsen. Aanvankelijk vond hij haar werk wel leuk vanwege de nieuwigheid. Op fentanyl kon hij de rol spelen en wel met een gepaste reactie komen. Nuchter kwam hij er tot zijn ontzetting achter dat hij niets te zeggen had.

'Het is echt geweldig.'

Ze keek hem fel aan. Hij had gezien hoe ze critici dezelfde blik schonk. 'Dat is de meest nietszeggende reactie die ik ooit heb gehoord. Dat is gewoon Engelse flauwekul.'

'Zal ik koffie voor je zetten?'

Maar ze zat hem op de huid. '"Het is geweldig, het is interessant." Voor de draad ermee, wat vind je er echt van?'

Met grote tegenzin liet hij zijn blik rusten op de naakte figuur opgebouwd uit gebruikt verband die al voor een aanzienlijk bedrag was verkocht aan een medische instelling in Berlijn. 'Ik kan echt geen kunstkritiek op commando leveren, hoor. Het is al moeilijk genoeg om een lever te transplanteren.'

'Wat heb je ook al weer eens tegen me gezegd? "Ik wil duurzaam met je kunnen praten".'

'Ik kan dit nu even niet aan.'

'Wat wil dat zeggen? Denk je dat je het morgen wel aankunt? Ik dacht dat je ervoor had getekend om het je hele leven aan te kunnen.'

'Hou op, Bettina. Ik moet Gus uitlaten.'

Haar hand gleed in zijn zak. Maar ze zocht niet naar zijn penis. 'Je gaat helemaal niet weg,' en ze greep zijn sleutelring, 'tot je me vertelt wat je er echt van vindt.'

Niet alleen het verkeer was veranderd. Ineens was ze niet meer uit op een confrontatie. 'Ik moet het weten, Peter,' met een verrassend milde stem.

Hij vertelde het haar en haar ogen werden rood. Ze glimlachte zwak alsof ze verpletterd was en keek toen naar haar beeldhouwwerk. Maar het was een wond die snel heelde. Hij zag voor zijn ogen het bloed stollen, de korst die zich vormde en daarna de blanke, volkomen genezen witte huid. Vanaf het moment van de inslag tot aan de genezing verliepen slechts enkele seconden.

'Hier,' ze gaf hem zijn sleutels terug.

'Laat ik toch maar koffie zetten,' zei hij.

Ze nam het kopje aan en keek neer op de Alster.

'Je bent net als mijn oom,' flapte ze er ineens uit tussen twee warme slokken door, 'hij weende bittere liefdestranen en daarna sloeg hij me.'

HOOFDSTUK ACHTTIEN

HIJ BLEEF NOG TWEE weken nuchter en toen stierf een tienjarig meisje dat hij onder behandeling had.

Het was een smoorhete middag in juni. Zijn hele dag zat vol met visites aan kinderen in de kliniek. 'In godsnaam, je bent co-assistent,' zei de arts-assistent achteraf om hem te verdedigen. 'Je werd twintig verschillende kanten op getrokken. Je had het gewoon hartstikke druk. En je werd weggeroepen. Daarom hebben de meeste mensen een hekel aan pediatrie. Negenennegentig van de honderd keer heb je de wind in de rug. Maar die ene keer, als ze echt ziek worden, dan is het aan de noodrem trekken geblazen.'

In de lunchpauze ging hij een glas water halen toen een vrouw met haar dochtertje binnenstormde.

'Ze heeft moeite met slikken,' zei de moeder, die een zilveren broekpak met lavendelkleurige manchetten en een bijpassende lavendelkleurige sjaal droeg. 'Ik heb haar net binnengebracht omdat ze vatbaar is voor streptokokken en ik nu graag een recept wil.'

Het meisje heette Hannelore. Hij zette haar op een stoel. Ze had een bleek rond gezicht en dunne vlechten van zwart haar tot aan haar middel. Ze had iets terughoudends toen hij in haar keel keek. Een gespannen uitdrukking in haar ogen.

De moeder zat toe te kijken. Ze was opgewonden en afwezig en wuifde zich in de hitte koelte toe. Ze hield vanavond een dineetje en wilde snel met een recept weg. Ze moest nog ijs en bloemen kopen en het was al krap aan voor haar afspraak bij de kapper.

Hij kon niet veel zien. 'Ik denk dat het niet meer is dan een keelontsteking. Maar we zullen toch een uitstrijkje van de keel maken.'

Hij had al honderden zere kelen onderzocht maar toch raakte dit meisje hem meer. Door iets wat ze zei? De manier waarop ze haar mond opende? De vaag zorgelijke uitdrukking op haar gezicht?

'Ik zal in elk geval een recept voor antibiotica uitschrijven,' zei hij tegen de moeder. 'Maar u moet het niet gebruiken voor we een telefoontje van het lab krijgen. Als het erger wordt breng haar dan alstublieft meteen weer hier naartoe.'

Hij schreef het recept uit en keek weer naar Hannelore. Er lag een ondertoon in haar haar. Die deed hem aan iets denken.

De verpleegster onderbrak hem. 'De zaalzuster probeert u te bereiken. Ze is bezig een verband aan te leggen en wil graag dat u er even naar kijkt.'

'Ik kom zo.'

Toen Peter de kamer uit liep hoorde hij Hannelore kroeperig hoesten als een blaffende hond en er flitste een gedachte door hem heen: god, zou het haemophilus influenza kunnen zijn? Maar de verpleegster trok hem mee en hij stelde zich al in op de volgende taak.

De hele middag achtervolgde hem het beeld van Hannelore. Hij herinnerde zich de kroephoest toen hij 's avonds het ziekenhuis verliet. Hij besefte dat hij haar niet naar huis had moeten laten gaan. Haar kleur was niet goed, dacht hij, ze was een beetje te stil. Ik heb het niet afgewerkt zoals ik had gewild. Onrustig zette hij de auto stil en belde vanuit een telefooncel het ziekenhuis voor haar adres en telefoonnummer.

Hij belde Hannelores huis. Er werd niet opgenomen. Hij kende het adres – hij kocht wel eens vis in dezelfde straat – en reed erheen. 'Dokters doen dat doorgaans niet. En studenten in opleiding al helemaal niet,' zei de arts-assistent achteraf. 'Je hoeft jezelf echt niets te verwijten. Zoals ik altijd zeg, wij hebben meer geluk dan wijsheid.'

In het luipaardlicht van een zomerse schemering reed hij een fraaie oprijlaan in Eimsbüttel op. Auto's op het grind. Een vochtige avond. De gordijnen nog niet dicht. Hij trok zijn das los en liep knarsend naar het huis. De moeder, in een jurk van groene mousseline, flitste met een dienblad in de hand langs hoge open ramen. De gasten stonden in groepjes. Een kale man in een donkerblauw pak nam een van haar cocktailhapjes.

Toen hij op de koperen bel drukte dacht hij: daarom wilde ze Hannelore zo snel mee hebben.

Na een poosje ging de deur open. Eerst herkende ze hem niet.

'Hoe gaat het met Hannelore?' vroeg hij.

'Ze is op haar kamer. Waarom?'

Hij holde de trap op.

Ze zat voorover op haar bed angstig te kwijlen en te proberen adem te halen. Ze kon haar speeksel niet weggeslikt krijgen. Kon niet om hulp roepen. Happend naar lucht staarde ze hem met wijd opengesperde ogen aan. Haar haar in de war. Alle kleur uit haar gezicht verdwenen. Uit haar mond kwam een hakkelend gekreun.

Hij zag het onmiddellijk voor zich. Een opgezette rode bal die als een grote kers haar luchtpijp blokkeerde. Maar hij kon zijn tongspatel niet gebruiken om in haar keel te kijken – dat zou meteen haar dood kunnen worden. Op het nachtkastje lag een balpen en de gedachte joeg door zijn hoofd om haar keel door te snijden en de balpen erin te steken om haar lucht te geven. Maar hij was te onervaren. Te bang. Dit was niet het moment om zijn eerste luchtpijpsnede uit te voeren.

Hij droeg haar als een lammetje de trap af naar de salon.

Hij hoorde haar inademen. Zag de moeder op hem af snellen. Haar bitse stem maande: 'Laat haar met rust!' Hij beval de moeder de voordeur open te maken en daarna het portier van zijn auto. 'Ik wil dat u dit kind voorzichtig op uw schoot neemt en haar vasthoudt.'

Hij reed naar het ziekenhuis terwijl het meisje naast hem met diepe krassende halen lucht opzoog.

Anesthesie werd meteen opgebiept toen ze haar zagen. Ze belden keel, neus en oor en ervaren artsen namen het van hem over. Hij liep achter haar aan naar reanimatie. Hij mocht toekijken want hij moest ervan leren.

De verpleegster kalmeerde haar en legde haar snel en behoedzaam aan een hartmonitor. De arts probeerde haar te intuberen, maar de zwelling in haar keel versperde de luchtweg en hij kon de buis er niet langs krijgen. Hij trok haar vlechten naar achter, betastte haar hals en maakte een incisie. Geleiachtige bloedklodders welden op toen hij de buis erin stak. De verpleegster zag dat de lippen van het meisje paars waren geworden. 'Ik kan geen hartslag vinden.'

Achteraf vervloekte de arts de warmte. Op een koudere avond zouden de bloedvaten zich hebben vernauwd, zei hij. Haar strotklepje zou net voldoende zijn verschrompeld om haar te laten ademen. Peter keek maar half luisterend naar Hannelore en dacht: waarom heb ik in haar slaapkamer de luchtpijpsnede niet uitgevoerd?

De arts moest nog naar een andere patiënt. Hij begon tegen de verpleegster te zeggen dat hij de moeder op de hoogte moest brengen.

'Dat is uw taak, vrees ik,' zei de verpleegster.

'Ik doe het wel,' zei Peter.

Hij knoopte zijn das en waste zijn gezicht en liep over de grijs gespikkelde vloer naar de vrouw in haar groene cocktailjurk. Toen hij Hannelore op de tafel zag liggen met de braambeskleurige tint in haar haar, het onschuldige gezicht, besefte hij aan wie ze hem deed denken.

Wroeging. De vogel die nooit neerstrijkt.

HOOFDSTUK NEGENTIEN

H ANNELORES DOOD GREEP HEM meer aan dan die van enige andere patiënt.

Hij vertelde Bettina: 'Ik moet steeds denken aan wat die arts zei: "Als het buiten koud was geweest, zou ze nog leven".'

'Wil je hier wat van? Dat helpt.' Bettina knikte naar haar handspiegel. Een wit kruidspoor.

'Nee, nee, nee.'

In de weken daarop functioneerde hij als een slaapwandelaar. Voor de chronologie in zijn bestaan zou hij niet hebben kunnen instaan. Hij wist alleen dat hij de begrafenis op het Nienstedtener Friedhof had bij-gewoond en een paar keer naar haar graf was geweest. Op de klokvor-mige grafsteen had haar moeder een versregel uit het Boek der Konin-gen laten beitelen. 'Is het wel met uw kind? En zij zeide: Het is wel.'

In zijn slaap verkrampte hij met de stuiptrekkingen van het stervende meisje, ontwaakte uit dromen waarin ze naast zijn bed stond. Zwarte vlechten tot aan haar middel. Een beschuldigende blik op zijn naakte lichaam gericht alsof hij een tekening was die Rodney had afgekeurd.

'Waarom heb je bij mij thuis geen luchtpijpsnede gedaan?' vroeg ze, en ze tilde een vlecht op om haar hals te laten zien. 'Of vond je het weer te gênant om een dineetje te verstoren?' Ze had het gezicht van Sneeuw-lok.

'Ik had zelf die vergissing kunnen maken,' zei zijn arts-assistent die zijn best deed om Peter gerust te stellen. 'Concentreer je op je examens. Dat is de beste manier. Ik verwacht van je dat je met vlag en wimpel slaagt.'

De volgende drie weken stortte Peter zich op een strakke routine, zoals hij dat op St Cross had geleerd. Van maandag tot vrijdag zat hij 's avonds in de bibliotheek. Op zaterdagochtend sloot hij Gus na hun ochtendwandeling op in zijn kamer en fietste naar Bettina's atelier.

Ze werkte hard aan de catalogus voor haar aanstaande tentoonstelling. Terwijl zij zat te schrijven, zat hij te studeren. Maar zijn muziek die het atelier sinds januari vulde was uit den boze. Ze was gespitst op nieuws uit Oost-Duitsland en niet op zijn Bach-cd's.

'Het is ongelooflijk,' zei ze toen ze hem op een dag binnenliet.

'Wat?'

'Wat er in Leipzig gaande is.'

Op haar radio deden journalisten verslag van demonstranten die de straten van de tweede stad van Oost-Duitsland vulden en begonnen te zingen wat er maar in hun hoofd opkwam – vóór troepen en vrachtwagens hen kwamen arresteren.

'Kennelijk heeft de handelsbeurs de aanleiding gegeven,' zei ze. 'Ze wilden dat er televisiecamera's bij waren.'

In de tweede week van september opende Hongarije zijn grenzen en wilde Bettina met alle geweld dat Peter kwam eten.

Dat was op een donderdag en hij had weinig zin om van zijn boeken weggesleurd te worden. Als alles goed ging zou hij over veertien dagen de ambitie van zijn vader waar hebben gemaakt. Maar er was nog een reden dat hij haar uitnodiging niet wilde aanvaarden. Bettina's eisen waren de laatste tijd zo onverbiddelijk dat ze hem alle lucht ontnam. Hij kon haar niet meer geven wat ze nodig had, wat volgens hem ongetwijfeld de reden was dat ze haar toevlucht nam tot wat ze slikte of snoof.

'Ik denk dat ik het risico niet kan nemen. Over vier dagen zijn mijn examens.'

'Lief, ik sta erop,' zei Bettina. 'Ik sta er echt op.'

Ze werden dronken en toen hij wakker werd kon hij zich niet herinneren of ze de liefde hadden bedreven of niet.

Om acht uur trok hij zijn trui aan en ging het raam dichtdoen. Buiten een kleurloze lucht, het weer kouder en het verkeer luider. Ze was aan de late kant voor een of andere afspraak en hij hoorde haar in de badkamer rommelen op zoek naar een contactlens. 'Christus, jouw rotzooi ligt echt overal, Peter.'

Ze kwam de badkamer uit en smeet zijn boxer naar hem toe. 'Je draagt dezelfde onderbroek als vorige week. Dacht je dat je patiënten dat niet konden ruiken? Ik wed dat de kinderen erover roddelen dat je zo stinkt.' Met minachting zei ze: 'Kijk je nooit in de spiegel, soms? Heb je dan helemaal geen trots?'

Hij raapte de boxer van de grond op en ging op het bed zitten.

Ze keek hem nog steeds doordringend aan. 'Je trui zit achterstevoren. Wat denk je dat dat wil zeggen als je je trui achterstevoren draagt?'

'Dat ik niet ijdel ben?'

De felle bruine ogen flitsten, twee slagzwaarden die zich regelrecht tussen zijn ribben boorden. 'Mis! Dat doe je om aandacht te trekken. Het is zelfs een extreme vorm van ijdelheid en egotisme.'

Bettina beende terug naar de badkamer en pakte haar eau de toilette. Hij keek naar haar gezicht in de spiegel. Ze besprenkelde haar keel met de kieskeurigheid van iemand die met hem had geslapen, maar een afspraak had met een andere minnaar.

Ze zwaaide haar arm uit en zijn toilettas vloog op de grond. 'O, godver.' Daarna stilte. Hij ging rechtop op het bed zitten, met bonzend hart. Ze flitste de badkamer uit, rechte rug, en hield de naald triomfantelijk omhoog. Ze wist wat het was. Ze had zichzelf ook wel eens ingespoten. Dat was de gemakkelijkste manier om te ontsnappen.

'Niet alleen een varken.' In haar stem lag een spoor van kille beslistheid, alsof hij er niet was. 'Maar een klotejunk op de koop toe.'

Zijn hoofd op zijn knieën. Zonder haar aan te kijken. Dus wierp ze de naald over de grond naar hem toe. 'Het spijt me, lief, maar ik geloof niet dat ik met je kan trouwen.' En ze ging door: 'Het spijt me dat ik het moet zeggen maar ik hou niet meer van je,' en ze staarde naar de Alster, het meer strak als de aluminiumfolie van Rosalind. 'Ik voel me zelfs verraden. Ik ben je tegemoet gekomen en jij laat me in de kou staan. Ik voel me verschrikkelijk in de steek gelaten.'

Hij wilde zeggen: 'Ik hou van je,' maar de woorden bleven in zijn keel steken. Het was hem fysiek onmogelijk om ze uit te spreken.

Haar stem ploegde voort: 'Ik heb geprobeerd ertegen te vechten en het is een les – maar jou lukt het niet,' haar gezicht bij het raam gespannen en gesloten als een bloembol die niet wil uitkomen. 'Ik heb me nog nooit zo eenzaam gevoeld als sinds ik jou heb ontmoet. Ik hoop dat ik me zo in de dood niet zal voelen. Je bent er nooit voor mij geweest. Sinds de zomer probeer ik ermee te kappen, maar je houdt me steeds tegen. Ik meen het niet dat ik niet van je houd. Ik hou wel van je. Maar jij bent niet degene die me gelukkig kan maken.'

Langzaam kleedde hij zich aan.

'Weet je waar ik het nog het meest op gooi?' De cocaïne die ze in de badkamer had gesnoven maakte haar rad van tong. 'Je Engelse opvoeding. Er zitten zo veel lagen gekunsteldheid in jou gebakken dat het moeilijk voor je is om echt te zijn. O, je hebt wel een zoete kant, maar die laat geen smaak achter.'

Hij trok het trendy colbert aan dat ze voor hem had gekocht, de broek gemaakt van zeilstof.

'Waarom heb ik het niet zien aankomen? Natuurlijk zou je me op mijn hart trappen. Je had ook op Pericles getrapt,' ze bekeek haar pony in de spiegel. 'Ik geef het toe, in het begin ging ik door de knieën voor je *schmaltz*. Ik neem aan dat je niet meer weet wat je hebt gezegd toen we uit Syracuse kwamen? "Mensen hebben tegen je gelogen, dat merk ik. Maar zo'n man zal ik niet zijn." Je klonk zo aannemelijk en toen citeerde je ook nog Tennyson. Het heeft een tijdje geduurd voor ik besefte dat je poëzie aan mijn slipjes was gericht, niet aan mij.'

Hij stond op.

'Maar weet je wat voor mij écht de deur dichtdeed?' Ze bracht rabarberkleurige lippenstift op die paste bij de kleur van de band om haar hoed. 'Het stelde eigenlijk niets voor, maar het trof me tot in mijn ziel. *Dat je steeds mijn muziek uitzette en Bach opzette.* Waarom was je ineens zo in Bach geïnteresseerd? Voorheen gaf je helemaal niets om klassieke muziek.'

Hij wachtte bij de deur terwijl zij naar een riem zocht en daarna de kom van Pericles met mineraalwater vulde. 'Het probleem met jullie soort geneesheren is dat jullie jezelf beschouwen als figuren uit de renaissance. Jij denkt dat je alles van kunst weet, jij denkt dat je wat van muziek afweet, jij beschouwt jezelf als een genezer. Maar ik, ik ben grootgebracht in het gezin van een geneesheer en ik heb twee universitaire graden. Soms sta ik 's ochtends op en begin ik te schrijven en de tijd verstrijkt zonder dat ik weet waar ik ben, maar ik ben zo diep in mezelf afgedaald dat ik het moeilijk vind om weer naar de oppervlakte te komen. Dat is een vorm van automatisch schrijven die voor jou ontoegankelijk blijft. Er staat een Berlijnse Muur tussen je psyche en je intellect. Maar dat is geen kracht. Dat komt omdat je niet weet wat je moet voelen. Of hoe.'

Bij de deur trok ze zijn hoofd omlaag en zoende hem vol op zijn mond alsof ze hem voor het laatst wilde proeven. 'Vaarwel, lief.'

Het gewicht van haar rabarberkleurige lippen, de pijn in zijn borst als een droge holte.

In plaats van naar de faculteit te fietsen liep Peter naar een bar aan de Alster en rookte een heel pakje West Light leeg bij het ene na het andere glas *Weißen*. Kort na twee uur – die details hoorde hij later – trok hij zijn Omen-colbert en broek uit en smeet ze in het meer. Hij kon zich niet herinneren dat hij een hond had gezien die in het water sprong en evenmin dat hij de Thomas I-Punkt-winkel op de Gänsemarkt in liep waar een propje van een vrouw met een pagekapsel een trui stond op te vouwen. Ze keek op en begon te vragen of ze hem van dienst kon zijn. Toen pas zag ze dat Peter geen kleren aan had. Helemaal niets. Niet eens een paar Birckenstocks aan zijn voeten.

'Ik dacht dat het een Duitser was,' vertelde ze aan de plaatselijke verslaggever, wiens verhaal op het allerlaatste moment niet werd geplaatst vanwege de ingrijpende gebeurtenissen in Oost-Duitsland. 'Maar hij bleef met die verfijnde Engelse stem praten. Alsof hij – hoe zal ik het zeggen? – probeerde te zingen.'

Tot ieders stomme verbazing, behalve die van hemzelf, zakte Peter voor zijn examens. Een paar dagen voor zijn opleiding als co-assistent voltooid zou zijn, werd hij in elkaar gezakt op de wc aangetroffen, terwijl een kind met een verstopte halsslagader op de operatietafel lag te wachten. Bij nader onderzoek werden in zijn klerenkastje twee injectienaalden gevonden. Toen hij door zijn arts-assistent op het matje werd geroepen, biechtte hij op.

HOOFDSTUK TWINTIG

O P DE LAATSTE MAANDAG in oktober vulde het centrum van Leipzig – alle straten in de lengte en de breedte – zich met mannen, vrouwen en kinderen die met kaarsen in de hand over de Dittrichring liepen in een van de optochten waarmee Leipzig zich de bijnaam *Heldenstadt* verwierf. Diezelfde avond werd Peter opgenomen in de Ochsenzoll psychiatrische kliniek in het noorden van Hamburg. Zijn arts-assistent had hem lang verlof gegeven om met zichzelf in het reine te komen. In zijn rapport schreef hij dat Peter Hithersay de beste student in zijn jaargroep was. Het zou een tragische verspilling zijn als hem niet een tweede kans werd geboden.

'Fentanyl!' sneerde de heroïneverslaafde in de Anonieme Verslaafdengroep waaraan Peter verplicht moest deelnemen. Hij keek Peter aan zoals een hippie naar een yuppie zou kunnen kijken. 'Dat is de allerlaagste sport. Ik dacht dat coke de laagste was. Maar fentanyl!'

's Avonds keken de patiënten televisie of dommelden. Laat op een novemberavond zag Peter een stroom blije gezichten door de Bornholmer-oversteek komen.

De heroïneverslaafde, die uit Berlijn kwam, was over zijn toeren. 'Moet je die beerput zien die in onze straten wordt geleegd. Ik wil de Muur terug. De Muur is noodzakelijk. Ik wil niet dat die klootzakken vrijelijk in mijn stad kunnen rondlopen. Zet hem terug!'

'Gelijk heb je, zet hem terug!' zei een stem achter hem, die van een vrouw.

In de hoek zong een man met een afwijking aan zijn neustussenschot: '*There's no getting over that rainbow.*'

'Wat vind jij, Herr Doktor Peter?' De heroïneverslaafde stootte hem aan. 'Moeten we ze binnenlaten?'

'Dat is mijn land,' zei hij, zijn geest gekleurd door zijn verdwaasde verstand. 'Daar kom ik vandaan.'

'Nou, liefie, daar is nu niemand meer. Wou je naar Berlijn om door de Muur heen te piepen? Want de vloedgolf deze kant op is zo enorm dat onze straten voor we het weten vergeven zullen zijn van dealers uit Moskou.'

Tien dagen later zat Peter weer in de televisiekamer. Op het scherm stond een onafzienbare massa schouder aan schouder voor een gebouw met een ronde façade intens naar de ramen te staren.

'Waar is dat?'

'Stasi-hoofdkwartier in Leipzig,' neuzelde de verbonden neus.

De heroïneverslaafde keek dreigend naar Peter. 'Weet jij wat ze daar doen? De klootzakken verbranden alles. Ik bedoel alles. Eigenlijk wordt het tijd dat we een paar van jullie fentanylfijnproevers terugsturen zodat ze jullie kunnen verbranden.'

Het refrein werd overgenomen. 'Gelijk heb je! Je moet branden!' Al spoedig scandeerde iedereen: 'Branden moet je, branden moet je, branden moet je.'

Peter zwoer een eed. Ik moet beter worden. Ik zal naar Leipzig gaan hoe lang het ook duurt. Bij god, er zal een moment in mijn leven komen dat ik dat meisje terugvind om het goed te maken.

HOOFDSTUK EENENTWINTIG

Dag in dag uit stonden ze met duizenden tegelijk op de Dittrichring. Ze staarden bewegingloos naar het gebouw. Zongen. Maar vandaag was de man met het rossige haar zenuwachtig. Er ontbrak weer een dossier. Iemand was hem voor geweest.

'*Wie kannst du mir jemals verzeihen?*' neuriede, hij en hij ramde de archieflade dicht. Hij wist wie het was. Dat wist hij donders goed.

Begin december, op de tweede verdieping van de Runde Ecke achter een raam waarvan de luxaflex was neergelaten, vernietigde Kresse alles wat zijn gehandschoende handen konden verscheuren. Na drie weken ononderbroken in gebruik te zijn geweest, had de papierversnipperaar de geest gegeven. De hele middag had hij documenten verscheurd, maar er leek geen eind te komen aan de dossiers waarmee de planken en archiefkasten waren volgestouwd.

Vanbuiten kwam het geluid van gezang. Kresse herkende een hymne uit zijn jeugd. Iedere avond zongen ze die. '*Wach auf, wach auf, du deutsches Land, du hast genug geschlafen.*'

Hij beende tussen de zakken door die uitpuilden van versnipperd papier, opende de lamellen van de oranje luxaflex en tuurde nors naar buiten. De nacht stond in een gloed van wat eruitzag als halloween-pompoenen. De gezichten van talloze demonen die kaarsen onder hun kin hielden en borden droegen met dezelfde boodschap: 'We blijven hier staan,' en: 'Wij zijn één volk.' De spoken waren tot dusver vreedzaam gebleven, maar hij voelde dat dit de laatste avond was waarop ze nog lijdzaam wilden toezien dat er rook uit de schoorsteen van dit gebouw kolkte.

Ongezien door hen overzag Kresse al die uitgelichte gelaatstrekken en herinnerde zich de avond drie weken terug toen hij zich in een dergelijke menigte had begeven. Hij wist nog dat op de radio werd gewaarschuwd dat mensen onder de voet werden gelopen omdat de perrons de massa niet aankonden. Het leek wel een dierentuin waaruit alle dieren weg wilden. Waarom willen ze naar die andere kooi? dacht hij. Maar op die dag in november kon hij eigenlijk niet in zijn land blijven – er was niemand meer over.

Hij herinnerde zich de jonge moeder met twee kleine kinderen in de rij in wie hij Marla herkende – hij stond zo dicht bij haar dat hij haar haar kon ruiken – en de opluchting toen ze om zich heen keek en naar hem glimlachte zonder hem te herkennen en ze tegen haar dochter zei: 'Kom hier, Katja. Blijf bij me.' Hij herinnerde zich dat hij door de poort naar het Westen werd meegevoerd. Overal mensen. Op het ene moment liep hij tussen hen in en voelde zijn voeten stevig op de grond. Het volgende moment zweefde hij een halve meter boven de grond. Hij kreeg het vreemde gevoel dat hij immobiel was en alles om hem heen bewoog. Dat hij een kei in de rivier was en de mensen langs hem heen zwommen. 'Baas, het leek verdomme wel of ik een trip maakte,' vertelde hij tegen Uwe.

De menigte voerde hem mee naar een bijkantoor van de Dresdner Bank waar de West-Duitsers aan iedereen honderd mark zouden uitkeren. Hij herinnerde zich dat er Turken langskwamen die spuwden toen hij in de rij stond voor het welkomstgeld en dacht: als de Turken in West-Duitsland naar ons spuwen, dan moeten ze ons wel als een inferieur ras beschouwen.

Kresse had zich West-Berlijn altijd voorgesteld als een herbouwd Leipzig. Maar op hem kwam het over als elke andere platgebombardeerde stad uit de jaren vijftig. Helemaal niet opzichtig. Overal om hem heen liepen gezinnen verloren rond, kinderen die aan de arm van hun ouders hingen en met grote ogen naar de etalages keken. Het was winter, maar in de supermarkten lagen komkommers, aardbeien, alles.

Voor vijftien mark kocht hij een yucca en een kilo sinaasappelen. In Oost-Duitsland was hij gewend aan groene Cubaanse sinaasappelen, draderig en bitter. Hij wist nog dat hij tegen de vrouw had gezegd: 'Zijn deze sinaasappelen zoet of knijpen ze de poriën van je gezicht samen?' Ze keek hem bot aan en er verscheen een grote Turk van achter een gordijn met een mes. Hij dacht: die staat me naar het leven. Maar de Turk pakte de sinaasappel, sneed hem doormidden en bood hem aan: 'Proef maar.'

Hij zoog de rest van de sinaasappel uit in de rij voor de Pornokino. Het publiek bestond uit oma's en kinderen die er net als hij voor hadden gekozen om op hun eerste avond in het Gouden Westen *Texas Chainsaw Massacre II* te gaan zien. De sinaasappel smaakte zoet.

Maar inmiddels was hij terug in de Runde Ecke, waar een of andere klootzak, om de betrokkenen te beschermen of om moeilijkheden te maken of domweg voor zijn eigen veiligheid, een aantal dossiers had weggehaald die hij, Kresse, moest vernietigen.

Hij liet de luxaflex los en maakte nog een archiefkast open. Ook daarin gaapte een gat. Hij liep de inhoud na voor de naam van het ontbrekende dossier. '*Wie kannst du mir jemals verzeihen?*' neuriede hij door het gat in zijn tanden. De archiefkast bevatte rapporten over politieke gevangenen die in het centrum van Leipzig tussen 1958 en 1961 waren gearresteerd. Hij draaide zijn hoofd weg, maar de telefoon ging.

Aan de andere kant Mornewegs stem. 'Kresse. Hoe gaat het daar?' Hij klonk oud, een man die vanbinnen verroest was.

'Zo goed als kan, meneer.' Eigenlijk brandde hij van verlangen om tegen Morneweg te zeggen dat het een godvergeten wonder was wat hij had gedaan. Sinds 10 november had hij min of meer het hele inlichtingen- en onderzoekssysteem verbrand, alsmede afschriften voor operationele betalingen, om maar te zwijgen van de dossiers van degenen wier vrijheid door de West-Duitse overheid was gekocht, samen met alle details over bankrekeningen.

'Hoe ver ben je gekomen?'

'Negentien zestig, meneer. Teruggeteld – wat u heeft gevraagd.'

'Hoor eens, ik heb in mijn kantoor spullen bewaard. Die moet je echt voor me wegwerken.'

'Nog meer dossiers, meneer?'

'Nee, Kresse, glazen potten.'

En Kresse, die als hondenmenner twee jaar geleden van Morneweg promotie had gekregen, begreep het onmiddellijk. Morneweg had hulp nodig om Uwes geurenkabinet aan diggelen te gooien.

'Meneer?'

'Ja?'

'Heeft u iemand anders gestuurd om dossiers op te halen?'

'Hoe bedoel je?'

'Nou, meneer, er ontbreken een hoop dossiers.'

'In tijden als deze komt dat niet echt goed uit, Kresse. Je hebt waarschijnlijk het nieuws gezien.'

'Ja, meneer.' Kresse had met woede en schrik de nieuwsberichten gezien: de afkalvende overheid, de weekhartige liberalen die zich verdrongen om hen te vervangen, er was sprake van speciale rechtbanken.

'In welke orde van grootte, Kresse?'

'Wat ik tot dusver heb geteld – een vrij groot aantal, zo'n zeshonderd.'

'Van wie zijn die dossiers?'

'Nu u het vraagt, meneer, nu u het vraagt, de zaakgelastigde ambtenaar die verantwoordelijk is voor de meerderheid van deze dossiers is luitenant Uwe Wechsel.'

'Allemaal?'

'Ja, meneer, vrijwel allemaal, behalve die van u, meneer, degene die naar u zijn doorverwezen.'

' Oké, zorg dat je luitenant Wechsel te pakken krijgt.'

'Hij is bezig met de universiteitsdossiers, meneer. Zijn kantoor zit op slot. Wilt u dat ik de deur openbreek?'

'Nee, wees voorzichtig. Ik wil dat je uiterst voorzichtig te werk gaat, Kresse. Luitenant Wechsel weet waar de lichamen begraven zijn. Jouw lijken en de mijne. Ik wil dat je zo snel mogelijk naar boven komt.'

'Uitstekend, meneer.'

Hij legde de hoorn op de haak. Iets in de kamer was veranderd, maar hij wist niet wat. Toen drong het tot hem door. De menigte was opgehouden met zingen. Van beneden steeg een geluid op, het gedreun van vuisten op staal. Hij pakte zijn politieknuppel.

HOOFDSTUK TWEEËNTWINTIG

Zes jaar na de dood van Hannelore sloeg een journaliste van de Berlijnse *Tagesspiegel* Peter gade toen hij in een kleuterschool aan de Wannsee de pols van een kind verbond en ze was getuige van een roerende affiniteit, zo heel anders dan zijn houding aan het bed van bejaarden. Met kinderen, vertelde ze hem achteraf, was het net of hij zelf een kind werd.

'God, u was geweldig met dat kind. Het verbaast me dat u geen kinderarts bent geworden.'

'Op een haar na.'

'Waarom uiteindelijk niet?'

Hij keek naar de ernstige vrouw met strohaar en de mauve sjaal die ze steeds weer over haar schouder terugsloeg en een kleine bandrecorder die ze bij zijn gezicht hield als een politieman die probeerde hem op te hard rijden te betrappen. Hij zei: 'Net voor ik mijn graad zou halen stierf er een meisje. Ik had een vergissing gemaakt. Ik had iets over het hoofd gezien.'

'Wat?'

Zo te zien was ze in de veertig en ze had een brede mond. Onwillekeurig zag hij hoe vastberaden die stond wanneer ze de bandrecorder dichterbij hield om haar vragen te stellen. Wat waren zijn antwoorden defensief.

'Het is al lang geleden en ik wil er liever niet over praten.'

De journaliste heette Frieda. Ze had met Peter contact opgenomen nadat ze een gevalsanalyse had gelezen die hij in de *Lancet* had gepubliceerd, over een geval van slapeloosheid gekoppeld aan een verschoven slaap-waakritme. Ze herkende de symptomen van haar vader en daarom wilde ze een artikel over zijn werk voor de zaterdagbijlage van haar krant schrijven. 'In het ideale geval zou ik graag een hele dag met u willen optrekken, meelopen op uw rondes...'

Toen hij op het punt stond de brief weg te gooien zag hij dat ze er voorbeelden van haar journalistieke werk aan vast had geniet, waaronder een stuk over het lot van Oost-Duitse waakhonden na de val van de Muur en een ander over Daniel Schreber, de grondlegger van de Schreber-volkstuinen. Hij las het twee keer door. Woord voor woord. Daarna belde hij Frieda op. 'Ja, waarom niet een dag met me optrekken?' en grapsgewijs – zij het op een Engelse manier: 'Zolang ik maar niet het onderwerp ben. Laat ik dat in elk geval heel duidelijk stellen.'

Achteraf mocht ze graag klagen: 'Ik kwam om je te interviewen en in plaats van ook maar één enkel detail over je leven prijs te geven, heb je me verleid. In een bejaardenhuis!'

Op die bewuste dinsdagmiddag had Peter Frieda van de Hilfrich Klinik, waar ze hem de hele ochtend bij zijn werk had gadegeslagen, naar een verzorgingstehuis gereden dat Löwenstein heette in het zuidwesten van Berlijn. Hij stond op het punt om haar door het huis rond te leiden toen zuster Corinna naar buiten kwam hollen om te zeggen dat op het speelterrein van de kleuterschool ernaast een jongen ongelukkig was gevallen.

'Excuseert u me even?' hij wendde zich tot Frieda.

'Natuurlijk, ga uw gang.'

De jongen bleek te zijn flauwgevallen nadat hij door de andere kinderen aan het lachen was gemaakt. Ze hadden gemerkt dat hij, als ze hem flink aan het lachen maakten, altijd viel en dus waren ze in een groep om hem heen gaan staan en hadden ze hem moppen verteld tot hij door zijn knieën zakte.

'Het is maar een schram,' stelde Peter de jongen gerust. En tegen de kleuterleidster: 'Hij maakt een erg slaperige indruk.'

'Ja, vroeger was hij heel aandachtig, maar de laatste tijd valt hij aldoor in slaap.'

'Het gaat mij natuurlijk niet aan, maar zegt u tegen zijn moeder dat ik met liefde met haar wil praten.'

Al die tijd stond Frieda onder het basketbalnet aantekeningen te maken. Hij verontschuldigde zich dat hij haar had laten wachten.

'Wat denkt u dat hij mankeert?'

'Nou, het is in elk geval geen aanval van vaatvernauwing. En ook geen hartaritmie. Het zou me niet verbazen als hij aan narcolepsie leed.'

Peinzend liet ze zich van het speelterrein meenemen. 'Ik moet steeds weer aan die regel denken die u heeft geschreven: "Het oog gaat nooit dicht. Het ooglid sluit zich eroverheen".'

Hij glimlachte. 'We hebben veel van forellen weg.'

Maar ze wilde ernstig blijven. 'Gerontologie zit als specialiteit in de lift. Maar het is niet – en ik hoop dat u dit niet verkeerd opvat – erg sexy.'

Peter lachte. 'Het is een van de slechtst betaalde subspecialisaties!'

'Waarom heeft u er dan voor gekozen?'

Zijn studiebegeleider van de UKE had hem dezelfde vraag gesteld: 'Peter toch, het zal zo vernederend zijn om weer terug te moeten gaan.' Al die veel jongere gezichten. Geen enkele avond voor zichzelf. Een nieuwe stad om aan te wennen. De terugval in inkomen. 'In geriatrie sterven veel meer mensen onder je handen! Zijn er geen eenvoudigere manieren om te boeten?'

Maar op dat moment, in april 1990, na Hannelores dood, na de implosie van zijn verhouding met Bettina, na de afdaling in de fentanyl-put, was Peter op zoek naar regressie. In plaats van terug te gaan naar de UKE besloot hij zijn carrière opnieuw ergens anders dan in Hamburg te beginnen. Wanneer hij alles overwoog wat hij kon doen om zichzelf te louteren, kon hij niets bedenken wat zijn geest zo grondig zou zuiveren als het overdoen van zijn medische opleiding. Op zijn zeventiende was hij zijn schutsengel ongehoorzaam geweest en was in plaats van geschiedenis te gaan studeren begonnen aan de negenjarige opleiding tot arts. Nu hij op herhaling ging bood het omvangrijke werk een dankbare ontsnapping. In Berlijn gaf hij zich over aan zijn studie en na zich nog eens vier jaar te hebben gestort op circadiaanse ritmes en cataplexie en de uitwerking van lichaamsbeweging op botstevigheid, trok hij zichzelf weer overeind.

'Waarom gerontologie? Mogelijk vanwege mijn grootvader,' vertelde hij Frieda toen ze terugwandelden door de poort van het aangrenzende gebouw. 'Ik voel me schuldig over hoe het einde van zijn leven eruit heeft gezien. Ik heb veel aan hem te danken, moet u weten.'

Dat was in elk geval waar. Peter had de gave om zorgzaam en omzichtig met ouderen om te gaan geleerd van het contact met zijn grootvader. In Berlijn herontdekte hij dat talent en de heilzame uitwerking van een gewillig oor. Hij ontdekte dat hij de oude dag, die met zo veel vernederingen kwam, kon opschorten. Wapenfeiten behoorden niet tot het verre verleden maar waren aanwezig in de kamer met de patiënt. Hij wilde niet dat iemand zichzelf te zeer identificeerde met zijn lichamelijke functies. Zijn ogen zeiden dat de oude dag helaas onontkoombaar was maar niets persoonlijks had en met zijn zucht deelde hij in de ontreddering van hen die incontinent waren of hulp nodig hadden bij het indoen van hun gebit en gaf hij tegelijk te kennen dat het niet lang meer zou duren voor hij zelf zijn bed zou bevuilen.

'Maar waarom Berlijn?' drong ze aan. Ze keek hem van opzij met oplettende ogen aan en tastte rond in zijn duisternis.

Weer een goede vraag, maar moeilijker te beantwoorden. Peter bleef het nog altijd betreuren dat als zijn Duitse vader er niet zo op gebrand was geweest om Berlijn te ontlopen, hij naar het Westen had kunnen vluchten. De grenzen waren nog open. Hij had de S-Bahn kunnen nemen in plaats van te proberen de door Russen bewaakte grens over te komen. Maar dat vertrouwde hij de journaliste niet toe. En evenmin sprak hij over alles wat hij zelf hoopte te ontlopen door naar Berlijn te verhuizen.

'Omdat daar de grootste concentratie van bejaarden zit,' wauwelde hij.

Of was het een stap dichter bij Sneeuwlok?

Ondanks de eed die hij in Ochsenzoll had gezworen, was hij nog niet in Oost-Duitsland geweest. Hij schrok ervoor terug als voor een zwart gat. Wanneer hij probeerde om het een gezicht te geven, was het verdwenen. Toen hij het tegemoet was getreden, was het verdwenen. Het idee dat een heel land van de ene dag op de andere en zo onherroepelijk kon verdwijnen, versterkte hem in de hoop dat hij, op dezelfde manier, zijn schuldgevoel, zijn spijt en de herinnering aan wat hij daar had gedaan kon uitwissen. Toen hij eenmaal bevoegd gerontoloog was – in 1994, op zijn drieëndertigste, als derde beste van zijn jaar – sloeg hij een aantal uitnodigingen af om in de voormalige DDR een lezing te houden, en tevens ettelijke fraaie banen die hem werden aangeboden. Na de val van de Muur wilde hij niet geconfronteerd worden met artikelen of televisie- en radiopragmma's. Alles wat over *die Wende* ging of hem eraan herinnerde dat Leipzig tot het verleden van de DDR behoorde. Vanaf zijn zestiende had dat land hem beziggehouden, maar als hij nu toevallig een kaart van het verenigde Duitsland onder ogen kreeg, zorgde hij ervoor dat zijn ogen een deel ervan omzeilden, zoals hij als kind over de stoep van de High Street in Tisbury was gesprongen en Rosalind waarschuwde: 'Als je trapt op een naad, breek je moeders ruggengraat.'

'Toch blijf ik het vreemd vinden,' hield de journaliste halsstarrig vol. 'Om van kinderen over te stappen op oude mensen. Ik bedoel, dat is nogal een sprong.'

'Ik weet wel wat mensen zeggen,' terwijl ze door de statige hal en langs de kapstok de versleten mahoniehouten trap op liepen die naar bijenwas rook. '"Ze gaan toch dood, ze hebben hun leven gehad." Maar ik kan hen helpen. Ik kan naar hun gesnurk op de zaal luisteren en geloven dat het 't meest troostrijke geluid is dat er bestaat. Zoals ik mijn studenten blijf voorhouden: ze bezetten niet alleen maar een bed, zij zijn je moeder en je vader.'

'Vertel eens wat meer over uzelf,' en ze bracht de bandrecorder weer dichter bij hem.

Nou, hij werkte van maandag tot vrijdag, en in het weekend als hij kon worden opgeroepen, van 8 uur 's ochtends tot 6 uur 's avonds, met een lunchpauze om zijn hond uit te laten in het park voor de Hilfrich Klinik, het academische ziekenhuis in het westen van de stad. En op dinsdagmiddag ging hij hier naartoe, naar Löwenstein.

Maar de journaliste was niet geïnteresseerd in Löwenstein. Ze had al genoeg bejaardenhuizen bezocht. 'Waar woont u?'

'Ik heb een flat in Charlottenburg.'

'Mag ik vragen of u alleen bent?'

'Of ik wat ben?'

'Bent u getrouwd?'

'Doet dat er wat toe?' Hij bleef op de trap staan. 'Nee.'

'Waarom niet? U bent een aantrekkelijke man. Iedereen schijnt weg van u te zijn. Of,' blozend, 'bent u niet in vrouwen geïnteresseerd?'

Haar woorden bleven in de lucht hangen. Hij hield zijn adem in. Draaide zich toen om en glimlachte naar haar, deze vasthoudende vrouw met haar brede mond die almaar vragen stelde. Met een brede mond en die alles van hem wilde weten.

'O, dat is het punt niet.' Maar hoe kon hij uitleggen dat er, zodra hij één stap zette, iets in hem verstarde? Dat hij, sinds hij naar Berlijn was verhuisd, als een ridder die op een teken wachtte, van de ene onbevredigende, egoïstische seksuele relatie in de andere was gerold? Hoe kon hij uitleggen dat hij op anderen bruisend van levenslust overkwam, maar dat alle emotie uit hem was weggeëbd? Hij was van zichzelf afgedreven, niet stormachtig, maar geleidelijk aan en als hij nu achterom keek was hij er niet meer.

Ze dronk zijn gekwelde gezicht met haar openhartige groene ogen in. 'Wilt u geen kinderen?'

'Al die vragen,' en hij nam haar zachtjes bij de arm. 'Daar zult u wel dorst van krijgen. Kom, laten we eens in de keuken gaan kijken.' Hij deed een deur open naar de zoveelste verhouding.

DEEL IV

BERLIJN, 1996

HOOFDSTUK DRIEËNTWINTIG

ER VERSTREKEN NOG zes jaar na Peters interview met Frieda. Er werd een kind geboren. Duizend en een doden. Als hij op die tijd terugkeek zag hij hoe zijn vingertoppen een brede mond tot zwijgen brachten en teer gebouwde handen aan zijn riem trokken. Hij zag een zeilvakantie op de Hiddensee niet lang nadat Frieda het hem vertelde, om te kijken wat haalbaar was; de parelende deining van de zee, windmolens die waanzinnig draaiden op een platte grassige oever en zijn vermoeidheid als de insecten die na het onweer verschenen op zijn duim en over zijn voorhoofd kropen en uitgeput in haar bord met haring in kerriesaus vielen. Hij zag hoe hij keek naar de rugbybal van grijsroze weefsel om te beseffen wat het betekende om vader te zijn. In een ritmische opeenvolging van staccatobeelden, als vliegen die in een kooi een vogel pesten: de avond dat hij aanbood om met Frieda te trouwen; de brief met zijn benoeming tot consulterend gerontoloog; het ogenblik dat hij de kamer in de Otto-Braun-Straße betrad in de hoop eindelijk achter de identiteit van zijn vader te komen. Met uitzondering van een bezoek aan huis zag hij in al die jaren zijn moeder en zijn stiefvader en zijn zuster niet. En vooral zag hij Sneeuwlok niet.

DEEL V

BERLIJN, ENGELAND 1996 – 2002

HOOFDSTUK VIERENTWINTIG

Milo werd in de Hilfrich Klinik om twee minuten over negen geboren op een prachtige zondagochtend waarop de zon de mist in het park nog probeerde te verdampen. Hij woog 5,5 kilo en was 59 centimeter lang en was de grootste baby die de vroedvrouw ooit had verlost. Hij kwam naar buiten met een langgerekt gezicht, een beetje als een verrimpelde kogel, zijn schedel overdekt met dun donker haar, en hij huilde meteen.

'Dat is geen baby, dat is een reus,' zei de dokter.

Frieda hield hem vast. Ze had er door de hele bevalling heen stralend uitgezien. Na een poosje gaf ze de baby aan Peter over. Hij lag rustig met slurpende geluidjes op zijn duim te zuigen, zijn geplette oren leken op oesters en zijn neus was bespikkeld met melkvlekjes. Toen deed hij zijn smalle rechteroog open en een felblauw schijfje nam zijn vader met een hypnotische blik op. Niet warm of koud, niet gericht en niet richtend, niet oud niet nieuw, maar een vlies van gekleurd leven gespannen tussen eeuwenoud en net begonnen.

Op de monitor kwam de hartslag als een cavalerie regelmatig en sterk door. Peter glimlachte naar Frieda. 'Besef je wel dat hij net de langste en hachelijkste reis van zes centimeter in zijn leven achter de rug heeft?'

'Nu moeten we een naam bedenken,' zei ze.

Peter had over namen niet nagedacht. Maar de geboorte van zijn zoon had hem veranderd. Toen hij zijn handen ging wassen zag hij zijn gezicht in de spiegel en was het of er een hand over zijn gelaat streek.

'Milo?' herhaalde Frieda bij zijn volgende bezoek. 'Niet erg Duits.'

'Ik had een sterke band met mijn grootvader.'

'En met je andere grootvader?'

'Ik weet niet hoe die heet.'

Dus werd het Milo. Frieda's laatste concessie.

Totdat Milo werd geboren wilde Peter hem instinctief niet erkennen, maar dat verdween bij de eerste aanraking met de paarsige huid, en de aanblik van zijn zoon die er zo ernstig en kwetsbaar uitzag (en zo sterk op zijn grootvader leek) was aanleiding voor een bezoek aan een gebouw in de Otto-Braun-Straße in het voormalige Oost-Berlijn. Om eens en voor altijd de identiteit en het lot van zijn vader vast te stellen, deed hij een aanvraag voor inzage in het Stasi-dossier van Henrietta Potter.

Hij stond twee uur in de rij en uiteindelijk vertelde een afgepeigerde vrouw hem botweg dat het dossier alleen kon worden ingezien door de betrokken persoon.

'Maar mijn moeder woont in Engeland. Kan ze dan toestemming geven?'

Er werd een formulier opgediept. Inderdaad, daar zou de overheid misschien genoegen mee nemen, al was de kans daarop klein. Maar de procedure kon vier jaar duren. En eerst zou Peter naar Engeland terug moeten.

HOOFDSTUK VIJFENTWINTIG

'Ik. wil. Het. Niet.'

Zijn moeder stampte met haar voet en keek woedend uit het raam. De regen geselde al drie dagen het gazon. Geen picknick in het verschiet.

Een ochtend begin juni 1997. Opnieuw was hij onverwacht teruggekomen. Dit keer was zijn missie om zijn moeder over te halen zelf inzage te vragen in haar Stasi-rapport.

'Ik zou het anders wel graag willen lezen.'

'Lees het dan, ga je gang.'

Hij had Milo niet meegebracht en ze nam wraak op hem. In een van haar brieven had ze geschreven: 'Ros heeft van iemand gehoord dat ik grootmoeder ben. Dat heb je me nooit verteld.'

'Dat heb ik je al uitgelegd, moeder. Alleen jij kunt het dossier inzien.'

'Wat belachelijk.'

'Dat is de wet.'

Hij haalde de formulieren die zij moest tekenen te voorschijn. Het eerste gaf hem een volmacht. Het tweede was een verklaring dat ze te ziek was om naar Berlijn te komen.

'Maar ik ben helemaal niet ziek.'

Zijn moeder was zo mogelijk nog meer zichzelf geworden. Nog excentrieker. Ze borg nog steeds alles waar ze niet over wilde praten weg op de zolder in haar hoofd. Hij had altijd gehoopt dat ze met de jaren openhartiger tegen hem zou worden, maar ze had zich teruggetrokken op een territorium dat min of meer werd bepaald door haar pianokruk. 'Door het soortelijk gewicht van Beethoven,' was het grapje van Rosalind in haar laatste brief, 'heeft pa gedreigd om in Noord-Afrika te gaan wonen.'

'Iedere dag laat ik Honey uit. Als het geen pijpenstelen zou regenen zou ik dat nu ook doen. Als er iemand ziek is, is het Rodney wel.'

Rodney was in de eetkamer een fles Marokkaanse rode wijn aan het ontkurken. Peter was geschrokken door de verandering die hij had ondergaan. Zijn Derbyshire-hals was uitgegroeid tot een Derbyshire-keel. Derbyshire-longen..

'Ik wil pa hier niet in betrekken.'

'Doe dat dan ook niet.'

Door het geluid van de regen heen kon Peter Rosalind de zondagse lunch horen klaarmaken. Haar cateringzaak floreerde – net als haar omvang – en hoewel ze de flat van haar grootvader kon gebruiken, sliep ze liever in Peters oude kamer, aan de achterkant, met uitzicht over de weilanden. Peter vond zijn zuster terneergeslagen. Ze was ongetrouwd en er was geen huwbare kandidaat in zicht – tenzij je Silkleigh meetelde – en de gedachte ging door hem heen maar verliet hem ook dat ze misschien lesbisch was.

'Vind jij het gezond om op je drieëndertigste nog thuis te wonen, Ros?'

'Waarschijnlijk niet – waarom vraag je dat?'

'Aan nachtleven valt hier niet veel te halen.' En hij keek rond in de gerenoveerde keuken met de blauwe Franse pannen die aan het plafond hingen, waar zij gemakkelijk bij kon en Rodney net onderdoor kon, maar waar Peter zijn hoofd tegen stootte. Zijn moeder waarschijnlijk ook, die maar al te blij was om het koken uit handen te geven en de nieuwe situatie aanvaardde door helemaal niet meer in de keuken te komen.

'Nachtleven! Dat is een goeie. Waar ik de meeste avonden in het beste geval op kan hopen is dat ik niet naar uien stink.'

In stilte was hij opgelucht dat Rosalind thuis woonde. Zo zouden zijn ouders nooit honger hebben. Zij hield een oogje op hen. Maar zijn zuster maakte zich over haar ouders niet zo druk. 'Jij bekritiseert mijn leven, Peter, maar jij bent anders degene die niet zo vrolijk oogt. Heb je dat meisje ooit nog gevonden?'

'Nee.'

'Ik weet niet meer zo zeker of het ook maar in de verste verte aardig van je zou zijn om in haar leven binnen te wandelen. Want ik heb gezien hoe je uit het leven van papa bent gewandeld. Zodra je wist dat je ergens anders een vader had was je verdwenen. Wat ga je tegen je vader zeggen als je hem ooit vindt? Ik heb je sinds je achttien jaar en drie maanden was al met al niet meer dan een week gezien, Peter, en ik ben je zuster, weet je nog?'

Het hele weekend moest hij haar kastijding verdragen. 'Weet je dat mama afgrijselijk over je opgeeft. Hoe langer je wegblijft, hoe meer buitenechtelijke kinderen je hebt, hoe meer ze je aanbidden. Het is te gek voor woorden.' En ze schonk nog een glas Harvey's Bristol Cream in. 'Het is echt te gek voor woorden.'

'Ik niet meer.' Hij legde zijn vlakke hand op zijn glas om niet te worden bijgeschonken.

'Wat ik wel eens zou willen weten is waarom je nooit hier bent?' ging ze door. 'Weet je nog dat mama haar heup had gebroken en ik je heb gebeld en gevraagd: "Wat moeten we doen?" En dat jij antwoordde: "Breng haar naar Odstock." Maar dat is niet wat ik bedoelde. O, waarom hoeven degenen die weggaan nooit ergens voor op te draaien?'

Het zat haar ook dwars dat Peter zijn bezoekjes altijd naar zijn hand zette door niet te laten weten dat hij kwam. Dit keer was hij in een koud en leeg huis aangekomen. Rosalind was aan het werk en zijn ouders waren naar een cocktailparty. Ondanks de regen had zijn moeder de centrale verwarming uitgezet, zodat hij niet eens een bad kon nemen. Hij kroop in bed onder een onbetrouwbare elektrische deken die hij op het laatste moment maar niet had aangezet. Hij dacht: hoe kunnen die mensen zo leven? Je kon van de Duitsers zeggen wat je wilde, maar ze wisten hoe ze met centrale verwarming moesten omgaan.

'Wat had je dan verwacht?' zei Rosalind. 'Je laat nooit iets weten. Jij komt binnenvallen en dan moet iedereen meteen klaarstaan. Alles draait altijd om jou – als het jou maar uitkomt.'

In de woonkamer legde hij een arm om de voorheen stevige schouder van zijn moeder. 'Ik ben dokter, mama. Ik schrijf wel dat je echtgenoot zo ziek is dat jij niet weg kunt.'

'Is dat ethisch verantwoord? Ik bedoel, ik mankeer toch niets?'

'Ma, alsjeblieft!'

'Wat heeft het voor zin, Peter?'

'Het is mijn laatste kans om erachter te komen.'

'Waarachter, in godsnaam?' Ze stampvoette weer.

'Tijd voor een borrel,' kondigde Rodney aan die de deur met het blad in zijn handen openduwde.

'Of hij nog leeft. Zijn achternaam.' En hij ging zijn stiefvader helpen.

De volgende ochtend regende het nog steeds. Overal in de tuin plassen en de lucht betrokken met een zomeronweer alsof er een zware deken overheen was getrokken. Rodney had zijn gele sjaal op de keukentafel laten liggen en Peter ging hem die brengen. Het verbaasde hem dat Rodney in de deuropening van zijn atelier bleek te staan en in plaats van hem te beschermen zijn krop aan wind en regen blootstelde.

'Aha, daar is ie,' en sloeg de sjaal in een zachte knoop om zijn hals.

'Pa, vertel me eens wat ze erover zeggen,' zei Peter.

'Maak je daar maar geen zorgen over, ik ben in goede handen,' verzekerde Rodney hem met zijn hoge lach. Door de steroïden had hij een vollemaansgezicht gekregen. 'Ze zeggen dat het in de hand te houden is. Dat is wat ze zeggen.'

'Vertel me dan eens wat ze je adviseren om in te nemen.'

'Misschien zou jij mij eens moeten vertellen wat ze jou adviseren om te slikken? We horen zoveel over jonge mensen die aan de drugs zijn. Soms vraag ik me af of mijn vriend Silkleigh niet een of ander verdovend middel gebruikt. Buitengewone knaap. Hij weet een hoop, zoals je zuster je wel zal vertellen. Hij is dikke maatjes met Rosalind geworden. Hij heeft een aandeel in een restaurant in de kashba. Hij heeft gezegd dat het fantastisch zou zijn als ze naar Abyla zou komen om het personeel te leren koken. Heeft haar zelfs een logeerkamer aangeboden. Ze is er al een paar keer geweest en is er weg van. Eigenlijk heb ik wel zin om zelf eens te gaan kijken.'

Peter liet hem uitpraten. Daarna liep hij achter hem aan de donkere kamer in waar hij een paar afdrukken moest maken. Afgelopen zondag was Camilla Leadleys derde baby in Sutton Mandeville gedoopt.

Zwijgend mengde Rodney de chemicaliën. Al spoedig vulde de ruimte zich met de bijtende geur van de fixeer en het zoetere aroma van de ontwikkelaar.

'Zo,' zei Rodney die zijn handen afdroogde. Hij keek Peter aan, naar het touwachtige haar en de donkere huid, alsof hij zichzelf vruchteloos in zijn stiefzoon wilde herkennen. 'Ik moet eens goed nadenken om te berekenen hoe lang je al weg bent.'

'Tien jaar.'

'Komt Odysseus naar huis?' goedaardig.

'Het spijt me, pa. Nog niet.'

Rodney deed het licht uit. Hij liet alleen de gele veiligheidslamp aan. Peter keek toe hoe hij de negatieven in het vergrotingsapparaat schoof.

'Je weet vast wel dat je moeder er kapot van is dat je niet naar huis komt. Ze begrijpt niet waarom je op zijn minst niet eens wilt bellen. Best, je bent je carrière aan het opbouwen, maar er gaan soms zes maanden voorbij zonder dat we iets horen. Mij maakt het niet zoveel uit, maar voor je moeder wel.'

Het uitvergrote beeld verscheen op het witte vel papier. Peter herkende het sproetige gezicht. Al Rodneys onwrikbare kunstzinnige ambities hadden hiertoe geleid. Camilla Leadley, geboren Rickards, die Leadleys dochter boven een eeuwenoude doopvont hield.

Rodney haalde het vel eruit en een zacht licht weerkaatste op zijn gezicht waarop de verbijsterde uitdrukking lag van vastgelopen consternatie.

Hij probeerde het nog eens. 'Je moeder zou dolgraag je zoon willen zien. Al was het maar een foto... Je kent je moeder toch – verdraaid, Peter, zie je dan niet hoezeer we je missen?'

Er gingen nog twee dagen overheen voor zijn moeder capituleerde, en pas nadat ze van hem de belofte had afgedwongen dat hij de volgende keer Milo zou meebrengen. Op de dag voor Peter naar Berlijn terugvloog mocht hij haar naar Salisbury rijden, waar hij een afspraak had gemaakt met Rodneys notaris.

'Waar wil je hem hebben – hier?' en snel, alsof ze een doodvonnis ondertekende, zette ze haar handtekening.

Ze had altijd geprobeerd om het als een sprookje af te doen, maar toen ze naar de auto terugliepen zei ze: 'Het was niet de bedoeling, dat weet je' – en ze stak instinctief haar hand uit om zijn wang aan te raken, alsof ze erkende dat er wel wat tegenover had gestaan, maar dat de compensatie groter zou zijn als haar zoon eens ophield met Duitsertje te spelen en naar huis kwam. Met dat doel had ze naast zijn bed behalve een artikel over 'Paspoorten voor huisdieren' een advertentie gelegd die ze uit de *Blackmore Vale* had geknipt en die was geplaatst door het Salisbury District Hospital voor de post van een hoofd gerontologie.

'Wat is ertegen om te solliciteren? Odstock is een heel goed ziekenhuis. Rodney zweert erbij. Je thuis is híér, schat, niet in Berlijn.'

Maar daarin had ze ongelijk en hij voelde hoe hij wegvluchtte voor de onderstroom van haar genegenheid. Hij dacht: ik vraag me af of ik ooit nog Engels kan zijn. Berlijn is thuis omdat de kleine Milo daar woont. Duitsland is mijn vaderland. Zelfs het oosten zou mijn thuisland zijn geweest in de zin dat ik in Oost-Duitsland ooit verliefd ben geweest.

'Vanwege Gus,' antwoordde hij. 'Ik kan pas terugkomen als ze de rabiëswetten veranderen.'

'O, flauwekul,' zei ze dubbel boos. Op zichzelf omdat zij hem immers de hond had gegeven. Op Peter omdat hij Gus gebruikte als rechtvaardiging voor deze korte verrassingsbezoekjes.

'Ma, kan het je niet schelen wat er van mijn vader geworden is?'

'Natuurlijk wel, maar er komt een tijd, en daar zul je zelf op een keer wel achter komen, dat je voor je eigen gemoedsrust moet zeggen *genug!* Op het moment ben ik veel meer geïnteresseerd in mijn kleinzoon. Zul je niet vergeten om foto's te sturen?'

'Ik zal niet vergeten om foto's te sturen.'

'En zijn moeder? Ga je met haar trouwen?'

'Ik heb het aangeboden maar zij heeft nee gezegd.'

Frieda wilde wel zijn kind maar niet Peter. Hij kon het haar niet kwalijk nemen. Hij had anderen niet anders behandeld, had alleen de kruimels aangenomen waaraan hij behoefte had.

'Zo doe je dat niet, schat.'

'Al deze landweggetjes zien er voor mij hetzelfde uit.'

Zijn moeder staarde door de voorruit. 'Ik geloof dat ik hier nog nooit ben geweest, weet je dat.' En: 'Moet je die blauwe smeerwortel zien. Hij ziet er mooi uit, maar zorg dat hij niet in je tuin komt. Hij maakt er een volledige puinhoop van.'

Nadat ze de klonterige gazpacho hadden gegeten die Rosalind voor hen had bewaard – overgebleven van een huwelijksreceptie in Wardour – leende Peter de auto van zijn moeder en reed naar het postkantoor in Tisbury. Hij wilde de aanvraag de deur uit hebben.

'Kan dit aangetekend?'

Moeizaam, met een paar doorhalingen en door op meerdere lijnen te schrijven nam de loketbeambte de woorden over in zijn register: '*Der Bundesbeauftragte für die Unterlagen des Staatssicherheitsdienstes der ehemaligen Deutschen Demokratischen Republik*'.

'En wat vindt u van Berlijn?' snoof meneer Hesmond uiteindelijk. Zijn loket rook nog steeds naar dezelfde aangename geur van boenwas die Peter nog nooit ergens anders had geroken. 'Er zitten wel een paar meer Duitsers dan in Tisbury, wed ik.'

12 juni 1997, las hij op de kalender met een foto van Old Wardour Castle tegen de achtermuur: meer dan veertien trage jaren sinds zijn verloochening van Sneeuwlok.

HOOFDSTUK ZESENTWINTIG

IN HAAR ARTIKEL over de waakhonden had Frieda geschreven:
Iemand die over straat of een trap op of in zijn kamer rondloopt geeft een scala van verschillende geuren af. Die variëren van begeerte tot schaamte tot angst en ze doortrekken de lucht, kleren, meubilair en worden opgevangen door de neus van een waaks dier.

In zijn baanbrekende studie over hondenpsychologie, die voor het eerst in 1910 werd gepubliceerd en tot 1989 in Oost-Duitsland werd gebruikt, beschrijft kolonel Conrad Most dat afgezien van zijn eigen lichaamsgeur het spoor van een menselijk wezen allerlei geuren bevat. Schoenleer. Platgetrapt gras of planten of insecten. Mest.

Kolonel Most geeft een paar raadgevingen. Vóór alles dringt hij erop aan dat de africhter zijn hond moet behandelen als een dier dat goed noch kwaad kent, dat leeft in een wereld zonder morele waarden. Het vermogen van een hond om een idee te bevatten is verwant aan dat van een kind dat nog niet heeft leren spreken. En net als een kind zal de hond niet leren door logisch denken maar door de geheugenfunctie.

Vroeg of laat op de dag heeft men de beste kans om in de grond sporen te vinden. Bladeren door een wandelstok weggemaaid. Takjes die door een schouder zijn losgeraakt. In de dageraad en in de schemering is de aarde vochtig en is de geur daar waar de voet wordt neergezet sterker. Midden op de dag is geen ideaal moment om te zoeken. Als de zon hoog aan de hemel staat vervlakken schaduwen en voetafdrukken, waardoor het alleen maar moeilijker wordt om iemand door kreupelhout te achtervolgen.

Veel later drong het tot Peter door dat een man van veertig – halverwege tussen geboorte en dood – uit het oogpunt van Most bezien, in de slechtste positie verkeerde om het spoor te lezen en te achterhalen waarnaar hij op zoek is

Op een sneeuwige middag in maart, in het drieëntwintigste jaar van zijn vrijwillige ballingschap, verliet Peter de Hilfrich Kliniek en reed naar Löwenstein met de adem van een oude golden retriever in zijn nek.

Hij parkeerde in een straatje achter het Wannsee-station en liep Am Sandwerder in met het gedempte geluid van zijn voetstappen in de sneeuw, terwijl de wind grote vlokken in zijn gezicht woei. Omdat hij in Engeland was opgegroeid had hij nooit de gewoonte aangeleerd om handschoenen te dragen en toen hij bij de poort kwam zette hij zijn dokterstas op de grond, blies in zijn handen en wachtte op Gus.

Een eindje van de weg af lag Löwenstein op de top van een steile helling die naar de Wannsee afliep. Stoere voorgevel van wijndonkere baksteen. Chromaatgeel geverfde natuurstenen frontons. Polygonale toren. Zo pompeus en druk en log, een onbewuste karikatuur van de eerste eigenaar, een Weense schoenenfabrikant, dat toeristen het ten onrechte aanzagen voor het Haus der Wannsee-Konferenz op de oever ertegenover.

Peter had het gebouw voor het eerst gezien op een ansicht die naar de Hilfrich Kliniek was gestuurd, waarop hoofdverpleegster Corinna hem feliciteerde met zijn aanstelling als consulterend geneesheer en de hoop uitsprak dat hij de traditie zou voortzetten van bezoeken op dinsdagmiddag die door zijn voorganger was ingesteld. Op de foto in de te rode technichromekleuren uit de jaren vijftig zag de residentie aan het meer er rozer en architectonisch aantrekkelijker uit dan in werkelijkheid. Löwenstein, dat na de oorlog een casino voor Amerikaanse officieren was geweest, had nog enige tijd dienst gedaan als werkoord voor kunstenaars vóór het werd omgebouwd tot een verzorgingstehuis, omdat de plaatselijke overheid meende dat de nabijheid van het water een heilzame uitwerking op de patiënten had.

Op de foto staken bloeiende kersenbomen in een felle roze rij af tegen zwartgeschilderd hekwerk en met daklood afgedekte boogramen. Op deze middag keken plakken sneeuw onder de bomen Peter aan met de verblindende blik van beschuldigende ogen.

'Gus!'

Hij tuurde de straat af op zoek naar de lichte vacht van Gus en een onrustig gevoel bekroop hem als een voorbode van iets wat hij niet begreep.

De sneeuw had het landschap veranderd in een spook van zichzelf. Op het dichtgevroren meer viel de sneeuw met grote, glinsterende kruimelvlokken. De rand van de Wannsee was niet duidelijk te zien, maar in het midden waren een paar schaatsers te onderscheiden. Terwijl hij naar hen keek had Peter het vertrouwde gevoel dat hij onder een dikke ijslaag dreef. Zijn benen waren verschrikkelijk moe.

'Gus!'

Hij tuurde in de sponzige witheid en voelde dat hij verdoofd raakte, zo'n intense emotie dat hij zijn hand voor steun naar een hek uitstak, en hem meteen daarop weer terugtrok alsof hij een hete kachel had aangeraakt. De sneeuw versterkte het gevoel van onvolledigheid, een gewaarwording alsof hij was vastgelopen en geen vertakkingen had en hij zich alleen uitgaf voor degene die hij vroeger was. Als kind was hij dol op sneeuw, de rendierbelofte, maar deze middag was er iets mee wat hem beangstigde.

'Gus!' Zijn roep zwiepte door de witte lucht.

Toen kwam zijn hond hijgend over de stoep aanrennen, door de open poort naar het weidse gazon voor het huis. Niet meer doof en te zwaar en half blind, gedroeg hij zich als een stadshond die in een weiland wordt losgelaten, zwenkend van de ene naar de andere kant, met geen ander doel dan zorgeloos rennen.

Peter keek hoe Gus almaar achtjes in de sneeuw draaide tot hij niet langer een grijze snuit zag die achter vlokken aanzat die als witte stukken brood uit de hemel vielen, maar een puppy op een Engels gazon met door slaap dichtgeplakte ogen.

Bij de gedachte aan Engeland pakte hij zijn tas op terwijl de kou door zijn kleren drong en zijn adem afsneed. Hij maakte iets tastbaars door en voor hij doorliep keek hij over zijn schouder als iemand die wilde zien of hij zijn gedaante misschien had achtergelaten, een vroegere vorm van zichzelf die hem door het hek onder spookachtig toezicht nakeek.

Twee verpleegsters kwamen uit de torenkamer. De oudste trok de deur achter hen dicht.

'Daar heb je je handen wel aan vol,' zei de jongere terwijl ze op de overloop op adem kwam.

Hoofdzuster Corinna nam van haar het klembord over waarop de gegevens over Frau Weschke stonden. 'De Herr Doktor komt zo. Die laat haar uit zijn hand eten.'

De jonge leerlingverpleegster keek op. Het was de tweede dag van haar zesweekse stage in Löwenstein. Ze had hoge jukbeenderen en een prominent voorhoofd. Een lichte luiheid in een van haar ogen gaf haar gezicht een aantrekkelijk voorkomen. 'Weet hij bij iedereen hoe hij ze moet aanpakken?'

Zuster Corinna was verbaasd over de rechtstreekse vraag. 'Dat zou je wel kunnen zeggen.'

De jonge verpleegster wilde nog wat zeggen, maar iets in de blik van de ander hield haar tegen.

Beneden sloeg de deur dicht en zuster Corinna voelde haar hart even sneller kloppen. Peter Hithersay deed nooit gewoon een deur dicht.

In een kamer aan de gang bleef haar laatst binnengekomen patiënt haar woede koelen, maar zuster Corinna had Frau Weschkes dossier al onder haar arm gestoken.

'Kom, Nadine, dan kun je met Herr Doktor Hithersay kennismaken.'

Hoofdzuster Corinna werkte al elf jaar in Löwenstein en de laatste zes jaar met dokter Hithersay. Ze had een intelligent gezicht en dik kastanjebruin haar dat ze strak bij elkaar bond met een groene strik. Ze was een weduwe met twee tienerdochters en op haar zevenenveertigste zeven jaar ouder dan Peter.

Ze vertraagde haar pas toen zijn vertrouwde gestalte in zicht kwam. Hij had zijn blauwe wollen Masaryk-muts op en onder zijn jas droeg hij zijn gebruikelijke outfit. Zwarte coltrui. Zwarte broek, smerige witte sportschoenen. Ze mocht graag zien dat hij de kledingvoorschriften met voeten trad. Je hoefde maar naar hem te kijken om te voelen dat er buiten Löwenstein nog een ander leven bestond. Hij mocht dan veertig zijn, maar hij had de slonzigheid van iemand die het nog steeds lekker vindt om geen schooluniform meer te dragen. Ze begreep best waarom de verpleegsters op hem vielen.

Zuster Corinna keek toe hoe Peter zijn jas losknoopte, de enige man die ze sinds de dood van haar echtgenoot in haar bed had toegelaten. Ze herinnerde zich nog dat moment in haar kantoor toen ze zich ervan bewust werd dat hij achter haar stond en een paar tellen later zijn handen op haar schouders voelde. Hij rook naar Pears-zeep, kebab, sterke Engelse thee, zijn leren horlogebandje. In haar reactie had ze niets van de ingedutte weduwe. Hij raakte haar aan op plekken die Thomas, haar overleden echtgenoot, altijd had gemeden en toen hij met zijn vingertoppen over haar lenden en tussen haar billen streek, raakte ze zo opgewonden als ze niet meer was geweest sinds ze als negenjarig kind in Bremen net deed of ze een van haar moeders sigaretten rookte. Hij wist precies waar hij haar moest aanraken en hoe, en ze wist nog dat ze tegen hem zei dat hij intelligente handen had en uit zijn reactie kon opmaken dat hij dat wel vaker had gehoord.

Het werd zuster Corinna zelfs opmerkelijk snel duidelijk dat dokter Hithersay niet een man voor één vrouw was. Tijdens het nuttigen van een kaastosti in de kantine van de Hilfrich Klinik had ze noodgedwongen geluisterd naar een voormalige leerling van haar – Sarah, ook weer zo'n meisje met opvallende jukbeenderen – die kraaide over de nachten die ze met hem had doorgebracht. Het meisje was zich gelukzalig onbewust van het feit dat hij met veel vrouwen wat had, maar zuster Corinna had het met eigen ogen gezien. O ja.

Op een middag, toen ze geruisloos door de klapdeur kwam om voor een patiënt een glas melk te halen, zag ze Peter tegen een tafel in de hoek van de keuken staan. Voor hem knielde een vrouw met een donkerrode sjaal om. Haar hoofd in zijn kruis.

Zijn blik viel op zuster Corinna en er lag iets geslotens en smartelijks in. Hij zei niets. Zij zei niets. Zijn mond stond strak. En de vrouw ging maar door met haar lippen in extase om hem heen. Zoals een jong meisje een pornofilm zou imiteren.

Hij sloot zijn ogen alsof hij wilde zeggen: Ga weg alsjeblieft, drukte de vrouw tegen zich aan, niet gelukkig, eigenlijk niet aanwezig, maar als iemand die op een afstand de zaak overziet en tijdelijk een executie uitstelt. En dus trok ze zich terug. Waarmee ze de dimensie schiep die hun eigen wonderlijke verhouding mogelijk zou maken.

O jullie mannen met droevige, schuine, olijfkleurige ogen, jullie zouden bij de geboorte al in een emmer verdronken moeten zijn.

Een halfuur later kwam het stel haar kantoor binnen.

'Corinna, dit is Frieda. Ze schrijft voor de *Tagesspiegel* een profiel van me,' zei hij somber en zuster Corinna zag wat er was gebeurd.

'Leuk om kennis met u te maken,' en ze glimlachte zoet naar deze lichtelijk blozende vrouw met haar vrijwel niet verschoven sjaal die kennelijk geen benul had dat iemand haar had gezien. 'Ik wil dolgraag van alles over hem te weten komen.'

Maar achteraf had zuster Corinna ook nog wel een paar vragen, terwijl ze een stuk kwarktaart optilde en overbracht naar zijn witte bord met het vignet van een klimmende leeuw: 'Als je zo nodig achter al die meiden aan moet, waarom dan niet met wat meer discretie? Het lijkt wel of je wilt dat ze je betrappen. Er zijn zat plekken in Löwenstein waar je je kunt laten pijpen zonder verrast te worden. Waarom betrap ik je iedere keer? O, mijn god, misschien betrap ik je wel niet iedere keer. Het gaat mijn verstand te boven.'

Hij wreef over zijn gezicht, zijn ingevallen wangen en was berouwvol. Het was vreselijk dat zuster Corinna er getuige van had moeten zijn. Hij had alleen ingestemd met het interview op voorwaarde dat hij het zou hebben over zijn onderzoek naar oudere mensen. 'Maar ze begon zo persoonlijk te worden.'

Meewarig vergaf zuster Corinna hem dat hij de broedse jonge journaliste had verleid. Hij klapte altijd dicht als mensen hem naar zijn verleden vroegen. Maar zelfs zij kon zien dat het niet alleen door Frieda's bemoeizucht kwam. Hij was eenzaam en zij vleide hem. Ze kende zijn leven. Hij had niemand om 's avonds mee te eten. Op deze rommelige manier begonnen ze een verhouding. Hij vond het prettig als Frieda af en toe bleef slapen en zij was graag bij hem. Tot ze erachter kwam dat ze in verwachting was, waarna ze er gewoon vandoor ging, omdat ze al eerder tot de conclusie was gekomen dat hij een absoluut hopeloze echtgenoot zou zijn.

Zuster Corinna hoorde dit allemaal een paar maanden later uit de eerste hand, maar ze had zich teruggetrokken toen Frieda zwanger werd en Peter was zo discreet geweest om haar niet op te bellen. Hoewel dat niet een hoffelijkheid was die zich uitstrekte tot Sarah, die Frieda voor een ruggenprik naar binnen had gerold zonder te weten dat de journaliste Peters baby zou baren, of hoezeer hij geïnvolveerd was met de krijsende vrouw op de brancard, en die nog steeds de bespottelijke hoop koesterde dat zij en Peter op een dag zouden trouwen.

'Waarom ben ík niet zwanger geworden?' zei Sarah wanhopig tegen zuster Corinna.

'Toe, Sarah, dan zou je voor je leven aan hem gekluisterd zijn.'

Er was een tijd dat zuster Corinna wel dat lot beschoren had willen zijn, maar nu niet meer. Ze had lang geleden al ingezien dat hij voor haar nooit een oplossing zou zijn en zij niet voor hem. Peters hart had iets dors, er ontbrak iets aan, er lag iets van een straf in zijn tegenzin om ze op te geven – de vrouwen van veertig, de vrouwen van dertig, maar vooral de vrouwen van vijfentwintig – en zich onderhand eens te binden.

Soms als ze toevallig zag dat zijn gezicht zich ontspande, zag hij eruit als een man in de ban van een verzengende hartstocht die zijn leven had verscheurd. Ze zou hem graag hebben willen vragen wat de bron van zijn verdriet was, maar haar wil om Peter uit het slop te halen was niet zo sterk als haar wens om hem als collega en vriend te behouden. Ze wist dat als je hem te na kwam, of aanstuurde op waar hij niet heen wilde, hij eenvoudig wegleed, wat een paar weken tevoren al gedreigd had te gebeuren toen ze hem benaderde met een uitnodiging van het hoofd van de medische raad in Saksen. 'Ik wil dat je dit serieus in overweging neemt, Peter. In verband met de hereniging is me gevraagd om je over te halen een lezing in Leipzig te geven. Het is van het grootste belang. Ze zouden het geweldig vinden en ze betalen alle onkosten. Hier zijn de bijzonderheden. Ik wil best alles voor je regelen. Het is maar voor twee dagen.'

'Nee, ik doe het niet. Ik ga niet naar Leipzig.'

'Je hebt er nog geen twee minuten over nagedacht.'

'Ik vrees dat ik het er verder niet meer over wil hebben.'

'Doe niet zo mal.'

'Nee, Corinna, en daar blijf ik bij.'

'Peter...'

'Schwester Corinna!'

Het was hun lastigste moment. Ze was teleurgesteld afgedropen, maar hun verhouding bleef overeind.

De overgang van haar status als minnares naar die van vriendin werd op onverwachte wijze versoepeld door de komst van Milo. Kort nadat zijn zoon was geboren stuurde ze Peter een kaartje: 'Vijftien uur gratis babysitten.' Het kwam maar twee of drie keer per jaar voor en hij maakte geen misbruik van haar vriendelijke aanbod, maar als zich in de Hilfrich Klinik iets voordeed wat zijn toch al beperkte tijd in beslag dreigde te nemen, hadden ze afgesproken dat zij zich over Milo zou ontfermen, die om de drie weken een weekend bij hem mocht zijn en die voor het eerst in zijn kinderwagen breeduit naar zuster Corinna had geglimlacht, met een gezicht dat als twee druppels water op dat van zijn vader leek.

Peter was altijd dankbaar voor haar steun, niet in de laatste plaats omdat hij op Milo's moeder niet als onbetrouwbaar wilde overkomen en al helemaal niet om haar een wapen in handen te geven waarmee ze zijn rechten om het kind te zien kon beperken. Als gevolg daarvan werd Frieda altijd woedend zodra Corinna's naam viel.

En bijna ongemerkt kwam hij met hangende pootjes terug. Hij bracht Milo bij haar om naar video's te kijken en met haar twee dochters te spelen, die dol op het joch waren. Het kwam hem goed uit dat zij een gezin had en de regeling was voor haar op maat gesneden omdat ze twee kinderen en weinig vrije tijd had. Maar ze hield zichzelf niet voor de gek. Ze was geen jonge meid die alleen maar uit was op een huwelijk en kinderen en toen hij op een avond vroeg: 'Zal ik blijven?' zei ze tot zijn opluchting: 'Nee, dat moesten we maar niet doen. Dat hebben we allemaal achter de rug. Ik hou van Milo en ik hou van jou, maar ik zet mijn hart niet op het spel. Het staat zelfs in mijn dagboek. 12 februari. De dag waarop ik mezelf heb beloofd niet meer van je te dromen.'

Bij het geluid van het gevloek dat haar op de trap achtervolgde haalde zuster Corinna het dossier van Frau Weschke onder haar arm vandaan.

'Ik kom,' riep ze met de sussende stem waarmee ze een patiënt ook maande om rechtop te gaan zitten en te eten omdat ze anders geen oog dicht zou doen. En ze liep door de trap af.

Peter keek op en zijn mond vertrok in een grijns die hem een lang en volgens haar droeviger gezicht gaf. 'Corinna!'

Hij bond Gus vast aan de onderkant van de kapstok, trok zijn muts af en hing zijn jas op. Zijn witte hoofdhuid schemerde als een visgraat door zijn zwarte haar.

'En wie is dit ravissante schepseltje?' toen hij de jonge verpleegster op de trap in de gaten kreeg en met verende tred door de hal liep.

Nadat ze hem aan Nadine had voorgesteld en Nadine met een verwarde blik en een lichte blos op haar wangen was weggelopen, warmde hij zijn handen aan Corinna's borst. 'Zo. Met wie moet ik vandaag beginnen?'

De nieuwe patiënt was Frau Weschke. Ze was afgelopen woensdag in een ziekenauto samen met haar kleindochter uit het Anderson Nexö in Leipzig overgebracht.

Hij veegde de sneeuw van zijn kraag en uit zijn nek. 'Waarom hebben ze haar in godsnaam hiernaartoe gestuurd?'

'Het tehuis is wegens verbouwing gesloten. De directeur heeft Frau Metzel – haar kleindochter – ervan overtuigd dat in dit speciale geval het Westen het beste was.'

Ze liepen de trap op.

'Kinderen?'

'Een dochter die een paar jaar geleden is overleden. Frau Metzel is de naaste verwante. Ik denk dat ze eerlijk gezegd gewoon opgelucht was dat er ergens een plekje voor haar grootmoeder was gevonden.'

Ze kwamen op de overloop en Peter nam het dossier van haar over en bladerde het door. 'Hoe oud is ze?'

'Ze is honderdendrie.'

De enige bevestiging van Frau Weschkes hoge leeftijd scheen een felicitatiebrief met haar zeventigste verjaardag van president Ulbricht te

226

zijn. In zijn brief stelde Ulbricht vast dat ze sinds 1910 lid van de socialistische partij was en loofde haar werk als secretaris van de Sozialistische Frauenbund in Leipzig en daarna – haar man was in Teresienstadt omgekomen – voor haar bijdrage aan de Vereinigung der Verfolgten des Naziregimes. De brief was gedateerd 17 augustus 1969 en was doorgestuurd door het Anderson-Nexö, een bejaardenhuis voor 'verdienstelijke socialisten' waar ze in 1983 was opgenomen.

'Frau Metzel verontschuldigt zich voor het gebrek aan de nodige papieren. Maar meer is er niet. De regering heeft er bij haar grootmoeder op aangedrongen haar DDR-paspoort om te wisselen, maar dat weigert ze. Ze beklaagt zich erover dat ze paspoorten heeft gehad van Oostenrijk, de Tsjechische republiek, Duitsland en Oost-Duitsland. Ze is te oud om nog van identiteit te veranderen.'

'Kun je daar niet in meevoelen?' gromde Peter.

'De laatste twee jaar gaat het slecht met haar.' Zuster Corinna liep voor hem uit. 'Ze ziet heel slecht. Ze weigert te eten. Ze leeft op brood en wijn.'

Zuster Corinna tikte op de deur en liep naar binnen. 'Dag, Frau Weschke,' op joviale toon.

Op bed lag een klein dametje met roze magere wangen en achter een bril zonder montuur lichtgrijsblauwe ogen. Ze droeg een blauwe bloes met korte mouwen en slurpte hoorbaar uit een porseleinen kuuroordbeker.

'Herr Doktor Hithersay is hier voor u.'

De oude vrouw draaide haar hoofd om, negeerde Peter en keek zuster Corinna met een zure blik aan. 'Schwester Corinna, deze vis is bedorven.'

'En hoe vond u de taart? Vond u de taart niet lekker?' Zuster Corinna had hem van haar eigen geld gekocht bij de bakker naast het station.

Frau Weschke wuifde de taart met haar kleine dunne arm weg. 'Nee.'

Ze opende een hand en telde af wat ze lekker vond. Preisoep met marjolein. Rivierkreeftjes met worteltjes. Zoetzure linzen en een punt Leipziger Lerche.

'Maar ik dacht dat u van taart hield.'

Frau Weschke keek naar het stuk op haar bord alsof ze hoopte dat het zichzelf zou opeten. 'Ik heb een hekel aan taart. Ik word nog liever honderdmiljoen keer tot pulp vermalen dan dat ik deze kwarktaart eet.'

'Het is geen kwarktaart. Het is een *Vollkorncake*.'

Toen vroeg Frau Weschke ineens: 'Bent u ooit in Leipzig geweest?'

'Nee.'

Ze keek de verpleegster ziedend aan. 'Is het niet fantastisch dat ik die rivierkreeft heeft gegeten kwarktaart voorgezet krijg door een vrouw die nooit in Leipzig is geweest!'

Peter kneep zuster Corinna in haar elleboog. 'Laat ons maar alleen.'

Toen de deur weer dicht was nam Frau Weschke hem scherp op. Ze veegde met een hand over haar voorhoofd en zei na een korte grom: 'Ik wed, Herr Doktor, dat alle vrouwen in uw leven u altijd in staat hebben gesteld precies te doen wat u wilde.'

Hij dacht na over wat ze zei.

Ze lachte. 'Om met haar goed om te kunnen gaan moet je tegen haar zeggen dat ze regelrecht naar de hel kan lopen. Ik schreeuw tegen haar: Egel! Kersenplukker! Berliner!'

Haar strenge gezicht brak open. Ze keek naar iets op haar arm, sloeg erop. 'Kent u het allerliefste Duitse woord? Het is niet Pruisisch. Het is niet Saksisch.' Haar stem was warm en mild geworden. '*Moodschegieb-chen. Lieveheersbeestje.*'

Peter ging in de buisstoel naast haar bed zitten en kreeg als altijd wanneer hij in de torenkamer kwam de gewaarwording dat die heel hoog lag. Het was een hoge, fel verlichte en warm ruikende kamer en tegen het plafond keken vanaf een fresco twee jagers in een bos uit een andere eeuw omlaag. Wat de kamer overheerste was een groot raam met uitzicht door een laan van lindebomen op de Wannsee. Aan een kant was de speelplaats van de kleuterschool met zijn verroeste basketbalring te zien; aan de andere kant een leegstaand huis met een overwoekerde tuin en twee stokoude Citroëns zonder banden. Alles onder een laken van sneeuw.

Hij pakte Frau Weschkes dossier erbij. Typisch geval van meerdere ziektes. Slechte knie. Kanker. Hart. Oedeem.

Hij haalde de stethoscoop uit zijn tas, zette die tegen haar borst en luisterde naar wat haar bloed hem kon vertellen.

Ze hoestte.

'Buigt u zich eens voorover.'

Ze bewoog haar heupen en ging op haar zij liggen terwijl hij de stethoscoop van boven tot onder over haar rug liet gaan.

'Heeft u pijn in uw borst?'

'Nee,' zei ze.

'Wat is er met uw knie gebeurd?'

'Ik ben ooit eens op het ijs gevallen.'

'Bent u niet kortademig?'

'Nee.'

Hij haalde de doppen uit zijn oren.

Ze draaide zich om en zei: 'Weet u wat ik dolgraag zou willen? Een slokje appelsap. Je droogt hier zo uit.' Ze hield de beker op – in azuurblauwe bloemletters glansde Karlovy Vary op de zijkant – en wees naar de plastic fles op de vensterbank.

Hij stond op uit zijn stoel, schroefde de dop van de fles en schrok toen hij de inhoud rook.

'Geef me de beker,' riep ze.

'Waar heeft u die wijn vandaan?'

'Gaat u niet aan. Geef me de beker.'

Ze keek hem met zo'n mager en angstaanjagend gezicht aan dat Milo's moeder erbij vergeleken op een madonna leek.

Hij vulde haar beker tot aan de rand. 'Kunt u zelf in de badkamer komen?'

Ze gebaarde naar het voeteneinde van het bed. Haar meubilair was ingekrompen tot een gelakte zwarte stok met een zilveren handvat in de vorm van een paardenhoofd. 'Ik heb dat ding,' en ze nam de beker van hem aan en zette haar lippen om het porseleinen rietje.

'Heeft u nog vragen?'

'Nee.'

'Voor uw neerslachtigheid hebben we een nieuw medicijn. In theorie...'

'Ik geloof niet in theorieën. Ooit heb ik monarchist moeten zijn, een nationaal-socialist, een marxist, een kapitalist. En nu ben ik een heel oude mevrouw.' Haar linkerhand ging omhoog naar het waas van wit haar en ze raakte eronder de schedel met bruine ouderdomsvlekken aan. 'Nee, jongeman, je kunt mij niet met iets revolutionairs voor de gek houden. Het grootste voorrecht dat ik ken is om dom te zijn, uitzonderlijk dom,' en haar ogen dwaalden door de kamer alsof elk voorwerp dat niet uit Leipzig kwam haar met weerzin vervulde.

Hij volgde haar blik. Er hing een oude bontjas met een versleten voering aan de binnenkant van de deur en op het dressoir naast de deur lagen vijf of zes boeken.

'Leest u?'

'Om een of andere reden heb ik er geen zin in. Ik wil alleen rust.'

'Heeft u foto's?'

'Foto's?'

'Van toen u jonger was. Ik wed dat u best knap bent geweest.'

Er klonk een hard koliekachtig gerochel en daarna stilte. Ze keek hem over de rand van haar beker aan.

'Wedden van wel. Of misschien een foto van uw dochter? Of kleindochter?' Zodat degenen die in Löwenstein werkten Frau Weschke niet alleen maar zagen als een lichaam in een bed. 'Jullie moeten het karakter van die persoon proberen te achterhalen en ervoor zorgen dat dat nooit in het gedrang komt.' Dat leerde hij zijn studenten. Dat had hij tegen zuster Corinna gezegd toen ze elkaar voor het eerst ontmoetten.

'Nee,' zei ze stug. 'Geen foto's.'

'Wat is dit?' Het was hem nog niet eerder opgevallen. Een vierkant plankje van ongeveer vijftien centimeter. Tussen de boeken tegen de muur gezet. Bevlekt met vreemde bek- of klauw- of zelfs pootafdrukken.

'Mijn kleindochter. Die heeft het gemaakt.'

Hij keek een tijdje naar het schilderijtje alsof hij er geluid vanaf kon horen komen. 'Het is mooi. Ik vind het goed.'

'Ik begrijp het niet,' ze haalde haar schouders op. 'Ik zie liever dingen die ik kan begrijpen.'

Hij zette het terug en keek naar de krant die op haar bed slingerde. 'Zou u liever in Leipzig willen zijn?'

Ze tuurde uit het raam. Haar gezicht stond nu hol en hij wist dat ze niet naar de schaatsers op de Wannsee keek. Het beeld van het bevroren meer stond los van de beelden die voor haar verglaasde ogen flitsten.

'Jazeker.' En hij hoorde haar denken. In Leipzig waren de meisjes mooier, de mannen langer. En het voedsel smaakte ergens naar. 'Leipzig is een prachtige stad, dokter.'

'Dat weet ik,' zei hij somber.

Ze richtte haar ogen op hem en hij zag zichzelf erin als een gesplitste cel. 'Bent u er ooit geweest?'

'Eén keer, als student.'

'Eén keer!' zei ze. 'Eén keer is voor dilettanten. Wat doe je tijdens één bezoek dat de moeite waard is? Je kunt Leipzig niet één keer zien. *Einmal ist keinmal!*'

Hij deed zijn tas dicht en wilde opstaan.

'Wacht.' Ze keek hem nu nieuwsgierig aan. Ze bracht haar kin omhoog, haar blik ineens alert. 'U bent niet Duits?'

'Ik ben opgegroeid in Engeland. Mijn moeder is Engelse.'

Ze keek hem weer doordringend aan, mond open, glanzende tanden. De blik van iemand die ineens klaarwakker was. 'En uw vader?'

'Die kwam uit Oost-Duitsland. Vóór het Oost-Duitsland werd.' Hij kreeg het gevoel dat hij de informatie oplepelde.

'Aha.' Ze knikte.

'Mijn moeder heeft hem maar een dag gekend. Ik heb hem nooit ontmoet.'

Ze keken elkaar aan en hij vergat de neerslachtigheid die hem eerder in de sneeuw was overvallen.

Nadat hij haar het verhaal had verteld staarde Frau Weschke hem aan op een manier die te kennen gaf dat zij door wat hij haar had verteld ook was geroerd. 'Dorna! Ik ken Dorna. Een mooi dorp. Het heeft een middeleeuws bos en een meer net als dit hier. U zou er eens naartoe moeten.'

'Ik ben er geweest, maar ik moet bekennen dat het hele bezoek voor mij gekleurd is door een ongeluk. We hebben een hert aangereden.'

'U heeft een hert aangereden!' Ze zette haar beker neer en keek hem aan met een vernietigende blik waarmee ze te kennen gaf dat ze haar hele leven nog nooit zo'n erbarmelijk excuus had gehoord.

'Het moet uit het bos zijn ontsnapt...'

Frau Weschke wilde niets over het hert horen. 'Bent u ooit iets over uw vader te weten gekomen? Hoe weet u dat hij niet meer leeft?'

Ze lag heel stil en keek intens naar zijn oren en haar vraag riep een zoektocht in zijn herinnering op die hij bijna was vergeten.

'Dat weet ik niet.'

In Berlijn verdween de aanvraag om het dossier van zijn moeder in te mogen zien vier jaar in de ambtelijke molens. Toen kwam er in april een brief. Met een oproep voor Peter om op een bepaald uur naar het gebouw in de Otto-Braun-Straße te komen.

Aan de balie schrijft hij zich in. Laat zijn paspoort zien. Krijgt een pasje.

Meteen komt er een schriele vrouw met een hoekig gezicht in een reebruine plissérok naar hem toe. Ze parafeert een lijst. 'Deze kant op, alstublieft.'

Hij fixeert zijn ogen op haar rok, gespitst als het riet van een saxofoon, en loopt erachteraan over een galerij rond een binnenplaats – beneden ziet hij zijn metallic Golf staan met een grijze snuit die uit het portierraam steekt – naar een stille leeszaal en een hokje waar niemand in kan kijken. Het roept een droom op die hem vaak achtervolgt en waarin hij ineens terugkeert naar St Cross om een examen te doen dat heel belangrijk is, maar waar hij in het geheel niet op voorbereid is en waarvan hij bovendien van tevoren weet dat hij het niet zal halen. Een droom waarin zijn medische diploma's geen fluit waard zijn.

'U mag met potlood aantekeningen maken,' fluistert ze, en ze verdwijnt om het dossier te gaan halen. Dan komt er een man bij, er volgt wat gemompeld commentaar en Peter wordt meegenomen naar een kantoor. Op een bureau ligt zijn aanvraag open. Zenuwachtig neemt de man het dossier door. Onderdeel: een brief, ondertekend door Peter, als verklaring dat zijn vader zo invalide is dat zijn moeder, Mrs. Henrietta Hithersay, niet uit Engeland weg kan. Onderdeel: een brief, ondertekend door zijn moeder en geparafeerd door een notaris, waarin haar zoon volmacht wordt gegeven. Onderdeel: een brief waarin dokter Peter Hithersay toestemming wordt gegeven om haar dossier te lezen en namens haar aantekeningen te maken.

'Het spijt me. Er bestond wel een dossier van uw moeder, maar in deze streek schijnt een groot deel te zijn vernietigd. Ik kan u niet zeggen waarom.'

'En van mij?'

Om een of andere reden gaf het Peter een minstens zo treurig gevoel te horen dat er over hem geen dossier bestond. Het was niet verwijderd of vernietigd; het was nooit samengesteld.

Beneden klonk gestamp van voeten en het gebabbel van jonge stemmen.

Frau Weschke riep: 'Wat is dat in godsnaam?'

Het was een project van Peter om op dinsdagmiddag kinderen van de kleuterschool ernaast uit te nodigen om een uurtje met de bejaarden te komen spelen. 'De samenleving viert het begin van het leven,' had hij tegen een argwanende zuster Corinna gezegd toen hij met zijn 'adopteer een grootouder'-plan kwam. 'In het einde zijn we niet zo geïnteresseerd. Maar we moeten een manier vinden om ons einde tegemoet te treden. Niet om ervoor weg te kruipen.'

Een van de eerste dingen die Peter in Duitsland was opgevallen was dat de generaties niet met elkaar spraken. In tegenstelling tot in Engeland gingen de grootvaders, de vaders en de zoons allemaal naar verschillende kroegen. In Löwenstein hoopte hij stap voor stap, stukje bij beetje deze barrière te slechten. Kort nadat hij met zijn bezoeken aan het verpleegtehuis begon had hij contact opgenomen met de kleuterschool ernaast en de kinderen aangemoedigd om een grootouder uit te kiezen en hen eigengebakken taarten te brengen.

Hij begon Frau Weschke geestdriftig te vertellen over zijn project om de ouderen en de kleintjes nader tot elkaar te brengen en over zijn hoop op wat beide generaties elkaar te bieden hadden, toen de deur naar haar kamer openvloog en tegen de muur klapte.

Er stond een grijnzend jongetje op de drempel. Ongeveer vijf jaar oud, met lange donkere wimpers en een cartoongezicht dat werd versterkt door rode vlekken op zijn voorhoofd en zijn wangen, de laatste sporen van waterpokken. Hij keek van Peter naar Frau Weschke en toen hij de uitdrukking op het gezicht van de oude vrouw zag zette hij een pijp met kwasten eraan tussen zijn lippen en blies erop.

'Dit is Milo,' zei Peter die de pijp uit zijn mond haalde en hem naar het bed leidde. 'Mijn zoon.'

HOOFDSTUK ZEVENENTWINTIG

Toen peter de daarop volgende dinsdag Frau Weschke bezocht, lagen al haar boeken over de grond verspreid en haar beker stond ondersteboven op een exemplaar van de *Leipziger Volkszeitung* van een maand terug. In de kamer rook het vochtig naar witte wijn.

'Niet mijn schuld!' wilde ze hem meteen laten weten. 'Dat heeft hij gedaan.' Milo lag onder het bed met een bruin kleurpotlood in de hand. 'Hij is hier binnengekomen en heeft mijn beker omgegooid.'

'Ik zal hem meenemen.' Peter probeerde altijd eerder dan de kinderen in Löwenstein te zijn, maar net toen hij uit de Hilfrich Klinik vertrok had zijn oudste patiënt een hartaanval gekregen.

'Nee,' zei ze. 'Hij leert het wel.' Ze keek van vader naar zoon. 'Zal ik u eens wat zeggen. Zolang hij er is zult u zichzelf niet voorbijlopen.'

Hij stond over Milo gebogen. 'Wat ben je aan het tekenen?'

'Rivierkreeften,' zei Milo zonder op te kijken.

Ze had hem beschreven hoe ze als klein meisje van Milo's leeftijd bruine kreeftjes aan de Pleiße ving. Hoe ze zich aan de wilgen vast-klampten, heel kien, heel snel en dat je ze vanachter moest besluipen.

'Misschien moest je maar gaan, Milo...'

'Nee,' Frau Weschke keek Peter fel aan. 'Laat hem maar blijven. Ik heb ook een kind gehad, maar nu niet meer.'

Milo krabbelde overeind. 'Kijk!'

Frau Weschke bekeek zijn tekening nauwkeurig en de glimlach ver-warmde haar gezicht als een sabelpels. 'Dat is nog eens wat je noemt een rivierkreeft,' met een heel andere stem. 'Hang hem daar maar op zodat ik ernaar kan kijken. Ja daar, boven de andere. En dan te bedenken, Milo, dat je nog nooit een rivierkreeft hebt gezien! Ze zijn niet gemak-kelijk te vangen, hoor, zelfs als je er een ziet. En nu krijg ik te horen dat ze niet bestaan,' ging ze zuchtend verder. 'Maar misschien weet u hoe ze smaken, Herr Doktor? Heeft u ze niet gegeten toen u die keer in Leipzig was?'

'Nee.'

Ze pakte haar beker. De middagzon viel op haar botwitte haar. 'Nou, als u geen rivierkreeft heeft gegeten, wat deed u dan in godsnaam in Leipzig?'

Ze wachtte op zijn antwoord. Zelfs Milo scheen het te interesseren wat hij daarop zou antwoorden.

'Ik hoorde bij een toneelgroep,' zei hij behoedzaam.

'Heeft u ooit toneel gespeeld?'

'Alleen in de operatiezaal voor studenten,' hij probeerde een grapje te maken.

'Nee, serieus. Bent u ooit toneelspeler geweest?' Haar vraag werd met een suggestieve stembuiging gesteld.

'Het was een mimevoorstelling. Ik deed de belichting.'

'Een mimevoorstelling?' Ze registreerde het nieuws met een vreemde blik. Ze deed haar mond open en een mager vingertje spoorde langs het droge beekje tussen haar ogen en omlaag over haar wang, alsof haar gezicht geen gezicht was maar een oud overpad, overwoekerd met gras en draad en roestige auto's. Ze bleef hem aankijken en wilde iets gaan zeggen toen ze het geluid van schreeuwende kinderen hoorden.

Een klop. Er werd een hoofd om de deur gestoken. 'Kom, Milo,' zei een omvangrijke vrouw met een fluitje.

'Zie je vrijdag,' zei Peter. Hij kuste hem op zijn hoofd en snoof de geur van kleurpotlood op.

'Dag, Milo!' riep Frau Weschke hem met een zwak klinkende stem na. Afwezig draaide ze haar hoofd naar het raam.

Ze waren alleen in de kamer.

'Zal ik u eens mee naar buiten nemen?' zei hij in een opwelling.

Ze bleef uit het raam staren. Ze oefende haar ogen om stil te blijven staan. Buiten de bomen in wit bont en twee schaatsers die achterwaarts zwenkten.

'Heeft u...' begon ze met veel moeite, maar hij onderbrak haar.

'We kunnen naar het meer wandelen.'

Ze nipte van haar beker. 'Vertel me eens wat over Milo's moeder.'

'Ik heb haar leren kennen een maand voor ze zwanger werd.'

'Wonen jullie samen?'

'Nee.'

'Zegt u het maar als ik te ver ga, maar bent u ooit getrouwd geweest?'

'Nee.'

'U heeft nooit van iemand gehouden?'

'Nee, dat is niet waar. Er is wel iemand geweest.'

Ze draaide zich om. 'Herr Doktor Hithersay, u weet toch wel wie er in deze kamer iets mankeert, hè?'

'Vooruit,' voor ze weer iets kon zeggen, 'het is een prachtige dag.'

Ze zette haar blik vast op de deur en probeerde nog steeds iets in elkaar te passen. 'Goed dan,' zei ze, alsof ze nog niet tot een slotsom wilde komen. 'Als u mijn jas pakt.'

Frau Weschke wilde met alle geweld zelf haar jas aantrekken. Haar arm gleed door de gescheurde voering en verdwaalde in de mouw en de jas lag als een scheve cape over haar kromme schouders. Hij probeerde het te verhelpen maar ze draaide zich van hem weg. 'Zo blijven mijn vingers warm.' Haar irritatie leek de voortzetting van een levenslange ruzie met iemand. 'Pak die maar,' zei ze kortaf.

Hij haakte de zwarte stok van het voeteneinde van het bed. Ze pakte de zilveren paardenkop en hield zich met haar andere hand aan zijn arm vast, waarna ze de trap af liepen.

'Wat doet die hond hier?'

Hij stelde hen aan elkaar voor. 'Dag, Gus,' zei ze en tegen Peter: 'Hij heeft iets aan zijn ogen.'

Ze schuifelde door en bleef staan. 'Weet u het verschil tussen een mens en een hond? Als je een zwerfhond redt, hem opneemt, te eten geeft en koestert, bijt hij niet.' Ze keek naar de grond en vermeed Peters ogen. 'Mag Gus ook mee?'

Hij maakte de riem los van de kapstok en met zijn drieën liepen ze door een donkere loggia met een plafond van gebeeldhouwd teakhout naar een beglaasde veranda waar twee kinderen van de kleuterschool skaat speelden met een oude man in een blauwe kamerjas.

'Twintig,' zei de jongen.

'Eenentwintig,' zei het meisje.

'Ik pas,' zei de oude man.

'Uli, Katarina, Petra.'

De oude man stak een wassen hand op. Door doofheid hield hij zijn hoofd zo scheef als een doorgezakte oldtimer. 'Middag, Herr Doktor.'

'Hoe staan de zaken?'

'Wat zegt u?'

'Ik vroeg hoe het met u ging?'

Uli zwaaide met zijn hand of hij een vlieg wegjoeg.

Dat was een van de aangename kanten van het omgaan met bejaarden. Het ijs boven hem – dat hem insloot – smolt. Hij voelde zich licht.

Bij hun eerste ontmoeting was hij uitzonderlijk gespitst geweest, bijna gelukkig, toen Frau Weschke hem naar het verhaal over zijn vader vroeg. Zich bewust van haar kritische kijk op hem, had hij de hele week uitgekeken naar de volgende middag in haar gezelschap. Haar plotselinge ommezwaai begreep hij niet.

Op de top van de helling bleef ze staan en tilde haar stok op. Een dichte vlucht zwaluwen viel uit de heldere lucht en vloog tussen de lindebomen door om neer te strijken op de zinken koepel. 'Wel vroeg voor zwaluwen,' gromde ze.

'Alles ligt overhoop,' beaamde hij en vertelde dat er voor zijn raam in het ziekenhuis ook al zwaluwen waren. Ze waren twee dagen tevoren uit een lucht met vlekken als geronnen bloed opgedoken en aan een nest onder het dak begonnen.

Ze keek verdwaasd om zich heen. 'Ik hou van zwaluwen. Maar zoals wij leven maken we de aarde kapot.'

Het bleke zonlicht viel op haar jas. Een aalscholver met een gebroken vleugel.

'Drukt die jas niet te zwaar op u?'

'Nee. Alleen mijn leeftijd. Kom op, Gus.'

Het pad liep onder de bomen omlaag naar een betonnen balustrade langs het meer. Ze liepen naar beneden tot helemaal aan de waterkant. Groene korstmosspikkels op het beton en het zonlicht schitterde in een trillend web over de zuiltjes.

Frau Weschke moest stoppen en tegen de balustrade leunen. Hij wachtte tot ze op adem kwam. 'In Leipzig had ik een tuin,' zei ze en keek achterom naar het oplopende grasveld.

Gus wrong zich tussen hen door, stak zijn snuit door een opening tussen de zuiltjes en blafte.

'Kijk eens, kijk!' Peter wees. Twee zwanen cirkelden in de lucht. Met krakende vleugels op zoek naar een gat in het ijs.

Met een norse, troebele stem zei ze: 'Houdt u van zwanen? Ik zie ze altijd als grote witte varkens met veren.'

De zwanen vlogen naar de andere oever. Op het meer zwaaide een van de schaatsers en Frau Weschke reageerde met een korte vorstelijke groet van haar mouw.

'Zo,' glimlachend, 'nu kunnen we volgens mij wel weer naar boven.'

Hij bood haar zijn arm aan, maar ze was vastbesloten om op eigen houtje terug te lopen. Halverwege de helling struikelde ze. Toen hij haar hand wilde pakken hield hij alleen een lege mouw vast.

'Laat me nou eens helpen om die jas goed aan te trekken.'

'Nee, nee. Ik vind het zo lekker.'

Hij negeerde haar. Hij wurmde haar arm los en stak hem door de mouw. 'U zou dat moeten laten naaien.'

Ze streelde het dikke bont met de hand die hij had bevrijd. 'Je krijgt alleen maar goed bont als je de dieren goed behandelt. Ik heb deze jas van mijn man op onze trouwdag gekregen. Toen hij hem me aantrok was ik de koningin van Sjeba...' Ze keek om zich heen wat hij nou weer uitvoerde, maar hij had haar al van de grond getild en droeg haar in zijn armen naar de veranda. Hij zwaaide haar door de deur en haar uitdrukking die aanvankelijk genadeloos vijandig stond, veranderde toen ze Uli's verschrikte ogen zag.

Wat haar over de Herr Doktor ook dwars mocht zitten, ze moest toegeven dat ze ervan had genoten toen ze de helling op werd gedragen.

HOOFDSTUK ACHTENTWINTIG

FRIEDA STOND EROP dat Peter in de weekenden dat hij Milo bij zich had zijn zoon op vrijdagavond kwam halen en hem op zondagavond weer terugbracht. Maar dit weekend moest ze een interview doen voor de *Tagesspiegel*. 'Je kunt Milo vier dagen hebben want ik ga naar Leipzig.'

'Wat moet je in Leipzig?'

'Kan ik niet zeggen. Lees het maar in de krant.'

Die kans was klein. Hij vond haar journalistieke moraal onsmakelijker dan hij haar wilde vertellen, geschraagd door roddel en afgunst, waardoor Frieda vanaf een hypocriete hoogte kon neerkijken op de troep die mensen van hun leven maakten, alsof haar onderwerpen eigenlijk minderwaardig waren en haar eigen tijd daarentegen opwindender en waardevoller. Haar profiel van hem ontlokte lovende opmerkingen aan collega's in de Hilfrich Klinik, maar nadat hij de openingsalinea had gelezen was hij er niet toe gekomen om het uit te lezen. Ook iets waardoor Frieda in haar wiek geschoten was.

'De volgende keer dat ik naar Leipzig ga,' zei hij, 'kun jij dan vier dagen op Milo passen?'

'Ik breng hem vrijdagmiddag bij je,' ze negeerde de ondertoon in zijn stem. 'Stipt om twee uur.'

Na haar telefoontje begon Peter ineens dwangmatig op te ruimen. De chaos in zijn flat benadrukte op een overdreven manier de afwezigheid van iemand die, zoals Corinna het zou hebben gezegd, 'voor hem kon zorgen'. De woonkamer was niet groter dan zijn slaapkamer, met een laag plafond en twee kleine ramen met uitzicht op de spoorlijn. Een plank met Engelse boeken tussen medische tijdschriften en cd's, een leren clubfauteuil met een scheur in de armleuning, een televisie en videorecorder (daar had Frieda op gestaan) en een verschoten oranje slaapbank – meer meubilair had hij niet op de zeventiende-eeuwse eiken eettafel uit de pastorie in Tansley na waarop hij zijn vuile borden opstapelde.

Milo sliep in de grootste kamer, de muren behangen met zijn tekeningen van dieren en met geraamtes die in het donker gloeiden. Aan het einde van een smalle gang, achter een deur waaraan Peter een donker pak en een stropdas ophing – de enige stropdas die hij had en die hij alleen voor speciale gelegenheden om deed – lag zijn slaapkamer. Twee broeken met een onderbroek en sokken er nog in verstrengeld, vochten op de vloerbedekking om een plekje met rondslingerende overhemden en sportschoenen.

Ook al kwam Frieda nooit binnen, het gaf Peter een bevredigend gevoel te weten dat zijn flat op de vijfde verdieping in een van de groezeligere straten van Charlottenburg niet in een staat verkeerde die zij zou verwachten. Maar hij ruimde ook op voor Milo. Peter was gepikeerd geweest over het feit dat Frieda Milo's waterpokken had aangegrepen als een voorwendsel om hem thuis te houden. Als gevolg daarvan hadden hij en Milo al een maand lang niet echt samen kunnen zijn. De paar keer dat hij zijn zoon maar even had gezien was in Löwenstein. Ontmoetingen die hem velden.

Vroeg in de middag werd hij door een spoedgeval in de Klinik opgehouden. Hij kwam thuis precies op het moment dat Frieda wegreed en hij moest haar een heel stuk met knipperende lichten achterna rijden. Ze maakten op straat ruzie terwijl Milo op de achterbank van haar auto van alles getuige was.

'Ik heb een halfuur gewacht,' riep ze zo kwaad dat de sjaal van haar schouder gleed. 'Waarom heb je niet gebeld, klootzak? En ga me niet vertellen dat je het nummer van mijn mobiel niet hebt...'

Hij redde de pashmina sjaal van het asfalt en vertelde haar op uiterst rationele toon over Albert, zijn oudste patiënt uit Linz, die weer een hartaanval had gehad. Hij wist dat Frieda er de pest aan had als zijn stem heel rustig en beleefd klonk wanneer hij zich ergerde. Ze beschouwde het als uitgesproken Engels en hoopte maar dat haar zoon dat trekje niet zou erven.

'Jij hebt Milo maar één keer in de drie weken, godverdomme,' ze griste de sjaal terug. 'Kun je niet iets voor hem opgeven?'

Hij gluurde in de auto naar hun enige aanknopingspunt. Hij kneep zijn ogen samen naar het ernstige gezicht achter het glas om het aan het lachen te krijgen. 'Dan zou ik de volgende keer dat hij ziek is ook wel graag voor hem willen zorgen, als dat kan, Frieda.'

'O ja, o ja? Je bedoelt zeker dat je hem niet bij Schwester Corinna zou dumpen?' Dat liet ze er uit volle borst insnijden. 'Wil je daarmee zeggen dat je hem de volgende keer dat hij ziek is ook van die vieze kebab van je gebruikelijke straatstalletje te eten geeft en hem de hele nacht laat opblijven en hem niet behoorlijk in bad stopt zodat ie verbrand en smerig thuiskomt? Hoe komt het dat de schone kleren die ik hem aantrek nooit terugkomen? Hoeveel tandenborstels moet ik kopen? Denk je dat die bij mij op mijn rug groeien? Godschristus, dit keer koop jíj maar een tandenborstel. Doe er wat aan. Zorg dat de dingen er zijn. Laat het eens tot je doordringen dat je een kind hebt.'

'Alles wat ik wil zeggen, Frieda, is dat ik heel wel in staat ben om voor hem te zorgen.'

'Waarom heb je dan niets gezien toen Milo zijn enkel had gebroken?' Ze schreeuwde nu bijna. 'Jij bleef maar zeggen: "Ik denk dat het meevalt – zo niet dan laat ik hem morgen opnemen." En wat gebeurt er als je hem eenmaal laat opnemen? Dan moet hij een valiuminjectie hebben! Ik kan je wel vertellen dat ik de volgende keer dat Milo ziek is hem nog geen twintig kilometer in de buurt van zijn zogenaamde vader laat komen. Dan heb ik liever dat hij naar de eerste hulp gaat.'

'Hou op! Hou op! Hou op!' Milo stond tussen hen in. Hij wilde met geen van beiden mee als ze niet ophielden.

'Zie je dan niet hoe hartverscheurend het is om hem bij jou achter te laten?' sputterde ze door terwijl ze haar sjaal over haar schouders sloeg. 'Je kunt toch moeilijk volhouden dat we ieder een gelijk deel van zijn opvoeding voor onze rekening nemen. Wat zei je ook weer toen ik je voor het eerst leerde kennen? "De kinderen van een schoenmaker lopen op blote voeten en de echtgenotes van doktoren sterven jong".'

'Ik heb gezegd dat ik met je zou willen trouwen. Je krijgt alles voor zijn onderhoud waar je om vraagt. Als je niet...'

'O, hou je kop,' ook al wist hij niet wat hij als ze hem niet in de rede was gevallen had willen zeggen.

'Hoe is het met hem?' vroeg hij.

Ze keek naar haar zoon. Met zijn handen tegen zijn oren gedrukt. 'Beter,' geprikkeld.

Samen met Milo's weekendtas gooide ze een fles calamine naar Peter voor de vlekken. 'Vergeet niet. Ik wil graag dat hij om acht uur in bed ligt. Anders is er geen land met hem te bezeilen als ie thuiskomt. En dat ie een bril draagt als ie televisie kijkt. En geen snoep eet, begrepen? Het laatste waarop ik zit te wachten is een met zoetigheid volgestopt kind dat omvalt van de slaap en dat me de eerste dag thuis almaar papa noemt.'

Ze reed weg en hij nam Milo mee naar het anti-oorlogsmuseum in de Brüsseler Straße (op aandringen van zuster Corinna) waar Milo bewondering aan de dag legde voor een bleke botervloot in de vorm van een IJzeren Kruis, en daarna naar een kermis in de Mitte, waar ze een uur lang hardnekkig op houten eendjes bleven schieten en misten.

De volgende dag gingen ze wandelen in een park in de buurt van zijn flat waar de sneeuw grauw en bevroren was. Ze gooiden samengeschraapte sneeuwballen naar elkaar en achteraf kocht hij een lolly en een videoband voor zijn zoon.

Terug in de auto zat Milo intens naar zijn vader te kijken alsof hij hem uit een plaatsjesboek kende. 'Ik hou van sneeuw,' zei hij met nadruk.

Peter hield zijn plakkerige handje vast en reed naar zijn huis in Charlottenburg waar ze, zoals hij had beloofd, de hele avond naar *Star Wars* zouden kijken. 'Als je in bad bent geweest.'

Eenmaal in bad zag Peter de balpenstrepen op Milo's borst. Hij liet er gefascineerd een vinger over glijden en moest denken aan zijn eerste incisie en de stippellijn die de arts-assistent in de UKE met een viltstift had getrokken. In de dagen dat hij in staat was om in de rubberachtige huid van een patiënt te snijden.

'Wat is dit?'

Milo keek omlaag. 'Een man.'

'Wie?'

'Weet niet.' De dag ervoor had Milo's beste vriend op de kleuterschool lijnen tussen de vlekken van de waterpokken getrokken.

Peter boende met het washandje Milo's gezicht, maar wilde eigenlijk liever niet de tekening op zijn borst wegwassen. Ineens kreeg hij het gevoel dat zijn zoon beter in het leven stond dan hij. Hij zag hoe Milo eruit zou zien als oude man. Hij kon in de boog van de wenkbrauwen, de slierten ongekamd haar, de glanzende lippen niets van Frieda's trekken ontwaren, maar wel die van hemzelf, wat hem een warm gevoel gaf en tegelijk een felle scheut van verlangen naar de vader die hij nooit had gehad.

Trip trip en Milo kwam met de videoband de kamer in. Peter startte de band, ze gingen naast elkaar op de slaapbank zitten en Milo keek hem af en toe van opzij aan om er zeker van te zijn dat hij er ook van genoot.

'Goed, hè?'

'Ja.' Een woord waar hij lang over had gedaan om het Milo te leren zeggen.

Milo keek weer naar het scherm, maar Peter bleef naar hem kijken. Hij herinnerde zich het moment dat hij zijn eerste woord zei. Het leek wel of Gus ineens aan het praten was geslagen.

Hij kon zijn ogen niet afhouden van het profiel van zijn zoon, die helemaal in de film opging. De jongen zat daar als een uitroepteken en Peter werd overspoeld door dankbaarheid dat hij door Milo had geleerd om de dingen weer in primaire kleuren te zien. Hij dacht: jij zou er niet zijn als je moeder me niet om een interview had gevraagd, en de willekeur van dat feit en van zijn eigen conceptie overviel hem met een soort overdonderend afgrijzen.

'Papa, je moet naar de film kijken.'

Hij probeerde te kijken, maar kon zich niet concentreren. Met wie kon Frieda in Leipzig een vraaggesprek hebben? En zijn geest dwaalde af naar de brief die ze zes jaar geleden had geschreven en haar artikel over Daniel Schreber.

Dokter Daniel Schreber was een kinderarts in Leipzig met perverse en mogelijk gevaarlijke ideeën over opvoeding. Zijn eerste zoon had zichzelf doodgeschoten; zijn tweede zoon werd zo gek dat Freud erdoor geïntrigeerd raakte en vervolgens zijn theorie over paranoia uitwerkte. Hij leefde niet lang genoeg om het project waardoor zijn naam wijd en zijd bekend is geworden met eigen ogen te zien. Ettelijke maanden voor zijn dood in 1861 kwam Schreber met een plan dat van de ene dag op de andere de houding van ons volk ten opzichte van tuinen zou veranderen, net zoals de eerwaarde Kneipp de idee over water had veranderd: hij stelde voor dat het stadsbestuur van Leipzig braakliggend terrein beschikbaar stelde als een gebied waar kinderen konden spelen.

Als anarchistisch bureaucraat en bewonderaar van Dickens, maar dan meer als de man met de progressieve ideeën dan de romancier, had Schreber uit de eerste hand de afstompende uitwerking van het industriële leven op de jongeren van Leipzig waargenomen. Hij geloofde dat de boer de enige mens was die gezond van geest was en zag een heel netwerk voor zich van 'tuintjes voor de armen' waarin de kinderen van het proletariaat onder toezicht van volwassenen lichaamsbeweging in de openlucht kregen en zouden leren om bloemen, fruitbomen en groenten te planten.

Na zijn dood werden over heel Duitsland Schrebergarten-verenigingen opgericht die zelfs de instemming van Nietsche konden wegdragen. De volkstuinen volgden het voorbeeld van Leipzig. Land werd vrijgemaakt, voornamelijk in het centrum van de steden, maar ook in de buitenwijken langs spoorlijnen, en in percelen opgedeeld. Elk perceel was even groot en voorzien van een tuinhuisje.

Opgezet als een domein voor kinderen werden de volkstuincomplexen al spoedig door volwassenen ingepalmd – in Leipzig was dat al binnen twee jaar het geval. Het aantal en de variëteiten van bomen, de gezondheid van de planten, de lengte van het gras en de hagen werden aan strikte regels onderworpen. In maart, doorgaans tijdens de Handelsbeurs van Leipzig, werd het water opengedraaid en in de herfst weer afgesloten. Een regel die het hele jaar door van kracht was verbood iedereen op straffe van uitzetting om de nacht in het tuinhuisje door te brengen.

Ten tijde van het fascisme hielden veel mensen zich in de Schrebervolkstuinen schuil. Joden. Communisten. Sociaal-democraten. Geliefden. Tijden veranderen en toch is het nog steeds mogelijk om in deze volkstuinen sporen aan te treffen van de onverzettelijke maatschappelijke patronen van het oude Oost-Duitsland.

Op het scherm stonden Luke Skywalker en prinses Leia op het punt over de afgrond te springen. Terwijl de muziek aanzwol zoenden ze elkaar.

Milo kronkelde op de bank: 'Jakkes, meisjesbacillen!' Toen keek hij op naar Peter en zei met een zakelijke stem die hem verbijsterde: 'Jij en mama houden niet van elkaar.'

'Nou, we houden allebei van jou.'

HOOFDSTUK NEGENENTWINTIG

OP DINSDAGOCHTEND BEGON het alsof Milo het had afgeroepen weer te sneeuwen.

Zuster Corinna wilde hem met alle geweld mee uit winkelen nemen. 'Ik sta erop. Ik heb nog nooit aangedrongen, maar dat doe ik nu wel. Je ziet er niet uit. Je jaagt het personeel de stuipen op het lijf. Bovendien kun je als wij toch bezig zijn naar de kapper.'

'Corinna, ik wil niet dat je, nota bene op je vrije ochtend, voor mij boodschappen gaat doen.'

Hij was blij dat hij binnen kon blijven. Een ijzige wind geselde de tuin van het ziekenhuis en joeg de duiven uit de bomen een steengrijze lucht in. De omslag van het weer had de zwaluwen in verwarring gebracht. Het balkon voor zijn raam was bespat met zwart-witte vogelpoep waaraan veertjes kleefden, alsof de wind een van de jonge vogeltjes op het ijs had uitgesmeerd.

'Wat een afgrijselijke dag, zeg,' was het commentaar van Angelika, zijn secretaresse. Ze had ook het doodvonnis over de hemel kunnen uitspreken. Iedereen op kantoor zag er bleek en afgetrokken uit.

Op twee uur 's middags reed Peter met Gus naar de Wannsee. Hij wilde net een drogisterij in lopen om voor Milo een tandenborstel te kopen, toen zijn aandacht werd getrokken door een jonge vrouw in een citroengeel jack die de liefdadigheidswinkel ernaast opende. Ze schraapte de met sneeuw dichtgekoekte ingang vrij, waardoor er een etalage vol spulletjes zichtbaar werd. Zonder erbij na te denken liep hij achter haar aan naar binnen en zag door zijn adem heen op een radiator achter een bos leren kunstbloemen een kleine pentekening van een giraffe.

Hij bracht de tekening bij het licht. Een tafereel uit de dierentuin. De giraffe tekende zich af tegen een vage blauwe achtergrond van waterverf samen met de gestalte van een man die tegen het hek leunde. De kunstenaar had hem niet gesigneerd maar wel 'Leipzig – 1899' erop geschreven.

'Het is niet meer dan een schets, maar ik vind hem wel mooi,' zei de vrouw die ouder was dan haar kleine suède jack deed vermoeden. 'Er zit pit in.'

'Kijk eens wat ik voor Frau Weschke heb gekocht.' Hij liet de giraffe aan zuster Corinna zien. 'Kunnen we hem inpakken?'

'Ik dacht dat je geen tijd had voor boodschappen.'

'Wat dacht je daarvan?' Hij knikte naar een witte zak.

Zuster Corinna haalde de laarzen die ze had gekocht eruit en stopte de prent erin.

'Zie je,' zei hij. 'Hij past!'

'Het ziet er niet erg feestelijk uit, Peter.'

'En als we er een lint omheen doen?' Hij legde zijn hand in haar nek en trok de strik los waarmee haar haar was samengebonden.

'Ze heeft me van alles over jou gevraagd,' en ze keek toe hoe hij haar lint aan de hengsels van de zak bond.

'Wat heb je verteld?'

'De waarheid, wat anders?'

'Te weten?' om haar te plagen. Maar hij las haar gedachten. Ik verzet me niet meer tegen het feit dat je een egoïstisch stuk vreten bent. Ik weet wat je aan je patiënten geeft. Dat dwingt bewondering af. Ik heb geen andere dokter gekend die zoveel geeft, en als je geen dokter zou zijn zou ik je waarschijnlijk verachten en minachten omdat je zo weinig aan anderen geeft.

Ze stak haar hand uit en raakte zijn oor aan alsof ze een geurtje aan haar handen had en het wilde parfumeren. 'Dat je te allen tijde uit jouw buurt moet blijven.'

Hij grijnsde mistroostig naar haar.

'Hoe weet je zo zeker dat ik dat niet tegen haar heb gezegd?' terwijl ze twee hondenharen van zijn col verwijderde. 'Het zou hebben gekund. Hoe weet je zo zeker van niet?'

'Zo kan ie wel weer, Corinna. Hoe gaat het met haar?'

'Geen goede nacht gehad,' terwijl ze haar hoofd schudde en voor hem het lint strikte. 'Ik heb haar vanochtend morfine moeten geven.'

Hij kuste haar op haar wang. 'Bedankt hiervoor.' En daverde de trap op.

'Frau Weschke? Hallo? Hallo?'

Ze lag heel stil. Haar gezicht naar de Wannsee gedraaid. Met de kussens in haar rug zodat ze van het uitzicht op het bevroren meer kon genieten. Op haar bed slingerde een *Leipziger Volkszeitung.*

'Ik heb iets voor u meegebracht,' zei hij vóór hij aan de stilte in de kamer gewend was. Als hij in de buurt van de torenkamer kwam hoorde hij haar doorgaans tegen een van de verpleegsters tekeergaan.

Ze draaide haar hoofd om. Toen hij haar twee weken geleden voor het eerst zag had ze het babygezicht van een oude vrouw. Nu stond haar huid gespannen over een uitgesneden gelaat.

Hij zette de zak op het dressoir. 'Hoe gaat het met u?'

'Het gaat wel,' zei ze raspend. 'Ik voel me opgeblazen.'

'U ziet er magerder uit.'

'Dat zou goed uitkomen als ik tachtig jaar jonger was.'

Hij las haar kaart. 'Ik hoor van de verpleegster dat ze zwarte ontlasting heeft gezien. Misschien komt dat van de aspirine.'

'Zou kunnen,' en ze bracht een hand naar haar keel alsof ze een halssnoer wilde voelen dat iemand had afgedaan.

'We willen niet dat u kouvat.'

Frau Weschke gromde toen hij haar pols voelde. Hartslag niet sneller dan normaal. Haar pols rook naar zeep, wat hem ontroerde. Hij hoorde de hartslag door zijn stethoscoop en ineens had hij het gevoel dat Frau Weschke meer voor hem betekende dan wie ook. Al wist hij weinig over haar.

'Waar is Milo?' vroeg ze.

'Die komt zo.'

Na een poosje zei ze: 'Ik denk dat het tijd wordt dat ik die jas laat naaien.'

Haar voeten waren koud en haar nagels hadden de blauwgrijze kleur van haar ogen.

'Is uw kleindochter nog op bezoek geweest?'

Ze schudde haar hoofd.

'Probeer eens wat te drinken.'

Hij hield haar beker vast en ze bracht hem bij haar mond en duwde hem toen weg, waardoor de krant op de grond viel. Peter raapte hem op. Op de opengeslagen bladzijde stond een foto van een besneeuwde tuin. 'Wat een mooie foto.'

'Zij heeft hem gestuurd,' met een stem die de hare was maar van elders kwam.

Het onderschrift luidde: 'Schreber-tuinen in de winter.'

'Daar ben ik ooit geweest.'

Ze draaide haar hoofd naar hem toe en keek hem onverwacht doordringend aan. 'Hoe kwam u daar?'

Hij kon zien dat ze ging sterven. 'Ik heb een keer een nacht in een van die volkstuinen doorgebracht met een vrouw van wie ik hield.'

Ze nam hem op. De spieren rond haar ogen spanden zich. 'Iedereen vindt u zo geweldig, Herr Doktor.' Een van de kussens was weggegleden en hij stopte hem onder haar schouders terug. 'Ik ben maar een oude vrouw. Waarom heb ik met u te doen?'

'Omdat ik zo hard werk.'

Ze keek somber. 'Altijd weer leuk doen.'

Hij pakte de zak en legde die op haar bed. 'Kijk eens wat ik voor u heb meegebracht.'

Hij knoopte de strik los, haalde de prent eruit en hield hem op. 'Stel je voor. Misschien heeft u wel diezelfde giraffe gezien.'

Ze tuurde naar het dier en daarna naar Peter. Er lag een waas over haar blik, maar kennelijk zag ze hem wel.

'Bent u nooit in de dierentuin geweest?' vroeg hij.

'Een keer.'

'Een keer?' Maar ze had geen zin in plagerij. Op mildere toon ging hij verder: 'Bent u niet in 1899 geboren?'

'In 1899 was ik twee jaar.' Ze hoestte en sloot haar ogen.

Hij maakte zijn rondes en kort na drie uur glipte hij de keuken in. Een donkere ruimte met geblokt linoleum en lange eiken tafels en zoemende bedrijfsijskasten. Van een muur in de hoek maakte zich een uitgetekende schaduw los.

'Hallo,' zei Nadine.

Hij knoopte haar bloes los en hij voelde dat haar hart snel klopte en dat haar huid tegen zijn lippen gloeide. Hij liet zijn hand onder haar rok tussen haar benen glijden en zij schoof op de tafel.

Een oog zakte lui af. 'Zeg tegen me dat dit de eerste keer is.'

'Dit is de eerste keer.'

'Leugenaar.'

'Denk je dat?' met een scheve glimlach.

'Worden alle leerlingverpleegsters hier door jou ingereden?'

'Ssst.'

Hij begon haar met zoenen het zwijgen op te leggen, maar ze rukte zich los.

'Hoe lang heeft het geduurd voor je zuster Corinna hier zo gek hebt gekregen?'

Om kwart voor vier liep hij terug naar de torenkamer. Zuster Corinna stond aan het hoofdeinde van het bed. Hij probeerde haar blik te vangen, maar dat liet ze niet toe. Beroepsmatig gaf ze al haar aandacht aan Frau Weschke.

De ogen van de oude dame waren op het plafond gericht. Ze gleden heen en weer over de schildering en ze begon te glimlachen, waarna haar gezicht zijn uitdrukking verloor en ze bang haar voorhoofd fronste.

Hij boog zich over haar heen. Wat ze zag was op haar gezicht te lezen. Er gleden trekken van jeugdigheid, blijdschap en angst overheen. 'Frau Weschke?'

Ze begon te mompelen. 'Ik had hem voor u open laten liggen. Ik hoopte dat u hem zou zien. Ik ben blij dat u hem heeft gezien.'

'Wat zegt u?' vroeg zuster Corinna.

Hij boog zich nog verder voorover. 'Ik kan u niet verstaan, Frau Weschke, u moet harder praten.' Hij pakte haar hand en zij greep de zijne vast.

Ze verlegde haar blik van het plafond. 'Ik weet wat u in Leipzig heeft gedaan.'

Hij kneep in haar hand ten teken dat ze niet meer hoefde te zeggen, maar ze wilde nog iets kwijt. Ze tilde haar hoofd op en de grote vale ogen waarin Peter zich opgedeeld zag staarden dwars door hem heen. 'Het is niet erg,' en de dikke nagel van haar duim drukte in zijn pols. 'We zijn geen van allen erg galant of erg dapper.'

Hij liep naar beneden en schonk zichzelf een glas melk uit de ijskast in en vrij spoedig werd zijn hart rustiger. Hij deed het licht in de keuken uit, liep door de klapdeur naar de hal, trok snel zijn jas aan en zette zijn muts op.

'Ik ga ervandoor,' riep hij naar zuster Corinna en liep naar buiten met Gus op zijn hielen, waarna de deur achter hen dichtklapte.

Buiten werd de sneeuw in duinen opgewaaid. Hij schraapte zijn voorruit schoon, stapte in en reed terug naar de Hilfrich Klinik. In de auto was het niet warmer dan buiten en door zijn adem begon de voorruit te beslaan. Hij veegde met zijn muts over het glas, en door de strepen die achterbleven kon hij vaag de weg zien en de vallende sneeuwklonters en lager het bevroren meer en de lichten die op de andere oever oranje in de sneeuw flakkerden.

Ik weet wat u in Leipzig heeft gedaan. De woorden van Frau Weschke bleven bij hem terugkomen. Hij probeerde ze weg te jagen, ze te verbannen over een grens waar ze hem niet konden achtervolgen, maar net als een batsman die aan een run wilde beginnen die niet was toegestaan, was hij zich ervan bewust dat de woorden naar hem terug werden gegooid. Zijn ogen schoten heen en weer over de weg. De sneeuw maakte alles waar hij op neerdaalde zo uniform dat hij de afslag miste en in een verkeersstroom naar de snelweg terechtkwam. Hij schoof naar de rechterbaan en nam de volgende afrit, maar besefte te laat dat hij een uitvoegstrook naar een parkeerterrein had genomen.

Achter hem toeterde een auto. Hij haalde het kaartje uit de automatische slagboom die omhoog schoot en hij reed naar boven op zoek naar een parkeerplaats. Op elk niveau stonden auto's in lange rijen naast elkaar. Hij reed door tot hij op het dak uitkwam.

Hij parkeerde in een poollandschap, streek met een hand over zijn gezicht en keek voor zich uit over de stad.

Na een poosje deed hij zijn dokterstas open, haalde er zijn mobiel uit en toetste een nummer in. Het was in gesprek. Tien minuten later belde hij weer. 'Het spijt me dat ik zo maar ben vertrokken. Hoe denk je dat het met haar is.'

'Ze is stervende.'

'Mag ik je vragen om me te bellen als je denkt dat het zover is? Ik wil er graag bij zijn.'

'Natuurlijk.'

'Beloof je dat?'

'Is beloofd, Peter.'

'En we moeten contact opnemen met haar kleindochter.'

'Ik heb het de hele dag al geprobeerd, maar er wordt domweg niet opgenomen.'

'Blijven proberen.' En: 'Zijn de kinderen er al?'

'Zit er maar niet over in. Ik heb Milo bij de groep van Uli gezet.'

'Wat heb je tegen hem gezegd?'

'Ik heb gezegd dat Frau Weschke naar Leipzig is gegaan om rivierkreeftjes te halen.'

'Dat is aardig van je, Corinna.'

Hij herinnerde zich niets van de rit naar het ziekenhuis.

Op de zaal waren Alberts ogen gesloten en zijn tenen bewogen niet meer. Een co-assistente depte zijn wangen. Hij was honderdeneen jaar en in Linz had zijn familie een straat naar hem laten vernoemen.

'Hoe gaat het met hem?' Peter had hem de afgelopen vier jaar als patiënt gehad.

'Rustiger,' zei Frau Doktor Ekberg, opgelucht dat hij terug was.

Peter pakte Alberts hand vast en voelde het gewicht van zijn eens zo groene vingers. Volgens Alberts dochter was hij vroeger de beste tuinier van Linz. Had de grootste appels geoogst. 'Groter konden ze niet worden!' En toen sloeg er op een dag in Alberts hoofd een stop door, hij haalde alle jongste appelbomen uit de grond en plantte ze er weer ondersteboven in.

'Is dat zijn röntgenfoto?'

'We konden hem niet stil houden, dus hij is wat bewogen.' Ze sprak snel. Ovaal gezicht. Lange neus. Haar kortgeknipt tot net boven de oorbellen van zwart agaat. 'Ik dacht dat het infuus hem goed zou doen, want hij eet nog steeds niet.'

Hij keek naar waar haar vinger wees. 'Dat is zijn pacemaker, niet het infuus.'

'Maar waar is dan...'

'Daar.'

Ze tuurde naar de röntgenfoto en alle kleur verdween uit haar gezicht. 'O, verdomme. Dat verklaart alles.' Ze sprak dringend in haar pieper.

Toen ze was uitgepraat zei hij op bezorgde toon: 'Als zijn ademhaling terugzakt tot elf ademtochten per minuut moet je contact opnemen met de anesthesist. Ik bel je over een paar uur.'

Peter stapte in de lift naar beneden, maar die ging naar boven. Hij stopte op de vierde verdieping en in plaats van weer op de knop te drukken stapte hij eruit. Klapdeuren naar de kantine. Hij koos een sandwich uit en wachtte in de rij voor de kassa. Twee verpleegsters lachten over een afspraakje dat een van hen had gehad met een makelaar uit Wiepersdorf. 'Hij bood een uitweg dus heb ik gehapt.'

Hij had sinds het ontbijt niets meer gegeten. Hij nam een hap van de sandwich, kauwde langzaam maar nam er niet nog een. Na een paar minuten stond hij op en gooide de rest van de sandwich in een afvalemmer en toen hij de kantine uit liep keek er niemand naar hem.

Op zijn ronde door de zalen zag Peter zijn patiënten als door een gaas. Hij stond te luisteren naar het diepe gekreun en gesnurk en het gefluister van de mannen op de gemengde zaal, als een jongenskostschool nadat het licht op de slaapzaal uit was. Een van de doktoren, een man uit Beieren met een pokdalige neus kwam vlak bij hem staan en zwaaide met zijn handen: 'Joehoe, bent u erbij?'

Zijn tweede spreekuur was van vijf tot zes. Een patiënt zat tegen hem te praten toen Peter naar adem snakte.

'Wat is er?'

'Niets, niets,' zei hij tegen de patiënt. 'Ga door.' Maar wat er werd gezegd wilde niet tot hem doordringen. De woorden van Frau Weschke gonsden door hem heen en de herinnering aan een jonge vrouw borrelde als kokende melk op.

Toen hij klaar was nam hij de dossiers van de dag door. Hij controleerde laboratoriumuitslagen. Hij dicteerde een brief aan een arts die een patiënt had doorverwezen. Om acht uur belde hij Frau Doktor Ekberg. 'Hoe gaat het met Albert?'

'Hij heeft om een krant gevraagd.'

'Eet hij?'

'Ze zijn hem juist aan het voeden.'

'Dat is mooi.'

Zenuwachtig zei ze: 'Bedankt dat u mijn hachje heeft gered.'

'Je kunt vast wel eens een keer iets terugdoen.'

Voor hij die avond het ziekenhuis verliet belde hij Löwenstein. Tegen alle beroepsinstinct in hoopte hij dat Frau Weschke weer bij was gekomen.

'Haar keel is ontstoken,' zei zuster Corinna.

'Hoe lang kan het nog duren?'

'Haar ademhaling is regelmatig. Ik denk dat je wel naar huis kunt.'

In Charlottenburg stond er een boodschap op het antwoordapparaat. 'Hoe laat kan ik je verwachten?' Hij had met Nadine een vage afspraak gemaakt om vrijdag bij haar te komen eten.

Hij kroop in bed zonder het licht uit te doen en was vroeg op toen er een brief van Rosalind bij de post zat.

Lieve Bedevere,

Hoe gaat het met je? Je schrijft nooit terug dus hoe moet ik het dan weten? Hier regent het als gewoonlijk. Papa slaapt. Hij slaapt de laatste tijd veel. Hij heeft besloten zijn fototoestel aan de wilgen te hangen (goed) en krijgt nieuwe pillen (goed) die hem erg moe maken (slecht). Mama is naar Tesco gereden. Ze is maffer dan ooit. Ze weigert de magnetron te gebruiken, maar vraagt me wel de hele dag of ik haar thee/pap/jachtschotel kan opwarmen.

Ik zal je niet vervelen met details over mijn zaak (goed) of liefdesleven (op en af) of hoe ik vorige week in Abyla heb gesnorkeld (nogal rampzalig). Liefs voor Milo, die ik wel eens niet alleen maar op de foto zou willen zien. En jou ook. Hoewel ik vrees, mijn nobele heer, dat ik ben vergeten hoe je eruitziet.

xxxxx Ros

P.S. Ik heb laatst voor Camilla een jachtpartijtje gecaterd. Tristram (best sexy!) bleef maar naar je vragen – op een nogal rancuneuze manier vond ik. 'Als ik aan je broer denk, denk ik: een van die mensen die meer van hun leven hadden kunnen maken.' Ik heb hem een foto laten zien die ik in Berlijn van je heb gemaakt en alles wat hij zei was: 'Als ik hem niet van school kende zou je hem gemakkelijk kunnen aanzien voor een Koerdische vluchteling.' Bla bla bla. Camilla gooit het op het feit dat hij zijn baan bij Morgan Grenfell kwijt is (overgenomen door de Duitsers?).

P.P.S. Voetbal je nog steeds.

Ze had er een spottende column uit de *Independant* bij gedaan, geïnspireerd door een voetbalwedstrijd tussen Engeland en Duitsland. 'Ze hebben geen gevoel voor humor. Het zijn vette bierinnemers, worstslikkers. Hun land is saai. Het zijn nog altijd nazi's. Ze zijn verslaafd aan het uitdelen en ontvangen van bevelen. En ze zijn ongelooflijk zelfingenomen. We hebben allemaal een hekel aan ze.'

Waaraan ze in haar krullerig schoolse handschrift had toegevoegd: 'Behalve MIJN BROER!'

Hij vouwde de brief op – hij zou haar schrijven, hij zou haar echt schrijven – en belde Löwenstein.

'Nog steeds niet bij bewustzijn,' zei zuster Corinna.

Vermoeidheid knaagde in zijn hoofd. Om twee uur 's middags deed hij de deur van zijn kantoor dicht, liet de luxaflex zakken en probeerde op de bank te slapen. Hij had zo'n twintig minuten geslapen toen hij een getik tegen het raam hoorde. Hij stond op, liep naar het raam, duwde de lamellen uit elkaar en keek naar buiten.

Het balkon had een warme steelpan kunnen zijn en de zwaluw een stuk boter dat lag te smelten. Toen hield het getol op, de vogel liet zijn hoofd hangen en rilde een keer. Een oog staarde naar waar zijn gebroken snavel een rood spoor had achtergelaten. Er verstreken een paar seconden toen de vogel zijn vleugels optilde om ze gemakkelijker te spreiden en stil bleef liggen. Op het glas tekende zich een boogje vogeladem af. Hij keek toe hoe het vervaagde en verdween.

Om vijf over halfdrie deed Angelika de deur open en keek naar binnen. 'Zuster Corinna aan de lijn, Herr Doktor.'

'Peter, je kunt maar beter komen. Haar voeten zijn koud. Ze gaat sluiten.'

Hij liep de oprit op, waar zijn voeten door de sneeuw schoven, de zachte vlokken in zijn ogen waaiden en zijn adem in stoomwolken pluimde.

Niemand in de hal. Op de eerste verdieping het geluid van gedempt sprekende stemmen. Hij liep met lange schreden de trap op alsof iemand achter hem aan zat. De woorden kwamen als een uitbarsting toen hij de verpleegsters in haar kamer zag: 'Dood? Maar ik wilde haar nog wat vragen.'

Zuster Corinna kalmeerde hem. 'Ineens glipte ze ertussenuit – heel rustig...'

Ze gingen voor hem opzij. Frau Weschke lag er in haar bedjasje nietig bij. Haar gezicht kalm, bijna mooi. De huid even teer en wit als zongebleekte schelpen. Ze was nog veel magerder, zelfs vergeleken met een week geleden, haar wangen glad en bevrijd van pijn en zorg en tijd, haar lichaam verlost en van haar gescheiden, zorgeloos als een jas die ze snel had omgegooid bij het ontwaken uit een lange siësta.

Peter liet zijn hand op de schouder van zuster Corinna rusten, maar ze liep weg. Hij liep de kamer uit, de trap af en bedacht dat hij nu nooit meer een antwoord zou krijgen.

HOOFDSTUK DERTIG

I N AM SANDWERDER was het een dag als de dag die hij had verdrongen. De bomen leken doods bevroren en toen hij door de takken naar het meer keek verkrampte zijn borst en hij voelde verwantschap met de sneeuw.

Hij stak de straat over. Naast het station lag de banketbakkerij van Meyer, de geliefde lunchroom voor alleenstaande oude dames uit Babelsberg. Om zich meer met Frau Weschke verbonden te voelen bestelde hij een beige *Torte* en zette er met tegenzin een lepeltje in. Maar het lukte hem niet om Frau Weschke op te roepen. Alles wat hij voor zich zag waren beelden die waren opgeroepen door haar laatste woorden en het staartje van de passie die al negentien jaar duurde.

Ik weet wat u in Leipzig heeft gedaan. Het is niet erg. We zijn geen van allen erg galant of erg dapper.

Hij koesterde de woorden. Haar dood had hem geknakt. Ineens voelde hij zich op deze ijskoude middag in Berlijn met de witte tinten in de lucht en de vallende sneeuw helemaal leeg.

Vanaf een kruk in de hoek keek een dame met een gezicht als knoestig notenhout toe hoe hij zijn bord wegschoof. Ze bracht een paarse sigaret naar haar lippen en wat ze uitblies waren grijze slierten alsof ze uit de loop van een geweer kwamen.

Natuurlijk wist ze over Sneeuwlok, dacht hij. Omdat ik het haar heb verteld.

Hij schommelde op zijn stoel achterover. Tot het moment dat de stervende oude dame zijn pols had gegrepen was hij er bijna in geslaagd om te vergeten. Maar Frau Weschke was door de permafrost gedrongen waarin hij sinds maart 1983 had verkeerd en de herinnering aan Sneeuwlok die bij de tafel in het Astoria-hotel stond kwam met overweldigende heftigheid bij hem terug, een herinnering die hij helderder voor zich zag dan toen hij het moment beleefde.

Hij sloot zijn ogen om haar niet te hoeven zien. Hij herinnerde zichzelf eraan: op dit moment sterven er in heel Berlijn mensen. Maar toen hij zijn ogen opendeed stond niet Frau Weschke of Albert leeftijdloos voor hem. Hij had de herinnering aan haar negentien jaar lang weggetimmerd, maar al die tijd was ze er wel geweest. Een witte vogel die door de sneeuw vloog. Achter hem aan.

Op donderdagochtend gaf hij om negen uur een lezing over geriatrische recreatie en belde na de werkgroep Frieda op haar kantoor. Ze nam op maar hij kon geen woord uitbrengen. Toen hij had opgelegd belde ze terug: 'Dat moet je me niet nog een keer flikken.'

'Ik had willen zeggen dat ik naar een begrafenis in Löwenstein moet. Ik zou Milo wat vroeger op kunnen halen en hem later weer afzetten.'

Stilte. Toen: 'Dat is goed,' niet gewend aan dat soort attenties.

Zijn brievenbakje liep over van dingen die hij nog moest afhandelen, maar hij maakte tijd om op zijn eigen briefpapier een brief te schrijven aan de kleindochter van Frau Weschke. In zijn zelfverzekerde handschrift schreef hij: 'Mijn zoon was haar als zijn eigen grootmoeder gaan beschouwen.' Hij ondertekende en toen hij naar zijn handtekening keek overviel hem een gevoel dat hij niet aan zichzelf toebehoorde, dat er een valse Peter Hithersay aan zijn bureau zat. Hij vouwde de brief in een envelop en schreef het adres over dat zuster Corinna op een post-it had gezet.

Zijn moeder had geschreven en er een bedelbrief van het St Cross Ontwikkelingsprogramma bij gedaan. Ze adresseerde de brieven aan hem altijd aan de Klinik in de hoop dat hij groter belang zou hechten aan wat ze te zeggen had. Ze maakte zich zorgen over Rosalind. 'Ik denk dat het van broederliefde zou getuigen als je haar nog eens uitnodigde. Ze zit in een vreselijke sleur en als ik me niet vergis heeft Tristram Leadley een ongezonde belangstelling voor haar opgevat. Zou je haar een tijdje in Berlijn kunnen hebben?' Een P.S. van Rodney, waarover zijn moeder pisnijdig zou zijn geworden als ze hem had gezien, voegde daaraan toe: 'Tenzij je liever Camilla ziet komen? P.P.S. Er is een nogal verrassend dividend binnengekomen van Silkleigh, dus we kunnen de reis voor R. betalen.' Hij had er een foto bij gedaan van het huis gezien vanaf de heuvelrug. Afgelopen zomer genomen.

Om elf uur keek Peter op het cadeau dat zijn moeder hem voor zijn zestiende verjaardag had gegeven (en dat hij voor een fenomenaal bedrag in Bond Street had laten repareren). Hij verwisselde zijn sportschoenen voor een paar zwarte schoenen, trok zijn pak aan, deed zijn stropdas om en liep naar de kapel van Löwenstein.

Zuster Corinna zat in de voorste bank. Ze had de laatste twee dagen wanhopig veel moeite gedaan om te proberen contact op te nemen met de kleindochter van Frau Weschke. Volgens buren logeerden de kinderen van Frau Metzel, die misschien wisten waar ze uithing, bij hun vader. Uiteindelijk kon zuster Corinna niets meer doen. De crematie van Frau Weschke had op haar uitdrukkelijk verzoek de dag tevoren plaatsgevonden. Ook moest vandaag de begrafenisdienst zo eenvoudig mogelijk zijn. Ze wilde niet dat de familie zich er druk over zou hoeven maken.

Iedereen die wel eens door Frau Weschke was uitgescholden zat in de kapel. Een stuk of zes verpleegsters en wat oude mensen zongen met zwakke, krakende stemmen twee hymnes. De enige die van buiten was gekomen was de juf van de kleuterschool.

'Milo zal wel van streek zijn,' zei ze achteraf.

'Ik begrijp niet waarom ze deze dienst wilde,' bracht Uli te berde die voor steun de bank voor zich vastpakte. Hij droeg een donkere bril en de kraag van zijn pyjama stak uit zijn peignoir. '"God is een sprookje", dat is wat ze tegen mij zei.'

Nadine draaide zich om en keek Peter met opengesperde ogen aan. Hij kende die blik. Daarmee wilde ze zeggen: 'Bel me.'

Pas na de dienst hoorde Peter dat er contact met de kleindochter was gelegd. De vorige avond had Frau Metzel uit Londen gebeld waar ze een tentoonstelling voorbereidde.

'Ze werd helemaal stil toen ik haar vertelde dat Frau Weschke was overleden.' Zuster Corinna zat op haar knieën en legde de bezittingen van de oude dame in een witte taartdoos die ze bij de banketbakker had gehaald. 'De arme ziel was helemaal in de war. Ze is kunstenares en haar tentoonstelling wordt vanavond geopend. En ik kreeg de indruk dat hij ergens in een dorpshuis werd gehouden, niet de White Chapel in Londen!'

'Whitechapel?' Peter spitste zijn oren. Hij ging op zijn hurken naast haar zitten om te helpen. 'Je hebt me trouwens nooit verteld wat voor iemand het is.'

'Helemaal jouw type. Lang, blond... met tieten.'

'Dat bedoel ik niet...!'

'Met een bril, waarschijnlijk dubbelfocus.'

'Corinna! Hou op. Wat ik bedoel is: heeft ze een aardje naar haar oma?'

'In elk geval ben ik blij dat ze heeft gebeld,' zuster Corinna negeerde hem. 'Ik heb van Frau Weschke moeten beloven om de as naar haar toe te brengen samen met deze brief. In feite vroeg ze of jij het wilde doen, maar ik zei dat daar niets van in kon komen. Jij had gezegd dat je nooit naar Leipzig wilde.' Ze wees naar de envelop op het dressoir. Over de volle breedte stond golvend in het vogelpootjeshandschrift van Frau Weschke: 'Marla Metzel'. Op het dressoir stond ook het plankje beschilderd met afdrukken van snavels. Peter stond op en gaf het aan haar, daarna de boeken die eronder lagen: Dreiser, Dumas en *Gejaagd door de wind*.

Hij trok de twee laden open. De lege wijnflessen rammelden als Frau Weschkes schaterlach. Nog geen week nadat ze in het verpleeghuis was gekomen had ze de juf van de kleuterschool, die geen druppel dronk, zo gek gekregen om als haar voornaamste leverancier op te treden. Doorgaans nam ze genoegen met Bulgaarse wijn, Goldener Herbst, maar waar ze het meest van hield was Saale-Unstrut, een vrij droge witte wijn uit Saksen.

Er lag nog één volle fles Saale-Unstrut. Peter stopte hem in de gebaksdoos en herkende met een schok de krantenpagina van de *Leipziger Volkszeitung* met de foto van de Schreber-volkstuinen. Zuster Corinna had hem gebruikt om iets in te pakken. 'Wat is dat?'

'Haar as. Die hebben ze een halfuur geleden gebracht,' terwijl ze de Karlovy Vary-beker in de mouw van de bisamjas stopte. 'Hebben we alles? Wat is dat?'

Op de grond onder het dressoir lag de schoenentas. Hij haalde er de prent van de dierentuin van Leipzig uit. 'De schoonmaakster moet hem daar hebben opgeborgen. Is het iets voor jou?'

'O, Peter,' ze schudde haar hoofd. 'Als ik hem niet had gezien zou die daar zijn blijven liggen.'

'Toe, ik wil graag dat jij het houdt.'

Ze graaide in de tas en haalde er haar groene strik uit. Ze droeg haar haar al vier dagen los – was hem dat opgevallen? Ze schudde haar hoofd achterover, draaide het dikke kastanjebruine haar bij elkaar in een strakke staart. 'Weet je wat, ik hang hem wel ergens op.'

Peter hield de flappen van de doos vast terwijl zij er plakband overheen plakte en er op haar efficiënte manier met een viltstift het adres van Frau Metzel op schreef. 'Er is één ding dat er niet in kan,' en ze knikte naar het voeteneinde van het bed.

Hij pakte de stok. De zwarte lak was gebladderd waardoor hij er vlekkerig uitzag. Het zilveren paardenhoofd was dof, maar paste precies in zijn hand. Hij zwaaide ermee naar zuster Corinna zoals hij met de wandelstok van zijn grootvader naar Rosalind uithaalde en terwijl hij met de kop zwaaide schoot het ouderwetse vreugdegevoel door hem heen dat hij niet met de stok van een oude dame zwaaide, maar met een ancestraal zwaard. 'Kunnen we hem niet versturen met een kaartje eraan?'

'Dan wil het postkantoor hem niet verzekeren. Niet als hij niet goed is ingepakt.'

Hij keek haar niet-begrijpend aan. Voor dat soort flauwekul had hij geen geduld. 'Laat mij maar. Ik breng alles wel naar het postkantoor.'

'Je zult het zien, hoor, je moet hem eerst inpakken – en ze hebben geen doos van die maat.'

'Godschristus, mens, natuurlijk wel!' Voor ze er iets tegen in kon brengen had hij de envelop van het dressoir gegrist, de taartdoos onder zijn arm gepropt en de stok gepakt. 'Ik hou van je elke seconde van je gezegende bestaan en je hebt jezelf overtroffen als een wonder van goedheid met die lieve Frau Weschke, maar soms...'

Een tel later sloeg de deur dicht en voor de zoveelste keer dacht ze: dit soort impulsief gedrag moet de moeder van Milo tot wanhoop drijven. Maar toch was Peters gedrag die middag zelfs voor zijn doen on-gerijmd. Voorheen was het als een patiënt stierf zijn gewoonte om van was te worden en zuster Corinna voor hem het lastige werk te laten opknappen, zoals een kind zich voor het raam van een treincoupé laat optillen om te zwaaien. Zoals nu had hij nog nooit op de dood van een patiënt gereageerd.

Peter reed met Milo naar het postkantoor in de Gartenstraße waar een rij zich helemaal tot aan de envelopschappen kronkelde. Hij pakte twee vellen bruin pakpapier en een rol plakband en begon de wandelstok in te pakken terwijl de rij naar voren hobbelde. Mensen keken zeer ge-amuseerd toe toen hij met de grootste moeite het adres van Frau Metzel op het gekreukelde papier wilde schrijven. Hij had de zilveren knop ook bijna ingepakt toen hij aan de balie kwam. 'Ik wil dit verzekeren.'

'Nee,' zei de vrouw. 'Alleen als hij in een doos zit.'

'Waar kan ik een doos krijgen?' vroeg hij geprikkeld.

'Buiten gaat u linksaf en als u bij de Wallstraße komt is er rechts een winkel, Krüger.'

Hij beende met Milo de deur al uit toen ze hem terugriep om te beta-len voor het papier en het plakband.

'Ik moet een doos hebben,' zei hij tegen de man in de winkel.

'Nou, dan bent u aan het goede adres!' Op zijn pafferige gezicht een spoor van een snor. 'Wat voor doos? We hebben dozen voor boeken, voor kleren, dozen voor serviesgoed. We hebben zelfs dozen waar een hele klerenkast in kan.'

'Ik wil een doos voor dit.'

De man wierp een schattende blik op de stok van Frau Weschke en haalde diep adem. 'Ik weet niet zo zeker of we een doos in die maat heb-ben.'

Peter wilde er niet van horen toen hij een doos voor kleren aanprees. 'Het is maar een wandelstok, hoor.'

'U moet een speciale doos hebben,' zei de man. 'Misschien dat een winkel waar ze wandelstokken verkopen wel zoiets voor u heeft.'

'Weet u zo'n winkel?'

'Nee.'

'Wie zou dat wel kunnen weten?'

'Dan moet u in de gouden gids kijken.'

'Heeft u er een?'

De man legde een gids op de toonbank. 'Het spijt me, meneer, maar kunt u een beetje voortmaken, alstublieft,' en hij ging een andere klant helpen.

Peter belde naar een adres in de Theodor-Körner-Straße en hoorde met stijgende ergernis de telefoon overgaan. Al die tijd had Milo niets gezegd, maar op zijn gezicht stond te lezen: wel erg veel gedoe, pa, voor een wandelstok.

'En hoe lang is de stok?' vroeg de stem van een oudere man met een snuffelneus.

'Hoe lang – een meter ongeveer?'

Maar de oude man wilde precies de lengte weten.

'Hoor eens, ik heb geen duimstok bij me.'

'Dan kunt u hem maar beter hier naartoe brengen,' en hij gaf een adres op aan de andere kant van de stad.

Peter schreeuwde: 'Het is makkelijker om deze stok te voet naar Leipzig te brengen dan hem te versturen!' Hij gooide de hoorn met een klap op de haak, griste de stok mee en loodste Milo mee de winkel uit toen een schorre stem vroeg of hij even vijftig pfennig voor het telefoongesprek wilde betalen.

Op straat viel de sneeuw als een gordijn uit de hemel en was het verkeer tot stilstand gekomen. Peter deed voor zijn zoon het portier aan de passagierskant open en ineens stortte zich alles waarvan hij in Duitsland gek werd over hem uit, met als toppunt het vooruitzicht van een etentje met Nadine.

Hij keek naar het stukje plakband dat los was gekomen, het verscheurde pakpapier en hij kookte zo van woede dat hij zich even afvroeg of Frau Weschkes geest vaardig over hem was geworden. Haar smeulende stem bleef uit de taartdoos opstijgen. *Ik weet wat u in Leipzig heeft gedaan.*

Hij belde zuster Corinna met zijn mobiel. 'Ik heb verdomme de halve stad af gerend. Kennelijk heb je gelijk, maar daar word ik niet vrolijker van. Ik ga de boel zelf wel brengen. Als ze er niet is, vind ik haar kinderen wel of een buurman. Ik vind dat ik het aan de oude dame verplicht ben.'

'Ga je echt naar Leipzig?' vroeg ze.

'Laat het maar aan mij over. Ik wil al zo lang Leipzig weer eens zien.'

'Peter Hithersay, je verkoopt meer leugens dan...'

'Je hoeft me niet te geloven. Gewoon omdat ik voor één keer in mijn leven doe wat ik moet doen. Geef me het telefoonnummer nou maar.'

'Tja, het was haar uitdrukkelijke laatste wens. "Meteen na mijn dood wil ik dat deze brief wordt verzegeld en met mijn as naar mijn familie gaat".'

'Dan doe ik het voor ons allebei,' zei hij heldhaftig. 'Waarom ga je niet met me mee?' en een enkel afgrijselijk ogenblik ging het door hem heen dat ze misschien ja zou zeggen.

'Ze woont hoe dan ook niet in Leipzig. Milsen ligt tegen de Tsjechische grens.'

'Het nummer, Corinna.'

'Hier komt het. Maar ze is niet voor het weekend terug.'

Ten slotte deed Milo zijn mond open. 'Waar ben je mee bezig, pa?'

'Je hebt het toch gehoord. Ik ga naar Leipzig.'

'Mag ik op Gus passen?'

'Wat denk je dat je moeder zal zeggen?'

'Je weet best wat ze zal zeggen. Ze gaat door het lint.'

'Oké, als ze dan toch door het lint gaat, zet ik je wel op de hoek af.'

Alleen in zijn flat schonk Peter een brandy voor zichzelf in. Hij pakte een koffer en pleegde twee telefoontjes.

'Nadine?' Maar het was haar antwoordapparaat. 'Moet je horen. Je zult het niet willen geloven. Iemand is ziek geworden. Ik ben de klos om in te vallen.'

En naar Angelika in de Klinik om te zeggen dat hij onverwacht, maar het kon niet anders, de komende drie dagen afwezig zou zijn.

'Ik neem verlof wegens familieomstandigheden.'

'Wie is er dood?'

'Mijn grootmoeder.'

Frau Doktor Ekburg kon nu iets voor hem terugdoen, bedacht hij. Maar hij begreep niet wat hem bezielde.

Pas toen hij een tweede brandy inschonk begon hij te beseffen hoe weinig hij van zijn verleden los was gekomen. Door de alcohol werd hij sentimenteel maar het licht in zijn koortsachtige hoofd ging er ook feller door gloeien. Misschien gaf het feit dat hij niet kon volhouden dat hij bevrijd was hem in dat hij al met al niet echt een klootzak was. Als hij over de bodem van zijn ziel kon schrapen kon hij misschien uitkomen bij een soort ridder à la Rip van Winkle die, als hij zich een tijdje voorbeeldig gedroeg, hem kon redden zonder dat zijn ziel ook maar enig spoor van verval vertoonde.

Het paard was gezadeld, zijn voet zat in de stijgbeugel. Een halfuur later stond hij op Bahnhof Zoo te wachten tot de trein naar Leipzig zou vertrekken. Hij stond niet stil bij waar de impuls vandaan kwam, hij volgde hem. Zijn instinct, niet bepaald dat van een dokter van een jaar of veertig met een overvloed aan verplichtingen als wel dat van een vogel die gehoor gaf aan de drang van de trek terug.

Het is niet erg. We zijn geen van allen erg galant of erg dapper.

Een heel oude dame had hem iets geschonken wat hij als een absolutie beschouwde en hij vertrok met een opgewekt gemoed.

DEEL VI

LEIPZIG, MAART 2002

HOOFDSTUK EENENDERTIG

PETER LEGDE ZIJN *Herald Tribune* als afweermiddel op de bank naast zich en keek hoe Berlijn uit het zicht verdween.

Hij vond het moeilijk om de stad waarin hij al twaalf jaar woonde in verband te brengen met het platteland waar de trein nu doorheen snelde. De sneeuw die minder dik was was op veel plekken helemaal weggesmolten, zodat donkere grond zonder gras te voorschijn kwam. Velden zonder hagen strekten zich uit tussen dorpen met huizen in de kleur van uitgekookte botten.

Toen hij in Berlijn kwam wonen was het voor Peter een troost te ontdekken dat weinig collega's in de Hilfrich Klinik benieuwd waren hoe de voormalige DDR eruitzag, of opnieuw contact wilden opnemen met familieleden daar. Ze deelden die houding met Milo's moeder die in een van haar artikelen een bezoek aan Oost-Duitsland vergeleek met een documentaire op televisie zonder kleur.

Het verraste Peter om te zien dat er sinds 1983 niets was veranderd. Dit was het landschap dat hem eens dierbaarder was geweest dan wat ook in West-Duitsland. Ook al was het heel gewoon, het leek of het platteland hier meer diepte en tekening had.

Om vijf over halfdrie stopte de trein in Wolfen. Tussen een web van bovenleidingen door waren de schoorstenen van een fabriek te zien. De lucht had iets van de modderige spoeling van een van Rodneys aquarellen. Grijs chemisch stof op de daken en een smerige damp in de lucht.

Een land heeft zo zijn eigen geur. De eerste keer dat Peter Oost-Duitsland had geroken was in een trein. In zijn derde jaar aan de UKE was hij met Kerstmis bij Anita's ouders in Nuremberg geweest – zoals hij de stad onwillekeurig bleef noemen omdat hij gewoontegetrouw aan Duitse steden met hun Engelse naam dacht. Ze stapten over in Crailsheim waar elke andere trein uit Praag kwam en onderweg was naar

Berlijn en Parijs. En terwijl Oost-Duitse reizigers er bij de grens uit moesten, reden de treinen door. Op de bruine plastic zittingen raakten zijn kleren doortrokken van een geur die veel weg had van de professionele terpentijn waarmee zijn stiefvader zijn drukpers oliede. Anita moest hem uitleggen dat het niet van de bekleding kwam maar van het schoonmaakmiddel waarmee de banken werden behandeld.

'Wolfasept', had hij ergens gehoord of gelezen, werd nog steeds in Wolfen gemaakt.

Achter het perron stond een rij hoogspanningsmasten waar de verf van afbladderde. Graffiti op een dichtgespijkerd huis: 'Buitenlanders eruit.' Er waren twaalf jaar verstreken sinds de door een in ongenade gevallen kanselier gemaakte belofte dat dit alles spoedig een florerend landschap zou zijn.

Na Wolfen gingen de velden over in donkere bossen. De stammen als spijkers recht de lucht in, alsof ze door de aarde heen omhoog getimmerd waren. Peter tuurde door zijn weerspiegeling heen naar de bomen die voor het raam langs schoten en door gezichtsbedrog leek het of ze achterwaarts op hem af kwamen.

Hij liet zijn hoofd tegen het raam rusten zoals hij als kind in de Rover van zijn stiefvader had gedaan en de trillingen van het glas riepen een reis op door een monotoon landschap van kalkplateaus en braamstruiken.

In Buchholz Zauch hobbelde de trein op een zijspoor. Hij keek achterom langs de rails naar een station regelrecht uit zijn kindertijd. Salisbury, Tisbury, Gillingham, Yeovil. Appelbomen. Een ongeschilderde bank. Ganzen op een erf. Er liep een hond tussen de ongebruikte sporen waar kleine kerstbomen tussen groeiden en mannen met geweren in een rij over een wijds veld oprukten.

'Waar denkt u dat ze op jagen?' vroeg hij aan een vrouw tegenover hem die ook toekeek.

'Ik hoop op de minister van transport,' mompelde ze, en boog zich weer over haar kruiswoordpuzzel.

Het veld werd omgeven door een bos van zilverberken. Een hert kwam tussen de bomen vandaan rennen en bleef aan de horizon stokstijf staan. De trein begon te rijden met de hond die er blaffend naast holde. Het zachte geratel van de wielen op de rails had het ritme van een terugspoelende videoband. In de verte de hoest van een geweerschot en door het geluid van de wielen en het geblaf van de hond en een tunnel van negentien jaar oud heen kwam Teo's stem: 'We hebben een hert aangereden.'

Toen ze Leipzig binnenreden sputterde de vrouw: 'Acht minuten over halfvijf.'

Peter stapte uit de trein en met de stok van Frau Weschke onder zijn arm trok hij zijn koffer op wieltjes achter zich aan over het perron.

Onder de stationsklok belde hij het nummer van Frau Metzel op zijn mobiel. Er nam een jongen op. 'Zou ik Frau Metzel kunnen spreken?' zei Peter, die zich afvroeg hoe dicht Milsen bij Leipzig lag.

'Ze is er niet.'

Hij keek om zich heen door het gigantische station. De neonverlichting. De roltrappen die naar de etenswarenwinkels beneden gingen. 'Wanneer verwacht u haar terug?'

Hij hoorde de jongen iemand in de kamer vragen: 'Katja, wanneer komt Mutti terug?'

'Maandag,' zeiden een man en een jonge vrouw tegelijk.

'Maandag.'

'Mag ik uw vader even spreken?'

Er kwam een man aan de telefoon. 'Hallo, waar kan ik u mee van dienst zijn?' Zijn stem klonk wat onzeker. Misschien had hij gedronken.

'Ik ben de dokter van Frau Weschke. Of liever gezegd was. Ik heb het een en ander voor uw vrouw.'

De stem klonk minder op zijn hoede. 'Ze zit in Londen. En ze is mijn ex,' en hij legde uit dat hij zijn zoon voor het weekend was komen ophalen.

Met enige spijt dat hij zo halsoverkop was vertrokken vóór Frau Metzel thuis zou komen, liet Peter weten dat hij de as en een paar spullen van haar grootmoeder bij zich had.

'Wat voor spullen?'

Peter probeerde zich te herinneren wat voor dingen ze in de *Leipziger*

Volkszeiting hadden verpakt. 'Een paar boeken, haar overjas, een beker van een kuuroord...'

Door de luidsprekers werd iets omgeroepen.

'Waar bent u nu?'

'Ik sta op het Hauptbahnhof van Leipzig.'

'Waarom geeft u de doos niet af bij het bagagedepot? Dan haal ik hem in de loop van de volgende week wel op.'

Door de toon van de man voelde Peter zich ongemakkelijk. Beledigd door de ongeïnteresseerde reactie voelde hij een vlaag van woede waardoor het alleen maar belangrijker werd dat hij de taartdoos persoonlijk aan Frau Weschkes kleindochter zou afgeven. Met de brief. 'Ik geef het liever persoonlijk af.'

'Dan zult u tot maandag moeten wachten,' zei de man.

Hij haalde de wandelstok uit zijn verfrommelde schede. Zijn hand sloot vrij soepel om de knop, maar de stok was te kort zodat hij wat krom moest lopen zoals hij zich de vorige gebruikster herinnerde.

Toen hij de straat op kwam was het duidelijk dat de winter op zijn einde liep. Hij stond aan de stoeprand en snoof de koude geur van modder op die welriekend en vol leven onder de sneeuw lag. Er reed een fietser langs die in het grind een pad trok en op het krantenrek kondigde de *Leipziger Volkszeiting* naast het verhaal over de moord op een Turkse student het einde aan van het wisselvallige weer.

Door de krant moest hij denken aan de foto op het bed van Frau Weschke en een beeld van door sneeuw overdekte volkstuinen. Hij had geen plan getrokken, maar nu nam hij wel een beslissing. Op maandag, wanneer haar kleindochter thuiskwam, zou hij haar de as van Frau Weschke brengen en naar Berlijn teruggaan. In de tussentijd wilde hij Leipzig verkennen. Hij zei tegen zichzelf: Alle kans dat de volkstuinen open zijn. Ik ga in de sneeuw door de stad lopen.

Terwijl hij met vastberaden tred naar een rij glanzende crèmekleurige Mercedesen liep, werd zijn blik getrokken door een woord in de lucht. Boven op de borstwering van het verkrotte gebouw aan de andere kant, in gigantische letters in de kleur van een rijpe vijg, las hij: –STORIA.

Peter gooide de wandelstok in de lucht, ving hem als een majorette halverwege weer op en stak de tramrails over. Hij wist zeker waar hij op afstevende. Hij zou de nacht doorbrengen op de plek van zijn misdaad.

De ronde kalkstenen façade was bekladderd met graffiti. 'Ole heeft iets tegen de nazi's'. 'Realiteit verwoest hersens'. 'Vergif'. Er flapperde iets in de wind en hij keek omhoog. Als een vlag die was uitgestoken voor een nationale feestdag maakte een tussen twee ramen gespannen doek reclame voor een renovatiebedrijf. Behoedzaam liep hij onder de luifel door en drukte zijn neus tegen de zware glazen deur.

Gevangen achter het glas viel zijn schaduw over een kapotte radio en andere voorwerpen op een hoop in het gruis. De pet van een portier, een rol citroengeel brokaat behang. Dikke katoenen overalls met gele verfspatten. Bij nader inzien kon hij niet in het Astoria logeren.

Het verbaasde Peter hoezeer het gebouw was vervallen. De wind van de vrijheid had kennelijk alles weggevaagd. Van de olieverfschilderijen in vergulde lijsten, de balie waar hij zijn jas had afgegeven, de Tsjechische kroonluchters was geen spoor te bekennen. Bergen puin versperden de gang waardoor Sepp en Teo hem voor zich uit hadden geduwd. De vloer was kaal waar tapijt was losgerukt en overal lagen stukken hout, metaal en glas, alsof er een ontploffing had plaatsgevonden.

Hij wankelde achteruit en in het stof bewoog een gedaante. Hij keek met walging recht in zijn eigen gezicht. Hij kreeg sterk de indruk dat hij een verouderingsdrankje had ingenomen. Dat hij de schim was van iemand die lang geleden in de explosie was omgekomen.

Toen de kwieke jongeman in het toeristenbureau had vastgesteld dat Peter de voorkeur gaf aan een particulier onderkomen, belde hij een adres in de Kantstraße.

'Anna, schat,' en hij streek zijn glanzende colbert met twee rijen knopen glad, 'ik heb hier een vriend die een kamer zoekt, zo schappelijk mogelijk.' Hij keek op naar Peter. 'Wat is uw naam?'

'Hithersay.'

'Hithersay,' zei hij ten behoeve van degene die hij aan de telefoon had en hij schreef achteraf het adres op van Pension Neptune, wees op een toeristenkaart aan waar het lag en noteerde de nummers van twee trams die hij moest nemen. 'Mij betaalt u tien mark en nog zevenendertig aan de pensionhoudster. Nog iets van uw dienst?'

'Ja. Het Astoria, wanneer is dat gesloten?'

De jongeman wist wat meer over het Astoria. Aanvankelijk staatsei-gendom, daarna verhuurd aan de Maritim-hotelketen – 'die is vertrok-ken'. Onderhandelingen om het hotel aan een Amerikaans concern te verkopen waren gestrand en besloten werd om het niet op te knappen. Het gebouw stond al tien jaar leeg, een van de vele monumenten van het wanbeheer van staatseigendom na de hereniging. 'Er is sprake ge-weest van een nieuwe gegadigde die een bod heeft gedaan. Als het mij te doen stond zou ik het Kempinski-Fürstenhof kopen.'

Pension Neptune, dat Peter in minder dan twintig minuten bereikte, was een bescheiden huis van bruine baksteen met een eigen garage. Hij drukte de ijskoude klink van het hek omlaag en liep over een smal pad naar het huis waar tegelijkertijd een keurig geklede dame naar buiten kwam om het bordje 'Vol' neer te zetten.

Frau Hase, de pensionhoudster, was een snobistische maar hulpvaar-dige ongehuwde vrouw van midden veertig. Uit Beieren, met uitstaande oren, een halsdoek die met een gevlochten leren ring om haar hals was vastgemaakt – en een gele stofdoek in haar hand waarmee ze ontevre-den en kribbig uithaalde naar alle oppervlakken waar ze bij kon komen. Ze had juist zijn kamer laten opknappen, vandaar, zo legde ze uit, dat het er naar verf rook. Ze had moeite om het raam open te krijgen en hij hielp haar.

'Ik denk dat het door de verf klemt,' merkte hij op.

De kamer was eenvoudig gemeubileerd. Roze muren, vurenhouten balken en aan een van de zes haken tegen de deur hing een witte bad-jas.

Bij het weerbarstige raam stond een ronde tafel op één poot en een stel stoelen met rieten zitting waarop ze twee identieke kleedjes had gelegd van een dikke stof met daarin de vorm van een slapende kat geweven.

Over de rugleuning van een stoel hing nog een broek van een vorige bewoner, die ze meenam. Kennelijk was hij een van haar geregelde gas-ten, 'Herr Mehring,' zei ze in een poging indruk te maken, 'is een heer die zich specialiseert in de vervaardiging van veiligheidsdeuren.'

'Kijk eens aan,' zei Peter.

'Hij komt uit München. Net als ik.' Ze opende een kast waardoor een vlaag van gevangen lavendelgeur vrijkwam, liep toen naar het bed en knipte het bedlampje aan en uit. 'Er is geen telefoon op de kamers, maar beneden hangt wel een muntjestelefoon.'

Bij de deur aarzelde ze. Ze keek naar de wandelstok. 'Bent u ziek?'

'Nee.'

'Ik dacht dat u misschien iets mankeerde.'

Hij vertelde haar dat hij dokter was en had besloten een vrij weekend in Leipzig door te brengen.

'Heeft u hier familie wonen?'

'Ik ben op zoek naar een oude vriendin uit de toneelwereld, maar ik heb haar al lang niet meer gezien en ik weet niet waar ze woont.'

Ze glimlachte breed. 'Leipzig is maar een dorp met een half miljoen inwoners. Dat hebben ze mij verteld toen ik hier voor het eerst kwam – en het is waar. Als je iemand leert kennen duurt het nog geen halfuur of je komt iemand tegen die je allebei kent.'

'Mag ik u daaraan houden?' terwijl hij zijn koffer opende.

'Dat mag.' Kennelijk wilde ze het gesprek gaande houden. Misschien werd hij wel een geregelde gast, net als Herr Mehring. 'En wanneer u uw vriendin gevonden heeft is er misschien tijd voor wat ontspanning? Kurt Masur dirigeert in het Gewandhaus de Zevende. Beneden heb ik een folder.'

'Dank u wel.'

Ze keek toe hoe hij de taartdoos uit zijn koffer haalde en op de tafel zette. Of hij vanavond bleef eten? Er was gebraden hertenbout met jeneverbessensaus en een Chileense cabernet sauvignon.

HOOFDSTUK TWEEËNDERTIG

PETER WERD OP EEN stralende ochtend wakker door het gekwetter van vogels. Een spreeuw weerkaatste zijn roep tegen het raam en de zon glinsterde op de knopen in het vurenhout boven zijn hoofd. Hij sprong uit bed met een optimisme dat hij in jaren niet had gekend en na een ontbijt met kaas, zilveruitjes en pompernikkel, liep hij naar het centrum van de stad gekleed in een schoon wit overhemd, een sportief jasje, de broek van zijn pak en de nachtblauwe stropdas die hij op de begrafenis van Frau Weschke had gedragen.

De lucht was helder. Het was eind maart, het begin van de lente. Misschien ging hij wel naar dat concert, in elk geval zou hij in boekwinkels snuffelen en op zondag een uitstapje naar Dorna maken. Maar eerst wilde hij de Schreber-volkstuinen zien waar hij de nacht met Sneeuwlok had doorgebracht. Er was daar tegenwoordig vast wel een koffiehuis. Daar zou hij koffie gaan drinken en een beetje dromen.

Aan het einde van de Kantstraße zwaaide hij om een taxi. 'Ja, ik weet waar de volkstuinen liggen,' zei de chauffeur, die lang haar en één scheel oog had en uit Kroatië kwam, waar hij een gevierd dichter was geweest. Toch was hij in Leipzig gelukkiger. 'Deze auto,' vertelde hij Peter, 'is twee maanden oud.'

Het verkeer was druk en traag. In straten waarvan Peter zich herinnerde dat ze leeg waren, stonden nu bumper aan bumper nieuwe Mercedesen. Ze kropen langs gebouwen die schuilgingen achter steigerwerk en huizenhoge reclames voor Pilsner.

Omdat Peter toch niets herkende zakte hij gemakkelijk onderuit in de hoek van de taxi om de indringende geur ervan te vermijden die hem deed denken aan de binnenkant van de ijskast die hij op een kerstmarkt had gekocht.

Twee degelijke maaltijden en een goede nacht hadden hem tot rust gebracht. Hij voelde zich goed genoeg om zich helemaal op zijn speurtocht te concentreren, ook al had hij voor zichzelf nog niet uitgemaakt wat de aard van deze speurtocht meer was dan alleen een opwelling om in zijn eigen voetsporen te treden.

Aangezien ze er nog wel even over zouden doen voor ze bij het complex waren, herhaalde Peter tegen de taxichauffeur wat de pensionhoudster had gezegd. 'Hoe lang denkt u dat het zal duren voor ik haar vind, chauffeur? Een halfuur?'

'Hoe heet uw vriendin?'

'Sneeuwlok.' In de beslotenheid van de taxi klonk de naam kabbalistisch. Opgetogen bedacht hij dat de naam fris, ongesmolten was gebleven. Zijn bedenksel.

'Nou zeg, wat voor een naam is dat?'

'Het is IJslands,' zei Peter teder.

De chauffeur grinnikte. 'Minder dan een halfuur. Er kunnen in Leipzig niet veel Vikingen met die naam rondlopen, man.'

'Probleem is dat ze geen IJslandse is – en het is niet haar achternaam.'

'Wat is haar achternaam dan?'

'Dat weet ik niet.' Hij had evenmin ooit geweten wat de achternaam van zijn vader was – en hij schrok van dat toeval, een gedachte die nu pas voor het eerst bij hem opkwam. Het enige aanknopingspunt dat hij had was haar bijnaam. Gebaseerd op een foute uitspraak.

'U zoekt een vrouw zonder achternaam? En u bent niet toevallig een beetje getikt?' en met zijn goede oog bekeek hij Peter in het spiegeltje. 'Wat doet ze? Is ze zangeres?'

'Toen ik haar kende was ze studente.'

'Op wat voor school?'

'Weet ik niet.'

Een vrouw draaide haar hoofd om en keek door een achterruit naar hem en hij zag een rond gezicht.

'Wanneer heeft u haar voor het laatst gezien?'

'Negentien jaar geleden.'

'Hoe weet u of ze nog in Leipzig woont?'

'Dat weet ik niet.'

'U heeft het zichzelf niet gemakkelijk gemaakt, meneer.'

'Nee,' en hij had er spijt van dat hij niet eerder naar Leipzig terug was gegaan.

'Beseft u wel dat ze overal zou kunnen zijn?' zei de taxichauffeur die voor een ijzeren poort stopte. 'Amerika, Peru, Polen, Australië, Canada, Kroatië – nee, waarschijnlijk niet in Kroatië...' Toen zijn atlas begon uit te dunnen, gaf hij Peter zijn kaartje en drukte hem op het hart om als hij ooit een betrouwbare chauffeur nodig had te allen tijde zijn nummer te bellen. 'Meneer, beseft u wel dat ze dood zou kunnen zijn?'

Peter liep ongeduldig door de poort terwijl hij links en rechts uitkeek naar een tuinhuisje met een lindegroene deur. Tuiniers stonden over schuttingen en ligusterhagen met elkaar te babbelen. Een man in een overall die een hekpaal stond te schuren vertelde hem dat het water pas sinds kort na een periode van zes maanden was opengedraaid. Op deze dag vroeg in de lente wilde iedereen van de zon genieten en hun gezichten draaiden zich naar de belofte van zomerwarmte.

Hij keerde op zijn schreden terug. Liep weer een ander sintelpad op. Elke keer dat hij bleef staan om een pad af te kijken stelde hij zichzelf lang geleden voor terwijl hij aan het eind bij de treden bleef staan. Vol zelfbedrog. Onaardig. Laf. Niet edelmoedig als Bedevere, maar een van Leadleys barbaarse Hunnen.

Was dat het tuinhuisje? Met pijn in zijn hart tuurde hij naar het pas geteerde dak en naar de stok waaraan een witgroene Saksische vlag in de ochtendbries bewoog. Naast een plastic vijver zag een slordige opgerolde grauwe tuinslang eruit als darmen.

Of dat? In de tuin ernaast probeerden ze een vuur te maken. Een walm van met kerosine doordrenkte takken vermengd met dikke rook. Kinderen zaten elkaar achterna tussen de poten van een opvouwbare tuintent en aan een van de tuien had iemand een Ferrari-vlag vastgemaakt.

Of dat?

Maar niets kwam hem bekend voor. Hij was hier 's nachts geweest toen de tuinen overdekt waren met sneeuw. Nu zakte de sneeuw in de grond weg en de hogere zachte sneeuwwallen veranderden in de zon in harde kegels en hij herkende de plek niet. Alles zag er veel opgepoetster, veel aangeharkter, veel *spießiger* uit dan het complex uit zijn herinnering. En waar hij ook keek, nergens een lindegroene deur te bekennen.

Bij een volgende hoek stond een mededelingenbord. Hij liep ernaartoe en begon te lezen alsof hij de naam van Sneeuwlok erbij zou zien staan. *Morilia frutigena*. Een waarschuwing aan 'tuinvrienden' over appelbladluis. Een circulaire van een bedrijf dat bodemmonsters ging nemen. Een herinnering dat honden aan de lijn moesten worden gehouden.

Hij rook iets verrots. Onder een haag was door de smeltende sneeuw een lap grauw bont zichtbaar waarover mieren door elkaar heen liepen. Mieren in maart? Hij hoorde Frau Weschkes geringschattende stem. *Zoals wij leven maken we de aarde kapot.*

Midden in het doolhof stond een wit gebouw van twee verdiepingen. Boven was een museum gevestigd gewijd aan het werk van Dr. Schreber en beneden was een bar. Peter bestelde koffie, ging aan een tafeltje zitten en luisterde naar het gebabbel van drie mannen die zaten te kaarten.

De lauwe koffie riep in hem de gedachte op dat de laatste keer dat hij zich bewust gelukkig had gevoeld in een van de volkstuintjes was die hij door het raam kon zien liggen. Hij zei tegen zichzelf: op zijn minst moet ik erachter zien te komen waar ze is. Ik zou een mooie sjaal en een aardige prentbriefkaart voor haar kunnen kopen. Misschien kan ik langs haar huis lopen voor ik hem op de bus doe. In zijn hoofd stelde hij de briefkaart op. 'Ik ben naar Leipzig teruggekomen. Al die tijd al bezwaar je mijn geweten. Ik wil dat je weet dat ik je niet ben vergeten en dat ik erg spijt heb van de manier waarop ik je in de steek heb gelaten. Maar ik hoop dat je een goed leven hebt gehad.' Dat was wat hij wilde zeggen. Het klonk hem in de oren als iets wat Frieda geschreven zou kunnen hebben. En er was te veel weggelaten.

Hij zette zijn kopje neer en liep naar het tafeltje in de hoek. Toen hij naderbij kwam hield het geflap van kaarten op. 'Neemt u me niet kwalijk,' zei hij, 'maar vroeger stond hier een tuinhuisje... met een groene deur.'

Een van de skaatspelers richtte zijn hoofd op. Rond de vijftig. Sterk. Dik. 'Een groene deur?' met een argwanende blik. 'Sacha, ken jij een tuinhuisje met een groene deur?'

Zijn maat droeg een speldje van een duivenmelkersvereniging en had een kale schedel. 'Ik heb wel tientallen huisjes met groene deuren gekend, jongeman.'

'Het was van een oude vrouw die het aan haar kleinzoon heeft nagelaten.'

'Hoe heet die vrouw?'

'Dat weet ik niet.'

'Weet u dat niet?'

'Nee.'

'En haar kleinzoon?'

'Hij werd Bruno genoemd maar ik weet zijn achternaam niet.'

Ze keken hem meewarig aan en haalden niet eens hun schouders op.

'Zegt de naam Sneeuwlok jullie iets?' zei hij stuntelig.

'Hoe spel je dat?' vroeg de duivenmelker.

Hij spelde de naam.

De derde speler kwam overeind en riep uit een raam. 'Willi!'

Even later schuifelde er een man binnen met behoedzame grijze ogen en donkere borstelige wenkbrauwen als aanmaakhout.

'Willi is al sinds 1957 lid van de volkstuinvereniging,' legde de kale man uit.

'Willi, ken jij iemand die Snjólaug heet?' zei de dikke man.

'Nee.'

Peter bedankte hen en stortte zich weer in het gesnoeide doolhof op zoek naar een uitgang naar de straat. Hij troostte zich met de gedachte dat het volkstuintje inmiddels waarschijnlijk van een West-Duitser was die niets over de vorige eigenaar wist. Op een tweesprong sloeg hij rechtsaf en liep door tot hij niet verder kon.

Hij keerde op zijn schreden terug. De hagen gleden onder zijn hand door en vanaf een tak zat een merel naar hem te kijken. Overdag was het volkstuinencomplex veel groter dan hij zich had kunnen voorstellen. Alles zag er hetzelfde uit, alsof de gedisciplineerde hagen opzettelijk waren gesnoeid om hem in verwarring te brengen. Een samenzwering van bomen en hagen.

Negentien jaar geleden had hij Sneeuwlok als gids gehad. Zonder haar was hij verloren, net als op zijn eerste avond in Leipzig.

Verzonken in de rimpels van een nootbruine huid keken twee ogen hem glinsterend aan met dezelfde droevige vurigheid die zijn grootvader had toen ze elkaar voor de laatste keer zagen. Toen draaide de oude man zich weer om en ging door met graven, terwijl Peter zich andere gezichten herinnerde. Frau Weschke. Rodney. Alfred, zijn patiënt uit Linz. Ineens kon hij begrip opbrengen voor de impuls die een beroepstuinman ertoe had aangezet om zijn appelbomen te ontwortelen en ze ondersteboven weer in de grond te zetten.

Ik weet wat u in Leipzig heeft gedaan.

'Alstublieft,' riep hij over de schutting. 'Kunt u me vertellen hoe ik hier uit kan komen.'

Hij kwam uit in de Aachener Straße. Met elke stap die hem verder van de Schreber-volkstuinen verwijderde voelde hij zijn optimisme wegebben en ook het vooruitzicht op een Beethoven-concert in het Gewandhaus. De boodschap die hij zich in het hoofd had gezet bleef bonken, dreef hem onweerstaanbaar voort op zijn queeste.

Peters vragen leverden nietszeggende blikken op bij het personeel van het Rudolph-theater. Niemand kon zich een lange, donkerharige jonge vrouw met een naam als Sneeuwlok herinneren. En nog minder een drieëntwintigjarige studente in een leren minirokje en een blauwe lamswollen muts – 'net zo een als deze' – en met een vreemde ketting van botjes om haar nek. Degene die zich het beste het theater uit 1983 zou hebben kunnen herinneren was de directeur, die op het moment met een beurs in de Verenigde Staten zat om aan de inwoners van Bloomington in Indiana het voormalige Oost-Duitsland uit te leggen.

Om halfelf klopte hij aan bij de school van het koor van St. Thomas. De deur werd geopend door een man met een grote snor.

'Zou ik in het register iemand kunnen opzoeken?'

'Wie zoekt u?'

'Ze heet Sneeuwlok.'

'Ik ken geen Sneeuwlok.'

'Wie kent u eventueel die hier twintig jaar geleden op school heeft gezeten?'

'Ik ken niemand die Sneeuwlok heet.'

Hij probeerde het bij het Dimitroff Taleninstituut met hetzelfde resultaat.

In de universiteit van Leipzig bladerde een behulpzame archivaris, die er angstvallig op wees dat ze pas kortgeleden uit Baden-Baden was overgeplaatst, door de registers van studenten die in die periode waren ingeschreven bij de faculteit psychiatrie van de toenmalige Karl Marx-Universiteit. Ze kon niemand vinden die met Sneeuwloks beschrijving overeenkwam en zelfs geen lijst van studenten. Ze klaagde dat na 1989 veel dossiers waren verdwenen. 'De klootzakken die ík graag zou opsporen hebben niet eens bijnamen!'

'Maar waarom zou iemand het archief van een universiteit willen plunderen?'

'De mensen van de Runde Ecke, dat wil zeggen het Stasi-hoofdkwartier, hebben als sprinkhanen de archieven van alle universiteiten, alle ziekenhuizen uitgeplozen en eruit gelicht wat ze nodig hadden.'

'Waarvoor?'

'Dat moet u ze in de Runde Ecke maar vragen – en als u erachter bent, wilt u het mij dan alstublieft komen vertellen.'

Toen Peter afscheid nam was dat met een licht gevoel van opluchting. Nog tot op het moment dat hij de Runde Ecke binnenging dacht hij dat het hem niet echt kon schelen als hij weer bot ving. Dit was een droom geweest. Rosalind had gelijk. Hij kon niet zomaar verwachten dat hij het leven van Sneeuwlok binnen kon stappen om te zeggen dat het hem speet. Ze was waarschijnlijk getrouwd, had kinderen. Op St Cross was hij ontelbare malen doelbewust naar de kapel gegaan zonder de verwachting om God te vinden. Deze ervaring lag ongeveer hetzelfde. Hoewel iets hem dreef om naar haar te blijven zoeken, wilde hij zichzelf niet toegeven dat er ook maar iets op het spel stond. Nu, op deze eerste ochtend in Leipzig, vervolgde hij zijn speurtocht met een zorgeloos gemoed dat hem goed uitkwam. Luchtig. Bijna op een katachtige manier. Bang om het te ernstig op te vatten, te veel hoop te koesteren, probeerde hij plichtmatig Sneeuwlok op te sporen zonder er zijn ziel in te leggen. Zich bewust van de mogelijkheid dat hij zich elk ogenblik op zijn hakken kon omkeren en de eerste trein naar huis kon nemen.

Vier verschillende architectonische stijlen waren samengebracht in het voormalige Stasi-hoofdkwartier in de Kleine Fleischergasse, een gebouw dat werd bekroond door een zwarte wachttoren die boven het rode pannendak uitstak in de vorm van Darth Vaders helm.

Peter kwam bij de ingang aan het einde van een smal straatje dat schuilging achter een saai gebouw van zes verdiepingen dat in 1950 was opgetrokken. Boven en onder de ramen panelen in een tussenkleur die veel weg had van vuile wortelen. Om blijk te geven van openheid, was geen enkele luxaflex neergelaten. En toch maakte het geen verschil. Misschien dat er een nieuwe geheime dienst in was gehuisvest, maar het daglicht bleef de ramen schuwen en zelfs de bomen rond het gebouw leken dood. In de middaglucht bewogen de takken helemaal niet. Te bang om te bewegen.

Hij stond nu voor een pompeuze negentiende-eeuwse ingang met gebeeldhouwde putto's, waarvan hij zich kon voorstellen dat Rodneys handen jeukten om ze na te schetsen, en liep de trap op.

In de Runde Ecke, het voormalige kantoor van een brandverzekeringsmaatschappij, liep Peter stuk op de onmogelijkheid van zijn zoektocht. Een man achter een wand van plexiglas bevestigde wat hij al die tijd al had vermoed en wat zijn ervaring met het onderzoek naar het verleden van zijn moeder hem al had geleerd. Hij kon een aanvraag indienen om zijn eigen dossier in te zien, niet dat van iemand anders. Aanvragen zaten zo'n zes jaar in de molen.

Hij nam het aanvraagformulier van drie pagina's aan met de instelling van iemand die zich een foldertje voor een theater in zijn hand laat stoppen en keek verdwaasd naar de vertrouwde vragenlijst en de open plekken die ingevuld moesten worden. Dat Sneeuwlok niet in het register van de universiteit voorkwam had hem verontrust. Als hij haar naam op een lijst tegengekomen zou zijn, zou hij zijn speurtocht misschien onmiddellijk hebben gestaakt. Dan had ze haar ambitie waargemaakt. Maar dat ze er niet op voorkwam was onheilspellend. Waarom was haar universiteitsdossier verdwenen? Was ze door de Stasi lastiggevallen? Had hij daartoe bijgedragen?

Peter was die ochtend de deur uitgegaan in de hoop zijn geest te zuiveren, maar nu werd hij door allerlei vragen belaagd. Leefde ze nog?

Waar was ze? Wat was er met haar gebeurd nadat ze was meegenomen? Hoe moest hij haar vinden? Vragen die hij zich vroeger over zijn vader had gesteld.

Hij ging zitten om zijn veters vast te binden. Pas toen hij weer opstond legde hij het verband. Het dossier van zijn moeder zou in dit gebouw zijn aangelegd. Onder de zwarte wachttoren zou de staatsveiligheidspolitie details hebben aangedragen over Henrietta Potters lengte, de kleur van haar ogen, de vorm van haar neus – zelfs over het boek dat ze bij zich had toen ze zijn vader tegenkwam.

Hij wilde net de Runde Ecke verlaten toen zijn oog op een trap naar een deur ertegenover viel. Het Stasi-museum was open.

HOOFDSTUK DRIEËNDERTIG

Peter liep het museum in met het zenuwachtige gevoel van iemand die examen ging doen. Sinds 1989 had hij de DDR opzettelijk de rug toegekeerd. In het komende uur verdiepte hij zich volledig in het regime dat zijn moeder van zijn vader had gescheiden en waarin Sneeuwlok was grootgebracht.

De jongen in zijn turquoise trainingspak was achttien. Hij lag op het asfalt zichtbaar te creperen. Op een andere foto hurkte de Stasi-officier die hem had neergeschoten. Sigaret in de mond. Handen om een pistool geklemd. De tiener kreeg twintig jaar gevangenisstraf. Zijn misdrijf: *Republikflucht*. Een van de 63.949 die werden gearresteerd in een poging om het land uit te komen.

Een uittreksel uit het in beslag genomen dagboek van Angela, een punk: 'We hebben geen vrijheid, we leven in een muizenval, ik wil andere landen zien.'

Een cartoon van de Britse buldog als de Dood.

Beelden die waren opgehangen in een benauwde gang voerden Peter mee door de geschiedenis van de Oost-Duitse geheime dienst. Hij had te vaak de statistieken gehoord om geschokt te zijn. Ze waren het ene oor in en het andere uit gegaan als een les in de kapel: 174.000 stille collaborateurs, 132 kilometer dossiers, 360.000 foto's, 99.600 geluidsbanden, 250.000 politieke gevangenen, 25.000 doden, 33.755 mensen vrijgekocht. Zijn ogen gleden langs individuele verhalen en hij las vluchtig dat twaalf van de negentien commissieleden van de Schrijversvereniging tot de Stasi behoorden. Hij las dat de schrijfster Christa Wolf alles over haar contacten met de Stasi had verdrongen tot haar geheugen door een dossier werd opfrist. 'Ik heb ze nooit iets verteld wat niet ook in het openbaar gehoord mocht worden.' Hij las hoe Knud Wollenberg over zijn vrouw Vera gerapporteerd had onder de naam Donald. 'Ik rapporteerde meer over mezelf dan over wie ook...'

Peter hielp oude mensen en hij werd niet goed van de gedachte dat een bende seniele oude gekken de leiding had over deze schending van vertrouwen. De permanente tentoonstelling – met als titel 'Macht und Banalität' – riep niet zozeer een land op als wel zijn kostschool. Een plek waar mensen onder hoge druk leefden en zich veel slechter gedroegen dan in de normale wereld.

Op de gang kwam een zestal redelijk kleine vertrekken uit. Het eerste was een Stasi-kantoor geweest. Een kaart van Leipzig. Leidingen tegen het plafond. De bladeren met roestige randen van een zieltogende kamerplant. Hij zag de dossiers als vleermuizen op elkaar gepakt in een archiefkast en op het bureau stond een ouderwetse typemachine onder een maïskleurige plastic hoes. Het kantoor zag er anoniem uit. Wat hem wakker schudde was de geur die van de versleten linoleum opsteeg.

Terwijl hij naar de foto's keek was Peter gelijkmoedig gebleven, maar de terpentijngeur van Wolfasept prikkelde hem. Vreemd op zijn qui-vive liep hij naar een ander vertrek en stond daar oog in oog met een verzameling apparatuur die het Oost-Duitse regime gebruikte om zijn volk in de gaten te houden.

Als student in Hamburg was hij zo geroerd door Canetti's beschrijving dat hij een tocht ondernam naar Grünewalds altaarstuk in Colmar. Canetti noch een reproductie had hem voorbereid op het schilderij van de gekruisigde Christus. Hetzelfde overkwam hem bij deze afgrijselijke kunstwerken die in december 1989 waren geborgen uit de Runde Ecke, na drie hectische weken waarin het personeel aan de vlammen en de versnipperaar alle tastbare bewijs had geofferd van een regime dat veertig jaar had geduurd. Zijn leeftijd.

Hij stond perplex. Moest terugdenken aan het ongeloof, de machteloosheid, de pornografische opwinding die door hem heen schoot bij het zien van zijn eerste lijk.

Een plank met Leica-fototoestellen en afluistermicrofoontjes verborgen in gieters, vogelhuisjes, boomstronken. Een verzameling valse poststempels uit Brussel, Tokyo, Buenos Aires, om de indruk te wekken dat de brieven wel hun bestemming hadden bereikt, terwijl het postkantoor van Leipzig ze gewoon naar de afzender terugstuurde met 'adres onbekend'. Een gigantische augurkgroene papierversnipperaar om persoonlijke dossiers te reduceren tot piramides van adobe.

De tentoongestelde voorwerpen voerden hem terug naar de natuurkundelessen op St Cross. Maar in plaats van aardbevingen en vulkanen van papier-maché te maken, had deze gerontocratie de wereld teruggebracht tot mierenhopen, waar alles wat niet op zijn plaats lag vijandig was.

Hij kwam bij een kast met vermommingen. Supracolour make-uppoeder. Een rubberen plak om een volle haardos in een kaal hoofd te veranderen. Een valse dikke buik met op de plek van de navel een gat voor de lens van een fototoestel. Hij keek naar de bedrieglijke navel en plotseling speelde zijn maag op bij de herinnering aan de tuinkabouter in de Schreber-volkstuinen.

Zijn eigen woorden spookten door zijn hoofd: *Ik ben dol op kitsch*. En hij herinnerde zich een zin van Canetti: 'Met kitsch denkt hij dat hij zichzelf tegen zijn toekomst kan beschermen.'

Het maakte Peter tegelijk bang en kwaad, dit tastbare bewijs van het feit dat een vijfde van de bevolking zichzelf bespioneerde. Zozeer dat hij toen hij bij een onopvallende vitrine kwam er bijna aan voorbij liep. Wat erin stond leek hem niet spectaculair vergeleken bij wat hij al had gezien. En toch kreeg de inhoud van deze vitrine, lang nadat hij de Runde Ecke had verlaten, een allesoverheersende betekenis.

In de twee glazen potten zaten reepjes gele stof van ongeveer tien vierkante centimeter die uit de stofdoek van Frau Hase geknipt hadden kunnen zijn. Iets aan de reepjes stof – die alles van foetussen weg hadden – deed Peter terugdenken aan zijn eerste medische experiment. Naast de potten lag een gekopieerd vel met instructies dat grauw was geworden. Hij bleef staan lezen terwijl de koorts in zijn botten omhoogkroop.

Geursporen conserveren

Iedere protagonist die in contact komt met zijn omgeving laat zonder het te merken zijn eigen individuele geur achter. Kleren op een stoel kunnen die geur bij zich dragen. Het betreft altijd een plek waar direct lichamelijk contact heeft plaatsgevonden.

Om die geur te conserveren heeft u een steriele lap nodig en een steriel pincet (dat na elk gebruik gesteriliseerd moet worden). Haal met het pincet de steriele lap uit de pot en leg die op het sporenmateriaal. Dek de lap af met aluminiumfolie en leg er iets zwaars op. Houd de lege pot gesloten. Na minimaal dertig minuten – bij extreem lage of hoge temperaturen is minstens twee uur vereist; of indien uw sporenmateriaal verbrand of nat is minstens vier uur; of indien het sporenmateriaal van papier of karton is minstens vierentwintig uur – conserveert u de lap en plaatst hem in de pot. Sluit het deksel, plak er een etiket op en noteer daarop alle gegevens. Als u kleine bewijsstukken heeft verzameld die de geur dragen, stop die dan bij de lap in de pot.

Bepaalde dingen waarvan men zich bewust moet zijn:

- Deze geuren kunnen schade oplopen door andere mensen, dieren, uitlaatgassen van auto's. Daarom moet u snel en voorzichtig handelen wanneer u sporenmateriaal verzamelt. Bedenk voor u begint waar u met de grootste waarschijnlijkheid de individuele geur van de protagonist zult aantreffen. Bedenk hoe hij/zij gehandeld zou kunnen hebben zodat u de juiste plek zult vinden.
- Voorkom dat uw eigen geur aan de aluminiumfolie komt. Wees er zeker van dat u precies weet van welke persoon u een geur heeft geconserveerd. De beste sporenmaterialen zijn: een stoel, een bed, een potlood – of iets waarmee is geschreven. Plaats indien mogelijk de lap onder de riem van de protagonist tussen t-shirt en ondergoed.
- Vergeet niet de potten te sluiten en op het etiket datum, tijd en plaats te noteren.

Aan de receptiebalie zat een vriendelijk uitziende vrouw die hem eerder niet was opgevallen haar mond koelte toe te wuiven alsof ze iets heets had gegeten. Midden vijftig, met kort hennahaar en de jeugdige gelaatskleur van te zware mensen. Ze keek op toen hij naar haar toe kwam en vroeg, met een fijne neus voor de stemming waarin hij verkeerde, of hij meer wilde weten over iets wat hij had gezien.

'Vertelt u me eens wat meer over de potten,' schor.

Ze legde haar hamburger neer en sprong overeind. Ergens – als ze hem te pakken kon krijgen – had ze een foto. Ze opende een archiefkast en trok er een zwarte map uit.

Op de loslippige manier van een persoon die al tijden zit te wachten tot iemand om informatie zal vragen, vertelde ze hem dat de Stasi het idee vrij laat had ontwikkeld, begin jaren tachtig. In hun zucht om alles op allerlei manieren te beheersen, legden ze een stemmenverzameling aan, een vingerafdrukverzameling, een speekselverzameling en ten slotte besloten ze een geurenverzameling aan te leggen. De opzet was onder meer een direct verband vast te stellen tussen verboden geschreven materiaal – ondergrondse literatuur, subversieve pamfletten, zelfs graffiti op muren – en de persoon die verantwoordelijk was voor het samenstellen of verspreiden ervan. In 1982 kochten ze een speciaal afgerichte hond van de politie die in een villa in Leutz ten noordwesten van Leipzig werd ondergebracht. Ze had maar één woord om het systeem te beschrijven: 'Pervers.'

'Hoeveel geuren hebben ze verzameld?'

'Duizenden. Nu weten we waarom er een tekort aan jampotten was!'

'Waar werden de potten opgeslagen?'

Een dikke wijsvinger wees naar het plafond.

'Wat is ermee gebeurd?'

Voor de tweede keer die ochtend hoorde hij dezelfde zin. 'Als u daar achter bent, komt u het me dan alstublieft vertellen.'

Op een winteravond was de politie in een gehuurde Volkswagentruck naar de Runde Ecke gekomen en had de hele verzameling meegenomen. Op 4 december 1989 werd op het hoofdbureau van politie een groot aantal potten ontdekt, inclusief een volledige verzameling van de oppositie in Leipzig. Sindsdien waren die potten verdwenen, hetzij kapotgegooid of in beslag genomen. 'Niemand weet wie ze heeft meegenomen en waar ze naartoe zijn gegaan.'

Ze haalde een paginagrote zwartwitfoto uit de map. 'Dit is de hond.'

De Duitse herder zat op een kale plankenvloer alsof hij midden op de wijzerplaat van een klok zat. In een kring stond een aantal potten net als die in de vitrine van het museum. In elke pot zat een opgevouwen lap geïmpregneerd met de geur van de verdachte. Afgaande op zijn houding – glinsterende ogen gericht op de fotograaf, voorpoten vooruit – had de hond er een geïdentificeerd.

Tot Peters verbazing voelde hij verwantschap met het dier, zelfs iets van jaloezie. De hond was onschuldig. Bovendien had hij gevonden wat hij zocht.

Hij gaf de foto terug. 'Kunt u me vertellen hoe ik iemand uit die tijd kan opsporen?'

'Iemand van wie de geur door de Stasi...'

'Misschien,' zei hij.

Ze staarde naar de hond. 'Dat weet ik niet – tenzij u met iemand kunt praten die van de Stasi was.' Maar Peter was zich er ongetwijfeld van bewust dat de regering amnestie had verleend aan iedereen die bij de geheime dienst werkte. 'Ze blijven helemaal op zichzelf.'

'Als ik met zo iemand zou willen praten, hoe kan ik hem dan vinden?'

Ze haalde haar schouders op en haar stem klonk wanhopig somber en had niets van de opgepoetste vrolijkheid van zijn pensionhoudster. 'Geluk? Toeval? Zesde zintuig?'

Hij liep met tollend hoofd over de Diettrichring. Opgetogen dat zo'n vluchtig moment misschien tot nu toe geconserveerd was gebleven. Tegelijkertijd bang dat hij Sneeuwlok in deze boze, manische wereld had gestort.

Zijn gespannenheid verbreidde zich over de straat en liet het alarm van een auto afgaan. Het idee van een pot gevuld met Sneeuwloks geur beviel hem wel, waarna hij de gedachte wegredeneerde. Niet iedereen werd bespioneerd. Was hij daar niet het levende bewijs van? Het was naïef en dwaas – deel van zijn romantische westerse mythologie – te veronderstellen dat omdat Sneeuwlok zich in het Astoria te kijk had gezet haar leven in gevaar was gekomen. De Kroatische taxichauffeur had gelijk. Misschien was ze dood of woonde ze in de Verenigde Staten, Peru, Winnipeg. Misschien was ze met een miljonair getrouwd, zoals een depressieve dichteres die hij had gekend. Misschien woonde ze wel in Charlottenburg!

Hij voelde zich kwetsbaar van hopeloosheid. Hij had niets ontdekt. Hij had geen flauw benul wat hij nu moest doen en in een parkje aangekomen bleef hij staan en keek op zijn toeristenkaart om te zien of daardoor zijn geheugen werd opgefrist. Maar de straten van Leipzig, net als de universiteit, hadden nieuwe namen gekregen. Waarschijnlijk had Sneeuwlok haar naam, hoe die ook luidde, veranderd. Als ze getrouwd was had ze hoe dan ook een andere naam. En het had geen zin om naar Bruno te zoeken, omdat Peter zijn achternaam ook niet kende.

Hij liep door, voelde zijn frustratie en onmacht, zonder te weten waar hij heen ging. De straat strekte zich voor hem uit en hij stelde zich 132 kilometer aaneengesloten dossiers voor. Maar hoe kon Sneeuwlok toen verdwenen zijn? Iemand moest zich haar toch herinneren. Ze was te levendig om vergeten te worden. En op dezelfde manier als hij als zeventienjarige in Hamburg naar zijn vader had gezocht, betrapte hij zich erop dat hij mensen die langs hem heen drongen diep in de ogen keek. Hij verlangde ernaar over te brengen wat hij voelde aan hen die hun eigen dagelijkse beslommeringen hadden. Hij wilde hen onstuimig bij de revers grijpen en vragen: 'Heb je Sneeuwlok gezien?' Voor het eerst sinds hij in de stad was aangekomen was het van vitaal belang dat hij haar terugvond om het goed te maken. En als hij haar niet kon vinden moest hij op zijn minst deze reis, die zijn laatste reis naar Leipzig zou worden, gebruiken om haar geest te bezweren, wat het ook kostte, hoe pijnlijk het ook mocht zijn. Maar waar moest hij beginnen, op zijn minst beginnen?

Het station kwam weer in zicht en hij herkende het woord dat tegen de lucht afstak, elke letter manshoog. Het Astoria was in elk geval trouw aan zichzelf gebleven. De dag ervoor had hij zich vijandig tegenover het hotel gevoeld. Maar dat gevoel ging als een nachtkaars uit en zijn gemoed schoot vol toen hij de ingang zag. Achter die roestende luifel lag het vertrek waar hij voor het laatst met Sneeuwlok had gesproken. Zou er niet iemand die avond in het Astoria zijn geweest die hem kon vertellen wat er van haar was geworden?

Hij ging terug naar het reisbureau. Hij stormde het kantoor binnen alsof iemand zijn arm beet had gepakt en hem terugtrok naar een lange ovale tafel.

De jongeman herkende hem. Hij droeg een ander pak. 'Bent u tevreden over het pension van Frau Hase?'

'Kunt u me zeggen hoe ik iemand te pakken kan krijgen die in 1983 in het Astoria heeft gewerkt?'

'Niet eenvoudig. Tenzij u op een rommelmarkt ergens een oud telefoonboek op de kop kunt tikken!'

Peter opende zijn portefeuille. 'Ik heb er honderd mark voor over.'

'Leni misschien?' zei een meisje aan het bureau ernaast.

'Leni. Ik was Leni vergeten.'

'Leni heeft in de Intershop gewerkt,' zei het meisje. Met de instemming van de ander zocht ze in het telefoonboek en draaide het nummer.

Aan de andere kant klonk de stem terughoudend. Leni had het druk. Ze moest naar de tandarts.

'Maar u kent toch vast wel íémand?' zei het meisje. 'De moeder van Wilhelm of zo?'

Uit het gesprek leidde Peter af dat als Leni van dienst kon zijn zonder nagetrokken te worden, ze wel wat meer prijs wilde geven. 'Zeg tegen haar...'

Het meisje legde haar hand op de hoorn. 'Wat?'

'Zeg tegen haar dat ik in contact probeer te komen met familieleden van vroeger.'

Al spoedig schreef het meisje het nummer op van een vrouw die de leiding had gehad over de hotelkeuken. De jongeman nam zijn geld aan en gaf hem het briefje.

HOOFDSTUK VIERENDERTIG

'U WILT ME ZEKER EEN tweedehands Golf aansmeren?' zei de stem met iets wat aan woede grensde.

'Nee, nee. Het is persoonlijk.'

'Ik heb ook al een goede satellietschotel, doet u dus maar geen moeite.'

'Ik ben op zoek naar een familielid, een jonge vrouw die u misschien heeft gekend.'

'Van wie heeft u mijn nummer gekregen?'

'Van het toeristenbureau.'

'Hoe heet uw familielid?'

'Ze heet Sneeuwlok.'

'Bedoelt u Snjólaug? Nee, ik ken geen Snjólaug. Waarvan zou ik haar moeten kennen? Hoe zou ik haar gekend kunnen hebben?'

'Nee?' niet in staat zijn teleurstelling te verbergen. 'Dan spijt het me dat ik u heb lastiggevallen.'

Later zou Frau Lube Peter vertellen dat hij haar had gebeld midden in het gebed voor de wereldvrede. Ze zat naar de middagdienst op televisie te kijken en had net voor haar overleden echtgenoot gebeden toen ze Peters stem met het buitenlandse accent hoorde vragen of hij met haar kon komen praten. En onmiddellijk voelde ze de oude en irrationele angst dat ze iets fout had gedaan. Ze dacht aan de onbetaalde telefoonrekeningen. Ze voelde ineens mee met de kinderontvoerder wiens compositiefoto in de krant stond. Alle misdaden die in het afgelopen jaar in Saksen waren gepleegd gierden door haar hoofd.

'Goedendag, dan.' Op het scherm eiste de kerkdienst haar aandacht op.

'Dag.' Maar hij bleef aan de lijn als iemand die nog een koffie wilde bestellen nadat de rekening al betaald was. 'Nee, wacht even! Heeft u in 1983 in het Astoria gewerkt?'

'Eens even denken. Ja, ik had de leiding over het keukenpersoneel.'

'Dan zou ik toch nog graag met u willen praten.'

Peter zou erachter komen dat niets het plezier van haar dag zo kon bederven als te worden gestoord tijdens de kerkdiensten die ze vanuit haar gemakkelijke stoel bijwoonde en die door de satelliet helemaal vanuit Wisconsin of de Filippijnen werden doorgestraald. Maar hoewel ze even tevoren had besloten dat ze hem niet wilde ontmoeten, veranderde ze van gedachten. Met haar slechte been waardoor ze moeilijk haar flat uit kon komen, was haar verlangen naar gezelschap toegenomen sinds haar zoon naar Adelaide was verhuisd. Zoals ze al vrij snel tijdens hun eerste ontmoeting zou toegeven was het verschrikkelijk om het contact met een familielid te verliezen. Ook al kon ze de Herr Doktor niet helpen, hij was in elk geval iemand met wie ze een praatje kon maken.

'Goed, we kunnen praten. Maar u moet niet vóór vier uur komen. En niet langer dan een halfuur.' Haar kleinzoon – de zoon van Wilhelm – zou op de thee komen.

Stipt om vier uur liep Peter naar de achtste etage van een prefab woontoren in de Zingster Straße. De overloop rook naar vers beton en door een spleet zag hij de grijze rand van een satellietschotel en een horizon beheerst door een metalen kudde antennes, ontvangers en hijskranen.

Hij drukte op de bel en wachtte. Achter de deur klonk het op een band opgenomen geblaf van een hond.

De deur ging open en een oude vrouw keek hem aan, pokdalig maar goed verzorgd met krullend, blauw gespoeld haar. Een flessengroene jurk viel over haar zware boezem en in één hand hield ze een bijbel.

'U bent jonger dan uw stem,' zei ze terwijl ze het paar sandalen van de deurmat weghaalde en hem met veel omhaal binnenliet. 'Wat is dat voor een accent? Komt u uit Berlijn? U klinkt niet als een Berlijner.'

Hij glimlachte. Ze had haar gezicht gepoederd voor God, of voor Peter, net als een van Rosalinds bestoven scones. 'Hoe klinken mensen uit Berlijn?'

'Het Berlijnse accent is kortaf en bits en bijtend.'

'Ik ben Engels.'

'Zo, Engels?'

Met verbaasde ogen nam ze de nogal slappe kaslelies van hem aan en hobbelde voor hem uit naar haar woonkamer.

Op de televisie hield de Duitse kanselier een toespraak. Ze zette het geluid zachter en trok een mouw over de zakdoek die erin geschoven zat. Ineens stond haar gezicht gespannen. Ze wekte de indruk dat ze niet goed wist wat ze met Peter of zijn bloemen aan moest.

'Is die van u?' vroeg hij om het gesprek op gang te brengen.

Ze volgde zijn blik naar een poster van Che Guevara.

'Nee. Van mijn zoon,' en ze zwaaide met de lelies naar een foto op het televisietoestel van een jongeman van in de twintig met zwart piekhaar. 'Dat is Wilhelm. Net voor zijn ongeluk.'

Ze vertelde hem het verhaal. De jongen die altijd al een Volkswagen had willen hebben. De gewetenloze dealer uit het Westen. De versnelling die in z'n vier bleef steken. De zilverberk in de bocht even buiten Luckenwalde.

'Hij heeft een maand op de brandwondenafdeling gelegen.'

Met haar vrije hand pakte ze de foto. Keek ernaar. Zette hem terug. 'Nu zit hij in Australië. Kijk maar.'

Tegen de muur een ansicht van Ayers Rock, tussen de lijst van een oud rivierlandschap gestoken.

'Kan die kleur echt zijn?' Ze bekeek de rots terwijl ze haar haar opduwde. 'Dat zegt Wilhelm.'

'Waarom niet?'

'Heeft u kinderen?'

'Een zoon van vijf.'

'En hoe oud bent u als ik vragen mag?'

'Veertig.'

'Ah zo. Wilhelm is tweeënveertig. Mannen van in de veertig, dan gebeuren er allerlei dingen.'

Peter wachtte op haar uitleg, maar ze deed de schuifdeur al open naar een met glas beschot terras. Ze wekte een verstoorde indruk. Er was iets in zijn gezicht wat haar dwarszat. Een vreemde Engelsman in haar huis. Wat wilde hij eigenlijk? Echt?

Op het terras stonden twee lage en niet comfortabel ogende tuinstoelen en een strandparasol.

'Gaat u zitten, alstublieft,' zei ze, en ging op zoek naar een vaas voor de gekneusde lelies.

Peter liep naar de rand en keek omlaag. Beneden lag een klein meer dat, zoals Frau Lube door de schuifdeur uitlegde, vroeger een dagmijn voor bruinkool was geweest. Rond zes uur 's ochtends mocht ze graag in haar stoel gaan zitten kijken naar de zwemmers die in het ijskoude water doken. Net zoals ze altijd goed sliep tijdens storm en regen, voelde ze zich altijd verwarmd door de aanblik van die zwemmers. Blij dat ze niet meer in de Rosentalgasse woonde.

Vanuit de flat babbelde ze maar door en hij was blij dat hij kon luisteren. Dat kon hij nu eenmaal goed. Zijn pasmunt.

Frau Lube had geen spijt gehad om uit haar huis in de oude wijk te vertrekken. 'Linoleum wordt in Leipzig in de winter erg koud.' De kou van de vloer was door haar botten opgetrokken en had haar voeten verpest. Het dak lekte. Bakstenen staken door het pleisterwerk. Iedere keer als ze er binnenkwam werd ze overvallen door de stank van verrotting, vocht en oude zwabbers.

Vervuld van optimisme was ze vijf jaar geleden naar dit wooncomplex in Grünau verhuisd. 'Ik dacht dat het leven er goedkoper zou zijn en in het begin was dat ook zo.' Het enige wat haar niet beviel was de smerige straat die erdoorheen liep. Iedere keer als ze de trap op liep had ze modder aan haar schoenen, maar het was een mooie, nieuwe flat.

Langzaam was haar hoop afgebrokkeld. In het beton verschenen grote scheuren. Als ze de radiator uitzette schudden de muren. De huur steeg van negenenzeventig naar zevenhonderdtien mark – 'zonder enige verbeteringen!' Haar nieuwe buren waren niet zo aardig. 'Mijn eerste buren vond ik aardig, maar die zijn met hun kinderen naar het Westen verhuisd.'

Frau Lube strompelde uit de keuken en nadat ze een vaas met water op het televisietoestel had gezet trok ze een vies gezicht. Op het scherm vervolgde kanselier Schröder nog steeds zijn stille toespraak.

Peter schraapte zijn keel. 'Ik hoop maar dat...'

Ze onderbrak hem. 'Er is iets fout aan hem. Ze zeggen dat hij zijn haar verft!' en rechtstreeks tegen de politicus. 'Zolang er mensen als jij in de partij zitten zie ik niet in waarom ik er lid van zou worden. Zuiver

eerst je partij maar eens! Heb ik er na alles wat ik heb doorgemaakt geen
recht op om goede mensen aan het roer te hebben?' Ze draaide zich
naar Peter, zette haar handen in haar zij en zei met stralende ogen: 'Ik
ga u iets vertellen wat u misschien niet wilt geloven. Wij waren blij met
de Muur! Zo, dat is eruit. We hadden geen misdadigers. Geen heroïne.
Geen fascisme. Geen graffiti. En dat zijn maar een paar voorbeelden!
Toen kwamen de Wessis en stelden de Ossis niets meer voor. De Wessis
weten alles beter, de Wessis kunnen alles beter, de Wessis praten beter.
In Saksen krijgen we te horen dat mensen niet werken, dom zijn, niet
genoeg weten.' Ze sprak weer tegen Schröder, legde hem woorden in
de mond. 'Maar zou een marionet als jij veertig jaar communisme en
allerlei problemen hebben weerstaan en toch zoveel hebben gedaan als
een Sakser?'

'Jullie hebben hier een moeilijke tijd gehad, hè?'

'Wij zijn het kwade geweten van een groot volk, Herr Doktor,' zei ze
weemoedig, alsof ze de uitdrukking van het televisiescherm had overgenomen. 'Ik wil weer een Duitse zijn.' En ze zette Schröder af. 'Koffie?'

'Ja, graag.'

Haar woorden bleven tot hem komen boven het geluid van de vol-
lopende fluitketel uit. 'De Muur was een deel van me. Ik wist hoe ver
ik kon gaan. Wat er nu gebeurt kan ik niet aan. Het gaat te snel. Wat de
mensen zeggen is waar. Ik voel me in mijn eigen land een emigrant. Als
je je misdraagt kan het niemand wat schelen. Toentertijd kon het wel
iemand wat schelen en kwamen ze achter je aan. Nu moet je maar op
jezelf passen.' Net als Schröder ratelde ze maar door zonder echt aanwezig te zijn. 'Ik ben tegenwoordig boos en ik zal u vertellen waarom. Alles
wat ik in mijn leven belangrijk vond en waarvoor ik heb gevochten is
verloren gegaan en gedevalueerd door mensen die net als hij hun haar
verven. Ze doen net of zesenzestig jaar niet meer waarde heeft dan de
modder aan mijn schoenen. Maar wie zal van hún leven zeggen dat het
maar een modderverhaal was? Niemand!'

Peter voelde wanhoop opkomen door de stortvloed die zijn bezoek
had ontketend. Hij was hier niet op zijn ronde als geriater. Tegen zijn
gewoonte in had hij moeite om zich te concentreren. Hij overwoog om
op te staan. De situatie te beheersen. Maar haar monoloog had een dem-

pende uitwerking en hij vroeg zich af of zij hem niet het zwijgen oplegde zoals ze de kanselier het zwijgen had opgelegd. Hij begon Frau Lubes woorden op de voet te volgen, als een zwaardvechter op zoek naar een zwakke plek, een opening, waar hij in deze claustrofobische flat een steek kon uitdelen. Want die vorm had zijn zoektocht inmiddels gekregen.

Uiteindelijk kwam ze met een blad het terras op. 'Wilt u suiker of melk?'

'Melk,' zei hij.

Ze ging zitten. 'Natuurlijk deden we de dingen anders. Maar in elk geval deden we dingen. Mensen als Schröder hebben onze wereld op zijn kop gezet. Weet u wat er vandaag de dag aan scheelt? Ze hebben een wereld geschapen waarin je je de essentiële dingen niet meer kunt veroorloven.'

'Frau Lube...' en hij probeerde een vraag in deze lawine te wringen, maar ze liet geen gaatje open.

'Brood, vervoer, verwarming, huur – allemaal te duur. Je kunt je alleen luxedingen veroorloven. Alstublieft, neemt u er een.'

Op de doos stond 'Specialiteiten uit Keulen'. Sinds de Muur was geslecht kon ze zich overgeven aan twee luxeartikelen waarvan ze in haar vorige leven alleen kon dromen. Ze had via de satelliet een universele God ontdekt. En ze had West-Duitse bonbons ontdekt. Vele malen superieur aan de Russische mintchocolaatjes die in het Astoria op de kussens werden gelegd en die ze regelmatig had gejat.

In vrijwel elke bonbon stonden tandafdrukken.

'Of houdt u niet van bonbons?' zei ze opgewekt.

'Ik moest aan mijn grootvader denken. Hij bewaarde ze altijd in het vriesvak.'

'Ik vind die met vulling niet lekker,' zonder zich iets aan Milo Potter gelegen te laten liggen.

Hij koos een met aardbei gevulde bonbon waarvan een hoekje af was en legde hem op het schoteltje van zijn melkloze koffie.

Frau Lube krabde aan haar been. 'Ik zeg niet dat...'

Maar hij keek omlaag. 'Wat heeft u daar?' Zonder na te denken pakte hij haar been vast en Frau Lube liet hem zonder tegen te stribbelen begaan.

'Dit eczeem ziet er niet fraai uit.'

'Heet het zo? Al die dokters, ik begrijp nooit waar ze het over hebben.'

'Wat doet u eraan?'

'Wat ik eraan doe? Krabben.'

'U kunt er een heel simpel middel tegen gebruiken.'

'Krabben is gemakkelijker.'

'Ik zal een zalf voor u meebrengen.'

Er kroop een argwanende uitdrukking over haar gezicht. Probeerde hij indruk te maken? Ze trok haar been terug. Leunde achterover. Pakte de doos.

'Dit is mijn balsem. Herr Dokter Peter, neem er nog een. O, maar u hebt de eerste nog niet opgegeten. Weet u wat, stop deze bij u. Je weet nooit wanneer je behoefte aan zoetigheid krijgt,' en ze gaf hem de enige bonbon die niet aan een onderzoek door haar tanden en duimen was onderworpen.

Hij legde hem op zijn schoteltje, naast de andere.

Ze streek haar jurk glad. 'Ik heb u gewaarschuwd dat het tijdverspilling zou zijn,' ineens trok ze een been onder zich. 'Wie is dat meisje, Snjólaug? Familie van u, zegt u?'

Hij prikte voorzichtig in de aardbeibonbon, knapte hem op. 'Laat ik er maar geen doekjes om winden, Frau Lube.'

Het is altijd gemakkelijker om het aan vreemden te vertellen. Maar toch kwam Peter voor de beschrijving van zijn ontmoeting met Sneeuwlok met de versie die hij aan zijn schoolvrienden in het Garrick-hotel had verteld. De versie waarmee hij kon leven.

Frau Lube zat heel stil. Alleen haar mond bewoog. Ze keek niet meer naar hem maar tussen twee bloembakken met rudbeckia's door.

'Ik zal haar ogen nooit vergeten toen ze achteruitdeinsde,' zei hij. 'Zo zou ik nooit iemand willen behandelen – zo zou ik zelf nooit behandeld willen worden.'

Toen hij uitgesproken was kon hij niet uitmaken of wat hij had verteld iets bij haar opriep of niet. Alle uitdrukkingskracht lag in haar mond, terwijl ze een bonbon at.

'Herinnert u zich iets van deze jonge vrouw, Frau Lube?'

Ze schonk hem een tevreden glimlach. 'O, je had altijd van die meisjes. Maar in mijn herinnering vervagen ze. Het is al lang geleden, Herr Doktor. Weet u wel hoeveel meisjes er ooit in dat hotel zijn geweest?'

Hij maakte zijn portefeuille open en haalde er een paar bankbiljetten uit. 'Maar dit meisje? Er zal toch vast wel iemand zijn die haar heeft opgemerkt?'

Frau Lube keek naar het geld. 'En dat allemaal voor een drankje in een foyer?'

'Daar gaat het niet om,' zei hij snel. Hij voelde de schuld en de honger van negentien jaar.

Frau Lube, die in haar leven honger had gekend, vouwde de bankbiljetten, stopte ze weg en koos een hazelnootbonbon.

'En waarom wilt u haar spreken?'

'Ik wil haar spreken... haar vragen – zien of het goed met haar gaat,' en hij probeerde het minder zwaar te maken door te lachen.

Langzaam rolde ze de hazelnoot rond in haar mond en zoog hem schoon. Haar zenuwachtigheid smolt met het laagje chocola weg. 'Snjólaug, zegt u,' met de juiste uitspraak. 'Nee, die naam ken ik niet. En u beseft natuurlijk wel dat het misschien niet eens haar naam is'

'Hoe bedoelt u?'

'Veel van die meisjes hadden een speciale naam. Deze naam klinkt heel bijzonder, vindt u ook niet? Misschien was ze een hoertje. Misschien heette ze helemaal niet Snjólaug. Misschien dat het enige wat u van haar weet wel niet klopt.'

'U heeft gelijk, u heeft gelijk.' En de zinloosheid ervan stemde hem droevig, om hier op dit kille terras onder een Bulgaarse strandparasol te zitten met een vrouw gekleed voor de middagdienst die bonbons zat te eten. 'Maar alles wat ik kan doen is vragen en misschien dat iemand zich iets zal herinneren, een detail, waardoor ik haar kan opsporen.'

Haar gezicht werd milder. 'Goed, wilt u details. Laat me eens nadenken. Details.' Ze duwde de noot in haar wang. Haar hand streek over een dikke nek en ging daarna omlaag om haar enkel te krabben. 'Er was wel een meisje.'

Hij keek op.

'Als dat het voorval was waar u het over heeft, en ik zeg niet dat dat zo is, werd er in de keuken nog veel over doorgepraat. En hoewel we het er niet over eens zijn wie ze is, dat meisje, vragen we ons wel allemaal het-zelfde af. Waarom liet de portier haar toch binnen en stuurde hij haar niet gewoon weg? Ik weet nog dat de kok zei: "Het is toch duidelijk wie ze is, waarom zou hij zo'n risico hebben genomen? Dat is een Konsum-meisje" – wat u een Stasi-meisje zou noemen. In die tijd waren er heel wat van dat soort meisjes, moet u weten. Het hotel zat er vol mee. En er waren anderen, studenten die zich tijdens de boekenbeurs prostitueer-den. In ruil voor panty's of geld. In elk geval voor heel weinig. En een van de personeelsleden geloofde dat heilig. Hij was er heel fel over.

Maar goed, we zijn het er dus niet allemaal over eens. Dat is soms een beetje de aard van ons werk, we vermaken ons in de keuken. En nu eens kijken wat ik denk. Hm, ik zeg dat het een meisje is dat misschien heel naïef is. Misschien heeft ze wel veel wodka gedronken. Of misschien dat ze... nee, voor mij is het duidelijk, ze is echt verliefd. En een meisje in die toestand is tot allerlei dingen in staat. Het geeft haar het lef dat ze anders niet zou hebben. Dit is een meisje dat verdrinkt, waardoor ze tien keer sterker is dan normaal. Met de kracht van een moeder die een auto van haar kind af kan gooien. Moet ik nog meer zeggen? Jazeker, dit meisje weet wat ze wil.'

'Dus u herinnert zich haar nog?'

'Droeg ze soms een erg kort rokje?'

'Dat klopt!' Zijn hart bonsde alsof het uit zijn lichaam wilde opstij-gen.

'Ze stond met de portier bij de personeelsingang. In het begin denk ik nog dat het een van die gelegenheidshoertjes is vanwege de manier waarop ze is gekleed. Ze is jong en ik kan zien dat ze door iets van streek is. Omdat hij voor het eerst in die situatie verkeert weet Anton – dat is de portier – niet wat hij moet zeggen of doen. Hij probeert haar te kalmeren. Het is vreemd, maar ik heb onmiddellijk met haar te doen. Ik vraag wat er aan de hand is. Het komt erop neer dat ze door een wester-ling is belazerd,' en Frau Lube staarde naar haar kopje. De weerschijn van het licht in haar kopje legde een aureool over haar gezicht. 'Het volgende dat ik me herinner is dat ze in het toilet staat. Ze staat voor de spiegel al haar make-up eraf te boenen alsof ze het verschrikkelijk vindt. Als ze ermee klaar is blijft ze heel lang in de spiegel staan kijken. Ze wist niet dat ik haar gadesloeg...'

'Waar is ze nu? Weet u dat?'

'Het is heel wat jaren geleden. Hoe kan ik dat weten?'

Nu was het zijn beurt om haar niet te geloven. Hij gooide zijn hoofd achterover. 'Omdat u kennelijk alles weet.'

'Ach, Herr Doktor Peter, dat is iets wat jonge vrouwen willen horen. Ik ben te oud. Drink uw koffie nu maar op anders wordt hij koud.'

Dat was de enige macht die ze nog had. Hem van zijn à propos brengen. En Peter kreeg de indruk dat Frau Lube, nu ze alle verweer van de oude dag in stelling bracht, tot haar verrassing had ontdekt dat ze minder gecharmeerd was van de man die naast haar op het terras zat dan van haarzelf.

De bel ging, die een mechanisch geblaf in werking zette. 'Dat zal mijn kleinzoon zijn.'

'Frau Lube, als ik jonge mensen zou willen terugvinden, mensen van het toneel, iemand die mogelijkerwijs jaren geleden iets met het Astoria te maken heeft gehad...'

'Wat jonger dan ik?'

'Ja, waar zouden die naartoe gaan? Naar welk café zouden ze gaan?'

Ze overdacht de vraag. In de gang bleef de hond blaffen. 'Dan moet u naar de Mädler-Passage. De trappen af. Ik kan er nu niet meer heen. Auerbachs Keller, zo heet die gelegenheid.'

Hij likte over zijn lippen. 'Ik wil echt nog wat meer met u praten. Mag ik morgen terugkomen?'

Er was een forse bries opgestoken waardoor haar parasol wapperde. 'Dat is een gemene wind. Moet u horen,' zei ze opgewekt en ze kwam moeizaam overeind, 'misschien brengt u morgen wel een doos bonbons mee en herinner ik me wat meer. Ik heb ze liever met likeur dan met crèmevulling. Mijn kleinkinderen moeten er niets van hebben.'

HOOFDSTUK VIJFENDERTIG

Peter had niet voorzien hoe opgelucht hij zich zou voelen om over Sneeuwlok te kunnen praten. Toen hij tegen Frau Lube haar naam mompelde werd het een tastbaar soort hostie dat het vocht aan zijn tong onttrok. Toen hij eenmaal Sneeuwloks verhaal had verteld – ook al was het niet het hele verhaal – was ze aanwezig. Als een verklaring.

Hij liep door de Zingster Straße en voelde zich met elke stap lichter. Hij had het gevoel een luchtbel omhoog te zien komen, net als een belletje op de Itchen dat aangaf waar een forel aan het eten was. Tegen de tijd dat hij bij de S-Bahn kwam liep hij in zichzelf te fluiten.

De trein bracht hem terug naar het centrum. Het was goed om niet in de Hilfrich Klinik te zijn. Met dit nieuwe bevrijde gevoel ging hij op zoek naar het gebouw waar Sneeuwloks grootvader bontwerker was geweest.

Een restauratiebezem was door de Brühl gehaald. Overal hoorde hij getimmer en geklop en geschreeuw. Hoog op steigers waren gedaantes met oranje helmen de zwarte kalksteen aan het zandstralen en onder het vuil en het vet en het roet van de oude stad vandaan dook het gezicht van een verjongd Leipzig op.

Uiteindelijk vond hij het gebouw. Een indiaan met een rode veren hoofdtooi grijnsde omlaag vanaf de opgepoetste gevel van de Dresdener Bank. Vanuit een andere deuropening keken twee ogen hem opgepoetst en glanzend aan. 'Dat deuntje heb ik in geen jaren gehoord.'

Nog altijd fluitend liep hij naar het marktplein en liet de veranderingen tot zich doordringen. Achter in zijn keel proefde hij de lucht naar hamburgers, geen koolstof. Stelletjes zaten onder Peter Stuyvesant-parasollen te eten en uit de fontein waar hij op haar had gewacht spoot water.

Het was dan ook een bittere teleurstelling te ontdekken dat de Thomaskirche met zeildoek was ingepakt. Een Bronto-Skylife-kraan blokkeerde de ingang en binnen hoorde hij een cirkelzaag gieren. In verwarring liep hij naar de achterkant van de kerk waar een bord hem liet weten dat de Thomaskirche voor renovatie was gesloten. Een blik op de dubbele ingangsdeur en hij zag zichzelf er weer uit lopen. Hij zag de slankere gedaante van zijn jongere ik de trappen af hollen en een groene regenjas tussen grauwe gezichten over het natuurstenen plaveisel deinend in het bakstenen gebouw op de hoek verdwijnen. Er zaten zeemeeuwen op het dak en haar beeld zweefde als een vogel voor zijn ogen.

Waar keek ze nu naar, op ditzelfde ogenblik? Kon hij maar op die plek zijn om haar blik te vangen.

Het luidde zes uur toen hij de Mädler-Passage in liep. Het gebeier trilde door hem heen en toen hij zichzelf in de etalages van de winkels zag, met zijn donkerblauwe stropdas wapperend als een wimpel, kreeg hij het gevoel of de tijd weglekte. Hij versnelde zijn pas alsof hij iemand bij wilde houden. Met de wens om haar in deze winkelgalerij terug te zien zodat hij alles ongedaan kon maken.

Halverwege de Mädler-Passage zag hij twee beelden aan weerszijden van de winkelgalerij. Dit visioen van Faust en Mefisto scherpte zijn herinnering. Hij liet zijn hand op de vierkante neus van de schoen van Faust rusten, zoals hij Sneeuwlok indertijd had zien doen, en liet zijn blik over de etalages dwalen op zoek naar een wijnbar. Niets. Waar zich in zijn herinnering een art deco-lamp bevond stonden nu glazen vakken vol met Belgische pralines.

Toen zag hij het: het beeld bewaakte de ingang van Auerbachs Keller.

Hij liep omlaag, omlaag, omlaag. Door een warme hal. In een laag ruim lokaal met een bakstenen gewelf. De plek waar Sneeuwlok hem mee naartoe had willen nemen. 'Als je Auerbachs Keller niet hebt gezien heb je Leipzig niet gezien!'

Hij werd dorstig van al die mensen die zaten te drinken. Hij bestelde een Weißen, trok een stoel achteruit en ging zitten om de ruimte in zich op te nemen.

Overdadig geverniste schilderijen van scènes uit het stuk van Goethe. Ze waren zo vaak gerestaureerd dat de oorspronkelijke figuren eigenlijk verloren waren gegaan, maar Peters blik werd door een van de doeken getrokken – een doek van Faust op een wijnvat alsof het een paard was – en door de mantel en de plooikraag kwam het beeld naar boven van zichzelf als student medicijnen in een rol voor de pantomime. Het schilderij herinnerde Peter eraan dat Faust ook dokter was. Bijgelovig probeerde hij een verband te leggen tussen hun beider situatie, maar dat lukte hem niet.

Hij had de mensen aan de bar gadegeslagen zoals ze daar bij elkaar stonden in maatpakken en glanzende brede stropdassen en terwijl hij toekeek hoe ze elkaar aanstootten – hoe ze elkaar op de schouder sloegen, de karikaturale manier waarop ze elkaar begroetten of afscheid namen – drong het tot hem door dat een vrouw met granaatrode lippenstift hem intens opnam. Ze zat aan de bar en keek van tijd tot tijd om zich heen. Ze was gekleed in de elektrische kleuren van een tropische vis en de vullingen in haar schouders deden vermoeden dat ze iemand was die bij de zakenlui wilde horen.

Ten slotte pakte ze haar wijnglas en handtas op en laveerde naar hem toe. 'Ben je toneelspeler?'

'Nee,' zei hij.

'Zanger?'

'Nee.'

'Onderwijzer?' Ze kreeg lol in het spelletje.

'Waarom onderwijzer?'

'Je ziet er ongelukkig uit.' Ze trok een stoel bij en ging zitten. 'Het is een waar gezegde,' op ongedwongen, verleidelijke toon. 'In Leipzig zeggen we dat als er plek is voor één er ook genoeg plek is voor twee.'

Uit haar handtas haalde ze een catalogus met een mannequin op het omslag en plofte hem op de tafel tussen hen in. Ze had ook net zo goed rozen voor een geliefde kunnen verkopen. 'Weet je zeker dat je niet iets speciaals wilt voor de vrouw in je leven? Soms zijn vrouwen te verlegen.'

Hij keek naar het model en dacht aan een vrouw op het strand in een advertentie voor Lambs's Navy Rum. 'Nee, dank je.'

Ze sloeg de catalogus open. 'Zou het niet leuk zijn om een beetje on-deugend te worden in dit?' Geamuseerd las ze de beschrijving eronder voor. 'In de kleur van het eerste ochtendlicht aan de horizon... De da-mesmode is afgezet met vederzacht dons en is geknipt om de verbeel-ding van de man in je leven te prikkelen.'

'Nee, dank je, echt niet.'

Ze keek hem borend aan. Haar huid vol putjes onder een dikke laag gezichtscrème en haar voorhoofd bezaaid met puistjes als een tafelkleed vol kruimels. 'Ik vergeet nooit een gezicht,' en ze likte over haar lippen. Misschien was ze aangeschoten. 'Ik heb een fotografisch geheugen voor gezichten. Ik heb jou eerder gezien. Waar kom je vandaan? Jij komt uit Engeland, hè?'

'Dat klopt.'

Hij zag hoe ze probeerde om hem te plaatsen alsof hij een klant van haar was geweest. Toen leunde ze achterover en knikte. 'Oké, ik ben eruit. Als je me wat te drinken aanbiedt, vertel ik je wie je bent.'

Hij dacht: o god, ben ik ooit met haar naar bed geweest?

'Hebben wij...?'

'Nee, schatje, je hebt niet met mij geneukt.'

'Hoor eens, ik geloof dat je je vergist.'

'Maar wel met Snjólaug.'

Peter hapte even naar adem alsof ze hem een klap had gegeven.

'Hotel Astoria. Je hebt haar laten zitten in, even denken, begin tach-tig...' en ze pauzeerde. 'Negentien drieëntachtig. In het jaar dat het ka-naal was dichtgevroren. In dat jaar heb ik mijn enkel gebroken en moest ik uit het leven stappen.'

De tijd spreidde zich over haar gezicht uit en tevergeefs probeerde hij het te lezen. Ze zoog haar wangen naar binnen om hem te helpen. Legde een hand op haar hoofd. 'Vroeger had ik rood haar. Wat als ik Renate zeg?'

Hij deed zijn uiterste best om zich een slanke vrouw voor te stellen met kort haar in de kleur van marmelade, donkere ogen en afgekloven vingernagels. Alleen in de lijn van haar rug was een spoor terug te vin-den van het meisje dat in de taxi Teo's hand had vastgehouden.

'Renate!' Hij trok zijn stoel naar voren. 'Natuurlijk, Renate!'

'Nu heet ik niet meer Renate. ik heb een andere naam – ik heet Christiane.' Ze had hem veranderd omdat ze was getrouwd en een dochter had en ze niet wilde dat haar dochter iets te weten kwam over haar vroegere bestaan.

'Wat doe je in Leipzig?'

Tegenwoordig verkocht ze lingerie bij mensen thuis. 'Directe verkoop, zouden jullie dat noemen. Niet zo'n gekke keuze. Ik ging toch al altijd met het publiek om,' en ze knipoogde. 'Het is sexy, maar niet geil, als je begrijpt wat ik bedoel. Grijze hemdjes, strechkant – satijn is erg populair. Ik heb een goed oog voor vrouwenmaten. Ik hoef maar naar iemand te kijken om te weten welke cupmaat ze heeft, wat haar goed zal staan en wat niet. Verveel ik je?'

'O nee. Fascinerend. Ga door.' En hij richtte al zijn aandacht op haar alsof dat wat ze te vertellen had nauw verbonden was met zijn dagelijks bestaan.

'In vroeger dagen,' ging ze verder, kennelijk genoot ze van zijn aandacht, 'zou ik naar de stad zijn gegaan om me een bh aan te laten meten en dan was er een dame die met me mee ging naar de paskamer. Dat duurde drie uur en dan kwam ik in tranen thuis. Dan kwam ik met niets terug! Het is vooral moeilijk voor vrouwen met kinderen. Als je in een dorp woont kun je niet zomaar een winkel binnenlopen en iets kopen. Je moet ervoor naar de stad, maar je hebt nog vijf miljoen andere dingen te doen en dan staat het kopen van een bh voor borstvoeding wel onder aan je lijstje.'

Ze stak een mollige oranje arm omhoog om de ober te roepen. 'Het werkt erg met mond-tot-mondreclame.'

'Vertel eens...'

'We zitten aan de koffie, de wijn, ligt eraan. Kijken naar de kleren. Passen ze. Binnen de kortste keren hollen ze allemaal naar de paskamer en vragen dan: "Wat vind je?" Vrouwen horen graag wat anderen ervan vinden. Een winkelbediende kun je niet vertrouwen, maar een vriendin kun je vertrouwen als ze zegt: "Daarin zie je eruit als een walvis".'

Haar ogen taxeerden hem en haar stem werd milder. 'Er zijn ook heel bescheiden vrouwen bij die zich met hun rug naar je toe uitkleden. Snjólaug zou dat waarschijnlijk hebben gedaan.'

'Sneeuwlok – heb je haar gezien?' Hij probeerde het luchtig te zeggen.

Ze wees een Petra-broek aan. 'En wat dacht je hiervan? Zou dat niet een beetje zomerse zonneschijn in haar leven brengen?'

Hij las: 'Ga op retro in deze funky, terug-naar-de-jaren-zeventig heupbroek met uitlopende pijpen en zijsplit.'

Ze zou niets meer zeggen tot hij iets gekocht had.

'Doe maar.'

'Kleur?' Net zo zakelijk als Rosalind de stand van het scrabblebord bijhield haalde ze een notitieboek te voorschijn en een roze viltstift. 'Ze zijn verkrijgbaar in moondance, zwarte magie en aurora.'

'Wat raad je me aan?'

'Moondance is een kleur die Vissen geluk brengt. Is haar sterrenbeeld Vissen?'

'Dat weet ik niet.'

'Je weet niet veel, hè? Laten we maar moondance doen. Maat?'

'Geen idee. Laten we zeggen lang en slank.'

Ze schreef het op. 'Te slank eigenlijk. Waarschijnlijk anorectisch, als je het mij vraagt.'

Hij vocht tegen de aandrang om het haar te vragen, maar het was net als met een erectie die hij niet bij machte was te verbergen. 'Hebben jullie nog contact?'

'De lentecollectie haalt een wat bleke huidskleur op,' zei ze met een sonore stem en wachtte.

'Dan wil ik er daar wel een van.'

'Die hebben we nu niet in voorraad.' Ze plukte aan haar mouw. 'Zoiets zou een dame met donker haar heel goed staan.' Ze wees het aan in de catalogus. Twee keer zo duur.

'Ik zou graag...'

'Wat zou je zeggen van een J'adore Capri-hemd voor jou?' Ze vond de bladzijde. '"Jouw hart behoort mij toe in alle talen van onze fun J'adore-collectie".'

'Doe er daar ook maar een van.'

'Watermeloen, bosnevel of perzikbloesem?'

'Kies jij maar,' geërgerd.

Haar ogen catalogiseerden hem. 'Bosnevel. Wat vind je? Ik heb deze artikelen zelf in huis. Ik kan ze morgen afgeven en dan kun je me betalen.'

Hij gaf haar het adres van Pension Neptune en ze schreef het op in haar bestellingenboek.

'Je wilt over iets met me praten? Nou, laten we dan praten.'

'Ik zoek Sneeuwlok.'

'Snjólaug,' op een flirtende manier alsof de naam voor het eerst viel. 'Dat is een rare meid, hoor.'

Het parochiehuis. Daar hadden ze elkaar voor het eerst ontmoet. 'Dat klopt, op het feestje.' Ze lachte. 'Je zou hebben gedacht, omdat Bruno met mijn nichtje was getrouwd, dat we elkaar al wel eerder tegen het lijf zouden zijn gelopen. Maar al die tijd dat ik met hem neukte heeft hij het niet één keer over zijn zuster gehad.'

'Was haar broer met jouw nichtje getrouwd?'

'Jazeker, Petra.'

'Dan moet je zijn achternaam kennen.'

Ze keek hem aan met een glimlach waarbij ze haar lippen naar binnen zoog.

'Nou?'

'Berking. Bruno Berking.'

'Berking.' Hij herhaalde de naam. Probeerde er Sneeuwlok in te zien. 'Wat was haar voornaam?'

'Dat heb ik niet geweten en weet ik nog niet. Ik heb haar gekend als Snjólaug omdat ik jou haar in het theater zo had horen noemen. Zoals ik al zei praatte Bruno nooit over haar.'

'Ga door.' Hij zat op het puntje van zijn stoel.

'Nou, de avond na het feestje was ze ineens in het Rudolph-theater – weer met jou. En je vriend de musicus. Hoe dan ook, ik denk, omdat jij en Snjólaug met elkaar zijn, ik neem jouw vriend wel – ik weet niet meer hoe hij heette.'

'Teo.'

'Oké. Kijk, ze wilden graag dat we met westerlingen meegingen. Zelfs met artistiek volk! Ze stelden speciale kamers beschikbaar en soms werden we betaald. Dus wij stappen in de taxi en ik weet nog dat ik niet wist wat ik van Snjólaug moest denken. Dit was geen snol die haar kuthaar in een Mercedes-Benz-ster had geschoven. Ik bedoel, je kon naar haar kijken en het absoluut tegenovergestelde denken. Je kon ook denken: dit is een sekspoes die het niet bij een enkel muisje laat. Maar de gedachte ging door me heen dat ze misschien gewoon een studentenhoertje was. Leuk zakcentje tijdens de beursdagen, weet je wel. En waarom niet? En ik denk dat ik zo over haar dacht toen ik haar samen met jou in de foyer zag en ik bleef bij dat idee tot ik zag hoe ze je om je hals viel. Door iets in haar uitdrukking, de manier waarop ze was gekleed, ik weet niet wat, wilde ik er meer van weten. Toen ik hoorde dat ze jou vroeg om haar mee het land uit te nemen, dacht ik: jou krijg ik. Die neem ik te grazen. Maar er was geen tijd om iemand te waarschuwen. Ik zag dat Teo de bar uit liep en ik ben achter hem aan gegaan – en daar was ze weer, klaar om zich in die koffer op te rollen. Nou, als ik het eerst niet had willen geloven, geloofde ik het toen wel. Ze wilde met jou mee! En in dat geval zou ik er wel voor zorgen dat ik bij een of twee mensen een wit voetje haalde.'

Ze keek naar haar schoen. 'Ik kende de portier van het hotel, Anton. Toen hij ons niet door wilde laten zei ik tegen hem: "Kan ik je even spreken?" en vertelde hem dat het heel belangrijk was. Ik moest met Uwe spreken – hij wist wie ik bedoelde. "Wanneer Uwe hoort wat ik te zeggen heb laat je ons vast wel door!" Maar Anton had zijn bevelen en wilde niet naar me luisteren. "Je komt er niet in, klaar uit." Intussen gedroeg Snjólaug zich alsof ze van de prins geen kwaad wist. Ze gedroeg zich als een koekoek met Olympisch goud, als je begrijpt wat ik bedoel.'

'Nee, niet echt. Hoe bedoel je?'

Ze dronk van haar wijn en likte weer over haar lippen, waardoor ze roder leken. 'Nou, al die tijd dat ik met Anton sta te praten, staat zij door de deur te kijken om te zien of jij naar buiten komt. Dan komt ze naar ons toe. Ze heeft de pest in, dat merk je meteen. Hoertjes barsten van de trots. Ik weet niet hoeveel ervaring jij met hoertjes hebt. Je hoeft maar iets verkeerds te zeggen en je mag ze met geen vinger meer aanraken, zelfs niet voor een miljoen dollar. Maar dit meisje niet. Ik neem haar mee naar het parkeerterrein en begin op jou af te geven. Ik bedoel maar,' met een felle blik op hem, 'het was een behoorlijke schoftenstreek om ons te dumpen zonder zelfs maar gedag te zeggen, zeker nadat je haar had beloofd haar mee te nemen naar het Gouden Westen! Ik had zelfs met haar te doen, en wanneer ik met iemand te doen heb, berg je dan maar. Ik zeg tegen haar: "Vergeet het gewoon." En ik geef haar de wind van voren over wat voor klootzakken jij en Teo zijn. Maar de stomme trut blijft maar naar de ingang kijken of jij niet naar buiten zult komen hollen om haar van mij te verlossen.

Het volgende moment loopt ze naar het hotel terug en dit keer werkt het. Ze geeft iets aan Anton. Hij neemt haar mee naar binnen en dan pas besef ik wat er gaande is.'

Hij keek haar intens aan. Hij kreeg het gevoel dat hij op een vrouw met een geweer af liep. 'Wat wás er gaande?'

Ze kromde haar tenen en zette het leer onder spanning. 'Ze was van de Stasi.'

De afgrijselijk gapende stilte werd doorsneden door het zelfvoldane geschater van een man. Aan de bar keek een gezicht snel om zich heen en vervolgde een vrolijker gesprek.

'Ze wilde dat jij haar het land uit zou smokkelen zodat ze jullie er aan de grens bij kon lappen.'

'Nee.' Hij geloofde haar niet. Dat was niets voor zijn Sneeuwlok. Want als het dat wel was...

Ze raakte zijn arm aan. 'Laat me uitpraten. Anders had ze nooit in het Astoria kunnen komen. Geen enkel Duits meisje zou met de portier zijn gaan praten zoals zij met Anton sprak. In Warschau, Kiev, Minsk misschien wel. Maar in Oost-Duitsland weten we hoe we ons moeten gedragen. We kennen de regels. Het is echt uitgesloten dat ze niet voor de overheid werkte. Echt uitgesloten.'

'Je wilt toch niet zeggen...' Maar de rest van de vraag was al in zijn mond verstijfd.

'Ik weet niet hoeveel jij van de Stasi weet, maar zelfs als je voor ze werkte, zou je er nooit achter komen wie de anderen waren. Twee of drie misschien, op zijn best. En ik dacht: dit is allemaal afgesproken werk. Anton weet niet wie ze is en dat vertelt ze hem nu. Het is al lang geleden, maar ik weet nog dat ik ook iets anders dacht.' Met een samen-zweerderige blik zei ze: 'Stel dat ze me zou kunnen horen, dan zou ze wat ik nu ga zeggen niet leuk vinden, maar ook al was ze bezig ons een loer te draaien, ik geloof dat de kleine trut echt iets voor je voelde. Ze was in de taxi zo op jou gericht, zoals ze haar hals aan je blik blootstelde, dat ik het bijna hartverscheurend vond. Je weet waarschijnlijk niet dat ze al haar geld had uitgegeven aan een parfum waarvan ze hoopte dat jij het lekker zou vinden. En dan behandel jij haar als een stuk vuil. Als een snol die je met tien mark wegzet.'

'Heb je haar ooit teruggezien? nog steeds verbijsterd, nog steeds wor-stelend met de gedachte. Nog steeds niet in staat om het te geloven.

Ze wendde haar blik af, keek in de catalogus alsof ze daarin de woor-den zocht. 'Zeker heb ik haar teruggezien. Ik heb haar immers uit het Astoria zien komen en in een Wartburg zien stappen. De twee mannen die erbij waren, waren van de Stasi, dat kon ik aan hun kleren zien. En ik knikte bij mezelf: jazeker, die vertrekt met haar eigen soort.'

De ober had een blikken dienblad op de tafel achtergelaten. Peter tuurde naar zijn eigen uitgerekte spiegelbeeld. 'Stasi...' Die gedachte was nooit bij hem opgekomen. Was dat mogelijk? Was hij en niet Sneeuwlok het slachtoffer? Zat er een of andere afgrijselijke logica in Renates ont-hulling? Had Sneeuwlok hem daarom nooit verteld hoe ze echt heette? Al die onwaarschijnlijke jankverhalen. Haar hoop op een aanstelling aan de universiteit aan diggelen, haar strotklepje, haar broer. Verzinsels om de sympathie van een naïeve student uit het Westen op te wekken.

'Wat maakt het uit dat ze voor de Stasi werkte?' Renate zei dat met medeleven en streelde licht zijn arm om de klap te verzachten. 'Ze moet toch erg op je gesteld zijn geweest.'

Hij rukte zijn arm weg. Verwierp haar versie. Klampte zich als be-zeten vast aan het broze beeld dat Frau Lube had opgeroepen. Hij had gehouden van het meisje dat hij voor Frau Lube tot leven had gewekt. Hield van haar.

'God, ik moet haar echt spreken,' zei hij na een poosje.

Renate leunde achterover en schudde haar hoofd. Ineens met een meedogenloze blik. 'Schatje, wordt eens wakker.'

Hij staarde naar het dienblad.

'Ben je daar niet een beetje laat mee?' Haar geëpileerde wenkbrauwen trilden en in haar ogen flitste een opgehoopte afkeer. Ze nipte van haar wijn. Haar lach klonk haatdragend. 'Weet je zeker dat je naar haar op zoek bent? Weet je zeker dat je niet iemand anders zoekt?'

'Wie?' reageerde hij stekelig.

'Dat kun jij mij beter vertellen. Iemand in een smetteloos wit overhemd en een donkerblauwe stropdas, bijvoorbeeld?' Ze speelde met haar glas. 'Weet je dat ik, toen ik hoorde wat je haar had geflikt, in mijn verachtelijke vrouwenhart wel kon juichen dat iemand zo gemeen had kunnen zijn tegen een andere vrouw.'

'Waar zou ik haar kunnen vinden?' Met moeite onderdrukte hij de impuls om het blad tegen haar borst te rammen.

'Ik wil jou eigenlijk iets vragen,' bijna alsof ze aarzelend een kledingstuk bekeek dat ze eigenlijk liever op het rek terug wilde hangen. 'Wat zou je doen áls je haar zou vinden?'

'Ik zou tegen haar zeggen hoeveel spijt ik er al die jaren van heb gehad.'

'Je meent het? Nog steeds verliefd?'

'Misschien.'

'Echt?'

Hij zou willen zeggen: barst mens. 'Jazeker.'

'Ha!' zei ze ijzingwekkend en vijandig. 'Is het wel bij je opgekomen dat je haar niet eens zou herkénnen als ze daar de trap af kwam?'

'Doe niet zo belachelijk. Natuurlijk zou ik haar herkennen.'

Haar hoofd deinsde terug alsof hij een slechte adem had. 'Mensen zoals jij, jullie zijn zo geleerd, maar jullie hebben geen benul waar je hart zit.'

'Renate...'

'Christiane.'

'Christiane, weet jij waar ik haar zou kunnen vinden?'

Ze haalde haar schouders op. 'Ik zou proberen om iemand te vinden die bij de Stasi heeft gezeten. Iemand die met haar samen heeft gewerkt. Of anders iemand die haar heeft ondervraagd.' Ze peilde hem met een mierzoete uitdrukking. 'Ligt er maar aan wie je nog altijd denkt dat ze is.'

Hij probeerde zijn charme in de strijd te gooien. Hij kon geen spatje opbrengen. 'Dat soort mensen van de Stasi, hoe kom ik daarmee in contact?'

'Met geld, natuurlijk!'

'Dus jij zegt dat het onmogelijk is!'

In de botheid van haar woorden hoorde hij Renate tegen een klant zeggen dat de jurk die ze had uitgekozen haar helemaal niet stond. 'Het is onmogelijk om mensen te vinden die er direct bij betrokken waren. Die kom je alleen door toeval tegen. Je stapt in een lift en je herinnert je de ogen, een gezicht. Je zit in Auerbachs aan het einde van een werkdag en je bestelt iets en raakt met iemand aan de praat en het komt weer boven. Of misschien zit degene die je zoekt wel aan het tafeltje naast je. Anders kun je het wel vergeten.'

Hij slikte moeizaam. 'Wat zou jij doen als je in mijn situatie verkeerde?' Hij had deze stem van zichzelf nog nooit gehoord. Met die klank van geprikkelde, afgestompte vertwijfeling.

'Wat ik zou doen?' Voor het eerst leek het of ze iets van zijn emotie voelde. En toen ze zijn uitdrukking zag veranderde ze van toon. 'Ik zou een advertentie in de krant zetten. De Stasi is bang van ons. Net zoals wij bang van hen waren. Ze vertellen je niets. Maar voor geld wel. Voor geld doen mensen alles.'

Hij wilde zijn portefeuille pakken, maar ze hield hem tegen. Ze schreef iets in haar notitieboek, scheurde het vel eruit en schoof het onder zijn glas. 'Pak aan. Het is een formule. Een code die ze begrijpen. Zet dit in de contactadvertenties. Anders kun je tot je dood blijven zoeken.' Ze dronk haar glas wijn leeg. 'En nu heb ik voor één avond wel genoeg gepraat.'

Ze wilde de catalogus in haar tas stoppen toen ze aarzelde en haar harde ogen bij het zien van het model vochtig werden. 'Bosnevel. Dat past wel bij ons allebei – op verschillende manieren. Weet je waarom?'

'Waarom?' met zijn herstelde stem.

'Het kan je geen bal schelen, maar ik vertel het je toch.' Aangezet moraliserend zei ze: 'Ossis zijn waakzaam, als dieren in een bos. Maar Wessis zijn verdwaald. Jullie weten niet waar je bent. Het bos zit vanbinnen.' Ze schoof de catalogus naar hem toe. 'Hou maar. Misschien wil je morgen nog wel wat bestellen. 'k Zie je, schatje.'

HOOFDSTUK ZESENDERTIG

HET WAS ACHT UUR 's avonds toen Peter de Mädler-Passage uit liep en het plein overstak naar de tramhalte. Hij liep door de natte sneeuw, een zilte grauwe soep die over zijn enkels droop en zijn sokken nat maakte. Die ochtend was hij vol optimisme uit Pensione Neptune vertrokken, opgewekt bij de gedachte aan Sneeuwlok en de mogelijkheden die de dag in petto had. Een tram kwam ratelend tot stilstand en hij stapte in met zijn hoofd naar voren en zijn armen vrij van zijn zij alsof hij twee zware koffers droeg.

Mensen keken op. Vrijdagavondgezichten die naar huis gingen. Een dik meisje dat een boterham zat te eten en achterin drie puistige jongens die iets glanzends naar elkaar heen en weer gooiden. Het leek of ze elkaar aan het pesten waren. Hij zag ze aan voor Amerikaanse studenten.

Hij stak zijn kaart in de stempelautomaat en ging met zijn rug naar de chauffeur zitten. Zijn gedachten volgden uitersten en hij kon ze niet op één lijn krijgen. Ze bleven wegschieten naar Renate, die het idee dat hij van Sneeuwlok had overhoop had gegooid. Het ene moment stond ze schouder aan schouder met Renate, als spionne en verleidster, als een meisje uit de catalogus in zijn jaszak. Het volgende moment aan de arm van Frau Lube als een slachtoffer van zijn lafheid. En hij herinnerde zich zijn tegenstrijdige indrukken tijdens hun eerste wandeling samen door de Brühl. De boekdievegge in de zwarte spijkerbroek met de sigaret was sexy geweest, maar de betweterige rondleidster van het toeristenbureau in Leipzig helemaal niet.

De tram stopte. Achter hem sisten deuren open waardoor er een kille windstoot naar binnen voer.

'Klotetoeristen.'

Een oud echtpaar schoof haastig en met gespannen gezichten langs zijn zitplaats.

Uit de collage van speculatie en herinnering dook de ene na de andere figuur op. Onwillekeurig moest hij denken aan het zwaar geverniste portret in Auerbachs Keller, waardoor versies over elkaar heen schoven, zich vermenigvuldigden en vertroebelden. Faust op een vat, dat vervaagde tot een beeld van zichzelf op een vat en daarna van Sneeuwlok.

'Hé daar! Vet varken!'

Achter in de tram klonken de kreten steeds luider. Iemand blies op een fluitje en de jongens jouwden het meisje uit. Ze at zonder hun schimpscheuten tot zich te laten doordringen. Haar enorme omvang had iets treurigs. Met kort haar en een bril, haar wangen die opbolden tijdens het kauwen. Misschien was ze achterlijk.

'Dikke olifant!'

De tram kreeg weer vaart en het meisje rechtte haar rug. Hij voelde zijn mond op Sneeuwloks litteken. De parelgladde textuur. Waarom had hij nee gezegd? Schokkend en vreemd, maar hij dwong zijn mond het te proeven. Hoe hadden diezelfde lippen zich kunnen vormen tot dat woord? De huid zachter dan leer van kinderhandschoenen. Bleek. Als verse honing. Zijn tanden op het litteken. Beten erin. Glad als de fluwelen was van een artisjokhart. De verrassende hardheid onder zijn tong en tanden die hij niet zijn mond in kon zuigen. Het wit van een kinderoog dat afwijst. Het wit van haar oog aan de tafel, afgewezen.

'Geen wonder dat je alleen bent,' klonk een verdorven, onvaste kreet. En hij had nee gezegd.

De tram stopte. Drie paar ogen staarden hem aan, hij met zijn donkerblauwe das en zijn droefgeestigheid.

'Wat valt er te zien? Is ze een vriendin van je? Ken je haar soms?'

'Ja!'

Het drong niet tot het meisje door dat hij het voor haar had opgenomen. Ze hees zichzelf op en liep snel naar de uitgang. Even later liep ze onder zijn raam langs en hij zag dat ze achterom keek, met angst op haar gezicht terwijl ze verder sjokte. Andere passagiers volgden en in een troebele uithoek van zijn geest was hij zich ervan bewust dat de tram leegliep, de deuren dichtgingen.

Hij sloeg zijn blik op. Alleen de drie jongens waren nog over. Hun haar als militairen heel kort geschoren alsof het met dezelfde tondeuse was gebeurd.

Omgeven door glas, concentreerde de chauffeur zich op de tramrails.

Opgehitst door zijn antwoord slenterde een van de jongens door het middenpad en ging op een paar centimeter van zijn gezicht af staan. Gesp van zijn riem. Zwarte leren broek. Donkerbruin jack van schipperswol.

Met grove steken op zijn mouw genaaid het insigne dat Peter had aangezien voor een schoolwapen met daarop: 'Die angefahrenen Kinder'.

De jongen hield een bruine papieren zak op als een parodie op de hoed van een straatmuzikant. Hij had een zilverkleurig scheidsrechtersfluitje in zijn mond en blies er zachtjes op. Een diep keelgerochel.

Peter stak zijn hand in zijn broekzak en gooide twee mark in de papieren zak.

De jongen keek in de zak en daarna naar Peters kleren. Hij stak zijn vrije hand uit en wreef Peters stropdas tussen zijn vingers. Met een van zijn vingers tikte hij tegen zijn opgetrokken neus waarvan de poriën vol zaten met nachtzwarte pitjes.

'Ik denk dat je wel wat meer kunt geven,' hij knipoogde. 'Waar of niet?'

Peter aarzelde. 'Maar ik heb geen...'

De jongen onderbrak zijn antwoord met een hardere stoot op de fluit waaruit de rochel was verdwenen.

Peter keek achter zich om te zien of de chauffeur iets had gemerkt.

De jongen bracht zijn gezicht omlaag bij Peters oor. Zo dichtbij deed hij Peter helemaal aan Leadley denken. Gluiperig en konkelend met een mond gemaakt van een ander deel van zijn lichaam. Hij blies een derde keer. Een snerpend gegier sneed door Peters schedel en drukte hem tegen de zitting.

Hij haalde zijn portefeuille uit zijn zak. De jongen griste hem weg, haalde er al het geld uit en gooide hem terug in zijn schoot.

De tram stopte. Peter greep zijn portefeuille, zijn oren gonsden, zijn mond was droog. Hij stond op om iets tegen de chauffeur te zeggen, maar ineens stonden de jongens alle drie achter hem.

Hij strompelde de tram uit. Zodra hij op de stoep stond wist hij dat het niet zijn halte was. De deur ging sissend dicht en hij hoorde gegniffel. Ze waren na hem uitgestapt.

Peter probeerde kordaat weg te lopen alsof hij wist waar hij was. Hij liet zijn portefeuille in zijn jasje glijden en zette er stevig de pas in op een weg die al spoedig uitkwam in een woonwijk. De gedachte schoot door zijn hoofd dat ze hier waarschijnlijk woonden. Ineens was er niemand in de buurt.

Aan weerskanten rezen de muren van woontorens en grauwe façades als stijle kliffen op. Pokdalig, smerig van kolengruis, de stuc bladderend op de baksteen.

Inmiddels was hij erg bang.

En toen werd hij onder zijn knieën getackeld. Hij kon zich op een voetbalveld altijd wel goed laten vallen en hij ging wankelend onderuit tegen het grind. Maar hij hield nog steeds een hand op zijn portefeuille, waardoor hij zijn val niet kon opvangen. De zijkant van zijn hoofd raakte de grond en iemand greep hem bij zijn benen en een ander hield zijn hoofd in een bankschroefgreep die hij zelf ook gebruikte om kinderen in bedwang te houden als hij hechtingen in hun voorhoofd moest aanbrengen.

'Klotebuitenlander.'

Handen doorzochten zijn jasje, zijn zakken. 'Kijk eens, Hans, kijk!' en hij hield zijn mobiel op als de aanvoerder van het winnende team die de beker in de lucht steekt.

Toen zei een angstige stem: 'Wat is dit?'

Ze hadden zijn bieper gevonden. Uit hun reactie maakte hij op dat ze dachten dat hij van de politie was. Ze trapten hem stuk en gooiden hem terug. 'Geef dat maar aan je kutsmerisvriendjes.'

Hij graaide naar de wirwar van plastic en draad. Buiten zijn bereik zag hij de dij van een jongen, vingers die de gesp van een riem losmaakte, een mes. En hij hoorde het gerommel van zijn angst. Een gezicht doemde op, met een verlekkerde boosaardigheid in de ogen, met een tong die wellustig heen en weer ging met op de punt een glinsterende zilveren knop.

'Klote-, klotebuitenlander, met vriendjes bij de klotesmerissen.'

De jongen deed een stap achteruit en ritste zijn broek open.

Hij gaat me verkrachten, dacht hij. Hij begon te jammeren. Ik ga dood. Toen daalde er iets op zijn gezicht neer dat daar bleef hangen en beelden wegvaagde.

'O, Sneeuwlok, waar ben je?' ineens weer meester over zijn stem. En door iets in zijn stem schrokken ze.

Hij voelde dat de greep op hem verslapte. Het lukte hem om rechtop te zitten, maar het enige wat hij in zijn wanhoop bereikte was dat hij dichter bij het zwarte kroezende haar kwam en de vochtige huidplooi en de billen die zich een paar centimeter boven hem sperden.

'Schiet op! Schiet op!' zei de bangerik die zijn hoofd omlaag hield.

'Barst, ik doe mijn best. Wacht. Het komt, het komt.'

De mond tuitte open, roze als een babytong en een scheet knalde in zijn gezicht.

'Komt ie!'

Peter gooide zijn stropdas weg en wankelde een straat in, waar hij een argwanende jogger staande hield om de weg naar de Kantstraße te vragen.

'U bent er al.'

Hij holde de trap op vóór Frau Hase de kans kreeg hem te zien of te ruiken en hij kotste zodra hij op zijn kamer was. Bezorgd dat hij een hersenschudding had liet hij het bad vollopen en besefte toen dat hij niet in de uitwerpselen van de jongen wilde zitten. Hij nam een douche en daarna wreef hij zich op zijn bed met een handdoek droog. Hij gaf zich over aan de slaap net toen hij van plan was de trap af te sukkelen om beneden een dokter te bellen.

Rond middernacht werd hij wakker met hoofdpijn en een volle blaas en had moeite om adem te halen. Hijgend liep hij naar de badkamer. Pijnscheuten sneden door zijn rug en zijn schoudergewrichten waar ze hem hadden getrapt en er zat een grote zachte zwelling onder zijn haar aan de zijkant van zijn hoofd. Maar geen hersenschudding.

Hij liep terug naar het bed en toen hij op Frau Weschkes wandelstok trapte vloekte hij hardop.

In de kamer naast hem, die zich spiegelde in een donker raam aan de overkant, ging licht aan. Hij zette de stok tegen de tafel en ging stijf op bed liggen in de wetenschap dat er iemand luisterde. Even later ging het licht weer uit.

Hij probeerde te slapen, maar de slaap wilde niet komen. Hij rook verrot, een kadaverstank. Om de smerige stank te verdrijven wilde hij het raam openzetten, maar het klemde nog steeds. Een schaduw in het licht van de straat viel over de blauwe plekken op zijn buik als een hand die probeerde een hart te vinden. Hij luisterde naar zijn ademhaling. Hij hoorde niets. Een grote leegte begon in hem wortel te schieten en hij kreeg het gevoel dat hij buiten het bereik van ieders vergiffenis of bekommering was gevallen.

Een woest groepje liep de naam van een voetbalelftal krijsend onder zijn raam langs. Hij draaide zich om en het licht van de straat volgde hem de kamer in en wierp wolfsoren tegen het plafond en op een paar voorwerpen. De catalogus op tafel. De taartdoos. De zilveren paardenkop. Hij ademde de muffe lucht in, de verstikkende walm van drogende verf. Dat was wie hij was.

Hij had nog geen zin om terug naar bed te gaan, pakte de badjas van de haak tegen de deur en na wat muntjes in zijn broekzak te hebben gevonden liep hij naar beneden.

In dit uur van nood was een telefoontje aan zuster Corinna uitgesloten. Hij was geconfronteerd met een herinnering uit zijn leven die haar had weggevaagd.

Met een onbedwingbaar verlangen om de intieme details prijs te geven draaide hij het nummer van zijn ouders in Engeland. Hij hoopte maar dat Sneeuwlok iemand had gevonden aan wie zij haar verhaal kwijt had gekund. Hij liet de telefoon almaar overgaan.

'Het spijt me. We zijn er op het moment niet. Maar als u een boodschap wilt achterlaten...' Rodney die op een goedkoop antwoordapparaat had ingesproken. Met trillende en onzekere stem, er niet gerust op dat zijn stem was vastgelegd.

Wat had hij Rodney trouwens willen vertellen – dat hij was ondergeschoten door een neonazi-ploert? Of zou hij, als zijn moeder zou opnemen, haar eindelijk over Sneeuwlok vertellen? Zij had in een nacht een leven voortgebracht. Hij stond met lege handen. Met niets.

Zonder na te denken over het uur van de nacht belde hij de telefonische inlichtingendienst. 'Berking,' fluisterde hij, bang dat hij Frau Hase wakker zou maken. Had ze een tweede toestel in haar slaapkamer staan?

'Zei u Bernhard?'

'Berking,' luider.

'Zakelijk of privé?'

'Privé.'

'Voorletters?'

'Weet ik helaas niet.'

'Adres?'

'Weet ik ook niet.'

'Ogenblikje alstublieft.'

Wanhoop bestaat pas als je eraan toegeeft en krijgt dan net als je spiegelbeeld in een dienblad een gezicht waar geen einde aan komt. Als hij vroeger de woorden 'wanhoop' of 'begeerte' of 'schande' las, meende hij te weten wat ze betekenden, maar definities waren nietszeggend vergeleken met de emoties die hij ervoer in de ijverig gepoetste gang van Pension Neptune. Hij dacht dat hij als hij alles zou doorgronden voor een tweede keer gek zou worden.

'Het spijt me. In Leipzig en omgeving hebben we geen abonnees onder de naam Berking.'

Hij begon te snikken.

HOOFDSTUK ZEVENENDERTIG

De VOLGENDE OCHTEND was Peter met stomheid geslagen toen hij in de spiegel geen spoor van de overval zag. De badkuip stonk naar een smurrie van stront, pis, kots en modder. Voor hij de kamer uit liep waste hij keer op keer het overhemd en hing het in de badkamer te drogen.

In de hal stond Frau Hase met een verbijsterde uitdrukking naar de hoorn van de muntjestelefoon te staren.

'Herr Doktor! Ik moest net aan u denken. Heeft u uw oude vriendin van het toneel gevonden?'

'Nee.'

'Vandaag vindt u haar vast wel,' op de optimistische toon, met iets dringends erin, van iemand die terloops een belofte heeft gedaan en er nu over inzit dat haar reputatie, en die van Pension Neptune, op een duistere manier zou kunnen afhangen van de inlossing ervan. Ze keek hem doordringender aan. 'Voelt u zich wel goed?'

'Ik voel me prima, Frau Hase, dank u wel.'

'Ik kan me alleen niet herinneren dat ik u gisteren met een stok heb zien lopen.'

Bij de Dresdener bank in de Brühl probeerde hij met zijn creditcard duizend mark uit de muur te trekken. Het apparaat weigerde en het schoot hem te binnen dat betalingen aan Frieda aan het einde van iedere maand automatisch van zijn rekening werden afgeschreven. Hij probeerde het nog eens met vijfhonderd mark en dat werd geaccepteerd.

Om half elf strompelde hij het kantoor van de *Leipziger Volkszeitung* binnen. Twintig minuten later las de man die de advertentie had genoteerd de woorden terug die Renate met een roze viltstift had opgeschreven. Haar formule. *Op de avond van 27 maart, 1983, was ik in het Astoria-*

hotel en in het Rudolph-theater. Was u er ook? Hij zou de volgende dag in de krant komen.

Een pijnlijke wandeling van een kwartier naar de Mädler-Passage waar hij voor Milo, Corinna, en zijn ouders in Engeland briefkaarten van de Thomaskirche kocht en zalf voor Frau Lube. De schoften hadden niet alleen zijn creditcard laten zitten, maar ook het reserve receptenbriefje dat hij altijd bij zich had.

'Voor wie is het?' wilde de apotheker weten.

'Een van mijn patiënten. Ze is te ziek om zelf te komen.'

'Schrijft u het voor?'

'Ik schrijf het niet alleen voor, ik betaal ervoor en ik ga de patiënt er zelf mee insmeren.' Hij stond op het punt om te vragen of hij de telefoon van de apotheek mocht gebruiken om Frau Lube te bellen en als hij toch bezig was om zijn mobiel op te zeggen, toen hij aan de overkant van de winkelgalerij de etalage van een banketbakker zag. Barst, dacht hij. Ik bel gewoon aan. Ze is toch thuis. Ze zal het niet erg vinden zolang ik bonbons meebreng.

Het meisje achter de toonbank zong zachtjes.

Mijn benen waren te dun
Je hield niet van mijn parfum
Je was grof tegen mijn vrienden
Je kocht nooit een aardigheidje voor me
Je hebt een streep getrokken door alle plannen die ik voor jou heb gemaakt.

Hij bestelde vijfhonderd gram likeurbonbons. Hij vestigde zijn blik op de hoop donkere brokken met de kleur van vissenbloed die gestadig in de bronzen weegschaal groeide.

Je deed nooit de afwas
Je hebt mijn dagboek en brieven gelezen...'

De pijl trilde bij zeshonderd.

'Zo is het prima.'

De deurbel blafte. Meteen geschuifel in de gang en een grendel die weg-schoof. Twee ogen keken hem boven de ketting onderzoekend aan.

'Herr Doktor Peter!' Een glimlach die over het web van haar wangen kroop.

'Alstublieft. Ik moet u spreken.'

Frau Lube schoof een manchet in de kleur van een oud gezangen-boek weg en keek op haar horloge. 'Ik had u niet zo snel verwacht. Is alles in orde? Er is iets gebeurd.'

'In de tram zaten een stel rotjongens.'

'Hebben ze u beroofd?' Ze deed de deur achter hem dicht.

'Ze hebben niet veel geld gepikt, maar ze hebben me tegen de grond gedrukt' – hij lachte zenuwachtig – 'en mijn overhemd bevuild.' Een opluchting om het te zeggen. En daarna werden meteen onwillekeurig de Engelse teugels aangetrokken. 'Niets wat niet door een douche kon worden weggewassen.'

'Hebben ze u pijn gedaan?'

'Mijn rug doet een beetje zeer, maar ik ben er vrij goed vanaf geko-men. Ik had het moeten zien aankomen, ik was zo afwezig. Ik heb niet goed genoeg opgelet.'

'Dat bedoel ik nou. Het is niet veilig om 's avonds de deur uit te gaan. Moet u nagaan hoe het voor oude mensen is! Wij leven met die angst.'

'Dit soort dingen gebeurt overal. Ook in Engeland.'

'Ja, maar vroeger gebeurde het hier niet. Dat is het resultaat van twaalf jaar hereniging!'

'Kijk eens, ik heb wat voor u meegebracht.'

Frau Lube was blij met de zalf. Met grotere argwaan nam ze de Belgi-sche bonbons aan. Ze tilde het bruine doosje op. Bestudeerde de naam. Kneep er een beetje in en fronste haar voorhoofd. Toen stopte ze het in een lade die zo te zien uitpuilde van dergelijke doosjes.

'Geen bonbons vóór de kerkdienst. Vandaag krijgt u alleen koffie. Tenzij u iets sterkers wilt?'

'Koffie is prima.'

Ze bracht de koffie naar de woonkamer waar hij naast Che Guevara stond.

Om een wit voetje te halen begon Peter de foto's van haar zoon te

324

bewonderen. Een lange jongeman van voor in de twintig met donkere wenkbrauwen en een jongensachtige grijns. Een paar jaar voor zijn ongeluk.

'Ik had u gisteren bijna willen vertellen hoeveel u op Wilhelm lijkt,' zei ze. 'Maar nu ik u weer zie is het toch vrij opvallend. Dat bent u vast wel met me eens.'

Hij tuurde naar het gezicht tot hij het niet meer zag. 'Zelfde kleur haar,' zei hij beleefd. *Mannen van in de veertig, dan gebeuren er allerlei dingen.* 'Wat is er met Wilhelm gebeurd?'

'Een meisje van het toeristenbureau – al heeft hij mij er niets over verteld. Daar ben ik veel later pas achter gekomen. Soms vertellen zelfs je kinderen hun geheimen niet. Hij zei dat ze elkaar alleen in zijn auto op het parkeerterrein hadden gezoend. Maar waarom ging zijn huwelijk zo snel daarna stuk? Vanwege een kus? Dat kan ik me niet voorstellen, Herr Doktor Peter. Je gaat niet van je vrouw af vanwege een kus.' Ze keek hem veelzeggend aan. 'Net zomin als u naar iemand op zoek bent die u een keer in het theater heeft ontmoet. Tenzij uw hart zo week is als een watermeloen.'

'U heeft gelijk. Wat ik u gisteren heb verteld was niet het hele verhaal.'

'O? Nee, wacht even. Voor u verder gaat zet ik even de wekker.'

Ze was amper terug in de kamer of hij begon op te biechten. 'Ik kende haar wel degelijk, Frau Lube. Ik had haar twee dagen daarvoor leren kennen. Ik had een vriendin in Hamburg, maar ik was verliefd geworden op Sneeuwlok.'

Ze bekeek hem met sympathie alsof hij een bedelaar in de S-Bahn was met wie ze medelijden had maar die ze niet vertrouwde.

'Ze wilde het land uit en ik zou haar daarbij helpen.'

Met een bedenkelijk gezicht pakte ze de zalf en daarna haar kopje koffie en ging hem voor naar het terras. Peter had zich heilig voorgenomen om zich in te houden, maar hij moest het vragen. 'Frau Lube, wat is er van haar geworden?'

'Kijk. De zon is voor u doorgebroken.' In haar ogen lag de niet overhaaste blik die hem maande om er de tijd voor te nemen. Hij had haar niet zijn hele verhaal verteld. Waarom zou zij dat dan wel doen? Hij haalde tweehonderd mark uit zijn portefeuille en schoof de biljetten op de lage tafel onder een plastic zak waar knotten wol in allerlei kleuren uit puilden.

'Nee,' zei ze. 'Hou dat nou maar. U bent bestolen.'

'Geeft u het dan maar aan een goed doel, alstublieft.'

Ze liet het geld liggen. 'Ik zal naar de kerk gaan.'

Hij probeerde een andere opening. 'Gisteravond,' terwijl ze gingen zitten, 'ben ik een van de gelegenheidshoertjes tegen het lijf gelopen. Het blijkt dat haar nichtje getrouwd is met de broer van Sneeuwlok.'

'Wie is dat?'

'Renate.'

'O ja? Renate kwam vaak in het Astoria. En, heeft ze u wijzer kunnen maken?'

'Ik moet bekennen dat onze ontmoeting een bittere smaak heeft achtergelaten.'

'Ik neem aan dat ze geprobeerd heeft om u haar hoerige kleren aan te smeren?' Ze draaide de dop eraf en begon de zalf in te smeren.

'Inderdaad.'

'Dat schaamteloze mens is hier geweest, heeft bij mij aangebeld. Eén blik was genoeg. "Niks voor mij, schatje." Nou ja, het was toch duidelijk dat ze niets voor mij in de aanbieding had. Ze heeft me verteld over haar nieuwe leven. Haar nieuwe naam. Stel je voor! Je doopnaam veranderen! Ik weet niet meer in wat.'

'Christiane.'

'Juist! Ze wilde echt dat ik haar zo aansprak. Te gênant voor woorden.'

Hij zette zijn kopje op de tafel. 'Zij zegt dat Sneeuwlok voor de Stasi werkte.'

Frau Lube trok een vies gezicht. 'Nou, zij zou het kunnen weten.'

'Wat denkt u?'

'U kunt me over die tijd van alles wijsmaken, ik zou het prompt geloven.'

'Als u het me gisteren had gevraagd zou ik hebben gezegd: nee, onmogelijk.'

Ze keek hem aan. 'En vandaag?'

'Vertelt u me eens waar ze die avond naartoe is gegaan. Kreeg ze er last mee?'

'Natuurlijk. Zo zat het systeem in elkaar. Maar uiteindelijk is alles toch goed gekomen.'

'Uiteindelijk? Hoe bedoelt u dat?'

'Misschien heeft ze zich wat problemen op de hals gehaald.'

'Wat voor soort problemen?'

'Het soort problemen dat zich voordoet als je tijdens een banket van een ministerie binnen komt stormen en een eregast je afwijst,' zei ze poeslief terwijl ze voorovergebogen de zalf op haar been smeerde. 'Ze zou niet met de Stasi te maken hebben gekregen als u zich wat meer als een Engelse heer had gedragen, Herr Doktor.' Ze leunde achterover en schonk hem een goedmoedige glimlach. 'Weet u waar ik gisteren aan moest denken toen u weg was? Dat u heeft gereageerd op een manier die tekenend was voor een Oost-Duitser van twintig jaar geleden – terwijl zij zich juist gedroeg als iemand uit het Westen.'

Opnieuw ontglipte de vraag hem voor hij hem kon inslikken: 'Waar is ze nu?'

'Hoe moet ik dat weten? Ik ben haar hoedster niet.'

'Maar u weet iets over Sneeuwlok – meer dan u me heeft verteld.'

'Iets weten en iets vertellen zijn twee verschillende gaven. Dat zou u moeten begrijpen. U wel bij uitstek, Herr Doktor.'

'Frau Lube, alstublieft,' zei hij schor.

'Herr Doktor Peter,' antwoordde ze met overdreven geduld, 'u vraagt aan mij hoe het was, maar op je leven terugkijken is niet zo eenvoudig als door een stad lopen.' Ze drukte weer zalf uit de tube, rook eraan en smeerde hem op de andere enkel. 'Bovendien hebben we elkaar pas één keer ontmoet – en toen was u, zoals u zelf heeft toegegeven, niet helemaal openhartig. U komt wel aanzetten met geld en lekkere bonbons en zalf. Maar misschien werkt die zalf van u niet. Misschien gaat het net zo als met uw belofte om dat meisje te helpen. Of misschien is het wel een wondermiddel. We zullen zien.'

Ze strekte zich uit en stelde haar jeukende benen bloot aan de zon. Ze genoot. Jarenlang had ze bonbons gegeten omdat ze geloofde dat haar eczeem ervan over zou gaan.

Peter plukte aan zijn horlogebandje. Hij was eraan gewend naar patiënten te luisteren voor hun bestwil, maar niet om naar iemand te luisteren voor zijn eigen bestwil. Frau Lubes tempo was tergend langzaam en het liet zich kennelijk door niets opvoeren.

'Is er nog iemand anders met wie ik kan praten?'

'O, ik betwijfel of Snjólaug veel mensen is opgevallen. De meesten van ons waren sterren in het zo min mogelijk waarnemen.'

'Maar u heeft een goed geheugen.'

'Ik had gewoon wat meer vrijheid dan anderen.'

'Hoe bedoelt u meer vrijheid, Frau Lube?'

'Mijn man was jong gestorven.' Waarmee Frau Lube impliceerde dat ze als weduwe wel eenzaam was, maar ook bevoorrechter dan haar getrouwde of ongehuwde vrienden. En ze had haar stille vertrouweling in God. 'Laten we zeggen dat ik minder op het spel zette door me dingen te herinneren.'

'Helpt u me dan...' Door zijn gepruts was het stiksel van de gesp losgeraakt en nu bungelde het horloge aan het zwarte leren bandje. Hij zocht op zijn schoot naar de gesp en liet het horloge en het nutteloze bandje in zijn zak glijden. 'Ik heb namelijk geen flauw idee hoe ik haar kan vinden...' Hij hoorde hoe zijn stem brak en was zich ervan bewust dat ze naar hem keek alsof ze een glimp van iemand anders had opgevangen. En na weerstand te hebben geboden aan zijn beminnelijke ouverture, zijn Belgische likeurbonbons en zijn wonderzalfje, ging ze door de knieën voor deze gevoelige noot.

'Goed, Herr Doktor Peter, vraag maar wat,' zei ze. 'Het is al lang geleden. Ik kan niet beloven dat ik op alles een antwoord heb. Maar stelt u uw vragen maar, want ik weet nog steeds niet wat u wilt horen.'

'Werkte ze voor de Stasi?'

Ze stak haar hand in de plastic zak en haalde er een knot roze wol uit. 'Ik heb allerlei verhalen gehoord. Ik weet niet hoeveel ervan waar is.'

'Die avond,' drong hij aan, 'nadat de Stasi haar uit het Astoria had meegenomen – wat is er toen met haar gebeurd?'

'Herr Doktor Peter, ik zal u vertellen wat ik heb gezien, dan kunt u zelf uw conclusies trekken.'

Terwijl ze aan het woord was breide ze een deken voor een parochieloterij. 'De avond waar u het over heeft. Wat dat meisje ook gedaan mocht hebben, daar waren wij in Leipzig niet aan gewend. Leipzig is klein, dat heeft iedereen u vast al verteld. Ik heb veel geruchten gehoord. Het enige wat ik u kan vertellen is wat zij mij heeft verteld.'

Zonder adempauze, net als Gus die zijn eten naar binnen schrokte, vroeg hij: 'Heeft ze het over mij gehad?'

'Natuurlijk heeft ze het over u gehad, Herr Doktor Peter! U was de oorzaak van alle ellende. Maar ik wil verder geen woord meer zeggen tot u antwoord heeft gegeven op één vraag. Heeft Renate iets over Morneweg gezegd?'

'Morneweg?'

'Dat was de naam die hij gebruikte. Hij kwam alleen naar de stad als de beurs werd gehouden.'

'Wie was dat?'

'Op zich is hij niet interessant, maar hij is van belang voor uw verhaal. Hij luisterde af wat er in de kamers gebeurde en wij moesten aan hem verslag uitbrengen.'

'Gaat u door.'

Ze legde een hand op haar been. 'Morneweg. Morneweg. Hoe moet ik uitleggen wie Morneweg was? Om te zien een anonieme oude man. Dikke buik, haar op zijn vingers, zoals een van die mannen die je in zakenbladen ziet. Maar eerlijk is eerlijk, tegenover mij vriendelijk. Soms iets te vriendelijk, Herr Doktor Peter. Hij hoorde dat ik weduwe was en toen werd het gênant. Hij kwam altijd naar me toe en legde zijn klamme hand op mijn middel en vroeg hoe het met me ging. Hij heeft me zelfs een foto gestuurd van hemzelf en mij in de Galerie! Het werd zo erg dat ik tegen hem moest zeggen – bij de koffie net als nu: "Herr Morneweg, dit hoort niet".'

'Is Morneweg de baas van de portier?'

'Hij liet iedereen in Leipzig naar zijn pijpen dansen! Zeer hooggeplaatst. Hoe hoog wist niemand; pas op het laatst. Hij had beneden een klein kamertje en drie of vier dagen tijdens de beurs kon je hem daar met een koptelefoon op aantekeningen zien maken. Met zijn ogen dicht, zo. Daar zat hij alleen maar naar zijn bandrecorder te luisteren.

Waarom deed hij dat? In zijn positie? In feite vertrouwde hij niemand toe te horen wat hij hoorde. Hij wilde per se alle stemmen kennen. Zakenlieden. Ambassadeurs. Zelfs mijn stem als ik aan het bidden was, Herr Doktor!

Op een dag was ik in de kamer van het eetgerei en wie stond me daar achter de borden intens gade te slaan? Hij had een vreemd geluid op zijn band gehoord en was op onderzoek uitgegaan.' Ze grinnikte. 'Ik zag in zijn ogen dat hij verstoord was en ik kon hem ruiken. De meisjes klaagden er altijd over dat hij rook naar iets wat hij had geschoten op een van die jachtpartijen waar hij zo dol op was. Iets wat dood was.

Ik waarschuwde hem dat zijn blik me niet beviel: "U moet de kracht van het gebed niet onderschatten, Herr Morneweg."

Later liep ik langs zijn kamertje en hij hield me staande.' Met een breinaald maakte ze het gebaar van een hals die wordt afgesneden. 'Ik verwachtte een reprimande. Maar hij wilde weten of ik kinderen had. Ik vertelde hem over Wilhelm. Bleek dat hij een zoon van dezelfde leeftijd had. Daar keek ik van op want Morneweg – nou ja, zelfs in die dagen moet hij al over de zeventig zijn geweest. Hij liet me een foto van zijn zoon zien en ik opperde dat de twee jongens elkaar moesten leren kennen. Hij zei dat daar geen sprake van kon zijn. Ineens werd ik boos. Vond hij soms dat zijn zoon te goed was voor mijn Wilhelm? En toen kwam de aap uit de mouw. Zijn vrouw had hun kind meegenomen naar het Westen. Morneweg had het zo druk met het afluisteren van Leipzig dat hij de voortekenen in zijn eigen huis niet had opgevangen.

Hoe dan ook, iedereen wist dat Morneweg de belangrijkste politiespion was. Iedereen moest hem in de kaart spelen en mocht van zijn stank genieten. Maar wat kon je eraan doen? Niemand in het hotel zag hem graag komen, maar het was alsof je op een schip zit. Je kon er niet af.' Ze zette haar kopje neer en trok weer een knot wol uit de zak. 'Weet u zeker dat Renate hier niets over heeft verteld?'

'Nee niets.'

'Nou, dat verbaast me. Want voorzover ik heb begrepen was Renate er verantwoordelijk voor dat Morneweg zich over Snjólaug zo opwond. Ik weet niet wat Renate hem had verteld, maar Morneweg had zo zijn idee-fixe over wat voor soort meisje de zaal in kwam stormen waar een

West-Duitse diplomaat aanwezig was. Hij liet haar oppakken om te ondervragen.'

'Maar ze werd wel vrijgelaten, toch?'

Frau Lube ging door met breien. Het leek wel of ze een executie bijwoonde. 'Eerlijk gezegd vergat ik haar volledig. Totdat ik drie of vier maanden later op een zaterdag het meisje in kwestie weer zag. Ze stak met iemand de Krochstraße over – met een man.

Ik was blij om haar te zien. Dus bleef ik staan en vroeg: "Ken je me nog?" Ze schrok helemaal niet. "Natuurlijk ken ik u nog." En dat is het vreemde aan de zaak, Herr Doktor Peter. Ik weet zeker dat haar naam niet Snjólaug is. Ik weet zeker dat ze anders heet, maar ik weet niet meer hoe.

Ze stelde me voor aan haar verloofde, maar daar wordt u niet wijzer van want ik weet ook niet meer hoe hij heette, maar ik kon wel zien wat voor uitwerking ze op hem had. Ze was niet knap, maar kon wel mooi zijn.' Frau Lube sloeg haar enkels over elkaar en daarna weer tegen elkaar, zalig genietend van het zonlicht.

'En dat is de laatste keer dat u haar heeft gezien?'

'Heb ik dat gezegd?'

'Frau Lube!' riep Peter uit, net als zijn moeder, een stampvoetend paard.

'Het geval wil,' zei ze bedaard, 'dat ik haar nóg een keer ben tegengekomen. Tien of elf jaar geleden, niet lang na *die Wende*. Ik liep door de Nordstraße toen er ineens iemand bleef staan en mijn arm aanraakte: "Kent u me nog?"

"Natuurlijk ken ik je nog." Daar moesten we hartelijk om lachen. We stonden pal voor Bei Mutti en als een stout meisje nodigde ze me uit voor een glas bier. Ze was het huis uitgelopen na een ruzie met haar man en ze was helemaal overstuur, maar ook blij – en ik was ineens ook blij! Nou goed, we dronken samen een glas bier en ze heeft me vast allerlei andere dingen verteld die ik me niet meer kan herinneren, maar ik liet haar foto's van Wilhelm zien. U moet begrijpen dat hij een paar weken ervoor zijn ongeluk had gehad. Het was een knappe jongen, maar na het ongeluk verdween het licht uit zijn ogen. Hij had niets aan zijn oor laten doen, al kon hij het wel met zijn haar bedekken. Nou, ze was heel lief, hoor. Ze hield vol dat er een dag zou komen dat hij zelfs zou vergeten dat hij een litteken had. Eerst wilde ik haar niet geloven, maar ze hield stug vol. Ze klonk zo zeker van haar zaak dat ik wilde weten waarom – en toen trok ze haar bloes omlaag. Ik wist meteen wat het was. Dit litteken was licht van kleur, helemaal niet donkerpaars.

Vergeef me dat ik erover doorga, maar het schiep een band. Ze begon zelfs interesse voor mijn zoon te tonen. Ze was nieuwsgierig naar hem, hoe was hij als kind, of ik nog meer foto's van hem had. Ik liet haar andere foto's zien, uit de tijd dat we in de Rosentalgasse woonden en ze bleef maar naar Wilhelms gezicht kijken en op haar eigen gezicht lag zo'n tedere uitdrukking. Ik zie het nog voor me. Alsof mijn zoon iemand was van wie ze net zoveel hield als ik! Ik zeg niet dat ik niet met mijn schoondochter overweg kon, maar het ging door me heen dat als Wilhelm uw Snjólaug op het goede moment had leren kennen hij misschien niet naar Australië had hoeven verhuizen.

Hoe dan ook, we dronken nog een glas bier en zij vertelde me een beetje over wat er was gebeurd toen de Stasi haar had meegenomen. Het was niet fraai. Dat is het nooit. En terugblikkend op die tijd werden we allebei treurig. Twee vrouwen alleen die nog een glas bestelden.'

'En haar man dan? Ik dacht dat u zei dat ze was getrouwd.'

'O, dat was ze ook – met een jeugdliefde. Maar het huwelijk liep zo goed als op zijn einde. Hij was niet de ware. Punt is dat ze een rottige tijd achter de rug had en hij had voor haar klaargestaan. Misschien niet iemand van wie ze hield, maar iemand die ze kon vertrouwen. Uit wat ze zei leidde ik af dat ze een punt had bereikt waarop ze niemand kon vertrouwen. Toen zij in de gevangenis zat was er iemand – ik geloof dat ze zei dat hij van de Kulturbund was – naar haar flat gegaan om vragen te stellen. Of ze met iemand samenwoonde, wie haar vrienden waren, of ze een baan, een auto had – allemaal vragen die iemand zou kunnen stellen als hij met je wilde trouwen!

En dat is nog niet alles. De buren begonnen verhalen rond te strooien. Afgrijselijke verhalen die opzettelijk waren verspreid, Herr Doktor Peter. Ze probeerde zo goed mogelijk om ze te negeren, maar toen gebeurde er iets wat ze niet kon negeren. Nee, u moet me niet vragen wat, dat heeft ze me niet verteld, maar ik kan u wel zeggen dat ze van wat de

Stasi had gedaan over haar nek ging. Ze wilde er niet op ingaan, zelfs niet na twee glazen bier in Bei Mutti. Bovendien was ze er ook net achter gekomen dat ze zwanger was.

We namen er nog een. Dit keer bestelde ze wodka. Dat deed haar denken aan het leven voor haar huwelijk. Eenmaal getrouwd gingen de dingen zo snel. Ze kreeg twee kinderen en had geen geld en ze moest zo veel moeite doen om de eindjes aan elkaar te knopen dat ze geen moment kon stilstaan bij wat ze had gedaan. Ik kan u wel vertellen dat spijt over dat soort dingen pas komt als je kinderen de deur uit zijn. Of als je iemand tegenkomt die je eraan herinnert hoe het leven eruit had kunnen zien.

Ze pakte Wilhelms foto weer en haar ogen straalden en voor mij was het overduidelijk dat ze niet had geleefd, ze had overleefd. Misschien kwam het door de wodka, maar ze begon vrijelijker te praten. Volgens mij had ze het gevoel dat ze niet werd begrepen. Ik kreeg de indruk dat ze in haar liefde voor haar man tekortschoot – want je kunt degene die van je houdt toch niets aanrekenen? Haar man trof geen enkele blaam. Hij was goed voor de kinderen, aanbad haar. En al hield ze niet van hem, ze had wel met hem te doen. Als vrouw is het gemakkelijk om medelijden te hebben met alles wat van jou afhankelijk is. De dingen die het leven uit je zuigen. Ook al zou je willen, je kunt ze niet van je arm losrukken, omdat je de aanblik niet kunt verdragen van dat geknakte gezicht als je ze afdankt. Zo was het met haar gesteld. Ze vertelde me dat hij haar zo had gesmeekt dat ze daar achter de schutting, in het tuinhuisje met haar handen op de vensterbank en haar kleren nog aan, kijkend naar de perenboom... Die details heeft ze me verteld! En dat was de reden dat ze, toen ze erachter kwam dat ze in verwachting was, ermee instemde om met hem te trouwen – omdat ze dacht dat hij een bepaalde kant van haar leven zo veel gemakkelijker zou maken. Tot de Muur werd afgebroken, ging ze er helemaal in op.

Maar nu wist ze niet meer welke kant ze op moest. Hij dronk zich dood. Als ze hem vroeg waarom, zei hij dat hij dronk omdat hij het gevoel had dat ze niet van hem hield. Wat moet je daarop zeggen? Wat moet je doen als je man in bed plast? Of als je halverwege de maaltijd een plof hoort en zijn hoofd op het bord ligt? Als iemand iedere avond boven zijn soepbord flauwvalt gebeurt er iets onherstelbaars. Als hij dreigt om er een einde aan te maken als je bij hem weggaat, begint de minachting te groeien. En dat was inmiddels gebeurd. Hij had haar op een bandje een lang, suïcidaal lied gestuurd, waarin hij zei dat hij zich van kant zou maken als ze niet terugkwam. Ik vroeg haar wat ze ging doen en met een gevoel van fatalisme zei ze: "Teruggaan." Ze had besloten dat ze het vuurtje weer wilde aanblazen en haar huwelijk wilde redden.

Arm kind, alles wat ik kon doen was mijn arm om haar heen slaan. Ze dronk haar glas leeg, keek op haar horloge en mompelde dat ze een trein moest halen. Op straat namen we afscheid en dat was de laatste keer dat ik haar gezien heb. Zoals ik al zei kan ik u niet vertellen waar ze woont, of ze nog steeds getrouwd is of zelfs hoe ze heet. Maar ik zal nooit de blik in haar ogen vergeten toen ik haar mijn foto's van Wilhelm liet zien.'

Binnen rinkelde de bel van de oven. 'Mijn enige wekker,' en Frau Lube stopte haastig de langwerpige roze wollen lap weg en kwam overeind. Tijd om zich gereed te maken voor de middagdienst. Tijd om haar gezicht op te maken. Ze probeerde haar benen. 'Nog geen verandering,' met rimpels in haar neus getrokken.

'Het duurt een paar dagen voor u enig verschil zult merken.'

Ze hobbelde voor hem uit naar de hal. 'Wie ze nu ook mag zijn...' Ze sprak over haar schouder met toenemende overtuiging alsof ze aan het slot van een gezang kwam. 'Gelooft u me. Alles zal gaan zoals God het heeft voorzien.'

HOOFDSTUK ACHTENDERTIG

Peter strompelde naar de S-Bahn, bevangen door de kracht van zijn verlangen. Hij werd verscheurd door de noodzaak om haar terug te vinden, Sneeuwlok alleen maar even te zien, ook als ze nu gelukkig getrouwd zou zijn. Hoe Sneeuwlok ooit had kunnen trouwen met een man van wie ze niet hield was als gedachte te onverdraaglijk om bij stil te staan.

Hij liep doelloos door Grünau: rood en groen geschilderde woonblokken, een speelplaats voor kinderen met een omgevallen glijbaan, een jongen die een steentje uit het wieltje van zijn skateboard peuterde. Hij kon zich sinds hij specialist was geworden niet heugen dat een hele middag zich zoals nu leeg voor hem uitstrekte. Geen Milo om bezig te houden. Geen hond. Geen mobiel of bieper om hem op te roepen. En terwijl hij tussen de woontorens in de kleuren van Frau Lubes knotten wol liep, probeerde hij te genieten van het idee dat hij onbereikbaar was. Hij wilde niet op Corinna's wenken vliegen, ook al was hij dol op haar. Of opgejaagd worden door Angelika, Nadine, Frieda. Maar Frau Lube had hem met haar woorden klemgezet. Als je zijn medische context weghaalde, zijn witte jas, Milo, Gus – wat bleef er dan over? Een veertigjarige man die door een onafzienbare woonwijk gekneusd, steunend op een te korte stok zijn weg zocht.

Toen hij bij de S-Bahn kwam moest hij denken aan een droom die hem door de violiste uit Hamburg was verteld. Over Brahms die door een landschap liep terwijl al zijn gebruikte noten als acolieten achter hem aan dwarrelden. Achtervolgd door zijn eigen Eumeniden was Peter blij dat hij uit Berlijn en zijn verzengende leven weg was. In Leipzig kon hij misschien loskomen van de kleine zwarte nootjes van zijn nachtmerrie en zijn parallelle droom oppakken.

Hij merkte dat de stok van Frau Weschke door zijn verwondingen nu

beter bij hem paste. Bijna op eigen kracht tikte de stok op de treden omlaag naar het station. Gestuwd door zijn verlangen besloot hij op zoek
te gaan naar het logeeradres waar Pantomimosa was ondergebracht.
Het was een absurd idee en als een patiënt ermee was gekomen zou hij
hebben geglimlacht, maar door eenvoudigweg weer dat huis binnen
te lopen – met zijn geur van Hawaï-toast, de bruinkoolbriketten, de
boodschap van God in een aubergine op sterk water – hoopte hij zijn
gevoel voor proportie terug te vinden, het gevoel voor wat heilig was.

Toen hij hem eenmaal had weten te lokaliseren bleek de Erich-Ferl-
Straße tegenwoordig de Dresdener Straße te heten. Naar iemand vernoemd had de straat karakter gehad. Nu niet meer. Twintig minuten
lang liep hij stijfjes op het trottoir de straat uit en weer terug. Langs
de zij- en achterkanten van oude gebouwen. Dichtgetimmerde ramen.
Bruin gebeitste baksteen. Hij kon het huis niet vinden.

In zijn verwarde staat liep hij naar het park waar hij de eerste avond
in Leipzig ook was geweest. Op een bank zat een bejaard echtpaar – de
man met een pet op, de vrouw in een donkere wijde trui – in stilte uit
een zakje chips te eten. Aan de rand van het park, in nevel die de zon
niet had weten te verdampen, tekenden zich een paar zwarte bomen af,
alsof ze daar waren opgekladderd door dezelfde kunstenaar die 'Vergif'
op de gevel van het Astoria had gespoten.

De rivier, door de smeltende sneeuw gezwollen, kolkte langs hem
heen en stortte zich in een met riet begroeide geul. Hij keek toe hoe
een forel tussen stroomversnellingen van wit schuim door flitste om
weer tegen de snelle stroom in te zwemmen en daar als een schaduw te
blijven liggen.

Op de oever stond een treurwilg en de takken die tot in het water
reikten deden hem denken aan het haar over de schouder van een meisje. Hij stelde zich de jonge Frau Weschke voor die haar rivierkreeftjes
besloop en hoorde een gemompel uit het water opstijgen: 'Leipzig is
een fantastische stad, Herr Doktor.'

Aanvaarding verloopt in stadia. Dat hield hij zijn patiënten voor. Je
kunt niet meer aan dan je kunt opnemen. Om zes uur 's avonds liep hij
met een fles whisky in de hand terug naar zijn pension.

Frau Hase ving hem in de gang op. Ze kwam vertwijfeld met haar neus in de wind, als een rivierrat boven het water, op hem af. 'U hebt bezoek. Ik heb haar in de voorkamer gezet. Ik geloof dat zij het is!'

Op de bank zat een vrouw een oud tijdschrift te lezen. Lang nadat hij zich haar gezicht niet meer voor de geest kon halen, zou hij zich de groene cocktailjurk herinneren. Spaghettidunne bandjes. Tot op de knie. Van een schreeuwende insectenkleur.

Haar blik dwaalde af naar de stok. 'Wat is er met jou gebeurd?'

'Een aanvaring met de *jeunesse dorée* van Leipzig.'

'Ik vraag me af of het dezelfde bende is die de Turk heeft vermoord.'

'Ik geloof niet dat deze met moordneigingen rondliepen. Ze waren alleen uit op beroving en belediging.'

'Klinkt sexy,' met een vette lippenstiftstem.

'Niet echt. Ze hebben me een beeld van de stad laten zien dat ik niet gauw zal vergeten.'

'Een beeld van wat?'

Op dat moment stak de pensionhoudster haar hoofd om de deur en keek Peter gretig aan. 'Ik vergat u nog te vragen. Blijft u eten?'

'Nee, dank u, Frau Hase.'

Haar ogen gleden naar de bank. Over de leren armleuning lagen de kleren die hij had besteld. Die Renate voor Sneeuwlok had bedoeld. 'O, en ik heb uw overhemd in de was gedaan, Herr Doktor.'

'Dat is heel aardig van u,' en hij stelde Renate voor om naar zijn kamer te gaan.

Peter hing de kleren in de naar lavendel ruikende kast terwijl Renate aan het tafeltje de catalogus die hij daar had laten liggen zat door te bladeren. 'Als ik voor duizend mark verkoop, kan ik een cruise winnen.' De voorwaarde was onuitgesproken. Ze zou pas praten als hij dat bedrag had uitgegeven.

Hij zette de whisky op tafel en trok de tweede stoel bij. Hij speelde het spel mee en bestelde een Nuits Parisiennes-jurk van elastische kant ('geknipt voor elke gelegenheid na vijf uur'). Twee zwarte stripshortjes. Een broek van Moo in 'trendy koeienhuidmotief'... Zijn ogen schoten steeds sneller over de bladzijden en hij las de beschrijvingen niet meer.

Hij had nooit iets met kleren gehad.

Ze telde op wat hij kwijt was. 'Elfhonderdtwintig mark!'

'Dat heb ik niet, in elk geval niet contant.'

'Herr Doktor – hoorde ik het goed, dat ze je Herr Doktor noemde? – ik neem ook wel een cheque aan.'

Hij hinkte naar zijn koffer en haalde er zijn chequeboekje uit. Goddank had hij dat niet uitgepakt.

Haar jurk maakte het ruisende geluid van cellofaan toen hij het bedrag uitschreef. Hij vroeg zich af aan wie hij in godsnaam die kleren kon geven. Nadine? Angelika? Frieda? Corinna? Als ze erin zou passen zouden Rosalinds kansen wel eens ongekend kunnen keren.

Ze vouwde zijn cheque op en stopte hem in haar tas. 'Mijn baan houdt dit actief,' ze tikte tegen haar hoofd, 'daar gaat het maar om. Toen ik net begon, hebben jullie Wessis geprobeerd me ervan af te houden. "Ga je gang, smeer ze maar nieuwe spijkerbroeken aan. Je zult merken dat ze geen sexy kont hebben die erin past." Maar wat weten Wessis van sexy?' Ze leunde voorover. Over haar gezicht lag een glanzende gloed. 'Mag ik je wat vertellen, Herr Doktor? Leipzig was een hartstochtelijke stad.'

Hij knikte.

Ze glimlachte, trok een oorbel uit en wreef over haar oorlel alsof hij zeer deed. 'Mensen voelden elkaar heel goed aan. En inderdaad, soms leidde dat inzicht tot passies die uiterst gevaarlijk waren.'

'Ja, ja, dat begrijp ik.' Had ze gedronken?

Het vlechtwerk kraakte toen ze op haar stoel ging verzitten en het licht viel op haar gevulde en sproetige decolleté. 'Tegenwoordig worden we verondersteld ons niet meer te herinneren hoe het was. Er zijn er zelfs – ik hoop dat jij daar niet bij hoort! – die liever zouden zien dat we ons niets meer herinneren.'

Hij onderging haar borende blik. Ze genoot van haar geterg. De uitwerking en de klank van haar woorden. Zij wist wat hij wilde en zij zou hem laten wachten.

'Vroeger hoorde ik daar wel bij,' met de ernstige knik van een dokter. 'Maar nu niet meer.'

'Met Wessis was het anders,' ging ze verder. 'Ik vertelde ze onzin. Ik haatte ze omdat ze in een andere situatie verkeerden. Ze geloofden alles en als ik hun sprookjes vertelde genoot ik van hun stompzinnigheid. Ik wist dat er problemen van kwamen als ik de waarheid vertelde. Ik wilde geen problemen. Ik wilde in een mooie bar zitten en whisky drinken. En daarna – ogen dicht, een paar minuten, zo voorbij – je vergeet het. Maar je vergeet de whisky niet.' Ze keek naar de fles. 'Voor we tot stof zijn vergaan, bied je me er nog een aan, of hoe zit dat?'

Hij pakte twee glazen van de wastafel, schonk ze in en schoof er een naar haar.

'Het soort dingen dat ik hun vertelde waren...'

'Zullen we er niet langer omheen draaien. Hoe kom ik erachter waar Sneeuwlok woont of hoe haar man heet?'

Ze doopte haar vinger in het glas en likte hem af. 'Denk je nog steeds aan de tijd dat je je zo lullig hebt gedragen?'

'Ja, Renate, nog steeds.'

'Dus je hebt haar nog niet gevonden?'

'Nog niet.'

'Heb je een advertentie gezet zoals ik je heb aangeraden?'

'Die verschijnt morgen.'

'Wat heb je verder nog gedaan?'

'Ik heb Frau Lube gezien.'

Ze lachte smalend en trapte onder de tafel een van haar schoenen uit. 'Frau Lube! Leeft die nog?'

'Ze woont in Grünau – en leeft op bonbons, voorzover ik kan uitmaken.'

'Proost!' Ze klonk tegen zijn glas, dronk en er gleed een aangename rilling over haar gezicht. 'Ik neem aan dat ze voor je zal bidden? Dat was een grapje onder ons, dat bidden van Frau Lube. De laatste keer dat ik haar heb gezien, bleef ze maar over God doorzagen – klopt, dat was in Grünau. "Renate, geloof me, de Almachtige heeft weet van iemand die je eer zal aandoen." Almachtige intuïtie, almachtige lulkoek! Haar geloof stelt haar alleen in staat dingen te zien die er niet zijn. Zoals het feit dat ik niet Renate ben, om maar iets te noemen.'

'Misschien is dat haar manier om ermee te leven,' zei Peter.

'Met wat?'

'Haar zoon. Zijn ongeluk.'

'Haar zoon!' Ze rolde met haar ogen. 'Sinds zijn bijna dodelijke auto-ongeluk is hij een zeurpiet geworden die alleen clichés spuit. "Leef iedere dag zonder jezelf te verloochenen, behandel anderen..." Ik kan je wel vertellen dat ik, als hij zijn vrouw niet had laten zitten en niet de benen naar Australië had genomen, hem zou hebben vermoord omdat hij zo'n nurks was geworden.'

'Hij zag er best opgewekt uit,' zei Peter, met een wonderlijke drang om het voor Frau Lubes zoon op te nemen, de man die kennelijk zo op hem leek.

'Dat is een leugen. Wilhelm was een chagrijnige man en ik heb altijd de pest gehad aan chagrijnige mannen, maar ik raak uiteindelijk altijd met ze opgezadeld. Jij bent toch niet chagrijnig, wel? Eerlijk gezegd doe jij me aan hem denken.'

Hij keek bits op. 'Frau Lube betwijfelt dat Sneeuwlok voor de Stasi werkte.'

'O, barst met je Frau Lube. Weet zij veel. Ze is gewoon een opportuniste. Een cheffin. En het zou me niet verbazen als ze een militaire rang had.' Ze keek hem hooghartig aan. 'Denk jij dat ik Snjólaug niet ken? Misschien was ze al van de Stasi vóór die avond, misschien pas daarna. Maar ze wás bij de Stasi – ik zou zelfs geneigd zijn te zeggen dat ze werkte voor sectie 9 en stille medewerkers rekruteerde om de integriteit van de staat te waarborgen.' Ze bracht haar ogen op de hoogte van de zijne, vol antipathie. 'Dat soort mensen hadden ze, gericht tegen de mensen uit het Westen – vooral tijdens de beurs. Manieren vinden om ontmoetingen, vriendschappen die zich ontwikkelden uit te buiten. Verborgen camera's, microfoons, je kunt je er vast wel wat bij voorstellen...' In het primaire blauw van haar ogen glinsterde bijna iets. 'Als je het mij vraagt was Snjólaug erop uitgestuurd om jou aan de haak te slaan.'

'Waarom zeg je dat?' met iets vlammends in zijn stem. 'Wat voor bewijs heb je daar verder nog voor?'

Ze zweeg en wreef de schrale oorlel tussen haar vingers. Toen: 'Oké, heeft ze je meegenomen naar haar Schreber-tuintje?'

'Ja.' Hij sloeg zijn armen over elkaar.

'Zie je nou. Daar stikte het van de afluisterapparatuur – en dat wist ze. Zou me niks verbazen als ze haar eigen broer had afgeluisterd.'

'Hoe weet je dat?'

'Wat voor kleur is dit?'

De jurk grijnsde hem aan.

'Groen,' zei hij.

'Gewoon groen?' en ze tikte met haar teen op zijn been, speelde met hem.

'Bosnevel?'

'Precies.' En nog eens: 'Precies. Van sommige dingen weet je dat het een feit is, Herr Doktor.' Ze tilde haar glas op. 'Mag ik er nog een?'

Hij schonk de whisky in. 'Frau Lube zegt dat jij met Morneweg over haar hebt gesproken. Wat heb je verteld?'

Ze doopte haar vinger weer in het glas en likte hem af. 'Ze vergist zich. Ik heb niet met Morneweg gesproken.'

'Met wie dan wel?'

'Weet je zeker dat je dit wilt horen, schatje?'

'Ja.'

Ze glimlachte veelzeggend. 'Met een van Mornewegs mensen, iemand die ik goed kende.'

'Vertel op.'

'Nou, omdat je ernaar vraagt... Dat was niet lang nadat ze de portier iets, wat dan ook, had gegeven – je weet wel, waarmee ze hem over-haalde om haar mee naar binnen te nemen. Ik moet zeggen dat ik er zo van opkeek dat ik naar de ingang ben teruggelopen en toen Anton naar buiten kwam heb ik Mornewegs naam laten vallen, wat ik meteen had moeten doen en dit keer liet hij me er natuurlijk wel in. Weet je, ook al begon ik te denken dat ze van de Stasi was, het deed er niet veel toe. Uwe zou toch van me hebben verwacht dat ik dit soort informatie doorspeelde. Ik wilde zeker weten of hij er vanaf wist.'

'Was dat zo?'

'O ja, dat merkte ik aan zijn opwinding. Kijk, zodra ik in het Astoria was heb ik hem vanuit de receptie gebeld. Hij luisterde naar wat ik te vertellen had, dat ik haar had horen fluisteren dat ze in de kostuumkof-fer met je mee wilde, waarop hij onmiddellijk zei, alsof het allemaal bekokstoofd was: "Anton moet haar absoluut binnenlaten." Toen ik hem vertelde dat Anton haar er al in gelaten had, zei hij: "Laat het maar

aan mij over. Ga trouwens maar uit het Astoria weg. Ik praat wel met
Morneweg." En hij moet wel met hem hebben gesproken want zoals ik
al zei zag ik Uwe en Morneweg een paar minuten later met haar in de
Wartburg stappen.'

Peter schonk zichzelf nog een glas in. Wat ze vertelde maakte hem
helemaal van streek. Hij had zo veel vragen, maar hij merkte dat Renate
kribbig begon te worden als hij ze rechtstreeks stelde. Ze wilde er per se
de tijd voor nemen, het hem moeilijk maken. Om dan terug te komen
en hem ermee te overvallen.

'Best,' zei hij met tegenzin. 'Stel dat ze van de Stasi was.'

'Vast en zeker, schatje.'

'Frau Lube heeft me verteld dat ze niet lang daarna is getrouwd.'

'Dat meen ik begrepen te hebben.'

'Ze suggereerde dat Sneeuwlok – zelfs als ze voorheen van de Stasi
was – mot met ze heeft gehad.'

'Dat klopt.'

'Heb je enig idee wat de Stasi met haar heeft gedaan?'

'Natuurlijk.'

Peter zag dat ze een pakje sigaretten uit een glanzende zwarte tas
haalde. Hij kwam dus toch wel verder.

Ze bood hem een sigaret aan die hij afsloeg. 'Ik dacht dat alle doktoren rookten,' zei ze.

'Ik heb op zestig per dag gezeten.'

'Alles of niets, hè? Hoe ben je ervanaf gekomen?'

'Ik ben naar een hypnotiseur gegaan.'

Ineens begon Renate te grinniken. Ze sloeg haar whisky achterover,
stak haar sigaret op en keek hem vrolijk aan. 'Ze hadden rondgestrooid
dat ze gonorroe had.'

We schrijven zomer 1983.

Op een avond zit ik in de Bodega – ongeveer drie maanden nadat
jij ons had laten stikken. Er wordt aan mijn arm getrokken en het is
Snjólaug en ze is in alle staten.

Ze vouwt een brief open van het ministerie van Gezondheid. Daarin
wordt verwezen naar een of andere epidemiewet uit de jaren vijftig en zij

wordt met naam en toenaam vermeld. Ze moet met haar ziekenfondskaart de volgende dag om twaalf uur bij de veneroloog komen voor een huidtest en dat moet ze gedurende veertien dagen om de andere dag doen. Er zit een lijst bij van alles wat ze niet mag doen. Niet reizen. Geen alcohol. Geen seks. En ze wordt gewaarschuwd voor het gevaar van onvruchtbaarheid als ze niet onmiddellijk wordt behandeld.

"Het stelt waarschijnlijk allemaal niets voor," zeg ik tegen haar en ik vraag of ze reden heeft om zich zorgen te maken. Ze vertelt dat er één man was geweest. Maar ze had sinds drie maanden geen seks met hem gehad. Ze kennen elkaar al een eeuwigheid. Voor hem is zij een geschenk van God. Het geval wil dat ze waarachtig niet weet of ze gonorroe heeft. Ik vind het wel leuk zoals ze míj uithoort. Ik zeg tegen haar dat een man iedere keer als hij moet pissen de hele boel bij elkaar zou schreeuwen. Kennelijk schreeuwt deze man niet tegen haar. "Weet je zeker dat er niemand anders is, schatje?" vraag ik. Waarop ze helemaal stil wordt. Blijkt dat ze vijf dagen voor ze met haar jeugdliefde had geneukt ook met een Engelse medische student had geneukt.' Renate glimlachte. 'Dat ben jij, schatje. Ik ga zelfs zo ver om te suggereren dat jij misschien degene bent die haar naam heeft laten vallen. Daar wil ze niet aan. O, nee. Het is de Stasi.

"Denk je dat echt?" vraag ik sarcastisch. Ik begin haar er namelijk van te verdenken dat ze me probeert te belazeren. Soms doen ze dat. Net doen of ze zo naïef zijn dat je van pure ergernis veel meer loslaat dan je ooit tegen iemand zou vertellen, zelfs tegen je eigen dochter. "En waarom denk je dat?"

Ze wantrouwt alles en iedereen, vertelt ze me. Ze beseft niet dat ze in de gaten wordt gehouden. Het komt erop neer dat Bambi eindelijk wakker is geworden en merkt dat de klauwen van de Stasi over haar hele leven hun afdrukken hebben achtergelaten.

Waar ze net zo overstuur van is als de aanzegging van het bureau geslachtsziekten is het feit dat ze haar ziekenfondskaart niet kan vinden. Die moet ze aan de arts laten zien. Hij lag altijd in haar la en nu niet meer. Op een of andere manier verdenkt ze mij ervan. En daar had ze misschien ook wel reden voor. Maar ik had haar klotekaart echt niet gestolen.'

'Wat voor reden?' vroeg Peter met een steek van woede.

Ze blies een sliert rook uit en keek hem erdoorheen lang aan. 'Waarschijnlijk vanwege haar broer. Snjólaugs baas betaalde me om met hem te neuken.'

'Morneweg?'

'Dat was een van zijn namen,' en ze drukte haar sigaret uit.

'Ook al was Bruno met jouw nichtje getrouwd?'

'Nou en? Hij had immers een aanvraag ingediend om naar het Westen te mogen. Dat wist iedereen. Iedereen die naar het Westen wilde werd zwaar in de...'

'Even voor de duidelijkheid. Werden jij en Bruno door Morneweg afgeluisterd?'

'En als wat hij hoorde hem beviel, betaalde hij ervoor.'

'Waar was dat?'

'Soms in de volkstuin, soms in het Astoria.' Ze lachte onwillekeurig alsof iemand haar voeten kietelde. 'Vreemd. Ik ben met zo veel mannen naar boven gegaan, mannen van allerlei slag en status. Maar het enige gezicht dat ik in het Astoria in mijn hoofd had was dat van Morneweg. Ogen die me zo aankeken,' en ze vertrok haar gezicht. 'Lippen als een forel. En die stank... als ik langs zijn kamertje liep – koptelefoon op, handen tegen zijn oren en vochtplekken onder zijn armen. Als ik met iemand was had ik zin om naar de lamp of de kast of waar hij zijn microfoon ook verborgen had te schreeuwen: "Wat doe je met al het geneuk dat je hoort?"'

Ze haalde haar hand over haar gezicht en raakte haar make-up aan. 'Maar met die kerel moest je op je tellen passen. Je kon nooit iets over hem zeggen zonder dat hij het hoorde – dan kwam hij door de muur lopen. Als hij niet in zijn hokje zat was hij erg dik met Herr Partei. Ik weet niet hoe dik, maar Morneweg was degene die uitmaakte of die-en-die opgepakt moest worden of gonorroe kreeg. Daarom ging iedereen hem uit de weg. Ik ook. Alleen ben ik een impulsief type. Soms doe ik domme dingen. Zoals die middag dat ik langs zijn kamertje kwam en ik niemand zag zitten, zo doods als een lijkkist, met banden tot aan het plafond. Ik zag de bandrecorder en was ineens benieuwd hoe ik klonk. Snel glipte ik naar binnen, zette de koptelefoon op, drukte op play. En wat denk je dat ik hoor?'

Ze veegde in haar oog. 'Op de band was een jonge jongen aan het woord. Ik kon mijn oren niet geloven. Ik weet niet wat ik had verwacht, maar niet dat.

Stel je voor: de rechterhand van Herr Partei die luistert naar een jongen die "papa, papa!" roept. Op dat moment veranderden mijn gevoelens voor Morneweg. Rond die tijd hoorde ik ook dat zijn vrouw helemaal in de vernieling bij hem weg was gegaan en zijn zoon had meegenomen naar het Westen. Dat weet ik van Frau Lube.'

Ze schudde haar hoofd. 'Het klinkt vreemd, maar het is waar. De enige die zijn tong los kon krijgen was Frau Lube. Hij had iets eigenaardigs met haar. Zo blij als een belletje aan een paardenhoofdstel was ie, als hij haar in de keuken zag. Probeerde altijd stiekem te laten weten dat hij er was. "Renate, zou je dit kopje aan Frau Lube terug willen geven – en zeg haar dan ook dat de koffie heerlijk was?" En als je de boodschap aan Frau Lube doorgaf, keek ze je zo verschrikt aan, alsof iemand had gehoord wat ze soms op haar knieën in de bordenkamer mompelde. Treurige griezel. Al die afluisterapparatuur, maar hij kwam er nooit achter dat die vrouw hem niet kon luchten of zien. Misschien was ze wel een christen, maar je kon haar niet alleen met hem in dezelfde kamer laten! En zij was de enige niet, hoor.

Maar goed, dat maakt verder geen ruk uit. Op een zomeravond – o, ongeveer acht maanden vóór Snjólaug met haar brief bij me komt – zit ik in de Bodega en uit het niets duikt Morneweg op. Hij heeft kennelijk haast, want voor mij bestelt hij een Grauer Mönch maar voor zichzelf niks. Hij zegt dat ie heeft gehoord dat ik een goed geheugen heb. Dan geeft ie me een briefje. Hij zou graag zien dat ik voorzichtig over deze persoon dingen aan de weet kom. Iets louche over hem, zijn familie, zijn vrienden. Ik kijk naar de naam en zeg: "Ik ken die man! Hij is met mijn nichtje getrouwd."

Dat klopt.

"Sorry, Herr Morneweg, ik ben niet zo goed in speurwerk. Van neukwerk weet ik wel het een en ander. Ik wil wel met hem naar bed en u luistert maar naar hartelust, maar vraag me niet om iets op papier te zetten, want dat doe ik niet." Nou, die Morneweg wil zo graag dat ik met Bruno de koffer in duik dat hij bereid is om me honderd mark te betalen. Het was maar voor een paar keer, maar ik kan je wel vertellen dat het geen pretje was. Waar je waarschijnlijk wel achter bent gekomen is dat het berekoud is in die Schreber-volkstuintjes. Geen druppel nacht-crème – moest mijn make-up er met boter af halen.'

'Toe. Ik weet niet of ik dat allemaal wel wil weten.'

'Hoezo? Wil je dat ik ermee kap?'

'Nee.'

'Ik doe dit niet voor niks. Als ik eenmaal op dreef ben...'

'Ga door, ga door.'

Ze stond op om het raam open te doen. 'Ligt het aan mij of is het hier nou zo warm?'

'Dat zal niet lukken. Het zit vast.'

Ze opende het raam en ging weer zitten.

'Hoe...'

Ze schoof haar bandje omhoog en schokschouderde.

Hij hield de fles schuin. 'Nog wat?'

'Ik niet meer. Hoewel,' zei ze, en ze wees naar de doos op tafel. 'Ik wil best wat van dat gebak. Door al dat gepraat sterf ik van de honger.'

'Dat is geen taart,' zei hij. 'En het is van iemand anders.'

'Jammer. Ik zou wel een lekker stukje kwarktaart lusten.'

Hij schonk zijn glas vol. Ademde de frisse lucht in. De lucht riep een vraag op die hij steeds opzij had geschoven. 'Dus jij zat ook in de Stasi?'

'Joehoe bloempjes, joehoe bijtjes. Gewoon een arbeidersmeisje dat probeert een centje bij te verdienen. Je wilde de details weten. Als je dat liever hebt, sla ik nu mijn beentjes over elkaar.'

'Ik ben alleen verbijsterd door alle list en bedrog. Morneweg – waar hangt die tegenwoordig uit?'

'Geen idee en dat is de waarheid. Waarschijnlijk zit ie in de regering. Vermomd achter een snor net als iedereen. Ze wisten heus wel wat hij had uitgespookt, maar niemand wilde zijn nek uitsteken om het zwart op wit te zetten. Als je hem in de stad tegen het lijf loopt wed ik dat hij onderweg is naar de kerk, glad als deze zijde.'

Zachtjes streelde ze met haar vingers over haar decolleté en keek hem uitdagend aan. Haar jurk glansde onnatuurlijk. *Renate gelooft dat de-*

gene die het laatst met je naar bed is geweest, je bezit.

'Maar goed, wat is er van Sneeuwlok geworden?'

'Oké, terug naar Snjólaug. Ik verzekerde haar dat ik haar niet had aangegeven en ook haar ziekenfondskaart niet had gestolen. Ik legde uit dat ze iemand anders de huid vol moest schelden, maar ze wilde niet luisteren. Ineens vertegenwoordigde die brief voor haar het hele systeem. Er volgde een afgrijselijke scène. Ze draaide door – en verscheurde voor mijn neus de brief.

Ze was alle uitleg zat. Er was geen uitleg, alleen verraad. En ze stormde de Bodega uit, en dat was de laatste keer dat ik haar heb gezien.'

Hij speelde met de oorbel die ze op tafel had gelegd. 'Waar is ze nu?'

De zorg waarmee ze haar woorden koos deed denken aan iemand die vis fileerde. 'Ik heb gehoord dat ze ergens op het platteland woont.'

Met tegenzin schoof hij dichterbij. Maar hij had de grens van haar wereld overschreden. Ze trok zich terug en na zeer familiair te zijn geweest werd ze nu heel stijfjes. Ze pakte haar oorbel en hield haar blik op hem gericht terwijl ze hem weer aan haar oorlel klipte. Toen veranderde haar uitdrukking. Teder stak ze haar hand uit en omdat hij het gebaar verkeerd begreep deinsde hij terug.

'Nee, nee, nee, wees maar niet bang. Alleen die oorlelletjes van je – mag ik ze aanraken. Ze zijn zo dun.'

Hij volgde de lijn van haar arm en keek naar haar ronde neus. De geëpileerde wenkbrauwen. De gehavende huid. Haar gezicht zag eruit als een bladzijde waarop waterdruppels zijn opgedroogd. En toch raakte hij, gewoontegetrouw, door haar gebiologeerd, door deze vrouw die buitenlanders niet serieus kon nemen. Voor wie Leipzig geen geheimen had.

'Goed, ik moet ervandoor,' ruisend kwam ze overeind. Ik zal iemand de kleren laten bezorgen. Hoe lang blijf je nog?'

'Tot maandag.'

'Als ik die cruise win ga je met me mee, hè?'

Peter luisterde naar de harde tik van haar voetstappen, de trap af, door de gang de straat op. Toen deed hij de dop op de whisky, stond op en sloot voorzichtig het raam. Hij stond in het donker naar buiten te kijken met zijn hand aan zijn oor. Een gloedvolle maan kroop boven de daken uit. Op de weerspiegeling in het glas was een nest bladluizen afgekomen en een mot fladderde omhoog tegen het raam en at de ene luis na de andere op.

HOOFDSTUK NEGENENDERTIG

SNEEUWLOK. Sneeuwlok. Sneeuwlok. Het oorsuizende gedreun van haar naam zwol zo aan dat het zijn slaap verstoorde. Een tel later werd er op de deur geklopt. 'Herr Doktor Hithersay? Telefoon voor u.' Het was tien over acht.

Frau Hase stond beneden met een opgewonden gezicht te wachten. 'Ze heeft hem gelezen.'

'Wat gelezen?'

'Uw advertentie in de krant. Ze zegt dat ze u kent.'

Het verbaasde hem dat iemand zo snel reageerde. Hij had weinig fiducie in Renates plan. Hij nam de hoorn van haar aan, bang.

'Hallo?'

'Met wie spreek ik, alstublieft?' Rustige stem. Eind dertig.

Hij zei zijn voornaam. De lucht zinderde. In de gang boende Frau Hase met haar stofdoek de spijlen van de trapleuning.

'Peter? Ben jij het, Peter?' Een explosie van enthousiasme en of het wel waar kon zijn, ze had zo vaak aan hem gedacht, soms als ze in bad zat, ze had altijd geweten dat hij zou proberen contact te leggen, wat een ervaring, ze had het nooit vergeten, het was maar één keer eerder gebeurd, met een Ier, maar dat was niet hetzelfde...

Hij had moeite om Sneeuwlok in de stem te herkennen. 'Was dat in het Astoria?'

'Weet je het niet meer? We hadden samen gegeten en zijn daarna naar boven gegaan en ik heb nog gevraagd: "Waarom ik, terwijl er zo veel keus was, waarom ik?"'

'Was dat na de mimevoorstelling?'

'Mime? Waar heb je het over, Peter. Ik herinner me geen mime.'

Rond tien uur hadden er nog drie andere mensen gebeld. Een nasale stem wilde vijfhonderd mark hebben voor hij verder iets wilde zeggen en hing op toen hem werd gevraagd om Pantomimosa te beschrijven. Een andere beller zocht kennelijk al sinds jaar en dag naar een vrouw die hij voor het laatst had gezien tijdens de pauze in het Rudolph-theater. Midden in een voorstelling van Heiner Müllers *Quartett* in 1982, zei hij.

De derde persoon belde duidelijk vanuit een openbare telefooncel.

'Bent u op zoek naar een vrouw in het bijzonder?' Een plaatselijk accent. Rollende r. Humeurig. Hoge stem.

'Ja.'

'Ik heb voor een paar mensen gewerkt die haar misschien hebben gekend.'

'Hoe heette ze?'

'Ik kende haar bij de naam waaronder ze werkte. Ze werd Marla genoemd.'

Peter vroeg om een beschrijving. De man kon zich haar gezicht niet meer zo goed herinneren, na al die tijd. Maar ze had iets wat hij niet was vergeten. 'Ze droeg iets om haar nek, niet echt een halssnoer...'

'Waar is ze?'

Stilte. Het geluid van pratende mensen galmde door een gang.

'Wilt u inlichtingen? Dat gaat geld kosten. Ik zal moeten gaan graven. Kunt u me een idee geven van wat het u waard is?'

'Wat dacht u van drieduizend mark?'

Hij snoof bijna hatelijk. 'Daar kom ik niet ver mee. We hebben het over het ontsluiten van een archief. Ik weet toevallig dat het dossier zich niet bevindt waar het zou moeten zijn – maar goed ook, anders was het allang tot as verbrand. Maar onder bepaalde omstandigheden weet ik hoe ik erbij kan komen.'

'Vierduizend mark dan – als u met informatie komt waarmee ik haar kan achterhalen.'

'U klinkt niet als een heer uit Leipzig. U kent kennelijk de procedures niet. Dit wordt echt heel gevaarlijk, heel lastig... Ik zou zeggen dat het wel neerkomt op vijfduizend mark.'

'Dat is goed, prima.' En: 'Waar kan ik u ontmoeten?'

'Bent u vanmiddag vrij?'

'Ja.'

Een pauze. 'Ik zal u terugbellen.'

Peter wachtte veertig minuten. Kort voor elf uur kwam de pensionhoudster naast hem staan. Een andere gast wilde dringend de telefoon gebruiken.

'Help me eens herinneren, Frau Hase, hoe kun je het nummer van de laatste beller draaien?'

Ze vertelde het hem.

Na lange tijd zei een aarzelende stem: 'Hallo?'

'Kunt u me alstublieft vertellen,' vroeg Peter, 'waar u deze telefoon opneemt?'

'Ik lig op een zaal. Ik weet niet waar precies. Ik stond op de gang te wachten en hoorde de telefoon overgaan.'

'Een zaal waar?'

'Het Dösen-ziekenhuis.'

Frau Hase bracht hem een kop koffie. 'Nee, nee, van het huis. Vertelt u me eens, hoe gaat het?'

'Niet zo best.'

'Ik ben hier als er iemand mocht bellen,' zei ze.

Hij liep het huis uit naar een park. De lucht was bleekblauw en het dooide harder. In twee dagen leek het of een winterse maand maart was omgeslagen in een vroege zomer.

Hij plofte neer op een bank waar hij ging zitten piekeren over de man die uit het ziekenhuis had gebeld. Waarom een ziekenhuis? Misschien weer een dood spoor – of was de halsketting toch van Sneeuwlok? Hij zette de stok van Frau Weschke tegen de armleuning en hij ging helemaal op in het verleden dat in bellen naar de oppervlakte steeg. Hij zat in het zwakke zonnetje te soezen.

Een bel rinkelde als de winkeldeur van een drogist. Hij trok zijn benen terug van het pad en drie meisjes fietsten met fladderend blond haar langs.

Hij stond op. Steunend op de stok stak hij zijn hand in zijn zak waar zijn vingers iets plakkerigs voelden. Frau Lubes toffeebonbon was over zijn horlogebandje gesmolten.

Om kleingeld voor de muntjestelefoon te hebben kocht hij de *Leip-ziger Volkszeitung* met zijn advertentie erin en liep terug naar Pension Neptune.

'Heeft hij teruggebeld?' vroeg hij aan Frau Hase.

'Hemeltje nee.'

'Nog andere telefoontjes?'

Ze schudde haar hoofd, teleurgestelder dan hij.

Hij belde Frieda op. 'Ik ben het.'

'Milo!' riep ze. 'Papa voor je.'

'Wacht even, ik wil jou spreken.'

'Mij?' achterdochtig.

Hij keek zenuwachtig om zich heen, maar Frau Hase was niet te zien. 'Ik wil me verontschuldigen voor de klotestreken die ik heb geflikt.'

'Wat zeg je me nou? Allemaal? Zo veel tijd heb ik niet, Peter.'

'Ik meen het.'

'Waar heb je het in godsnaam over? Als je het over je hond hebt dan kunnen we daarmee beginnen. Die hond van jou komt mijn neus uit, dat kan ik je wel vertellen. Gisteravond heeft hij over mijn favoriete sjaal gekotst.'

'Eigenlijk wil ik me verontschuldigen voor het feit dat ik de situatie moeilijker maak dan hij is. Ik wil dat het van nu af aan beter loopt. Ik bedoel... uiteindelijk zijn we ouders.'

'Peter,' zei ze doordringend, 'dit is niet het moment en waar je ook uithangt, het is niet de plaats om met mij over dit onderwerp te beginnen. Als je tegenover me aan tafel zou zitten zou ik je misschien vijf minuten geven. Hé, Gus, laat dat!'

'Ik wil alleen meer voor Milo betekenen en daar heb ik de laatste tijd weinig aan gedaan en dat spijt me.'

'Hier komt Milo,' zei ze uiteindelijk gepikeerd.

'Papa, papa, heb je Frau Weschke gezien? Ze heeft beloofd om een rivierkreeft voor me te vangen.'

'Ik heb haar niet gezien,' gesterkt door het geluid van zijn vertrouwde stemmetje. 'Maar dat betekent waarschijnlijk dat ze er nu juist een aan het vangen is.' Hij repeteerde de pijn die hij zou voelen als Frieda met

Milo naar een ander land zou vertrekken. 'Lieverd, het zou me erg helpen als je vanavond goed je tanden poetst.'

'Gus heeft anders mijn tandenborstel opgegeten.'

'O nee.'

'En dat is nog niet alles,' zei Milo zwaarwichtig.

'Ik weet niet of ik nog meer aankan,' zei Peter.

'Nou, ik vertel je toch maar wat hij heeft gedaan. Hij heeft de computer van mammies bureau af getrokken.'

Peters laatste telefoontje was aan de telefoonmaatschappij om zijn mobiel op te zeggen. Daarna liep hij naar zijn kamer, ging liggen en rilde. Hij wiste het zweet van zijn gezicht. Uitgeput van al deze herinneringen.

Hij dacht: wat schiet ik hier nou mee op? Ik zit achter dode mensen aan terwijl ik me niet genoeg bekommer om hen die me het meeste na staan.

Hij was een vermogen kwijt en wat was hij er wijzer van geworden? Dat Sneeuwlok door de Stasi was ondervraagd. Dat ze voor de Stasi werkte. Dat ze getrouwd was en twee kinderen had. Dat ze misschien Marla Berking heette. Hij kon net zomin als Marla Berking aan haar denken als hij haar kon zien als iemand die ouder was dan drieëntwintig of zonder de portier die haar schouders vasthield. Het enige waaraan ik kan denken, hield hij zichzelf voor, is deze opgeprikte vlinder, deze kruisiging. Het is te ziekmakend. Ik moet er maar van uitgaan dat ze op dat moment is gestorven en weer is opgestaan in een ander leven en dat alles uitstekend met haar is. Ik kan haar toch niet vinden. Ondanks al zijn inspanningen bleef ze een mogelijk droombeeld net als de mannequin op de catalogus van Renate. Als hij haar ooit op het spoor zou komen zou ze waarschijnlijk iemand als Renate zijn geworden, die satijnen ondergoed verkocht om in haar onderhoud te voorzien. Het werd tijd dat hij ophield met zoeken. Tijd om een vader voor Milo te zijn. Tijd om de vader te worden die hij nooit had gehad. Hoe dan ook, waar kon hij op zondag aan vijfduizend mark komen? Hij zou naar beneden gaan en tegen Frau Hase zeggen dat hij niet verder wilde zoeken. Hij was heel blij dat hij een advertentie in de krant had gezet, maar de reacties die hij had gekregen waren meer dan hartverscheurend. Het werd een kermisattractie van gedrochten. Een treurige oude mafkees, een geschift vrouwspersoon en iemand die zeer onaangenaam klonk en niet terugbelde. Nee, hij zou de zaak afsluiten, net doen of Sneeuwlok een patiënt was die was overleden.

Er werd op de deur geklopt. Frau Hase. 'Telefoon!'

Dit keer geen achtergrondgeluiden. De man sprak dringend. 'We kunnen om vier uur afspreken.'

'Wacht. Ik geloof dat ik van gedachten ben veranderd.'

'Ik neem aan dat u de Engelsman uit de Schreber-volkstuinen bent.'

Zonder aarzelen vroeg Peter: 'Waar kunnen we elkaar ontmoeten?'

'In de dierentuin. Het giraffenverblijf.'

'Hoe herken ik u?'

'Ik heb rossig haar, maar ik herken u wel.'

'Wat het geld...' Maar hij had opgehangen.

In de diepte op zijn rots in een waterpartij keek een ijsbeer ongeduldig toe terwijl de verzorger Peter de weg wees. Toen opende hij zijn kaken om de volgende vis die werd gegooid op te vangen.

Het giraffenverblijf lag tegen de achterkant van het vogelhuis. Warm en bezweet liep Peter over het sintelpad. Hij was zo ongeduldig geweest dat hij zonder jas of stok was vertrokken. Hij keek naar rechts en naar links op zoek naar een figuur die hij in zijn hoofd was gaan vereenzelvigen met de Zwarte Ridder – zo iemand die verantwoordelijk was voor dag na dag, uur na uur lijden. Maar hij zag niemand.

Hij leunde tegen de reling met een voet erop en ademde diep in. De laatste resten sneeuw lagen in hoopjes langs een wal, grauw en van binnenuit gesmolten alsof ze door een rietje de grond in werden gezogen. Half slapend stond een mannetjesgiraffe hem van de andere kant van een vijver aan te kijken. In het water werd zijn lange nek weerspiegeld. De bruine vacht onderbroken door stervormige vlekken.

Het vrouwtje waakte bezorgd over haar kleintje dat langs het hek liep. Haar ogen leken daarentegen op donkere putten en het golvende patroon van haar vacht deed denken aan een steen die in een plas was gegooid. Toen het tot haar doordrong dat Peter naar hen keek, liet ze een schorre hoest horen, gooide haar hoofd achterover en stampte met haar hoeven op het gras.

Ongehaast liep het kalf van zijn moeder weg en verplaatste zich elegant-onhandig kuierend naar de vijver. Het spreidde zijn voorbenen, liet snel het hoofd zakken en begon te drinken.

Sneeuwlok had hem aan een giraffe doen denken. Zulke lieve dieren.

Nu was het de beurt aan de moeder om te drinken. Ze keek Peter met een verwijtende blik aan. Grote ogen achter lange wimpers die voor een vlam terugdeinsden. En ze gaf hem het gevoel dat hij al eerder bij het hek had gestaan. Maar wanneer? Er verstreken seconden. Niet hij – eerder een snel geschetste gedaante in de aquarel die hij voor Frau Weschke had gekocht.

'Het hoofd lager dan het hart – een fenomeen dat psychologen fascinerend vinden.'

De man sprak Engels. Hij zag eruit als een van Peters biologieleraren die goed was in cricket. Lang, een jaar of twee ouder dan Peter, met een verweerd vriendelijk gezicht onder de pet. Zijn armen waren gekruist over een grote gewatteerde envelop en uit de zak van zijn enkellange jas stak een zeiltijdschrift.

'U of ik, wij zouden allang duizelig zijn geworden, we zouden een flauwte krijgen,' en een hand gleed onder zijn pet en krabde op zijn hoofd.

Hij was niet degene die had opgebeld. Deze man sprak met een ontwikkelde, rustige stem. Zijn uitdunnende haar was grijs.

Hij draaide zich niet naar Peter toe. 'Nog zo'n fenomeen: ze schreeuwen nooit. Zelfs niet als ze door een leeuw worden aangevallen.'

Peter raakte in paniek. Het klopt niet, dacht hij. Dit is hem niet. Hij wendde zich af van het hek waardoor sintels onder zijn hakken knarsten, en wilde weglopen toen de man zei: 'U heeft een advertentie gezet.'

'Dat klopt,' en hij bleef staan.

'U had eigenlijk mijn collega verwacht. Mijn collega voelt zich momenteel niet zo lekker.' De woorden hadden een meewarige ondertoon. Zijn roodomrande, kleine ogen stonden vermoeid. Hij had de laatste overlevende van zijn ras kunnen zijn. 'Hoe dan ook, ik heb de dossiers bij me. En ik wil dit van meet af aan heel duidelijk maken: ik ben hier niet voor het geld.'

HOOFDSTUK VEERTIG

Hij zei dat hij Uwe heette. Hij wist wie Peter was. Hij had Peters advertentie niet gelezen, want die ochtend had hij andere dingen aan zijn hoofd gehad: zijn moeder was voor zijn ogen ingeslapen.

Vijf maanden lang had haar ruggenmergkanker grote gaten in zijn leven gebeten, waarvan die op zondag de grootste waren. Op vrijdag was hij tot het besef gekomen dat hij haar niet meer mee naar huis zou nemen en had gevraagd om de machine stop te zetten. Sindsdien wilde hij almaar dingen van haar weggeven, maar dat kon hij niet maken, niet zolang ze nog niet was gestorven. Vanochtend was de derde dag aangebroken dat ze in coma lag. Hij had aan haar bed gezeten zonder goed te weten wat hij moest doen, zag hoe haar hand over haar wangen dwaalde naar de plek waar een zuurstofbuisje had gezeten en bedacht verdwaasd dat hij misschien kon profiteren van de dooi en uit zeilen gaan, toen er een verpleger binnenkwam die zei: 'U heeft bezoek.'

Uwe herkende de in zichzelf neuriënde stem en toen verscheen vanachter het gordijn dat stuurse gezicht met de uitpuilende ogen. Kresse. Hij had een scheve snor laten staan, waarvan de ene kant een centimeter langer was dan de andere.

'Baas! Blij dat ik u tref. Ik heb uw hulp nodig. Kijk.' Over het bed met het piepende lichaam van zijn moeder vertelde Kresse hem over de advertentie in de *Leipziger Volkszeitung*. 'De Engelsman is teruggekomen, eindelijk is die vent terug – en ik heb met hem gesproken. Ik zie hem vanmiddag. Maar ik heb het materiaal nodig.'

'Leg even uit waar je het over hebt, Kresse,' en hij probeerde een lach te onderdrukken. Het leek alsof de snor haastig en niet helemaal op de goede plek was opgeplakt.

'Herinnert u zich Marla Berking nog?' Kresse trok een stoel bij en ging zitten. 'Weet u nog van dat meisje dat uiteindelijk niet in een kostuumkoffer is gevlucht? Heeft u haar dossier achtergehouden?'

'Jij weet donders goed hoe dat is gegaan.'

'Ik weet nog heel goed hoe het had móéten gaan, maar de zaken staan zo, baas. Ik moet weten waar dat meisje uithangt en ik heb zo'n gevoel dat haar dossier niet is vernietigd.'

'Chantage, heb je het daar over?'

'Ja, natuurlijk, wat dacht u dan? Maar ik weet niet meer wat er van haar geworden is.'

'Komt nu slecht uit, klootzak,' en zijn ogen flitsten terug naar het kussen waarop het leven langzaam wegebde.

Kresse liet zich niets aan zijn stervende moeder gelegen liggen en schoof dichterbij tot zijn ellebogen op het laken rustten. Als er een vreemde binnen was gekomen had hij kunnen denken dat ze familie van elkaar waren, verdiept in gebed.

'Hoe heet haar man?' Zijn adem bereikte Uwe over de stramme benen als een ijle geur uit het verleden. Automatisch determineerden zijn neusgaten gistig brood, hardgekookt ei, oploskoffie met lang houdbare melk.

'Ik weet het niet. Misschien als jij niet al die potten had vernietigd...' Hij kon hem er nog steeds mee op stang jagen, zelfs na al die tijd, nu nog. Terwijl Uwe dossiers aan het verbranden was, was Kresse naar het meer gegaan en had Uwe's potten in het water gekieperd. Al die jaren dat hij jacht had gemaakt op geuren, zijn monsters – hij had het hele laboratorium leeggehaald.

Kresse opende zijn mond en Uwe vond het wel interessant om te zien dat er bij de bruut geen gat meer tussen zijn tanden zat. 'Geef me haar dossier, baas. Dan krijgt u de helft van de beloning.'

'Het spijt me. Dat is allemaal afgedaan. We leven in een nieuwe wereld.'

'Ik heb hem gepeild. Hij heeft geld. Maar we kunnen meer vangen – volgens mij een hoop meer.'

'Hoeveel?' Zijn blik verlegde zich weer naar het gezicht van zijn moeder, de huid rond de ogen en de mond diep geplooid.

'Nou, hij heeft vijfduizend mark toegezegd. Maar ik was niet van plan om hem het dossier te geven – ik wil hem alleen laten zien dat we het hebben. Wat denkt u dat ie waard is, baas? Wat vangt een dokter in West-Duitsland? Hoeveel cash zal ie hebben? Hij kan krijsen en gillen tot hij blauw ziet, maar hij zal terug moeten naar West-Duitsland om het bij elkaar te schrapen.'

'Ben je van plan om vijfduizend mark te innen en hem het dossier niet te laten lezen?' Hij stelde de vraag bijna pedant.

'Zo zit de wereld in elkaar, baas. Wakker worden. Waar heeft u gezeten?'

Uwe was in zijn tijd wel vaker onder druk gezet, maar hij was bezadigd van aard. Maar als zijn verontwaardiging tot een uitbarsting kwam, was er geen houden aan. 'Jij hebt altijd al tot het uitschot behoord. Je bent nooit iets anders geweest dan een misselijk kapitalistje. Maak dat je wegkomt.'

'Dat kunt u niet maken, baas. Ik heb dat dossier nodig. Het is een hoop geld waard.'

'Lazer op.'

Tussen hen in klonk weer een gelooid gehijg. Kresse keek omlaag en als uit de karren die mineralen uit de mijn omhoogbrengen, lekte uit zijn ogen alle vuiligheid die hij herbergde. 'Het is maar goed, baas, dat men bij uw moeder de stekker eruit heeft getrokken. Anders had ik het wel voor u gedaan.'

Het gordijn viel dicht. Hij was weg. Maar hun gesprek was voor het lichaam op bed te veel geweest. Uwe hield de levenloze pols vast, in de wetenschap dat hij er voor het laatst in kneep en om een of andere reden dacht hij terug aan een dag op de Kulkwitzer See toen hij zeven was en naar de zeilen had staan kijken. Zijn moeder stond op de oever – riep naar hem, trok aan zijn hand, gaf hem een standje omdat hij te dicht bij het water kwam – en zijn vader zei: 'Waarom denk je dat hij naar je zal luisteren? Hij is net als jij.'

Nadat hij haar haar had geborsteld, riep hij een verpleegster. Hij bleef om nog wat papieren te tekenen en ging naar huis.

Uwes flat besloeg de helft van het souterrain van een negentiende-eeuws gebouw in de Rosentalgasse. De flat lag op het westen en hij had hem genomen vanwege de oude wijnkelder achterin. Hij had via een contact van zijn werk het adres van een beveiligingsbedrijf in München gekregen en had een gewapende deur en nog een andere stevige deur laten plaatsen. De oudste dossiers waren net als klassewijn in de stenen vakken op datum gesorteerd opgeslagen.

Aanvankelijk had hij de dossiers meegenomen voor zijn vrijheid. Maar ze vormden ook een zekerheid, om hem te beschermen tegen mensen als Morneweg en Kresse. En misschien zou de tijd komen dat hij er iemand een dienst mee kon bewijzen. De mensen die willekeurig en zonder reden waren gearresteerd of onmenselijk gemarteld. Want dat was de bedoeling niet, dat had niets te maken met de zaak waarvoor hij stond.

Hij liep zijn straat in en de hoop en de aspiraties die hij had gekoesterd vóór hij Morneweg leerde kennen overspoelden hem. Een kort hartstochtelijk ogenblik was hij weer vierentwintig. 's Nachts ging hij uit roeien op stinkende kanalen, maar in zijn verbeelding peddelde hij naar de universiteit in Dessau waar hij natuurwetenschappen zou doceren. En toen overleed zijn vader. Hij herinnerde zich nog die wonderlijke oude man op de begrafenis – het bruine pak en de schorre hoest, het kaartje met zijn naam erop, het glas zoete wijn in de Bodega. Hij was nooit een partijdier geweest, maar hij vond het verrassend eenvoudig om trouw te zijn aan een man als Morneweg, die hem op een vaderlijke manier behandelde en hem in staat stelde om met de overtuiging van een enig kind te blijven geloven in de Staat. Ondanks zijn verdriet had hij het gevoel dat hij liefderijk werd opgenomen.

'We zitten verlegen om wetenschappers,' had Morneweg gezegd terwijl hij zijn bril afzette, zijn uilengezicht toonde en eerst op het ene en daarna op het andere glas blies. 'Mij is verteld dat jouw proefschrift over de reukzintuigen ging.'

De buitendeur ging vanzelf open toen Uwe ertegen duwde. Aan het einde van de gang kon hij zien dat zijn eigen voordeur op een kier stond en hij vroeg zich somber af of zijn buurman, die een sleutel had, misschien zijn nieuwe stofzuiger was komen lenen. Met een bang voorgevoel keek hij naar wat een keurige hal had moeten zijn – de roeispaan tegen de muur, de zwijnenkop met aan een slagtand een oranje reddingsvest, de kokosmat. Zijn bezoeker had niet de moeite genomen om zijn voeten te vegen. Over de vloerbedekking naar de slaapkamerdeur liep een spoor van afdrukken in modder en smeltende grauwe sneeuw.

Met zijn hele lichaam gespitst schoten zijn ogen over de voetafdrukken naar wat een keurig opgeruimde kamer was geweest. Door de deuropening zag hij omgekeerde laden op de vloer en overal papieren. Kresse had niet ver hoeven zoeken: Uwe bewaarde de recentste en minder belangrijke dossiers in de ladekast onder zijn bureau.

Kresse zat op het bed in de telefoon te mopperen. Met een dossier in zijn hand. Hij had vast niet veel tijd gehad om het te lezen, alleen een paar briefkaarten. 'In de dierentuin. Het giraffenverblijf,' met zijn zeurderige, verbitterde, walgelijke stem. Daarna: 'Ik heb rossig haar, maar ik herken u wel.'

Uwe trok zich terug. Het geluid van de hoorn die op de haak werd gelegd en nog meer laden die werden opengetrokken en Kresse die neuriede: 'Wie kannst du mir jemals verzeihen.'

'Herr Uwe!'

Zijn buurman stond achter hem, een potige gepensioneerde fruitteler met roze wangen en teddybeeroren. 'Ik hoorde een afgrijselijk geluid. Ik dacht dat ik maar even moest gaan kijken, maar kennelijk is het een vriend.'

In de slaapkamer was het geneurie opgehouden.

Naast de deur was een plank. Hij vond zijn dienstrevolver achter een rij boeken. 'Ik denk dat ik weet wie het is, Herr Hölderlin. Ik werk het wel af,' en hij stak snel zijn hand uit om de demper uit de keel van het zwijn te pakken.

De voetafdrukken liepen dood op een paar zwarte, van het zout wit uitgeslagen enkellaarzen. Kresse stond tegen de muur aan de andere kant met zijn pistool op Uwes borst gericht. 'Waar leidt deze naartoe, baas?' en hij stak zijn duim uit naar de anonieme en met staal beveiligde deur achter zich.

'Ik heb nog eens nagedacht, Kresse. We kunnen een deal sluiten.'

'Ik ben niet helemaal op mijn achterhoofd gevallen, baas.' Hij hield Uwe met zijn giftige ogen nauwlettend in de gaten. 'Maak eens open.'

'Ieder de helft – als jij het werk doet.'

'Maak die deur open, baas.'

Hun wapens waren op elkaar gericht. Het leek ondenkbaar dat ze ooit collega's waren geweest. Zwaarden en schilden in dezelfde strijd.

'Dan heb ik een sleutel nodig,' besliste Uwe.

'Pak die dan,' de ongelijke toneelsnor trilde. Een Groucho Marx-neus zou hem niet hebben misstaan, ware het niet voor zijn pistool.

Nog steeds op Kresse richtend, stak Uwe zijn linkerhand in zijn zak. 'Hoe pakken we dat aan?' Hij had zin om te giechelen. 'Ik weet het al,' en zonder stemverheffing: 'Herr Hölderlin?'

Een intense stilte werd verbroken door het geluid van slepende voeten die de kamer in liepen. 'Herr Uwe?'

Uwe zag hoe de ogen van zijn buurman tussen hen heen en weer rolden, als knotten bruine wol die een baan van angst tussen twee klauwen trokken.

Kresses blik viel op de fluisteraar, die wegkroop, en flitste terug naar Uwe, met gif in zijn ogen. 'Wie ben jij, verdomme?'

Uwe, met zijn wapen op Kresses borst gericht, hield de sleutel op. 'Zou u zo vriendelijk willen zijn om die deur open te maken, Herr Hölderlin?'

De sleutel werd uit zijn hand gegrist. Hij was zich ervan bewust dat de lijvige gedaante achter hem om liep en naar de deur sloop en hoorde het schrapen van metaal op metaal. En dus wachtte hij, met een arm gestrekt hield hij de andere man in de gaten, de loop van hun wapens een imitatie van hun blikken, als de donkere ronde oogbal van een vis.

'Hij is open,' klonk de bevende stem en het teddybeergezicht draaide zich om alsof het nog nooit twee mannen had gezien die een pistool op elkaar richtten in een souterrain met overal sokken en papieren en modderige voetafdrukken.

Ineens gooide Uwe zijn revolver op het bed. 'Ik meen het, Kresse. Ieder de helft, als jij het werk doet.'

Kresse grijnsde rancuneus. 'Naar binnen. Jij ook, hoe je ook heten mag.' En hij bleef grijnzend naar de muur staan kijken, de stenen rekken, de dossiers die er opgeslagen lagen. 'Waar is het?' om zich heen kijkend.

'Wat?'

'Een van die dossiers is van mij.'

Uwe liep erheen en pakte een dossier. Hij liep verder langs de muur en pakte er nog een. Kresse bleef echter staan waar hij stond en liet zijn hersens werken. 'Al die dossiers, baas...' Zijn stem rinkelde, zijn blik niet meer beledigend.

Toen bracht Uwe zijn hand bij de muur, met een beweging die zo rustig en moeiteloos ging dat Kresse pas begreep wat er gebeurde toen het te laat was, en alsof iemand de nacht achter zich aan trok schoof hij een geblindeerde metalen deur dicht en sloot hem af.

In de hal konden ze het gebons en gedreun amper horen. 'Ik denk niet dat het lang zal duren,' en hij gaf de revolver aan Hölderlin. 'Maar misschien zou u kunnen wachten tot ik terug ben.'

'Het zal me een genoegen zijn, Herr Uwe. Als altijd.'

Alleen in de schatkelder kon Kresse schreeuwen tot hij blauw zag.

HOOFDSTUK EENENVEERTIG

'Mijn collega – wat die in zijn schild voerde, dat was onverteer-baar.' Uwe wendde zijn vermoeide ogen van de giraffen af. Het vrouwtje nam de staart van het kalf tussen haar lippen, likte hem en liet haar hoofd op zijn achterste rusten en porde hem zachtjes met haar horens. 'Het ging te ver. Het ging echt te ver.'

Peter wachtte tot hij meer zou zeggen, hield zijn adem in. Maar hij leek ver weg, op de verzengende savanne, waar de zon tussen de doorn-bomen zinderde.

'Niet te dicht bij het hek!' Een moeder die tegen haar kind riep bracht Uwe langzaam terug naar de realiteit.

'Kijk eens,' hij haalde het tijdschrift uit zijn zak en rolde het open. Tussen de advertenties voor tuigriemen en dieplood, een briefkaart. 'Dit zat in uw dossier.'

Een giraffe op een foto in de dierentuin van Hamburg. En zodra Peter hem zag begreep hij de aanleiding. Hij draaide de prentbriefkaart om. Gestempeld op 7 april 1983. Geadresseerd aan 'Snjólaug', faculteit psy-chiatrie, Karl Marx-Universiteit.

Peter staarde naar de twee roze postzegels, zijn handschrift leesbaar maar onherkenbaar veranderd. 'Liefste Sneeuwlok. Hoe kun je me ooit vergeven? Ik moet je terugzien. Ik hou van je Peter. P.S. Dit doet me aan jou denken.'

'Hoe komt u daaraan?'

'Ik was een van de ambtenaren die haar doopceel heeft gelicht.'

In het jaar dat zijn vrouw met de noorderzon naar het Westen was vertrokken, had Morneweg Uwe gerekruteerd. Na vroeger te hebben gewerkt aan 'preventie, opsporing en bestrijding van ondergrondse po-litieke activiteiten', verkocht Uwe vandaag de dag broodbakmachines.

In 1982 werd hij door Morneweg gemachtigd een eenheid op te zetten voor het verzamelen van geurmonsters van degenen die kritisch tegenover het regime stonden. In de loop van de daarop volgende maanden voelde hij dat de oude man steeds meer respect voor zijn werk kreeg. Hij kreeg een hogere post en omdat hij het Engels uitstekend beheerste, gebruikte Morneweg hem bij tijd en wijlen om de betrouwbaarheid van sommige afschriften te controleren. In maart 1983 vroeg Morneweg Uwe aanwezig te zijn bij de ondervraging van een jonge vrouw die ervan werd verdacht dat ze met een Engelsman naar het Westen wilde vluchten.

'Mag ik dit houden?'

'Natuurlijk. Het is uw briefkaart.'

Peter schoof hem in zijn zak. Wie was deze man? Leidde hij hem om de tuin? Uwe had hem een briefkaart gegeven, maar ging hij nu zeggen: 'Ik wil zelf geen geld – maar voor nog eens vijfduizend mark kan ik u aan iemand voorstellen die haar vier jaar geleden nog heeft gezien'?

'Vertelt u me eens – wat heeft u met haar gedaan? Hoe ver bent u gegaan? Heeft u haar iets aangedaan?'

'Of ik haar iets heb aangedaan?' De vraag verraste Uwe. 'Nee, ik heb haar niets aangedaan.'

Peter zag de verrassing en na verwacht te hebben dat hij zou worden afgeperst voelde hij nu een golf van opluchting. In zijn geheugen roerde zich een herinnering aan Malory op de plank naast *L.A. Woman* en een meisje met een vossengezicht. 'Het is erg vriendelijk van u dat u bent gekomen om het dossier te brengen...' Een houten werkcel, water dat in een beker kookte en achter het oranje gordijn de namen die werden afgeroepen – 'Leadley, Liptrot, Hithersay, Tweed...' Hij wilde zo ver gaan als hij kon. 'Kijk,' hij stootte de woorden eruit zoals hij vroeger *Sum* zei, 'ik heb iets verschrikkelijks gedaan en dat achtervolgt me sindsdien.'

'Ja, dat weet ik,' zei Uwe. 'We hebben alles gehoord.'

'Waar heeft u het over?'

'Laten we ophouden met woordspelletjes,' hij bracht zijn hoofd omhoog en keek Peter met zijn roodomrande ogen recht aan. 'We zijn allemaal lang genoeg belazerd. Als we moeten praten, laten we dan echt praten.'

Nu was Peter werkelijk bang. Er was duidelijk iets veel ergers gebeurd. Hij zette zijn voet van de reling op de grond en richtte zich in zijn volle lengte op, waardoor er een ijselijke steek door zijn ruggengraat schoot. 'Ik móét weten wie u bent en waarom u hier bent en wat u te bieden heeft – dan pas kunnen we praten. Ik heb een behoorlijk zware dag achter de rug.'

'Zo? Ik heb zelf ook een behoorlijk zware dag gehad.'

De verzorger begon de dieren te voeden: vanaf de reling konden ze zien hoe hij takken uit een handkar gooide. Peter keek toe hoe de giraffen scheef kauwend aten.

'Ik neem aan,' klonk de stem nu weer gelijkmatig, 'dat u op de planken geen naam heeft gemaakt?'

'Nee, ik ben dokter. In feite ben ik een Duitse dokter,' en hij was zich ervan bewust dat Uwe hem met wat meer belangstelling aankeek. 'Ik heb altijd een hekel aan toneel gehad.'

'Ik ook.' Gespannen jolig zei Uwe: 'Ik heb jullie voorstelling niet gezien, Herr Doktor, maar ik heb er een paar mensen naartoe gestuurd – onder anderen mijn collega Kresse, die had geprobeerd hem af te gelasten. Kresse beweerde dat jullie vier nietsnutten uit Hamburg waren die een belachelijke vertoning gingen opvoeren. Maar Morneweg – onze baas – legde zijn oordeel naast zich neer. "Misschien worden ze later nog beroemd."

Nou, Kresse rapporteerde achteraf dat hij in de hele geschiedenis van het toneel nog nooit zulke incompetente theatermakers had gezien. Op de afdeling verwees hij naar jullie als het Kousenbroekenkwartet. De muziek was ook niet om aan te horen. En ik kan u wel vertellen, Herr Doktor, dat hij al helemaal niets van u moest hebben toen u ons fototoestel in de Schreber-volkstuinen had gemold. U moet weten dat vanwege haar broer het tuinhuisje werd afgeluisterd. Weet u nog – buiten in de tuin – *der Gartenzwerg*?'

Zijn geest schakelde om. Een aantal dingen waren eruit weggeblazen – trouw, trots, patriottisme – maar andere stroomden binnen om het placenta-grote gat op te vullen. Hij dacht aan Morneweg die hij als een vader gehoorzaam had gediend, vrijwel tot het einde toe. Hij dacht aan Kresse, die met zijn rossige kop tegen de muren van zijn cel in het souterrain bonkte. 'Ik wil uw geld niet,' zei hij. 'Maar ik dacht dat als er iets is wat ik kan doen om te voorkomen dat Kresse haar vindt, zo niet omwille van u dan wel omwille van haar...'

Hij klopte op de gewatteerde envelop. 'Het spijt me dat ik wat later was – ik heb deze dossiers eerst even doorgekeken. Voor u ze ziet is het van belang dat u de context begrijpt.'

Er was geen reden dat Peter zich die nog herinnerde, maar hij was in 1983 naar Leipzig gekomen, niet lang nadat de West-Duitsers iets hadden gedaan waardoor de Oost-Duitsers voor schut waren gezet. 'Zo'n ongelooflijke blunder hadden we nog nooit meegemaakt. Ze hadden een lijk over het mijnenveld getrokken en wat konden wij doen? Je moet wel schieten – en toen we erbij kwamen zat er niet eens een maag in. Dat voorval was vernederend. We wilden het hen betaald zetten.'

Daarom had Uwe zo enthousiast gereageerd op Renates telefoontje uit het Astoria. 'Zij vroeg me of ik iets wist over iemand – een jonge vrouw – die van plan was om met een groep toneelspelers uit Hamburg te vluchten. Ik had wel een idee over wie ze het had. Ik zei: "Laat haar binnen. Daar krijg ik wel een volmacht voor. In de tussentijd kunnen wij de boel in scène zetten. Als zij aan het diner zitten kunnen wij het een en ander organiseren." We hadden niet veel tijd, maar ik dacht wel dat we hiermee een kans maakten om iemand serieus te compromitteren, in dit geval de West-Duitsers en de Engelsen.

Ik stond op het punt om met Morneweg te gaan praten toen Kresse binnenkwam. Hij had haar al vanaf die ochtend geschaduwd – in wezen al sinds ik met hem in de Schreber-volkstuinen was geweest. Ik zei tegen hem: "Dit is je kans, Kresse. Neem je hond mee naar het station. En een fototoestel. Zorg dat die rieten hutkoffer bij de laatste coupé wordt gezet. Jij hebt de leiding over het detachement dat haar moet arresteren." We zouden een schitterende gelegenheid hebben gehad om een overwinning te boeken, misschien niet propagandistisch maar in elk geval wel vernederend. Maar toen we de zaak in gang begonnen te zetten stak u een spaak in ons wiel.

Toen ik hoorde hoe u zich in het hotel had gedragen, was mijn eerste gedachte: kan dit een afleidingsmanoeuvre zijn? Ik zei tegen mezelf: Misschien druipt ze diepongelukkig af en duikt dan op het perron weer op. Ze zal naar het einde van de trein lopen, u een afscheidszoen geven en verdwijnen. Een remake van *Brief Encounter*. En als ze had geprobeerd het land uit te komen, waren wij er klaar voor. Ik weet tot op de dag van vandaag nog niet of ze echt in die koffer wilde kruipen. Waarschijnlijk wel. Daar moest ik in elk geval van uitgaan, want daarom had ik haar binnengelaten. Maar als ze in die koffer was gestapt zou ze hangen en haar broer ook. Dan zouden we het hele zootje hebben opgerold, vader, grootmoeder – en u erbij.

Maar in plaats daarvan zitten we met dit meisje dat nou niet bepaald iemand leek die de staat overhoop wilde gooien.'

Tussen de hijskranen en de mansardedaken dreven verwaaiende stapelwolken. Uwe snoof de lucht op. De zon had de geur van giraffenkeutels en van urine doortrokken hooi losgemaakt. Het deed Uwe denken aan de geur van Mornewegs Wartburg en de eerste keer dat hij de vrouw voor het Astoria zag, terwijl de portier haar in de auto propte en Morneweg achter haar aan instapte. Hij wist nog hoe ze achterom naar de ingang keek. Dat ze steeds door de achterruit bleef kijken toen de auto wegstoof en de banden door de natte sneeuw slepen.

'Ik zei tegen haar – dat was in de auto: "Als je deze Engelse student met zijn ontsnappingsplan erbij lapt pakken we hem op het station op." Het leek of ze niet begreep waar ik het over had. Ik herhaalde wat Renate toevallig had gehoord. "Ik wil in de rekwisietenkoffer mee. Ik zal mezelf zo klein opvouwen dat je me niet eens ziet. Ik kan geen nacht langer in dit land blijven." Daar moest ze om lachen. Ze zei dat we er niets van snapten. Het was een grapje tussen geliefden. Maar Morneweg die naast haar zat was onvermurwbaar. Na wat hem met zijn vrouw was overkomen was hij ervan overtuigd dat iedereen wilde vluchten. Misschien was ze "een moeder van de ondergrondse". Misschien werkte ze voor Arbeiders voor Vrede. Of speelde ze onder één hoedje met haar broer. En als ze geen vijandig subversief element was, zoals in het jargon dat wij hanteerden, was ze misschien armlastig. Wie ze ook was, we konden haar niet laten gaan. Aangezien ik al bij de zaak betrokken was, wilde hij dat ik bij de ondervraging aanwezig was.'

Peter legde een hand op de reling. Zijn knokkels leken op afgehakte stengels. 'Wie was ze? Daar bent u toch wel achter gekomen?'

'Ja natuurlijk.'

'Ik hoop dat u het niet erg vindt dat ik het zo stel, maar wilt u me zo uitgebreid mogelijk vertellen wat er is gebeurd?' Hij was bereid om op zijn knieën te gaan voor elk laatste korreltje aan pijnlijke details om zijn geweten mee te schuren. 'Ik ben nergens bang voor.'

Ter geruststelling raakte Uwe de grote envelop aan en tikte met zijn vingers op de gedrukte woorden 'Guggenheim & Berberich – brood-bakmachines' alsof hij het langzamer aan wilde doen en tot weloverwo-gen gedachten wilde komen. En hij besloot dat hij deze man, die erop stond om alles te horen, wilde helpen. Het was vertroostend om tegen iemand te praten die zijn woorden tot zich zou laten doordringen: dan zou hij niet meer denken aan een holle hand die naar een brok lucht klauwde. Na snel het dossier te hebben doorgekeken was de zaak weer bij hem bovengekomen. Negentien jaar lang had hij er niet over nage-dacht, maar zijn herinnering werkte aanstekelijk. Toen zijn geheugen op gang was gebracht begon hij zich meer dingen te herinneren.

Razendsnel komen ze bij de Runde Ecke. Zonder een woord te zeggen voert Uwe haar mee over een bevroren binnenplaats. De sneeuw valt in donkere vlokken. Een politieauto waarvan de motorkap openstaat, een rek met fietsen, vuile ijspegels die als pieken in een vrije val aan de dakgoot hangen.

Hij drukt zijn nummer in op een veiligheidsslot, duwt haar een paar treden op en door een gang om haar vingerafdrukken te laten nemen. De agente – blauwe broek en uniformjasje, kort roodgeverfd haar, vleer-muisoren – spuit inkt op een spiegelglaasje. Ze pakt de rechterhand van het meisje vast en laat haar pink door de inkt walsen. Dan neemt ze haar mee naar een felverlichte ruimte met een wastafel en een emmer in de hoek. Er is bijna geen ventilatie.

'Ik heb haar de hele avond – en volgende avonden – met tussenpo-zen gadegeslagen. Ik begrijp u best, Herr Doktor. Ik herinner me dat ze zichzelf in de vroege ochtend met een spons waste. Bekoorlijk om te zien – op dat litteken na. Maar in uw beroep ziet u vast veel mensen naakt... Voor mij was ze – zoals ik al zei – niet gedegenereerd. Dit was een klassieke situatie, een wanhopig meisje. Een element dat we kunnen gebruiken, dacht ik. We tillen haar op, we zetten haar weer op de been, we moeten tegen haar zeggen: "Schatje, ze zijn niets waard. Nog minder dan paardenpis. Wie wil nou met een van die klootzakken mee? Kom bij ons. Zet het ze betaald." Ik heb het vaak genoeg zien gebeuren. Ze krijsen en spartelen en na een poosje laten ze zich heel gemakkelijk ompraten. Sommigen doen er twee minuten over, anderen twee uur. Maar de meesten geven het uiteindelijk op, omdat er geen andere uitweg is. Nou, met haar ging het niet zo soepel als we hadden gehoopt. De volgende ochtend had ik wel door dat ze niet was zoals de anderen.'

In Mornewegs kantoor staat ze voor hem. Ze heeft geslapen in de kleren die ze ook in het theater droeg, met eroverheen een wollen diensttrui van de politie, olijfgroen met op de achterkant 'MFS'. Vegen lippenstift en mascara op de kraag van haar bloes.

Uwe laat zijn ogen langzaam over haar heen gaan en hij herinnert zich een donkere haar op een laken en zet de gedachte onmiddellijk van zich af. 'Gaat u zitten,' zegt hij beleefd en wijst op een stoel voor het grote bureau.

Aarzelend loopt ze over de grijze tapijttegels en neemt plaats. Schaduw van een kanten gordijn op de muur. Een vlag: 'Duitsland – Eén Vaderland'. Op het bureau in een versierde leren lijst de foto van een puber op het dek van een jacht. Mornewegs zoon. Verder een map, twee glazen potten, een boek, een sleutel, twee telefoons, een bandrecorder.

'Mijn collega komt zo.'

Door een andere deur die half openstaat komt de stem van een man die met iemand overlegt. Morneweg komt binnen, doet de deur dicht en gaat achter zijn bureau zitten. Soepel bruin pak. Roze overhemd. Dikke brillenglazen in een zwart montuur. Een oude man met ronde kinderogen die haar opnemen.

Hij zet de bandrecorder aan. 'Uw naam?'

Ze zegt haar naam en hij zet het apparaat uit en spoelt de band terug.

De kamer vult zich met een geruis met daaroverheen haar stem, kalm en duidelijk: 'Marla Hedwig Berking.'

Hij glimlacht en zet de band weer aan. 'Wat is uw geboortedatum?'

'17 februari 1960.'

'U bent drieëntwintig jaar.'

Het apparaat is een grijze Uran met een groen licht als een luchtbel in een waterpas dat heen en weer kruipt terwijl ze praten.

Met een zeer aandachtige uitdrukking op zijn gezicht verstelt Morneweg de microfoon en leunt voorover.

'In het begin,' vertelde Uwe aan Peter, 'ging het over koetjes en kalfjes. Wanneer had ze haar studie afgemaakt, naar wat voor soort muziek luisterde ze graag, wat vond ze van de voorstelling?'

'Dat voorval van gisteravond. Vertelt u eens in uw eigen woorden wat u denkt dat er is gebeurd?'

'Ik was uitgenodigd.'

'Was u verteld dat het een formeel diner was?'

'Niet door hem.' Het apparaat neemt snuivend haar antwoord op.

'Door de portier,' brengt Morneweg haar in herinnering.

'Ik had wat gedronken. Maar ik was uitgenodigd.'

Na een stilte zegt hij: 'Vindt u het logisch dat terrorisme moet worden bestreden?'

Verward kijkt ze gebiologeerd naar het Partijspeldje op zijn revers. Het metalen ovaaltje met het geel, blauw en rode logo van de Sozialistische Einheitspartei Deutschlands.

'Ja, maar wat heeft dat met gisteravond te maken?'

Bedeesd, alsof hij bang is dat hij haar zal aansteken, onderdrukt Morneweg een hoest. 'Ik moet een ernstig probleem met u bespreken.' Het is hem ter ore gekomen dat een westerse geheime dienst informatie over haar heeft verzameld. Hij moet erachter zien te komen om welke reden. 'Dat is belangrijk voor uw eigen veiligheid en voor die van uw familie.' Hij zet zijn bril af en blaast over de glazen. 'U moet ons alles over uzelf, uw vrienden en uw kennissen vertellen.'

'Ik kon zien dat ze op haar hoede, maar ook nieuwsgierig was,' zei Uwe tegen Peter. 'Heeft Morneweg het over jou, vroeg ze zichzelf vast af. Hebben de Britten een student gestuurd om haar te bespioneren?'

Ze zegt: 'Niemand kan enige reden hebben om mij te bespioneren. Wat voor soort informatie?'

Morneweg poetst zijn glazen met zijn overhemd op en begint over haar leven, haar karakter, haar familie. Hij vertelt haar dat haar grootvader zijn eigen zaak voor het bleken van huiden had opgezet. Hoe haar ouders elkaar ontmoet hebben. Over haar jeugd. Hij weet alles. De melksalon waar ze als veertienjarig meisje haar ijsco's kocht. De eerste Beatle-platen die ze heeft geruild. Hoe ze aan het litteken op haar rug komt.

'We zijn er om u te helpen,' zegt hij met een vriendelijke glimlach en hij houdt zijn bril tegen het licht als iemand die een glas controleert op lippenstift. 'Misschien kunnen we iets voor u doen.'

'Haar gezicht stond verward en tegelijk was ze onder de indruk. Ik zag haar denken: wie heeft je dit allemaal verteld?'

'Ja,' zegt ze na een poosje, 'er is iets waarmee u me kunt helpen,' en ze legt uit wat voor problemen ze met Sontovski heeft.

'Wilt u psychiater worden? Misschien kunnen we u helpen, maar eerst moeten we meer gegevens hebben.'

Morneweg zet zijn bril weer op en bestudeert haar met sluwe, ondoorgrondelijke ogen. De Engelsman – hoe lang kende ze hem al? Hoe had ze hem leren kennen? Waar hadden ze het over gehad? Wat had hij haar over zijn werk verteld... O, ja... Wat was hij van plan om na de universiteit te doen? Wat had hij haar over zijn familie verteld? Waarom was hij naar Leipzig gekomen, naar de beurs?

Het spervuur van vragen brengt haar van haar stuk. Haar ogen dwalen alle kanten op en richten zich dan op de glazen potten. Ze houdt haar hoofd schuin en probeert de etiketten te lezen.

'Ik was in de war. Ik wilde weten wie ze was, deze jonge vrouw door wie mijn baas zo geïntrigeerd was. Ik vroeg me af: Is dit een dissidente? Kan zij echt een bedreiging vormen? Ze kwam op mij niet over als iemand van de oppositie of met andere denkbeelden. Morneweg had me haar dossier laten zien – uit alle rapporten van school en universiteit bleek dat ze een uitblinker was. Oké, ze was uitdagend. Oké, ze was naar binnen gestormd tijdens een officieel diner in het Astoria. Oké, ze las verboden boeken. Maar was ze niet gewoon wie ze was? Gewoon een pittige meid die op een westerling was gevallen die ze terug wilde zien. Voorzover ik had kunnen nagaan was ze bij geen enkele organisatie aangesloten. Ze behoorde niet tot de Evangelische Kirchenbund. Ze paste in geen enkel vertrouwd dissidentenpatroon. Het punt was dat er geen breed verzet tegen het regime bestond. Morneweg ging uit van het standpunt dat ze overal zaten, als sterren aan de hemel. Maar het waren er niet veel. Alleen maar wat wij op zichzelf staande geesten noemden. En dit meisje was in het ergste geval zo'n geest. Zoals ik al zei was de hele zaak verwarrend. En het verwarrendste was de sleutel.'

Morneweg pakt de sleutel van het bureau. 'Deze heeft u aan de portier gegeven. Waarom?'

Ze wendt haar ogen van de potten af. 'Ik wilde Peter terugzien.' Het licht van het raam benadrukt de bobbels van een halssnoer onder haar trui.

'Waar is deze sleutel van?'

Ze schuift heen en weer op haar stoel en Uwe vangt haar geur op van opgedroogd zweet vermengd met een Frans parfum.

'Van zijn kamer.'

'In Leipzig?'

'In Hamburg.'

'Morneweg dacht dat ze, omdat ze de sleutel aan de portier had gegeven, misschien bereid was andere dingen voor ons te doen. We hadden weinig vrouwelijke stille medewerkers. De baas was altijd op zoek naar nieuwe kandidaten. Dit klinkt misschien vreemd voor u, maar ze was geknipt voor de rol. Ambitieus, avontuurlijk – en met een gevoel voor rechtvaardigheid. We hadden liever niet dat ze zich vrijwillig aanmeldden. Wij kozen ze liever zelf uit. En als er in hun leven een zwarte vlek zat, des te beter. En dat was u, een zwarte vlek.'

Morneweg slaat de map open. 'Het gaat er niet om iemand te straffen die in alle oprechtheid een vergissing maakt. Maar ik hoef u er toch niet aan te herinneren welke straf er staat op het ondermijnen van de staat.' Om terug te komen op een punt dat ze eerder hebben aangeroerd vindt hij het ongewoon dat Bürger Berking met een simpel nee geen genoegen nam. Waarom wilde ze met alle geweld toch bij het hotel naar binnen toen ze te horen had gekregen dat dat niet mocht? 'Ik zou graag willen dat u ons dat eens vertelt.'

'Ik zou graag een douche willen,' geprikkeld. 'Er zijn een hele hoop dingen die ik graag zou willen.'

'U bent vast niet zo naïef als u zich voordoet, Fräulein Marla. U woont al – hoe lang? – drieëntwintig jaar in Leipzig en u weet heel goed wat in dit land de regels zijn. Ik vraag u opnieuw: waarom?'

'Ik ben een jonge vrouw.' Het was alleen bravoure geweest, iets wat ze in een opwelling had besloten. Ze had altijd al eens het Astoria van binnen willen zien. Toen die Engelsman haar uitnodigde, dacht ze dat het leuk was om mee te gaan. 'We hadden een ontzettend leuk gesprek gehad, moet u weten. Ik dacht dat het doodnormaal was om mee naar het Astoria te gaan. Is dat verboden?'

'Nee, voor gasten die zijn uitgenodigd is het niet verboden. Maar deze buitenlander zei dat hij u niet kende. Toen hem werd gevraagd of hij u kende zei hij: Nee.'

Ze kauwt op de binnenkant van haar wang. 'Dat kan ik ook niet uitleggen. Want wat ik u vertel is de waarheid. Hij had me echt uitgenodigd.'

'Nou, er zit nog een staartje aan dit verhaal,' zegt Morneweg.

'Wat dan? Wat dan?'

'Had hij u niet beloofd om u met hem mee naar Hamburg te nemen?' Zijn stem klinkt bitser.

'Nee! Van zijn leven niet. Dat was een grapje.'

'Waarom bent u hem naar binnen gevolgd?'

'Ik heb er geen moeite mee om mijn gevoelens te tonen.'

Morneweg loopt om zijn bureau heen en buigt zich over haar heen.

'Bürger Berking, of u het nou leuk vindt of niet, uw handelwijze brengt u in verband met deze man uit het Westen en de ideeën die hij vertegenwoordigt. U zegt dat u door hem gefascineerd werd. Dat hij u had uitgenodigd. Maar diezelfde man uit het Westen, deze medische student, zegt dat hij u niet eens kent.' Hij draagt sandalen en geeft haar een zachte trap tegen haar voet. 'Waarom zou hij dat doen?'

'Weet ik niet,' fluistert ze, haar gedachten verward.

'Waarom?'

Hij trapt weer, maar niet hard genoeg om tranen op te wekken. Ze brengt een gezwollen oog dicht bij het zijne. 'Wat heb ik misdaan? Wat heb ik in godsnaam misdaan? Ik heb niks verkeerds gedaan!'

'Dat zou ik graag willen geloven, maar dit voorval staat niet op zichzelf.'

'Hoe bedoelt u?' Ze wrijft in haar ogen.

'Bent u op de hoogte van het feit,' met de omzichtige oplettendheid van een jager die struikgewas vol fazanten benadert, 'dat de vader van deze Engelsman uit de DDR kwam?'

'Dat heeft hij me verteld.'

'Heeft hij u ook verteld dat zijn vader was veroordeeld omdat hij geprobeerd had de DDR te verlaten?'

'Ja. Maar hij heeft zijn vader nooit ontmoet. Hij weet niet eens of die nog leeft.'

Morneweg houdt een foto op. 'Weet u wie deze man is?'

'Natuurlijk!'

'Wie is dit?'

'Dat is mijn broer.'

'Vanochtend is uw broer met een VN-visum naar West-Duitsland vertrokken.'

'Nou en? Dat staat toch in artikel tien van de grondwet van '49? Iedereen heeft het recht om weg te gaan.'

Hij loopt terug naar zijn bureau en kijkt haar ernstig aan. 'Vertel me nog eens waar jullie elkaar ontmoet hebben.'

Ze zucht. Slaat haar benen over elkaar. Tuurt door het raam naar buiten. Op haar gezicht staat te lezen hoe zat ze al die vragen is, dat ze zich steeds moet herhalen. 'Het was een toevallige ontmoeting.' Ze had hem in het theater ontmoet. 'Meer was het niet. Hij heeft me uitgenodigd en ik vond hem aardig.'

'Aardig, aardig,' zegt Morneweg met zijn rechterschouder opgetrokken. Onder het bureau kronkelen in zijn sandalen twee witte sokken.

'Ja. Ik wilde mee naar zijn feestje.'

'Dat is niet waar.'

Zij kijkt hem recht in de ogen. 'Waar heeft u het over?'

Morneweg pakt het boek. Hij tilt het op zodat ze het kan zien. De roman die ze op de boekenbeurs had gestolen.

'Is dit van u?'

'Ja.'

Hij begint te lezen. In de kamer is het stil. Alleen de banden die schrapen en wroeten.

Na een bladzijde kijkt hij op. 'Dit boek is illegaal. Dat weet u.'

'Bestaat er een lijst?'

'Een lijst?'

'Bestaat er een lijst van boeken die verboden zijn?'

'Nee, er bestaat geen lijst.'

'Waarom is dit dan verboden?'

'Omdat het niet is geschreven volgens socialistisch-esthetische criteria,' zegt hij stijfjes.

'Dan wil ik graag de namen van schrijvers weten die verboden zijn, zodat ik ze kan vermijden.'

Hij gaat door met lezen. Ze kijkt toe hoe zijn ogen heen en weer flitsen. Hij slaat de laatste bladzijde op en kijkt alsof hij op het nieuws van iemands overlijden stuit. Langzaam leest hij voor: 'Peter Hithersay, Feldstraße 54, Hamburg.'

Hij klapt de roman dicht en schuift een foto over het bureaublad naar haar toe. Ze ziet zichzelf in zwart-wit op Bruno's afscheidsfeestje. Ze staat met Bruno te praten.

'U bent hier ook al met hem geweest.'

'Nou? Mag ik niet met mijn eigen broer praten?'

Hij schuift nog een foto naar haar toe. 'Hier waren jullie ook samen.'

Ze zit in een café in de schemer van een art deco-lamp. Een vage gestalte staat over haar heen gebogen. Kijkt in haar keel.

'Hij herhaalde elk woord dat ze had gezegd. Hij kon haar hele zinnen van u navertellen. Hoe dacht u anders dat we over uw vader wisten? Daarom wisten we dat u haar Snjólaug noemde. Nou, ze wist niet wat ze moest denken. Was het de ober? Was het een microfoon? Misschien was u het wel!'

'En hier.'

Peter die danst. Haar vasthoudt.

'En hier.'

Naast Peter op het stoepje van het volkstuintje van haar grootmoeder. Haar borsten losjes onder een wit overhemd dat te groot voor haar is.

'Jullie lijken wel mieren,' sist ze. 'Jullie zitten overal.'

Morneweg spoelt de band niet terug maar verwisselt hem. 'Dus u had hem vóór die avond nog nooit gezien?' Hij kijkt op. Drukt op START.

'Denk je dat zwanen ons gewicht kunnen dragen?'

Als ze Peters stem hoort trekt alle kleur uit haar gezicht weg. Ze slaat haar handen voor haar neus en mond. Ze sluit haar ogen en buigt zich voorover tot haar hoofd op de rand van het bureau rust, alsof ze bidt.

Morneweg stopt de band. Ze snikt stilletjes. 'Fräulein Marla, u handelt buiten de wet. U heeft illegale contacten. Wat moeten we met u aan? We kunnen u op zijn minst beschuldigen van omgang met een buitenlander. Maar misschien kan ik u nog wat laten horen? Dit is even later opgenomen...' Hij strekt zijn hand naar het apparaat uit.

'NEE!' Er hangt een sliert snot aan haar neus. Ze probeert hem weg te vegen, maar hij plakt aan haar hand waar hij zich uitspreidt.

Zijn vinger blijft boven de bandrecorder zweven, alsof hij ineens van het apparaat walgt. Alsof er geen enkele leugen is die er niet op is vastgelegd, geen zoete woorden, geen wreedheid. Alsof er niets is wat hij niet weet over seksuele zwakte en vleselijke lust. De pekzwarte vernederingen. De valse beloften. De verveling. 'Er is uiteraard geen enkele reden dat u hem niet terug zou kunnen zien,' zo poeslief dat het lijkt of hij haar helemaal in vertrouwen neemt, alsof ze een familielid is. 'U kunt nog altijd psychiater worden. U kunt hier nog altijd van een gelukkig leven genieten.'

Ze kijkt hem niet-begrijpend aan.

'Misschien bent u niet voor heldin in de wieg gelegd,' zegt hij met een meelevende stem.

'Precies zoals het ons in Golm werd geleerd oefende hij druk op haar uit, suggereerde wat voor voordelen eraan verbonden waren. Een telefoon voor haar grootmoeder, een baan aan de Karl Marx-Universiteit, de belofte van boeken en kleren. Hij wilde dat ze het gevoel kreeg dat zij van bepaalde dingen op de hoogte was waarin wij geïnteresseerd waren, maar al snel werd duidelijk wat hij van haar wilde en ze weigerde. Ze zou nooit een geheim kunnen bewaren. Ze had bendes vrienden die dingen zeiden waarvan ze wist dat ze ze niet meenden. Ze was niet het type om te spioneren.'

Mornewegs stem verhardt als hij artikel 219 uit het wetboek van strafrecht hardop voorleest: 'Iedereen die contacten onderhoudt met organisaties, instellingen of personen die als doel hebben activiteiten te ontwikkelen die in strijd zijn met de wetten van de DDR, zal worden veroordeeld tot een gevangenisstraf van maximaal vijf jaar.' Hij kijkt op. 'Naumburg. Vijf jaar. Denk daar maar eens over na.'

Ze kijkt minachtend terug en verbergt haar tranen niet meer. 'Hij is geen spion. Hij wil dokter worden. Zijn vader kwam uit de DDR.'

'Veroordeeld voor ondermijning van de staat,' brengt hij in herinnering. 'Beseft u wel dat we u dezelfde misdaad ten laste kunnen leggen?'

'Doe maar.' Met grote halen hapt ze naar lucht. 'Doe maar dan. Maar ik wil een advocaat.' Ze is moe. Ze is in het nauw gedreven. Op het bureau begint een telefoon te rinkelen. Ze is boos. Ze neemt hem op.

Vol afgrijzen fronst Mornewegs zijn wenkbrauwen. Hij draait in zijn stoel of hij een steek in zijn zij heeft en strekt zijn arm over het brede bureau uit om de hoorn van haar af te pakken. 'Hallo?' Hij kijkt haar ziedend aan. 'Hallo?'

Ze springt op. Zonder hem te zien kijkt ze hem aan. 'Bent u nooit op iemand gevallen?' Ze schreeuwt nu. 'Weet u niet hoe dat voelt?'

Morneweg zegt tegen Uwe dat hij haar mee moet nemen. Het telefoontje is belangrijk. Hij schermt met zijn hand zijn ogen af en zegt zachtjes: 'Ja, Herr Hirzel...'

Haar vuist dreunt op het bureau. Hij probeert iets te zeggen, maar ze slaat met haar hand op de telefoon – verbreekt de verbinding.

'Wat mensen niet beseften,' vertelde Uwe tegen Peter, 'is dat als je weigerde om voor de Stasi te werken dat zelden nadelige gevolgen had. Natuurlijk wilde Morneweg wel een nieuwe informante. Maar als hij haar niet kon intimideren of in verlegenheid brengen, was er weinig wat hij kon doen.'

Ze brengt nog twee nachten in de cel door en wordt naar boven gebracht om te horen wat haar te wachten staat. Morneweg zit op zijn post in het Astoria: hij laat het aan Uwe over om haar in te lichten.

'Ik heb met de rechter gesproken. Het besluit is dat u vrij wordt gelaten.' Hij trekt een lade open en haalt er een getikte brief uit. 'Lees dit alstublieft door en onderteken het dan.'

In de brief staat dat ze nooit een woord zal zeggen over wat er tussen hen besproken is.

Ze schudt haar hoofd. 'Nee, ik teken niks.'

'Dat is uw plicht. U moet tekenen.'

'Nee, ik begrijp het niet. Ik weet niet wat voor soort gevolgen dat heeft.'

Hij grist de brief terug. 'Als u niet tekent is het uw plicht om te zwijgen over wat er is gezegd.'

Ergens vandaan weet ze een glimlach op te brengen. 'Ik teken niet.'

Uwe kijkt haar aan en heeft het gevoel dat hij weer in het huisje in de Schreber-volkstuinen is. Een kersenrode zijden bloes met geborduurde draken, de sjaal van een man en een zilvervisje dat op de versleten rietmatten is vertrapt. Hij slaat zijn blik neer naar het boek op zijn bureau en zegt vlak: 'U kunt gaan.' Hij drukt op de intercom op zijn bureau. 'Kresse, wil jij Fräulein Marla uitlaten.'

De deur gaat open. Ze staat op om weg te gaan.

'Wacht.' Uwe houdt het boek vast dat ze heeft gestolen. Waarvan ze liever had dat Peter het mee zou nemen. Zoals ze hem een poosje later had gevraagd om haar mee te nemen. De spieren rond zijn ogen ontspannen. 'Hou het maar.'

HOOFDSTUK TWEEËNVEERTIG

Uwe verstijfde bij het raspende geloei en keek op naar Peter alsof het geluid van de giraffe tegen hen was gericht. Hij moest harder praten en stelde voor om te gaan eten. 'Misschien is het te laat voor een lunch, maar van het kijken naar die etende dieren heb ik honger gekregen,' en hij pakte de envelop op. Hij was kennelijk nog niet zover dat hij de inhoud wilde overhandigen.

Een schoolbord in een straat niet ver van de dierentuin maakte reclame voor een lunch van de dag voor twintig mark. In het restaurant zat een man met brede schouders en het gezicht van een buldog in de hoek van een bruine skai bank naar CNN te kijken.

'Kunnen we nog wat eten?' vroeg Uwe die om zich heen naar de lege tafels keek.

'Ssst.' Het gezicht keek hem zonder enig respect nors aan. Peter bedacht dat Uwe vroeger deze man in zijn klauwen zou hebben. Die tijd was voorbij, nu kon hij niemand meer bang maken.

De man blafte de naam van een vrouw en richtte zijn ogen op het televisiescherm. In het oerwoud van Peru was een vliegtuig neergestort.

'Ik kan voor mezelf betalen,' zei Uwe die de envelop op tafel legde. 'Maar het spijt me dat ik u niet kan vrijhouden. Vroeger wel. Toen waren de tijden goed, maar nu niet meer.' Hij liet zich op zijn stoel zakken. 'O, voor ik het vergeet,' en uit zijn zak haalde hij zo'n triplex sleutelhanger die Milo in zijn timmerklasje maakte. 'Herkent u deze?'

Peter nam hem aan. 'Een sleutel van wat?'

'Niet van u?'

'Van mij?'

'Dat is wat ze beweerde. We hebben hem zelfs laten namaken zodat onze mensen in Hamburg uw flat konden doorzoeken.'

'Ik herinner me niet dat ik een sleutel verloren was,' fronsend.

'Nou, hij paste ook niet. Maar daarom liet de portier haar in het Astoria binnen.'

Peter draaide hem tussen zijn vingers en als op het negatief van een foto zag hij haarscherp Sneeuwlok voor het Astoria staan. Ze hield de sleutel op. En keek de portier met een veelzeggende blik recht in het gezicht.

'Het vliegtuig is neergestort in een afgelegen gebied van de Amazone in de buurt van Iquitos.'

Hij wist wat het was. Hij had hem in de parochiezaal opgeraapt. Nadat ze hem naar Bruno had gegooid.

Uwe zei: 'Morneweg heeft geprobeerd alles te laten vernietigen – banden, rapporten, geurmonsters. Maar om een of andere reden heb ik deze bewaard. Nee, u kunt hem net zo goed houden. Ik heb er niets aan.'

Overspoeld door dankbaarheid zei Peter: 'Hoor eens, ik wil graag voor de lunch betalen.' Wat deze man had gedaan was barbaars, de manier waarop hij zich in de levens van mensen had gedrongen. Maar iets in de roodomrande ogen ontroerde hem. Dit was een man die zijn eigen beslissingen nam, die de gevolgen zou dragen en er niemand anders voor op zou laten draaien, die de rest van zijn leven zou inrichten zoals het hem uitkwam. Op school hadden ze bevriend kunnen zijn.

'Nee,' zei Uwe nadrukkelijk. 'Ik ben Kresse niet.'

'Laat me dan op zijn minst de wijn betalen.'

'Dan doe ik het eten. Verder geen discussie.'

Een serveerster kwam rondborstig en gehaast uit de keuken aanlopen om hun bestelling op te nemen.

'Wat is de lunch van de dag?' vroeg Uwe.

'Grünkohl.'

'Voor mij graag.'

'En een fles van deze wijn.'

'Eet u niet?' Uwe verborg zijn opluchting niet.

'Ik heb geen honger.' Hoewel het meer een kwestie was van vasten.

Uwe trok zijn manchetten uit de mouwen van zijn jasje en zei vlak: 'En wat heeft u van uw leven gemaakt nadat u uit Leipzig was vertrokken?'

'Zoals ik al zei, ik ben dokter.'

'Nooit getrouwd?'

'Nee.'

'Ik ook niet. Behalve met mijn boot,' en zijn lach hing als een slap zeil van zijn mondhoeken af terwijl de serveerster haar handen aan haar schort afveegde en wachtte tot hij de wijn had geproefd. 'Dat is een goede fles!' Hij likte over zijn lippen en knikte naar haar om Peters glas te vullen.

Het eten werd gebracht – een stoofpot van groene kool, spek en worst – en tussen stevige happen door praatte Uwe vrijuit. Na *die Wende* had hij als beveiligingsman in een winkelcentrum gewerkt, was daarna twee jaar werkeloos geweest voor hij een baan vond in het bedrijf voor broodbakmachines. Zijn werk was minder technisch dan hij zou hebben gewild. Hij had lang geleden al de droom laten varen om natuurwetenschappen te doceren.

Uwe was aardig tegen de serveerster. Hij bestelde een tweede fles.

Er was nog een aspect van zijn leven dat hij weer in elkaar wilde passen voor hij van het pak op tafel afstand wilde doen. 'We kunnen ons allemaal in de slachtoffers verplaatsen, dat is een nationale noodzaak. Maar hoe staat het met de daders?' Hij liet de wijn in zijn glas walsen en verwijderde een kurksnipper. 'U zit niet te wachten op een les in geschiedenis, maar dit allemaal,' met een vaag gebaar naar buiten, naar de voorbijrijdende auto's, de skyline van Leipzig, 'is opgebouwd tegen fascisten en vernietigingskampen. En jazeker, het liep spaak omdat onze leiders in zekere zin zichzelf boven de wet plaatsten. Maar in het begin niet. Ik weet dat het moeilijk te geloven is, maar wij hadden het gevoel dat we een strijd voerden. We omarmden de DDR als een echt alternatief voor fascisme en oorlogsmisdaden. Maar om de veiligheid van ons volk te waarborgen meenden we dat we alles over iedereen moesten weten en vonden dat we met die kennis op een respectabele, verantwoordelijke manier moesten omgaan. En daarmee zijn we de fout ingegaan.'

Zijn hand flitste opzij en hij keek met afkeer naar de envelop. 'Al deze informatie, wie maalt daar tegenwoordig nog om? Wie kan het wat schelen dat je drie keer per dag naar de wc gaat of je een zevende van een fles wodka leegdrinkt of je in je oor of je neus pulkt of steeds in je handen wrijft? Het was terreur. Hebzucht. Dementia. Wij begrepen niet dat degenen die alles weten – alles ruiken, alles horen – eigenlijk niets weten. Het spijt me dat uw Snjólaug in deze categorie is gevallen en uzelf ook, Herr Doktor. Zou ik nog een glas wijn mogen? Nee, laat me uitspreken. Ik weet dat u denkt: waarom zou ik deze man vertrouwen? Waarom vertelt hij me dit allemaal? Eens een vijand... waar of niet?' En hij klonk met zijn glas tegen dat van Peter. 'U moet weten dat ik de Engelsen altijd als lafaards heb beschouwd. Daar bedoel ik niets persoonlijks mee, hoor. Ze hadden de oorlog gewonnen, ze hadden twee oorlogen gewonnen, maar bij ons hebben ze weinig goodwill gekweekt. Door jullie verraad zijn wij in de handen van de Russen gevallen. Wat u in het Astoria had gedaan, Herr Doktor, maakte het voor ons gemakkelijk... Maar u moet weten dat ik u beter ken dan goed voor me is. We hebben elkaar nooit eerder ontmoet, maar ik herken u heel goed aan uw stem.'

Voor hij naar de dierentuin ging had Uwe door het dossier van Marla Berking gebladerd, dat hem negentien jaar in het verleden terugvoerde naar een man die veel onschuldiger was dan deze afgeleefde, ongetrouwde man die zijn oren dichtstopte voor het gebonk, bonk, bonk van Kresses frustratie tegen de muur van zijn kelder. Onmiddellijk herinnerde hij zich het geval van de Engelse student medicijnen en de geluidsopnames van de Schreber-volkstuinen in de Aachener Straße. Op Mornewegs instigatie had hij de band keer op keer afgespeeld terwijl zij in de cel zat. Hij wist wat fake was. Hij had andere opnames van Morneweg beluisterd, was vertrouwd met het repertoire van verleiding en verraad. De kreten die van hotelbedden opstegen. De lijzige vragen. De vleierij. 'De uren die we hebben verdaan met het uitschrijven van het geschreeuw van deze kruipende dieren, het gezwijmel dat ze elkaar dag en nacht in de oren fluisterden. U mag van geluk spreken, Herr Doktor. U hoeft niet naar die onzin te luisteren. Ik heb altijd gevonden dat je wel gigantische dom moest zijn om in Oost-Duitsland met iemand naar bed te gaan. Dat wilde zeggen dat je niet verder keek dan je neus lang was, of wel, en dat het je geen barst kon schelen. Het kwam maar heel zelden voor dat je iets interessants hoorde. Want laten we wel wezen, wat kreeg je nou te horen? Neemt u van mij aan dat het allemaal onbe-schrijfelijk banaal was.'

Maar de opname van Peter Hithersay en Marla Berking was geen fake. Deze liefde, of wat Uwe er in woord en daad van had gehoord, was van een andere orde.

'Misschien was ik een beetje geïntrigeerd. En waarom zou ik het ont-kennen – nu we één natie zijn en dit er allemaal kennelijk niet meer toe doet – misschien zelfs een beetje jaloers, hmm?'

Deze gênante bekentenis stak Peter, alsof zijn biologieleraar had ver-kondigd dat hij jaloers was op Rosalind of op zijn moeder. Hij leegde zijn glas, schonk het weer vol en voelde een behoedzame opwelling van begeerte. Het verleden liep snel op hem in. Hij wist dat hij dronken zou worden. 'Wat is er met haar gebeurd nadat jullie haar hadden laten gaan?'

Uwe schudde zijn hoofd. 'Dat is niet zo'n fraai verhaal. Ik zal open-hartig tegen u zijn, Herr Doktor. Wat Kresse die jongedame heeft aan-gedaan – is iets wat je je ergste vijand nog niet aandoet, zelfs niet als uiterste middel.'

'Wat?' En zijn stem, als van een zieke man die alles wil horen, klonk niet zozeer agressief als wel smekend.

'U moet begrijpen dat ik, toen ze uit de Runde Ecke was vrijgelaten, geen aandacht meer aan haar schonk. Omdat haar dossier was gesloten. Maar zo zag Kresse het niet. Ze had iets – je zou kunnen zeggen dat het voor hem onverdraaglijk was. Het was trouwens Kresses idee om dat touw in die rieten koffer te stoppen. Dat was tekenend voor Kresse. Elke keer dat u een brief stuurde liet hij die zich verkneukelend aan iedereen op de afdeling zien. "Kijk eens, weer een – van die sukkel uit Hamburg!" Hij moest vijanden verzinnen. Ze fabriceren. Ze in het leven roepen, zodat Morneweg niet in hem teleurgesteld zou worden. U was een van zijn vijanden – en aan het andere einde stond Marla Berking. En Kresse kon het niet laten om dingen over haar te verzinnen.'

Uwe leunde achterover en genoot van de wijn. Door te praten was zijn verdriet afgezwakt. Door Sneeuwlok op te roepen, verdrukte hij de herinnering aan zijn moeder in het Dösen-ziekenhuis. Terwijl Peter Uwes wanhopige stemming had overgenomen.

'Stelt u zich eens voor,' zei Uwe. 'Het is maandagochtend. En er zitten vijf of zes agenten om de tafel. Mannen als Kresse die azen op een onderscheiding. Het hele weekend hebben ze in kerken vredesbijeenkomsten moeten bijwonen, moeten luisteren naar de zaligsprekingen. De avond tevoren hebben ze het op een drinken gezet en ze moeten verslag uitbrengen over deze vijanden van de staat. Ze vervelen zich. Ze worden creatief. Ze worden satanisch. En zo komen ze ineens op een lumineus idee.

Kresse was het meest inventief, moet ik toegeven. En rancuneus. Hij is de zoon van een schrijver – hij was als Stasi-waarnemer zelfs naar een lezing van zijn vader geweest en schreef in zijn verslag dat hij flut was! En het was Kresse die die valse praatjes over haar verspreidde.'

'U bedoelt, over haar gonorroe – was dat Kresses werk?'

'Hij kwam op het idee om de vrouw van een dominee op het matje te roepen. En zo kwam de zaak aan het rollen. Al die echtgenoten die hun vrouw vroegen met wie ze wat hadden uitgespookt. Daardoor werd heel wat achterdocht gezaaid, dat kan ik u wel vertellen, en het veroorzaakte veel emotionele schade – die Kresse weer kon uitbuiten. Hoe dan ook, kort nadat ik haar had vrijgelaten besloot hij om werk te maken van Marla.

Ik weet daar niets van tot hij op een dag in mijn kantoor komt. Hij gedraagt zich kalm en schuldbewust, wat niets voor Kresse is. Hij doet net of hij ineens tot de ontdekking is gekomen dat hij iets onvergeeflijks heeft gedaan. "U raadt nooit wat er is gebeurd, Uwe. Weet u nog, dat meisje uit de Schreber-volkstuinen – dat ik van u moest arresteren? Nou, er is iets heel vreemds gebeurd... Ze is verdwenen."

Als Kresse vertelt wat hij heeft gedaan ga ik over mijn nek. Ik wil me tegenover haar verontschuldigen. U moet begrijpen dat het voor de rest van ons steeds moeilijker werd om te geloven in wat we deden. Het begon te lijken op wat Kresse in zijn verslag over jullie voorstelling schreef. Een belachelijk poppenspel. Soms moesten we ons dwingen tot stompzinnigheid om aan de hele flauwekul mee te werken. De motivatie, de dubbele boodschappen, de opties. Ik wist niet meer wat nog klopte. Ik had het gevoel dat ik er een uit zou kunnen pikken en ter verdediging aanvoeren. Zelfs toen Morneweg haar ondervroeg, voelde ik het al zo.

Ze was een zeldzame vonk van spontaniteit die in mijn leven boven kwam drijven in een tijd dat ik me verstikt, afgemat en gefrustreerd voelde.

Ik wil daarmee niet zeggen dat zij de directe aanleiding was. Wat ik wil zeggen is dat me allerlei dingen begonnen op te vallen die eerder niet tot me waren doorgedrongen.' Sindsdien kreeg Uwe de indruk dat de wereld, net als Kresses snor, niet in het lood stond. 'Ik zal nooit vergeten hoe Morneweg reageerde toen ze de telefoonverbinding verbrak. Maar ik geloof dat ik meer van mijn stuk was dan hij. En waarom? Vanwege dit gedreven meisje. Ze wilde iets en deed er alles voor om het te bereiken. Ook al kon ze het niet bereiken, toch wilde ze het. Ze herinnerde me aan iets wat in mezelf verloren was gegaan.

Dus ik zei tegen Kresse dat ik de verantwoordelijkheid overnam en ik ging naar haar woning. Ik weet nog dat het in de Menckestraße was, omdat het weeshuis om de hoek lag. Haar grootmoeder bleek kortgeleden te zijn overgebracht naar een bejaardenhuis en er woonde iemand anders in de flat.

Uit de verklaringen van de buren die ik bij elkaar kon sprokkelen kwam naar voren dat Marla Berking was getrouwd en uit de wijk was verhuisd. Ze wisten niet waarheen en het kon hen niet schelen. Ze waren maar wat blij dat de vuile trut was vertrokken! Ik schrok van de manier waarop de mensen over haar spraken, hoor. Een oude man gebruikte een uitdrukking die ik sinds ik een jongetje was niet meer had gehoord. Dat was Kresses methode. Hij had haar afgeschilderd als een zuiplap, een Stasi-verklikker, een hoer.

Maar goed, ik kwam er niet achter waar ze naartoe was gegaan – en ik heb eens in het dossier gekeken. De enige die het zou kunnen weten is Morneweg, of haar grootmoeder.'

'Hoe heet haar grootmoeder?'

'Dat weet ik niet. Daar zou ik misschien nooit achter gekomen zijn, maar inmiddels is ze waarschijnlijk overleden.'

'En Morneweg?' – een aalscholver die bij eb naar het afval van een visser toeschiet.

Uwe gebaarde fel en gooide zijn wijnglas om. 'Twee jaar geleden verdronken in de Kulkwitzer See.'

'Dood? Ik dacht dat hij wel in de regering zou zitten.'

'Morneweg niet, nee,' terwijl hij zijn glas weer vulde. 'Ik heb zijn lijk gezien.'

De herinnering aan die dag was niet vervaagd. Op een ochtend – het aspergeseizoen was net begonnen – had een voormalige collega van Uwe hem opgebeld met de dringende boodschap om binnen een kwartier, niet langer, naar het botenhuis te komen. Sinds de hereniging hadden Uwes vrienden hun draai gevonden met het verzamelen van postzegels of het vissen naar *Rotbarsch* of het onderhouden van hun volkstuintje. Uwe gaf er de voorkeur aan om alles te vergeten door zoveel mogelijk op het water te zijn. 's Avonds ging hij op het Karl-Heine-Canal roeien en in het weekend ging hij zeilen op het meer dat hij al vanaf zijn jeugd kende. 'Daar lag hij. Opgeblazen. Zo groot als een boot.'

De botenverhuurder vertelde wat hem was overkomen: in de vroege ochtenduren had hij zijn bootje in het ondiepe water laten zakken en was langs de zuidelijke oever geroeid, met de zon misvormd achter de wolken en de knipperende lichten van Markranstädt in de verte. Hij had zijn spanen opgetild over de botten van vroegere Saksen en over wieldoppen, en roeide door het ondiepe water toen de romp van zijn bootje knarsend bleef steken tegen iets dat hij aanzag voor een boomstronk.

Hij draaide zijn hoofd weg en schermde zijn ogen af. Morneweg in het olieachtige water. Het dobberende lijk stak dertig centimeter boven het water uit. Zijn ogen puilden uit en waren wit als een grof geschilde aardappel en hij dreef op zijn rug. Vanaf de drassige bodem keken talloze glazen potten hen door het regenboogspectrum en het rioolwater aan. Uwes geurenkabinet.

Uwes baas had met hulp van Kresse de hele lading geloosd. Maar niets in die potten was zo overweldigend als de stank van Mornewegs lijk.

'De stank was onbeschrijfelijk. Ik dacht dat zijn rug overdekt was met mos, tot ik besefte dat de huid zo groen als peterselie was geworden. We moesten hem met vijf man optillen. Ik kreeg het gevoel dat als ik in hem zou prikken alle stemmen van Leipzig naar buiten zouden sissen. Een met water volgelopen toren van Babel in de Kulkwitzer-modder. Waarschijnlijk zelfmoord. Misschien ook niet.'

'Wat is er van Kresse geworden?'

'Aha, Kresse. Goede vraag,' en hij kwam wankelend overeind. 'Ik moet nodig pissen. Als ik terugkom zullen we dat openmaken.'

'*De kans op overlevenden wordt nihil geacht.*'

Peter zat zijn vinger in de rode wijn te deppen die Uwe zelfs op de envelop had gemorst, zag hij. Hij stak zijn hand op om om een doekje te vragen en liet hem weer zakken. De serveerster liep met haar schort half voor haar gezicht naar de keuken. Gebiologeerd bleef de eigenaar van het restaurant hardnekkig de borsten van de treurende vrouw bewonderen.

Uwe plofte weer op zijn stoel en trok een map met de kleur van verweerde baksteen uit de envelop. Er zat een etiket op met een getikte naam: Marla Hedwig Berking.

'Ik wil één ding rechtzetten. Ik wil me verontschuldigen voor het gedrag van mensen als Kresse. Omdat de wereld toen zo in elkaar zat, bent u van uw vriendin gescheiden. Het idee dat dat monsterlijke overblijfsel geld van u wilde afpersen was de laatste druppel. Ik ben gekomen om in de eerste plaats te zeggen dat u haar dossier kunt hebben – zoals ik al zei, ik heb er niets aan. Anderzijds denk ik niet dat u hierin de informatie zult vinden die u zoekt. Ze is van de aardbodem verdwenen en omdat we haar niet langer in de gaten hielden hebben we nooit uitgezocht waar ze mogelijk naartoe is gegaan. Misschien is het interessant om de brieven nog eens over te lezen die u aan haar geschreven heeft. Voor het overige heb ik vrijwel alles wat u hierin zult aantreffen al verteld.'

Peter onderdrukte een golf van overweldigende ontzetting, maar Uwe trok nog een dossier uit de envelop, in een nog meer verbleekte map dan de eerste. 'Dit heb ik ook nog gevonden. Ik bewaarde vroeger heel veel dossiers thuis – tegenwoordig veel minder. Voor Kresse mijn geheugen wakker had geschud was ik vergeten dat ik nog dingen had die zo ver teruggingen. Maar dit had ik nog,' en met het gevoel dat hij een onderdeel van zijn leven ruimde – morgen zou hij de kleren van zijn moeder naar de liefdadigheidswinkel brengen – overhandigde Uwe het dossier.

De map had precies dezelfde kleur als de ansjovispasta van Rodney. 'Wat is dit?' Peter voelde Uwes blik op hem gericht.

'Het dossier van uw moeder.'

HOOFDSTUK DRIEËNVEERTIG

METEEN TOEN HIJ op straat kwam had hij er spijt van dat hij zijn overjas niet had meegebracht. De wind was weer aangewakkerd en streek langs zijn gezicht als de tong van een hond. Hij zette zijn kraag op en liep over de Jahnallee.

Hij was nog steeds op zoek naar een rustige bar of een café waar hij het dossier kon lezen, toen hij boven de in de steigers staande daken de gotische torenspits van de Thomaskirche ontwaarde. Terwijl hij zijn ogen tegen de wind in nawelijks kon openhouden, drukte hij Uwes envelop steviger tegen zijn borst en zonder naar de plek te zoeken vond hij hem.

Pas toen hij binnen was herkende hij de wijnbar. Met stomheid geslagen keek hij om zich heen. Een fractie van een seconde had hij de indruk of hij de bergtop had bereikt waar keizer Barbarossa in zijn eentje zat. Stond de tijd stil? Was er helemaal niets veranderd? Het tafeltje zag er nog hetzelfde uit als op de dag dat hij een boek van het glazen blad meegriste en achter Sneeuwlok aan liep. Dezelfde koffiekopjes. Dezelfde asbak. Dezelfde art deco-lamp.

Hij wees en de ober knikte. 'Ja, die tafel is vrij.'

Aan een tafeltje ernaast zat een man met uitdunnend haar dat met een elastiekje bij elkaar was gebonden, een meisje in een zwart vest iets uit de doeken te doen. 'Voor Europa zou het het beste zijn als het Belgisch was.' Uit de luidsprekers kwam een soort natuurgeluid dat klonk als de opname van naar elkaar roepende walvissen. Ze stak een sigaret op en deinde mee met het geluid.

De ober bracht een wijnkaart. Peter zag ertegenop om Uwes envelop open te maken zonder eerst nog wat gedronken te hebben en wat kalmer te worden. En waarom ook niet verdomme, dacht hij. Ik heb net van iemand een cadeautje van vijfduizend mark gekregen. In een kwistige opwelling bestelde hij een hele fles bordeaux uit het jaar waarin hij was geboren.

388

Hij haalde de grijze map uit de envelop – hij verbaasde zich erover hoe dun hij was – en rook eraan: stof en de vegetale geur van oud carbonpapier. De ware geur van het totalitaire regime. De ober kwam, ontkurkte met veel zwier de fles en schonk een glas in. Peter legde het dossier op tafel en bracht het glas naar zijn lippen om de jaren in de fles te proeven.

Hij was van plan om maar één slok te nemen, maar hij dronk een heel glas voor hij het dossier pakte en opensloeg. Er zaten maar een paar vellen papier in. Hij veegde de tafel af om er zeker van te zijn dat er geen as of wijn op lag en begon heel langzaam de papieren door te nemen. De handtekeningen en de medeondertekeningen. De officiële beschuldigingen. Hij las dat Henrietta Potter, Brits staatsburger met een tijdelijk artiestenvisum (Nr. XP78U1957), werd beschuldigd van 'misbruik van haar functie' als zangeres in het Bach-concours van 1 oktober 1960. Hij kon de koppige vrouw van twintig jaar door de kwieke stenoaantekeningen van de ondervrager heen zien.

Aan een vel zat een zwartwitfoto van een jongeman geniet. Onderaan stonden de woorden getikt: 'Peter Brendel – na opnieuw te zijn gevangengenomen in de Zieglerstraße 18, Dorna, 5-10-1960.' De foto was aan een overlijdensakte van de DDR gehecht. Vier jaar nadat hij opnieuw in hechtenis was genomen was de gevangene Peter Brendel tijdens een vluchtpoging doodgeschoten. Begraven op het gemeentelijke kerkhof van Dorna.

'Brendel,' mompelde Peter in zichzelf. Hij zei het nog eens, harder. 'Brendel. Peter Brendel.' Hij ervoer een bijna oncontroleerbare opwelling om van zijn stoel op te springen. Hij was veertig en eindelijk wist hij hoe hij heette.

Hij pakte de foto. Niemand had hem gevraagd om te glimlachen en toch deed zijn uitdrukking hem denken aan een van Rodneys vroege pogingen om een portret van hem te maken. Het licht op het gezicht was ongelijk alsof het langzaam opkwam. Alsof het nog in een bad met ontwikkelaar lag.

Het gezicht leek zo op Peters eigen gezicht op die leeftijd – twee- of drieëntwintig – dat het bijna was of hij naar zijn jongere ik keek. De donkere, wat schuine ogen. De gegroefde gelaatstrekken. Een paar tellen ervoer hij het alsof ze met elkaar van plaats waren verwisseld.

'Peter Brendel.' In elk geval wist hij niet dat hij een zoon had.

Aan het tafeltje naast hem keek het meisje in het vest om zich heen. Peter rook haar tabak en herkende onmiddellijk het merk. 'Maakt niet uit hoe lang je niet rookt,' had de hypnotiseur in Ochsenzoll tegen hem gezegd. 'Eén trekje en je bent binnen vier dagen weer terug op zestig per dag.' Warme lucht en sigarettenrook vulden zijn longen en dezelfde duizeligheid overviel hem als toen hij de laatste keer het atelier van Bettina verliet. Hij boog zich naar haar toe en vroeg het meisje om een sigaret. Zijn eerste sinds dertien jaar.

De sensatie van de warme rook die tegen zijn keel sloeg was heftig, aangenaam. Sinds het ontbijt had hij alleen wijn gedronken en toen hij weer inhaleerde voelde hij een golf van misselijkheid. Hij onderdrukte zijn honger en zijn misselijkheid met nog een lange trek en de rook ging door en om hem heen tot hij erin gehuld was.

Nog een glas. Hij haalde het baksteenkleurige dossier eruit.

Een poosje later stopte de muziek en de ober verwisselde achter de bar het walvissengezang voor oerwoudkikkers en parkieten.

Uwe had Peter alles verteld. Het was onmogelijk om Sneeuwlok tot leven te wekken op basis van deze klinische rapporten over Marla Berking. Alleen in Peters brieven – een stuk of tien in de loop van twee jaar – leek ze aanwezig te zijn geweest.

Hij schonk zich nog een glas in.

Ik zal mezelf zo klein opvouwen dat je me niet eens ziet. Ik kan geen nacht langer in dit land blijven.

Langzaam kroop er een gloed over zijn gezicht en hij voelde dat hij werd losgetornd en de draden uit hem vrij kwamen. Hij had amper kunnen dromen dat hij negentien jaar nadat hij nee had gezegd weer naar haar op zoek zou zijn. Of dat ze door zijn nee onherroepelijk het universum in zou zijn gesuisd, naar een plek waar zelfs de Stasi haar niet kon vinden. Hij had haar door zijn lafheid de vergetelheid in geslingerd en zijn vader was dood.

'What saw you there?
Sir, I saw nothing but the waters wap and the waves wan.
Ah, traitor unto me.'

'Wat zei u?' Het meisje keek over haar schouder. 'Had u het tegen mij?'

'Nee, ik had het tegen koning Arthur.'

'Tegen wie?' Ze wierp hem een hartelijke blik toe en draaide zich om.

Hij inhaleerde weer, zodat de rook in zijn longen drong en iets los-woelde. Een lafaard sterft duizend doden, een dapper mens maar een. Dat was het verschil tussen Bedevere en Arthur. Hij voelde zich verstikt en zijn ogen deden zeer, prikten van de pijn. Hij kon het stel aan het tafeltje ernaast niet zien. En evenmin het licht van de lamp, de foto van zijn vader, zijn brieven aan Sneeuwlok. Het enige wat hij kon horen was de oerwoudruis van kikkers en parkieten en krekels. Hij stond op een kalkklif. Een piloot in de cockpit van een vlammende bommenwerper. Die een regenwoud in cirkelde. Takken en doorns sloegen in zijn ge-zicht. Hij ademde in. De lucht was zwaar van de rook. De pijn haalde uit en hij voelde hem tegen zijn buikwand krassen, weer in de diepte wegzakken en weer op komen zetten.

'Alles in orde, meneer?' De ober boog zich over hem heen.

'Ja, hoor. Niks aan de hand.'

De ober pakte de fles om hem bij te schenken, maar zijn leven was leeg.

Hoe laat was het? Toen hij in zijn zak naar zijn horloge zocht, voelde hij de sleutel van de Schreber-volkstuinen zitten, die zwaarder woog dan een lichaam. Op het horloge van zijn vader was het halfacht. Hij had niet beseft hoeveel er voor hem van af had gehangen om hem terug te vinden. Om hen allebei terug te vinden.

Hij betaalde de exorbitant hoge rekening en ging er met de mappen vandoor. Hij had de hele dag niets gegeten en hij teerde op zijn voet-stappen die steeds sneller gingen. Sinds de reünie in het Garrick-hotel was hij niet meer zo dronken geweest.

Hij zag kans om de Dittrichring over te steken in de richting van het Pension Neptune en naar het park. Hij volgde een pad tussen de bomen naar de rivier. Algauw stond hij aan de oever te deinen. Het water steeg en een lage linnen maan viel over richels van schuim en de zwarte slan-gen van het kolkende water.

Uit de diepte steeg het geluid van applaus op en hij had de indruk dat mensen voor hem klapten. Hij keek omlaag omdat zijn aandacht werd getrokken door iets wat op een wortel die boven het snel gorgelende water uitstak bewoog. En toen kwam boven het gejuich en het gedreun van hakken Milo's opgewonden stem naar boven: '*Papa, papa, heb je Frau Weschke gezien? Ze heeft beloofd om een rivierkreeft voor me te vangen.*'

Was dat misschien een rivierkreeft die zich aan de boomwortel vastklampte? Nee, dat was absurd. Het bewoog weer, als een stoffertje dat over het water werd gehaald. Hij had geen idee hoe rivierkreeften eruitzagen – of ze seizoengebonden waren, of ze zelfs nog wel bestonden. Hij kende alleen Milo's tekening. Maar hoe moeilijk kon het zijn om er een te vangen? De rivier zat er vast tjokvol mee. Voor zijn zoon een rivierkreeft vangen was voor Peter een absoluut ideaal. Hij kon zich Milo's verrukking voorstellen. Ja, de dingen zouden veranderen.

Hij trok zijn schoenen en sokken uit, legde de envelop ernaast en glibberde de zachte oever af. Het werd heel stil toen zijn benen in het water stonden. De kou sneed zijn adem af en de rivier vulde al snel zijn broekspijpen. Zo omzichtig als hij kon schoof hij naar de boomwortel.

Je kunt ze alleen van achter benaderen.

Hij zag een spatje maanlicht en een parelige schaal en een schichtige beweging – de kreeft zat zich te wassen. Hij had hem niet verjaagd! Uiterst zorgvuldig strekte hij zijn vingers uit: vijftig centimeter. Blijf ongezien voor niet meer dan vijftig centimeter... Hij haalde kort adem en boog zich voorover, maar toen hij zijn hand uitstak kon hij zien dat de buitenkant niet klopte.

Het water omsloot zijn knieën. Hij gooide het chipzakje terug in het water en klauterde tegen de oever op.

Hij probeerde vooral geen geluid te maken toen hij de hal binnenkwam. Maar zijn schoenen sopten op de eerste trede van de trap. Een deur piepte open en een zwaard van licht pinde hem vast.

'Herr Doktor?' Achter de kling van tl-licht klonk de bezorgde stem van Frau Hase. 'Herr Doktor Hithersay, bent u het?' Ze stond met haar mond een beetje open. 'U bibbert helemaal.' Peter zag zijn rampzalige beeld in de gangspiegel, mompelde wat en stommelde de trap op.

Hij bleef onder een hete douche staan tot hij weer warm was. Na afloop zat hij naakt op de rand van het bad lange tijd naar de straat en de lucht buiten te kijken, terwijl zijn hart in zijn holle lichaam sjok, sjok, sjokte alsof iemand zich een weg naar hem baande.

DEEL VII

―――――――

MILSEN, 2002

HOOFDSTUK VIERENVEERTIG

ZEVEN KILOMETER VAN DE Tsjechische grens reed een auto de binnenplaats van een oud natuurstenen huis op. Een vrouw stapte uit en pakte haar koffer uit de bagageruimte. Op het met de hand ingevulde label staat: 'Metzel, Milsen.'

Midden op de binnenplaats was een put. Ze bleef ernaast staan om de koffer met een andere hand te pakken en de vreedzame vroege ochtendlucht in te ademen. Ze was nog nooit zo lang weg geweest. De tijd in Engeland had afstand geschapen. Ze keek naar het oude huis – het ooievaarsnest op de schoorsteen, de zon die spiegelde in het dakraam van de duiventil, de bijenkasten van de buren – met de lichte schok van een ervaring die tegelijk intiem en vreemd is, als de geur van de adem van haar dochter. Ze pakte haar koffer op. 'Katja!' riep ze toen ze eenmaal binnen was. 'Katja!'

Gewaarschuwd door de blaffende whippet kwam haar dochter gekleed in trainingspak en sportschoenen de brede, indrukwekkende trap af hollen.

'Hoe was Londen?' en ze omhelsde haar.

'Zal ik je dat bij een kop thee vertellen?'

Katja trok een zuur gezicht. 'Ik probeer een eind te joggen voor Sören komt.' Hij zou haar om twaalf uur op komen halen, legde ze opgetogen uit, om haar mee te nemen naar een rockconcert in Dresden.

Ze liepen naar de keuken, waar Katja haar moeder een plezier deed door braaf te gaan zitten en een glas water te drinken.

'En, hoe is het gegaan?'

'Ik heb op twee na alles verkocht.' Ze vulde de waterkoker.

'*Mutti*, fantastisch!'

'Beter dan ik had verwacht.' Ze zette de ketel aan en babbelde door over de avond van de vernissage, de recensie in *The Times*, haar tijd in

Engeland. Ze wilde Katja vertellen dat ze een kinderdroom in vervulling had laten gaan door Hampstead Heath te bezoeken en de raven van de Tower, maar haar dochter was er met haar gedachten niet bij. 'Toe, ga maar joggen.'

'We praten later bij,' zei Katja die opsprong en haar moeder weer een knuffel gaf. 'Wat triest voor je dat Oma dood is' – en tegen de whippet: 'Praat jij maar met *Mutti*.'

Ze keek Katja na die de keuken uit liep – dat uitgesproken kwieke loopje – en voelde zich wat bedroefd. Jou krijg ik pas terug als ik zelf grootmoeder ben, bedacht ze.

Katja bleef bij de deur staan. 'O ja,' ze begon zoals ze tegen de hond had gesproken voor ze een andere toon aansloeg, 'er heeft een dokter gebeld uit de stad. Hij zei dat hij zal terugbellen om te praten over de as van Oma. Hij heeft de as zelf meegebracht. Is dat normaal?'

'Heeft hij een nummer achtergelaten?'

'Nee, maar ik heb gezegd dat je vanochtend zou terugkomen. Als Sören komt, ben ik over een uurtje weer hier.'

Ze hoorde de deur slaan en dacht: tot over tien jaar.

Het nummer van Löwenstein was op het kurkbord geprikt. Ze belde zuster Corinna. Inderdaad, Frau Weschkes heel bijzondere dokter had zelf de as mee naar Leipzig genomen. Het was de bedoeling dat hij die persoonlijk zou afgeven, samen met een doos met de bezittingen en een brief van haar grootmoeder.

'U had niet al die moeite hoeven doen.'

'Geen moeite,' zei zuster Corinna snel. 'De dokter moest toch in Leipzig zijn.'

Dankbaar dat haar een reis naar Berlijn bespaard bleef, zette ze een pot thee. Terwijl ze in de keuken rondkeek op zoek naar een kopje, zag ze dat Katja moeite had gedaan op te ruimen en ze was erdoor geroerd, maar bij nader inzien had ze de taak niet helemaal volbracht. In de gootsteen lag een dikke wollen trui die naar van de regen doorweekte schapen rook. Er stond een stapel niet erg goed afgewassen borden en op de tafel lag in een slordige stapel de post van de laatste veertien dagen. Wat folders. Twee rekeningen. Een briefje van Stefan om te zeggen dat hij Kristjan vrijdag terug zou brengen. Een envelop met een Berlijns poststempel.

Haar hart sloeg over. Ze kon het niet helpen – iedere keer als ze een brief zag met een handschrift dat ze niet herkende, rees de argwaan dat hij was geschreven door een vorige eigenaar van het huis die het weer wilde opeisen. Ze liet het zoeken naar een theekopje varen en vond een mes, waar nog boter aan zat.

Ze ademde uit. Een condoleancebrief. Ze vroeg zich af waarom er niet meer waren, voor ze zichzelf eraan herinnerde dat Oma iedereen had overleefd, zelfs haar eeuw, en ook haar land. 'Wat ik je nu zeg is droevig maar waar,' waren haar woorden geweest in de ziekenauto die hen naar Berlijn reed. 'In mijn lange leven heb ik gezien hoe Duitsland – mijn Duitsland – is verslagen, verdeeld, herenigd en verdwenen.' Er was niemand meer in leven die om haar kon rouwen. Behalve Bruno, die nooit om iemand zou rouwen – en de schrijver van de brief.

'Ik heb haar maar korte tijd gekend...'

Ze las de verleden tijd en slaakte een kreun. Het was anders om het van iemand over de telefoon te horen dan het kille onherroepelijke feit zwart op wit geschreven te zien.

'... mijn zoon is haar zelfs als zijn eigen grootmoeder gaan beschouwen.'

Haar ogen schoten naar de kop van de brief en toen ze het adres zag moest ze onwillekeurig denken aan de woorden van een andere dokter in een ander ziekenhuis waar haar moeder was opgenomen toen ze haar been had gebroken. 'Er is weinig kans dat ze hier nog weg kan,' waarschuwde de kleine man met de spitse kin.

Toch werd er twee maanden later op de deur geklopt. Anne-Katrin van de winkel op de hoek. 'Telefoon!' Aan zijn vleiende stem herkende ze de spitse kin. 'Komt u haar alstublieft ophalen. Ze loopt weer als een topsporter.' En hij schetste het spektakel van een vinnig oud vrouwtje dat tikkend door de marmeren gang beende – 'ze maakt ons allemaal knetter met die stok van haar.'

Ze ging door met lezen terwijl de herinnering bij haar terugkwam van de middag dat ze naar Dösen ging om haar grootmoeder op te halen. De verhitte blik. De korzelige stem: 'Wat is er in godsnaam met jou gebeurd?' De druk van die oude handpalmen tegen haar gezicht. Alsof ze door het eenvoudige gebaar waarmee ze tegen de wangen van haar kleindochter drukte kon weten wat er allemaal was voorgevallen terwijl zij daar in het ziekenhuis met haar been in het gips lag.

Ze draaide het vel om en zag de handtekening. Haar vrije hand bracht ze bij haar ogen. Ze schudde haar hoofd. Het moest een andere dokter zijn.

Twintig minuten later belde hij op. 'Frau Metzel?'

'Ja.'

'Goddank.' Hij stelde zich voor en ze herkende de stem. 'Heeft uw dochter de boodschap doorgegeven?' Hij gedroeg zich beleefd. Hij klonk moe, ontmoedigd.

'Ja.' Ze wachtte tot hij verder ging, nog iets zou zeggen. De laatste keer dat ze zijn stem had gehoord – op Mornewegs bandrecorder – had hij het over zwanen gehad.

In zijn met een Engels accent gekleurde Duits vroeg hij hoe hij bij haar huis kon komen.

Kennelijk had ze hem dat verteld, want ze hoorde zichzelf zeggen: 'Met de auto is het vijf minuten – of een halfuur als u komt lopen...'

'Wanneer komt het u uit?'

'Maakt niet uit. Ik ben de hele dag hier.' Wat kan ik zeggen om hem aan de lijn te houden? – maar op de achtergrond werd zijn trein omgeroepen, hij moest gaan.

Ze legde de hoorn neer en spreidde haar handen aan weerskanten van de brief. Ze boog zich voorover om de handtekening nog eens te bekijken en toen ze met een schok besefte dat er geen vergissing in het spel kon zijn, ademde ze snuivend uit alsof ze lachte. Zo, dus hij was een geslaagde dokter. Daar keek ze niet van op. Hij had meteen gezien dat er aan haar keel niets mankeerde.

Ze las nogmaals zijn naam en haar ogen dwaalden omlaag naar haar buik en haar benen. Ze liep naar de gootsteen en pakte een glas. Ze onderzocht eerst of het vuil was, liet het onder de kraan vollopen en dronk.

Waarom kom je nu? Toen zou ik het begrepen hebben, dacht ze, maar waarom nu?

Over twee uur zou er een dode man haar huis binnenlopen en ze wist niet wat hij wilde, wat ze tegen hem moest zeggen.

HOOFDSTUK VIJFENVEERTIG

PETER WILDE ER VOOR Frau Weschkes kleindochter op zijn best uitzien, maar afgezien van zijn keper overjas en het overhemd dat Frau Hase had gewassen en dat naar Dettol rook, besefte hij dat hij niets had om aan te trekken.

Mistroostig zocht hij tussen Renates 'opwindende lentecollectie' en trok er achter elkaar een zwart stripshortje uit, een bruine cowboy-broek met een opdruk die leek op een koeienhuid en een J'adore Capri-hemd in het gifgroen van Renates jurk. Met toenemende afkeer hield hij ze tegen zijn lijf en het leek wel of hem werd gevraagd om pijn in verschillende kleuren uit te proberen. Ineens moest hij denken aan de broek die in de kamer was blijven hangen.

'Maar ik heb hem niet gewassen,' jammerde Frau Hase. 'Bovendien past hij misschien niet. Herr Mehring was een beetje kleiner... Wacht u even, ik ga hem halen, dan kunt u het zelf zien.'

Terug op zijn kamer paste hij hem. Hij was wakker geworden met een gierende kater en liep op zijn tenen om de pijn te onderdrukken. Tege-lijkertijd waren zijn gedachten resoluter en redelijker dan in weken. De broek van Herr Mehring, van kaki ribfluweel, rook naar eau de cologne en knelde om zijn middel – maar hij kon ermee door.

Toen hij klaar was met pakken, liet hij Renates kleren op het bed lig-gen en schreef een briefje aan Frau Hase om te zeggen dat ze voor haar waren, met zijn allerbeste wensen, en dat er nog meer lingerie op komst was. Tien minuten later liep hij met zijn koffer de trap af en betaalde de rekening. 'De broek zal ik naar u terugsturen.'

Frau Hase keek met ernstige minachting van zijn broek naar de wan-delstok die zijn zwaartepunt leek te zijn geworden. 'O, geen haast,' met een geforceerde stem. Toen flapte ze eruit: 'Herr Doktor, het spijt me dat u uw vriendin niet heeft gevonden.' Ze zei het alsof ze er persoonlijk schuld aan had. 'Komt u nog terug?'

'Nee,' en hij knoopte zijn jas dicht. Hij was gemangeld, was door de hel en terug gegaan. Hij wilde uit Leipzig weg.

De horizon gloeide roze door de geweien van de verwaaide bomen. De warme wind had de sneeuw van de takken gesmolten en schubben waterige huid in de plassen langs de rails glinsterden in het eerste zonlicht. Alleen in zijn coupé verlegde Peter zijn blik van het raam pas toen iemand met een trolley de deur opendeed. Hij kocht twee flessen mineraalwater en dronk ze achter elkaar leeg terwijl de trein door het ochtendlijke landschap raasde. Zijn hoofd bonsde zo hevig dat hij, tot zijn opluchting, het gepiep en geknars van zijn geheugen niet meer hoorde. Met elke kilometer die de trein hem verder van Leipzig wegvoerde, viel Sneeuwlok van hem af tot het erop leek dat hij haar veilig had achtergelaten. Sneeuwlok en de onverdraaglijke herinnering van haar laatste aanblik.

De trein daverde door een bos. Rij na rij van zeegroene dennen. De zon die zwarte speren door de mist in het bedauwde gras dreef. De bomen geen bomen, maar 's konings leger van pieken en hellebaarden en lansen in afwachting van het bevel om ten strijde te trekken. Hij zakte op de bank onderuit om zijn gevoelige hoofd rust te geven. Het einde van het verhaal zou hij nooit kennen. Hij zou de belofte aan de oude dame inlossen en naar huis gaan, zijn tuintje wieden, zich beter gedragen.

HOOFDSTUK ZESENVEERTIG

P AS TOEN ZE IN DE slaapkamer kwam schoot het haar weer te binnen: Katja was aan het joggen. Bed onopgemaakt. Licht aan. Gordijnen dicht. De kamer was een puinhoop. De ladekast vol lippenstift, flesjes en crèmes en op de grond overal kleren op donkere hoopjes.

Ze schrok van de wanorde. Doorgaans sloot ze de deur voor Katja's rotzooi, maar nu begon ze dingen van de vloerbedekking op te rapen. Een aanvraagformulier voor de universiteit. Een zak van de stomerij. Nagellakremover. Ze overzag het stof, de ongelijke sokken, de lege theekopjes – dus hier waren ze – en voelde een opwelling van beschermende gevoelens voor haar dochter.

Ze schoof de gordijnen met een ruk opzij en zette de ramen open. Ze verwisselde de lakens op het bed, stopte alle zwarte kleren in een wasmand zodat Katja ze kon sorteren. En uiteindelijk sorteerde ze ze zelf.

Opruimen vereiste geen afweging of discipline of de inzet van te veel vermogens. Schoonmaken voerde haar terug naar zichzelf. Terug naar de dagen en maanden van slaafs geploeter na de geboorte van Katja. Het gaf haar een wonderlijk vertroostend gevoel te bedenken dat iemand die ze uit die tijd kende en die haar nu bezig zag met het in hoopjes sorteren van kokerrokjes, coltruien, lycra rokjes, zich zou moeten voorstellen dat haar wereld stil had gestaan.

Door de kamer op te ruimen werd ze de schok van de herkenning van Peters stem de baas. Ze trok het bed van de muur en werkte er met de stofzuiger omheen en eronder. Dus haar grootmoeder was onder zijn hoede aan haar einde gekomen! Ze probeerde in die informatie geen logica te ontdekken. Maar haar pogingen om hem weg te schuiven waren zinloos. Ze zou de hele ochtend werken met de gedachte aan dat toeval, om het te plaatsen, tot hij kwam.

Ik dacht dat het dood en begraven was, zei ze in zichzelf. En nu kom je terug.

Ze knielde naast het bed en ging achter het stof, de kruimels van koekjes en de papieren zakdoekjes aan. In de kamer hing een uitgesproken geur – de geur van haar dochter.

'Daarna – wat is er daarna met je gebeurd?' Was dat niet de eerste vraag die Peter zou stellen? En ze moest aan haar grootmoeder denken. 'Mannen zijn zo doorzichtig,' zei Oma altijd. 'Mannen zijn zulke lafaards. Er zijn er maar weinig die willen proeven wat moed is. Voor vrouwen is het andersom.'

Ze zette de stofzuiger uit. Eindelijk was de kamer aan kant, maar ze keek er met een bang voorgevoel naar. Kon ze haar vage herinneringen maar net zo gemakkelijk ontwarren als de kleren van haar dochter. Hoe zou Katja's kamer eruit hebben gezien als ze bij Peter was opgegroeid, een dokter in het Westen? Zou ze ook door de velden zijn gaan joggen?

De zon stroomde door de ramen met zes ruiten naar binnen. Buiten ploegde een tractor een akker en aan de kim in de verte volgde de gedaante van Katja methodisch en hardnekkig haar pad. Had hij zelfs maar een vermoeden dat hij een dochter had?

Ze streek door haar korte haar met geblondeerde pieken en over haar gezicht. Met dezelfde vingers trok ze haar truitje over de riem die haar inmiddels volslanke vormen accentueerde. Dit was de vrouw die ze was geworden. Maar wat was er van die jongere vrouw geworden?

Ze keek op haar horloge. Zijn trein zou over tien minuten aankomen.

HOOFDSTUK ZEVENENVEERTIG

O M VIER MINUTEN VOOR half tien stopte de trein bij een stationne-
tje van mauve baksteen. Een geranium in een verroest verfblik. In
een wei een kleine grijze hengst met een witte bles. Peter keek door het
raam en bestudeerde zijn spiegelbeeld. Hij stelde zich voor dat hij zijn
vader zag. De neus een tikkeltje groter dan hij had gedacht. De ogen iets
schuiner. De mond als iets waaraan was begonnen maar die niet was
afgemaakt.

Zijn voorstelling ging over in een jongeman die in zijn coupé instapte. Hij was ongeveer gekleed zoals Peter Johnny Rotten een keer
had gezien: een vest à la Joseph Beuys, zijn benen gekluisterd in een
gescheurde bondagespijkerbroek, piekerig groen haar, twee ringen in
een neusgat en met een plastic kinderzonnebrilletje op. 'Je zit op mijn
plek.'

Peter stond op en zag ineens het bord met de naam van het station.
Hij bleef stokstijf staan terwijl de conducteur over het perron kuierde
en riep: 'Dorna! Dorna!'

HOOFDSTUK ACHTENVEERTIG

ZE STAK IN DE KEUKEN de haard aan en ging aan tafel zitten wachten. De klok sloeg tien uur. Ze liep naar de gang en ging voor een lage boekenplank staan. Ze gleed met een vinger over de ruggen en trok er een uit. Toen liep ze terug naar de keuken.

Zenuwachtig zocht ze naar haar leesbril. Maar ze kon zich niet op het boek concentreren. Bij het minste geluid keek ze op naar het raam.

Als hij een taxi had genomen zou hij er nu al zijn geweest, dacht ze. Hij kwam vast te voet.

De klok sloeg het halve uur. Misschien komt hij niet! en ze smaakte de laatste minuut respijt.

Om kwart voor elf zette ze haar bril af en stond op. Ze zou de stad in gaan – ze moest tenslotte wc-papier, brood, melk hebben. Ze begon haar jas aan te trekken. Maar ik heb tegen hem gezegd dat ik de hele dag thuis zou zijn. Wat een stomme, stomme belofte.

Ze keek uit het raam. De enige die het weggetje op kwam was haar dochter die naar huis jogde. Ze keek toe hoe Katja steeds dichterbij kwam.

Het was de ochtend dat ze het dal ontdekte.

Ze had wat geld van haar beurs gespaard en had zodra ze was afgestudeerd toestemming om als vrij kunstenaar te werken. Ze liet professor Kleist weten dat ze geen atelier in Leipzig wilde – ze gaf er de voorkeur aan om op het platteland te schilderen. Hij keek haar stralend aan. 'Dat is geweldig!' Alle andere studenten hadden om een atelier in de stad gevraagd. Er waren meer kunstenaars dan ratten, had hij tegen haar gezegd, en hij kon ze niet allemaal onderbrengen. 'Voor jou zal ik vanavond nog een brief schrijven.'

De hele zomer fietste ze lege weggetjes af. Op een dag ontmoette ze een verlegen maar vastberaden bouwkundig ingenieur die op oude huizen monumentenverordeningen aanbracht. Hij vertelde haar over een huis in de buurt van Milsen, een twaalfde-eeuws fort waarvan de eigenaar een Von-nog-wat was. Hij laadde haar fiets op zijn bestelwagen en reed haar tot boven aan het dal.

Bij een boerderij vroegen ze de weg. Onder een kersenboom lag een kind op een matras te slapen terwijl een oude vrouw met een priestermuts om haar kin gestrikt doffe *boules* in het zand gooide. Ze wees naar een bouwvallig dak met oranje pannen. Het park was overwoekerd en de bomen hadden zich laten gaan. Erachter weilanden en akkers tot aan de Tsjechische grens.

De kamers waren leeg. Dorpelingen hadden de tegels gestolen. De boel was grondig geplunderd. Geen deuren. Ramen kapotgeslagen. Zelfs de toegangspoort ontbrak. Binnen woonden alleen vogels.

Het fort dateerde uit een tijd dat Otto I het christendom in het Oosten verbreidde. In de jaren zestig werd het door veertig Tsjechische gezinnen bewoond, maar al zeven jaar lang had er niemand meer geslapen behalve een paar jagers. Er hing een prent van Landeburg in het trappenhuis en er lagen wat veren op de plek waar een fazant was afgeschoten, en over twee verrotte mahoniehouten stoelen hing een plak amberkleurig spek.

'Een goede plek om 's avonds muziek te maken,' had Stefan gezegd toen ze hem er een week later mee naartoe nam en hij uit de kelder kwam.

Er was geen water, geen elektriciteit, geen riool. De verlegen jonge bouwkundige vertrouwde haar toe dat het districtsbestuur in feite hoopte dat het gebouw zou instorten. Ze wilden het als een schandvlek uit de geschiedenis schrappen. Toen was hij aan komen zetten met een monumentenverordening. En nu had je dat vreemde gezin dat officieel toestemming had om er te wonen. In het dorp wisten ze niet wat ze ervan moesten denken.

Ze overhandigde de brief van professor Kleist aan de burgemeester. Hij las hem verbijsterd hardop: 'Geeft u alstublieft alle steun aan deze jonge kunstenares. Het is van essentieel belang voor het culturele leven van onze natie dat kunstenaars met haar talent op het platteland kunnen leven en werken. In Leipzig zijn geen ateliers meer beschikbaar.'

De dorpsraad besloot het oude huis aan te sluiten op het lichtnet, de kinderen op de dorpsschool in te schrijven en met bouwmaterialen te helpen. Ze waren te overdonderd om nee te zeggen.

Die zomer sliep het gezin in de dorpsherberg en zij en Stefan beulden zich af om het dak te repareren. Die eerste vier maanden waren de beste die ze samen hadden gekend. Ze bouwden van baksteen een buiten-wc met een septic tank van de zwarte markt. Ze zetten glas in de ramen van de eetkamer. Ze legden vloerplanken. En met de hulp van de oude dame van de boerderij ontdekten ze een watervoorziening. Zij herinnerde zich dat ze voor de oorlog op de binnenplaats een pomp had gezien die werkte. Na ettelijke dagen graven vonden ze meer dan een meter diep, een heel eind verder van waar de oude dame dacht dat de plek was, een handpomp en een put. Voor het einde van het jaar hadden ze twee slaapkamers opgeknapt. Genoeg om uit de herberg te vertrekken.

Aan het einde van de herfst maakte Stefan 's avonds buiten een vuur en roosterde knoflook en brood. Ze kon vier broden voor een *Ostmark* kopen en het was goed brood. Ze keek toen naar het vuur zoals haar twee kinderen nu naar de televisie keken. Zonder iets te zeggen, zelfs zonder te denken.

De ruime eetkamer werd haar atelier. Hier sliep ze met de kinderen, omgeven door boeken en bladen met pennen en rollen dun bruin papier – tot ze het zelf van stokrozen leerde maken – die een connectie van de bakker in een fabriek in Dessau achteroverdrukte. Hier kwam geen enkele vreemde – en Stefan alleen als hij dronken was. Overdag liep ze met een stuk van de rol gescheurd papier de deur uit naar de bossen en wachtte op een geluid – een vogel die zong of een stem in de verte – en probeerde het geluid met haar pen te herhalen tot de pen een deel van haarzelf was geworden, een vinger.

Deze hiëroglifen waren haar aantekeningen. Ze nam ook polaroidfoto's. Op de academie had professor Kleist geprobeerd haar van het schilderen op fotograferen te zetten en vooral op de studie van het werk van Sander en Cartier-Bresson. Maar al gebruikte ze het fototoestel onophoudelijk, ze kwam op de plek waar ze nu woonde zo weinig van Cartier-Bressons 'doorslaggevende momenten' tegen dat ze geen zin had om ernaar op zoek te gaan. Instinctief cijferde ze zichzelf het liefst weg. Haar kortetermijnambitie was ervoor te zorgen dat een schuchtere, wantrouwige natuur haar vertrouwde. Haar tot bliksemafleider maakte.

Wanneer de kinderen sliepen, deed ze een lamp aan en ging aan haar werktafel zitten. Ze werkte de hele nacht door, de ene tekening na de andere, terwijl de elektrische gitaar van haar man uit de kelder en over het verlaten park dreunde. Op een keer deed ze de luiken open en weerkaatste het licht in het oog van een eekhoorn.

Uit het dorp kwam niemand. Ze luisterden naar de grillige wanklank van Stefans muziek en waren best vriendelijk, maar ze kwamen nooit naar hen toe.

'Ze zijn bang dat we van de Stasi zijn,' zei Stefan.

Er klapte een deur. Ze hoorde Katja hijgend door de gang lopen. 'Sören niet hier?' riep haar dochter tussen zware ademtochten door.

'Nee, schat,' en ze trok haar jas uit. Ze had niets van hem. Geen foto. Geen brief. Vroeger had ze een blauwe muts en een wollen sjaal, maar Stefan begon die tijdens zijn concerten te dragen tot hij ze op een avond niet meer mee naar huis bracht. Alles wat ze had was gecondenseerd in een vergeten roman van een schrijver wiens naam ze nooit meer had horen uitspreken.

Katja liep de trap op en kloste door de gang zodat de balken ervan kraakten.

Ze ging zitten en zette haar leesbril weer op.

Ze was het verhaal helemaal vergeten maar omdat na twee weken in Londen haar Engels naar boven was gekomen, werd ze meegesleurd en nadat ze een bladzijde had kunnen volgen las ze er nog een tot ze steeds minder vaak uit het raam keek.

In het ochtendgloren liep hij naar het kanaal dat het meer voedde.
De vogels herkenden hem aan zijn bewegingen en kwamen in een stille cavalerie naar hem toe. Hij bond een draad aan een poot en daarna aan een volgende. Al spoedig waren ze zover.

HOOFDSTUK NEGENENVEERTIG

IN MILSEN STAPTE HIJ UIT. Aangezien het plaatsje er verlaten uitzag besloot Peter, na vijf minuten voor het station te hebben gewacht zonder ook maar één taxi te zien, te voet de aanwijzingen van Frau Metzel te volgen. Van een wandeling werd zijn hoofd misschien helder. Met zijn koffer achter zich aan rollend liep hij het dorp uit.

Op het eerste gezicht leek het op alle dorpen die hij vanuit de trein had gezien. Huizen in de kleur van een paardendeken. Lege stoelen op een veranda. Een oorlogsmonument waarvan de gedenkplaat doormidden was gebarsten. Een vrouw zat met blote benen op haar stoep in de zon en sloeg hem gade terwijl hij bedaard langsliep. Uit de werkplaats van een garage klonk een aria uit *La Traviata* – mogelijk Pavarotti, eerder een monteur.

Hij kwam langs een rij huizen met kleine voortuinen en draadafrastering, waar hij elke keer door het gegrom van opgesloten honden werd begroet. Bordjes waarschuwden ervoor dat ze zouden kunnen bijten. Een Duitse herder stond stokstijf en trillend naar hem te kijken. Bij het volgende hek stoof een hond op hem af tot aan het einde van zijn ketting en zijn gegrom werd steeds dreigender.

De grens lag maar een paar kilometer verderop. Waren dit waakhonden geweest? Milo's moeder had in haar artikel geschreven dat treinen aan de grens vijftien minuten bleven staan om afgerichte dieren onder de wagons te laten kruipen en te ruiken of er iemand onder hing. De hereniging had deze honden overbodig gemaakt en hun voormalige africhters waren gedwongen om ze te verkopen – of hen als huisdier thuis te houden, volgens Frieda soms met desastreuze gevolgen voor de gemeenschap. De honden vielen eenden, geiten en vee, maar ook dorpelingen aan. 'Als hij uit de dood zou opstaan,' schreef Frieda als gebruikelijk doorzagend op eenzelfde thema, 'zou zelfs kolonel Most niet verzekerd zijn van een veilige ontvangst.'

Voor het laatste huis stikte een herder zowat aan het einde van zijn lijn. Hij likte het speeksel van zijn bek en dook in elkaar. Zijn zwarte ogen glinsterden. Neusgaten trilden met een laag gegrauw.

'Bij de Schillerstraße, links, doorlopen naar een kruising.'

De velden waren overdekt met een deken van sneeuw en modder. De hagen stonden er als straatbezems bij. Tegen de tijd dat hij bij de kruising kwam was het geblaf weggestorven.

Langzaam liep hij over de smalle weg terwijl zijn koffer achter hem aan hobbelde en zijn stok op het asfalt tikte. Hij wist dat hij moest klinken als een blinde. Toen hij bleef staan om in zijn ogen te wrijven keek hij naar de zon die als de dobber van een visser uit de wolken opdook. Het viel onmogelijk te zeggen wat de zon met de rest van de dag zou doen. De lucht die aanvankelijk helder was geweest had nu de grijswitte textuur van net gefileerde kabeljauw en was hier en daar bespikkeld met schubben van Pruisisch blauw.

Hij volgde de weg tussen rijen populieren. De stammen waren grijs en de buitenste kant van de schors lichtroze met de ontvelde glans van verbrande huid. Langs de weg markeerden witgekalkte kruisen de plekken waar ongelukken waren gebeurd.

De bomen maakten weer plaats voor open land. De weg liep steil omhoog door een uitgestrekte akker. Met elke stap voelde hij steeds weer de pijn in zijn rug en zijn nek. Hij vertraagde zijn tred en bleef af en toe staan om het zweet uit zijn ogen te vegen. De akker was in strakke en keurige voren geploegd en ingezaaid met korte stoppeltjes zoals hij zich altijd het hoofd van zijn vader voorstelde. De sneeuw was in de aarde weggezakt, maar wanneer hij inademde hing er nog altijd een bontgeur van kou in de lucht.

Over de heuvel, waar een laantje naar links afsloeg, ontvouwde zich voor hem een ondiep dal. 'Links van u kunt u het zien liggen.'

Het huis van Frau Metzel zag er helemaal niet uit zoals hij had verwacht. Een oud versterkt herenhuis dat met zijn natuurstenen gevel een binnenplaats beheerste en uitkeek over velden die door een landschapsarchitect aangelegd hadden kunnen zijn. In tegenstelling tot het vijandige kabaal in Milsen was het tafereel dat zich voor hem ontrolde kalm en rustgevend. Een tractor die met zijn oude ploegscharen de grond opensneed, tufte achter een houten schuur uit het zicht. In een wei lagen varkens en in de verte liep een jogger naar het huis. Lang zwart haar, zwart trainingspak, jong.

Hij keek op zijn horloge. Hoezo een halfuur? Hij had er vijftig minuten over gedaan. Steunend op de stok liep hij naar het huis. Als hij Frau Weschkes as had afgegeven zou hij de kleindochter vragen of ze zijn vermoeide benen kon sparen en hem in het volgende dorp wilde afzetten.

HOOFDSTUK VIJFTIG

STOKROZEN STREKEN LANGS zijn knieën toen hij naar de deur liep. Hij drukte op de bel. De zoemer gonsde. Zwak, als een tor op zijn rug. Hij zette zijn muts af, depte zijn voorhoofd en wachtte. Geen geluid. Hij drukte nog een keer op de bel en deed na een poos een paar passen achteruit en keek door het raam. Er zat een vrouw aan de tafel. In een glimp ving hij eenvoudige zwarte kleren en blond haar op. Ze draaide haar hoofd niet om. Bleef zitten.

Peter tikte met het zilveren paardenhoofd tegen het raam. De hoek van het raam was overdekt met spinnenwebben en er stonden potten honing en flessen op de vensterbank.

'Ja?' De toon van een vrouw die werd gestoord, maar er was niemand anders in de keuken. Ze had zitten lezen.

De vrouw die opendeed was somber gekleed, alsof ze net iemand heeft verloren. De donkere kleren vielen ruim en hij kon haar leeftijd niet raden. Ze had een lang, gevoelig, wat bleek gezicht en er lag een vaag netpatroon over haar huid, alsof iemand hem stevig tussen zijn hand-palmen had geknepen en afdrukken had achtergelaten.

'Frau Metzel?' Hij schonk haar zijn beroepsglimlach en zij glimlachte terug, opgewonden en daarna teleurgesteld en hij vroeg zich af of ze iemand anders had verwacht. 'Peter Hithersay,' stelde hij zichzelf voor. 'Ik heb u op het station gebeld. Ik heb de spullen van uw grootmoeder meegebracht.'

Ze bleef hem aankijken, sloeg haar armen over elkaar en maakte ze weer los in een gebaar van consternatie. Hij heeft me niet herkend, dacht ze. Maar waarom zou hij? We hebben elkaar negentien jaar geleden drie dagen gekend en ik ben veranderd. Ze was inmiddels tien kilo zwaarder, haar lange donkere haar was afgeknipt met blonde pieken erdoor. En ze droeg een ijzeren brilletje waardoor ze hem met grijze ogen opnam die ongetwijfeld hun vurigheid hadden verloren.

Hij keek haar aan met een wonderlijke uitdrukking. Ze wilde haar bril afzetten, maar hield zich in.

'Ik heb u meteen herkend,' zei hij – en met een schok dacht ze: daar gaan we. 'U lijkt op uw grootmoeder.'

Frau Metzel zei niets. Ten slotte deed ze een stap terug. 'Wilt u niet binnenkomen?' haar gezicht in de schaduw.

Hij wilde zeggen: ik kan niet blijven, ik moet nog meer doen, maar de smeulende stem in zijn koffer zei: waag het niet. 'Nou, even dan.'

Met stevige passen liep ze van hem weg een hal in met een hoog plafond, langs een stenen trap in perfecte staat, met een gehavende koffer op de onderste trede. In de hal rook het naar terpentijn, misschien ook naar honden en tegen de linkermuur stonden een stuk of zes doeken tegen elkaar gestapeld.

Hij wist dat hij haar naar haar werk als kunstenares moest vragen – Bettina zou Pericles hebben doodgeschoten voor een tentoonstelling in Whitechapel.

Ze liep voorop naar de keuken. Lange vurenhouten tafel met een open boek erop. Grote jaren zestig-ijskast met foto's erop geplakt. Prikbord met telefoonnummers en afbeeldingen uit kunstboeken en een deur naar de tuin waaraan jassen en mutsen hingen.

'Ik zie dat u behoorlijk met uw been trekt. Wat is ermee?'

'Mijn knie.'

'Een zwaar weekend gehad?'

'Ik kan u niet half zeggen hoe zwaar, Frau Metzel.'

Ze keek hem onderzoekend aan, maar op dat moment kwam er een zwarte whippet onder de tafel vandaan die in zijn kruis snuffelde. Ze gebaarde snel met haar handen. 'Schim – vooruit! Doe me een lol.'

Hij aaide de whippet weg en alsof ze elkaar meteen begrepen ging de hond naar zijn mand.

'U kunt hem inderdaad maar het beste negeren,' en ze keek peinzend naar Peter. De met modder bespatte, slecht passende broek, het wat afgematte gezicht. Een man met een stok die rook naar sneeuw en iets van een ontsmettingsmiddel.

Hij tilde de stok op en zij dacht: nu kan het elk moment...

Peter was niet voorbereid op de golf van emotie toen hij de stok op de tafel legde. Ondanks zijn hevige kater en de pijn in zijn rug, kreeg hij het bevrijde gevoel van iemand die van zijn paard steeg na een ridderlijke taak te hebben volbracht. Toch deed hij er met tegenzin afstand van. Hij streelde de doffe knop en de buitensporige gedachte flitste door hem heen dat zijn vingers niet een levenloos afgietsel aanraakten maar het heft van een uiterst kostbaar zwaard.

Ze wachtte gespannen. 'Wilt u uw jas niet uitdoen?'

Hij begon hem los te knopen, toen zijn blik op iets op de tafel viel. Hij had het boek al gezien! Maar nu zag hij de brief liggen die hij in de Hilfrich Klinik had geschreven. Ze draaide haar hoofd een beetje om en keek bedenkelijk naar zijn gezicht terwijl hij zijn woorden herlas. Dit had ze niet voorzien. Ze had zich de hele ochtend op zijn komst ingesteld. Het oplaaiende ongeloof dat hij haar niet had herkend maakte plaats voor een vlaag van woede die snel overging in stilzwijgen.

Hij ging rechtop staan. Zonder zijn jas zag hij er mager uit, als iemand die was ondervoed. Ze staarde verwonderd naar de broek en zijn overhemd met de vage geur van Sagrotan. Hij zag er ontveld en kwetsbaar uit, en eigenlijk oprechter dan de jongeman uit haar herinnering.

'Geef maar aan mij,' en ze hing zijn jas bij de andere tegen de deur naar de tuin.

Hij maakte zijn koffer open. Hij liep nog hetzelfde en hortend, als een schaatser die steeds op een ander been overstapt. En hij was ook niet veranderd in de manier waarop hij het zwarte haar uit zijn oog streek.

Onder de tafel lag Schim te slapen.

Ze bleef hem met haar ondoorgrondelijke blik gadeslaan en terwijl hij in zijn koffer zocht ervoer ze de verwarrende sensatie dat de tijd had stilgestaan en ze een gesprek hervatte dat over een enorme ijsvlakte te horen was. Alsof ze alle uren dat ze niet bij elkaar waren geweest niet voelden.

Hij haalde er een witte kartonnen doos uit en nu was ze bang dat hij haar alsnog zou herkennen.

'Het spijt me van de verpakking. Eigenlijk is het een gebaksdoos,' zei hij onnodig.

Ze keek naar de woorden – BÄKEREI MEYER – die op de zijkant gedrukt stonden en het plakband dat van het deksel loskwam. 'Ik moet u eerlijk zeggen dat ik dit niet had verwacht. Is het gebruikelijk dat doktoren van Löwenstein de as van hun patiënten aan huis afleveren?'

'We moesten van uw grootmoeder beloven dat we hem naar u toe zouden brengen.'

Opnieuw gleed die wonderlijke glimlach over zijn gezicht. 'Bovendien zoek ik al lang naar een aanleiding om nog eens naar Leipzig te gaan.'

Ze scheurde het deksel open. In de mouw van de bisamjas zat de bordeauxrode pot met de as van Frau Weschke. Ze haalde hem eruit en zette hem op tafel.

'O ja,' zei hij, 'ik moest ook deze brief afgeven.'

'Heeft ze een brief geschreven voor bij de as? Dat is wel heel wonderlijk.'

'Ze kon aardig drammen – maar dat weet u vast wel.'

Klemgezet tussen hem en de envelop met haar naam erop, babbelde ze door: 'Ik heb wel eens gehoord dat doktoren door bepaalde patiënten meer zijn geroerd dan door anderen. Wie zou hebben gedacht dat mijn grootmoeder nog eens zo'n behandeling ten deel zou vallen? Ze kwam er niet echt voor in aanmerking – u had eens moeten horen wat de dokter in Dösen zei toen ze daar wegging! Maar ik denk dat ik toch wel kan begrijpen waarom u het heeft gedaan.'

Maar er was iets afwezigs in zijn ogen geslopen. Verscholen achter zijn eigen blik was het alsof hij haar niet zag – een bewegingloze voorovergebogen gedaante die zijn gedachten alleen verried door de hand die onrustig over de wandelstok streek.

'Natuurlijk kunt u dat begrijpen,' terwijl hij zijn geleende ros aaide. 'Zij was uw grootmoeder.'

Haar eerste gekrenkte en gefrustreerde reflex was verdwenen en na de opluchting werd ze nu door verlegenheid verlamd. Ze haalde diep adem en besloot op te biechten. Maar haar besluit ebde weg toen ze naar hem keek. Dat komt er verdomme van als je je tot iemand aangetrokken voelt. En wat moest ze bovendien tegen hem zeggen? Hem alles vertellen wat er was gebeurd? Als je eenmaal hebt moeten stoppen met je verhaal is het moeilijk om er weer aan te beginnen. Trouwens, als je mensen je verhaal vertelt wil dat nog niet zeggen dat zij weten wie je bent.

Ze stak een hand in de doos. 'Ach, laten we maar op de oude dragonder drinken,' en ze hield de fles witte wijn op. De brief kon wachten.

Ze klonken op Frau Weschke.

Met gespannen stem zei ze: 'Op Marla.'

Hij bracht het glas bij zijn neus. 'Op Marla.' Zette het aan zijn lippen en nam een slok.

Met haar voet duwde ze tegen een houtblok in de haard en nam nog een slok. 'Dit is echt heel lekker,' zei ze verbaasd. De wijn was niet gekoeld en was helemaal vanaf Milsen over de heuvel gehobbeld, maar hij was echt goed.

'Inderdaad.' Door de wijn voelde hij zich ineens een stuk beter. Het glaasje tegen de kater.

Ze keek op het etiket. 'Saale-Unstrut, 1983.' Ze lachte en hij kreeg de indruk dat het een wat zenuwachtig lachje was. 'Ik heb hem voor haar gekocht.'

Hij keek haar weer aan en weet het aan de wijn dat hij werd overvallen door een overweldigende duizeligheid, net als die keer in de dierentuin. Toen ze de deur opendeed was hij lichtelijk teleurgesteld. Op het eerste gezicht kwam ze neutraal over, zelfs streng, maar nu ze achteroverleunde vielen hem kleine dingen op. Een sieraad om haar nek dat eerst niet te zien was, een lekkere geur. Hij had eenvoud ten onrechte aangezien voor slonzigheid en hij zag dat de snit van haar zwarte trui en gewatteerde broek vrij elegant was. Vergeleken bij haar voelde hij zich saai. 'Weet u dat u erg op uw grootmoeder lijkt.'

Ze wendde haar gezicht naar hem met een glinstering in haar grijsgroene ogen. 'Dat zeggen ze. Ik kan het moeilijk beoordelen.' En door de wijn wat uitdagender geworden: 'Op wie zouden uw kinderen kunnen lijken?'

'Aangenomen dat ik kinderen heb?'

'Ja, dat vooropgesteld.'

Hij diepte zijn portefeuille op en liet haar een foto van Milo zien. Ze haalde diep adem. Ze keek er intens naar en gaf hem met een glimlach terug. 'Wat een knappe jongen.' En ze wees. 'Dat is mijn oudste.' Ze liep naar de ijskast en haalde een polaroidfoto onder een magneetje vandaan. Ze gaf de foto aan hem.

'Goh, ze zouden broer en zus kunnen zijn,' zei hij. 'Maar voor mij lijken de meeste kinderen op elkaar.'

'U heeft met haar gesproken – Katja.' Haar stem hakkelde niet toen ze haar dochter nadeed. 'Een man uit het Westen brengt Oma naar huis.' Ze liep weg en gaf hem de tijd om het meisje rustig te bekijken terwijl zij uit het raam keek naar de tot atelier omgebouwde duiventil, waar ze had ontdekt dat het leven heel plezierig kon zijn en er in een dag te weinig minuten waren. In de zwarte wei lagen varkens tot aan hun staart in de modder. Achter de stokrozen en peperstruiken, die ze had geplant om papier van te maken, kon ze de bijenkasten van haar buren zien en de boer die nog steeds aan het ploegen was. Door de omstandigheden gekleineerd was ze in dit landschap opgelost. Er was veel tijd overheen gegaan voor ze de behoefte voelde om zichzelf te uiten.

Haar ogen dwaalden naar het boek op de tafel, opengeslagen op de plek waar ze het had laten liggen om hem binnen te laten. Als ze dat boek niet had gestolen, als Peter niet uit de boekenbeurs achter haar aan was gekomen, als ze niet met hem naar het Astoria was gegaan... had ze misschien geen kind gekregen. Had ze misschien niet twee kinderen gehad. Was ze nu misschien een volwaardige psychiater.

Met zijn ogen neergeslagen bleef hij naar de foto van hun dochter kijken.

Ze staarde hem aan en haar verlegenheid keerde terug. Ze had zich erop ingesteld om alles op te biechten en toen was het, als voor iemand die is vergeten om de naam te vragen van degene met wie hij in gesprek is, te laat. Ze waren al te zeer verwikkeld. Hij moest haar zelf herkennen of anders helemaal niet.

'Ja, misschien heeft u gelijk,' zei ze. 'Misschien lijken alle kinderen wel op elkaar.'

Hij gaf de foto terug van een meisje met zwart haar dat was geknipt op de lijn van haar kaak, zoals haar moeder het ook zou kunnen dragen. 'Of misschien komt het door de fotografen.'

'Waar is Milo's moeder?'

'We wonen niet samen. Hij is nu bij haar. Kan ik trouwens van hier gemakkelijk in Dorna komen?'

'Dorna? Nou, Katja's vriendje komt haar ophalen. Zij kunnen u vast wel afzetten – hemelsbreed is het ongelooflijk dichtbij. Waarom, kent u iemand in Dorna?'

Het idee dat zich had gevormd sinds de trein in Dorna was gestopt had zich tijdens de wandeling naar het huis van Frau Metzel uitgekristalliseerd. Hij dacht: ik kan twee vliegen in één klap slaan voor ik naar Berlijn terugga. 'Mijn vader ligt daar begraven.'

'Uw vader.' Ze knikte in zichzelf.

'Daar ben ik overigens onlangs pas achter gekomen.'

Nu hij weg wilde, voelde ze een drang om hem vast te houden. 'Bent u daarom naar Leipzig gekomen – om hem te zoeken?'

'Nou, niet echt.'

'Waarom dan wel?' en ze hoorde de geveinsde vaagheid in haar stem.

'Niets bijzonders.' En daarna: 'Om na te denken. Daar krijg ik in het ziekenhuis de kans niet voor.' Maar ze vond dat hij klonk als een man op de automatische piloot. Hij had zijn taak volbracht en was al onderweg naar huis. Hij wilde alleen maar beleefd zijn.

'Nadenken?' op de schorre manier van haar grootmoeder. 'Waarover?'

Hij had op het punt gestaan om te zeggen dat hij liever niet op Katja's vriendje wilde wachten en of hij een taxi kon bellen, maar hij hoorde de enthousiaste ondertoon in haar stem, alsof hij met Frau Weschke sprak, waardoor hij op haar vraag wel antwoord wilde geven. 'Ik heb nagedacht over dat je dingen kunt doen, dingen kunt zeggen die je niet meent – en hoe zoiets je kan blijven achtervolgen.'

Ze tilde haar hand op om iets op haar arm weg te slaan, maar bedacht zich. Dat hij haar niet herkende gaf haar bewegingsvrijheid, overwicht. Maar wat moest ze met haar voorsprong doen? Het lieveheersbeestje belandde op de tafel en ze tuurde ernaar. 'Gunter Schabowski heeft een uitspraak gedaan die hij niet meende en daardoor is de Muur gevallen. Over wat voor dingen heeft ú het?'

Ze stonden allebei en gingen nu zitten. Hij trok zijn stoel naar voren. 'Ik vroeg me af hoe je onrecht dat je hebt aangedaan weer goed kunt maken – o, iets van jaren en jaren geleden.' Zijn hand bedekte zijn voorhoofd. 'Als je jong bent doe je zulke stomme dingen. Dingen waarvan je, als je erop terugkijkt, rilt. Als je jong bent kun je mensen diep kwetsen zonder erbij na te denken. U kent dat gevoel vast wel, denk ik...' Hij vroeg zich af of hij haar in verlegenheid bracht en deed er toen, zelf in verlegenheid, het zwijgen toe.

Ze draaide zich naar het raam – hij kon zien dat haar wangen bewogen omdat ze er vanbinnen op beet – en hij was zich ervan bewust dat ze er lichtelijk opgelaten uitzag.

Hij had nagedacht over de tijd, ging hij verder – en had er onmiddellijk spijt van dat hij dat had gezegd. Het klonk pretentieus en toch had hij nog nooit zo dringend de behoefte gevoeld om openhartig te zijn. 'Wat gebeurt er als je iets vreselijks doet en het je niet wordt vergeven, of je niet in een positie verkeert om om vergiffenis te kunnen vragen. Hoe verkrijg je vergiffenis?' Maar hij was niet tevreden met wat hij zei. Hij was nooit een ster in filosofie geweest. 'Ik weet dat het zonder enig verband onzinnig klinkt.'

Ze verlegde haar blik naar het vuur en draaide een haarpiek achter haar oor, wond hem om haar vinger. 'Bent u tot een conclusie gekomen?'

Hij keek naar de grond. 'Ik geloof van niet.'

'Wilt u nog een glas wijn?'

Ze stond op en schonk het in.

Dit keer brandde de wijn door hem heen. Wat klonk hij toch onbenullig. Hij voelde zich ineens heel rot.

Ze ging weer zitten en haar handen schoten terug in haar schoot. 'U spreekt in abstracties.'

'Het is niet belangrijk. Ik heb het over iets wat dood en begraven is.'

Ze besefte dat het niet zou gebeuren. Ze was veilig. Ze schoof de fles naar voren. 'Vertelt u het toch maar.'

Hij zat dwars op zijn stoel, met zijn mond open, en zijn hand speelde met de stok. Hij begon te praten, zonder haar aan te kijken, met glinsterende ogen. Hij had het over een meisje dat hij had ontmoet toen hij nog medicijnen studeerde. De wijn werkte als waarheidsserum.

'We begonnen elkaar beter te leren kennen toen ik een belofte brak.'

'Op welke manier?' Haar stem klonk zacht, maar hij kon de spanning in haar handen zien. Onder de tafel rilde Schim in zijn slaap.

'Het is niet...'

'Gaat u door,' zei ze met een glimlachje dat hij niet kon verklaren en hij zag het theatrale effect van het licht op haar wangen en de donkere holten van haar ogen. Het viel hem op hoe donker haar wenkbrauwen waren, en zag een weerspiegeling in haar ogen – was het Frau Weschke? 'Vertelt u het maar,' zei ze opnieuw.

Peter had in zijn hoofd keer op keer gerepeteerd wat hij zou gaan zeggen. Hij kon het net zo goed tegen Frau Weschkes kleindochter zeggen als tegen wie ook – uiteindelijk was het Frau Weschke die hem naar Leipzig had teruggestuurd. En iets in de manier waarop deze vrouw luisterde stuwde de behoefte om te praten.

'In het weekend ben ik gaan beseffen dat het veruit het ergste is wat ik ooit heb gedaan.'

Ze maakte de envelop open en verscheurde de stilte. 'Laat me dit even lezen, laat me eens zien wat ze heeft geschreven,' verbaasd dat haar stem zo vlak klonk. Ze vouwde Frau Weschkes brief open en de seconden vergleden met als enige geluid het gehijg van de hond en het tik-tik-tik van zijn schoenen op het blauwwitte cirkelmotief van de linoleumvloer. Toen hij opkeek liepen er tranen over haar wangen.

Ach, wat triest voor haar, dacht Peter bij zichzelf. Maar hij kon de aanblik niet verdragen. Vandaag kon hij niet aanzien dat er gehuild werd. Daar was hij niet voor gekomen.

'Het was een prachtige begrafenis.' Met luchtige stem hervatte hij het begin van hun gesprek. Het was een vergissing om over zichzelf te beginnen terwijl zij haar eigen verdriet moest verwerken. 'Het voltallige personeel van het verzorgingstehuis was er, iedereen. Ze was een bijzondere vrouw. Iedereen begreep heel goed dat u uw handen vol had aan uw tentoonstelling. En het is goed zo. Zoiets is een geweldige stap – zelfs ik weet dat.'

Maar het hielp niet. Of het kwam door de inhoud van de brief of

419

door wat hij had gezegd of door de wijn, de tranen bleven uit haar ogen lopen. Ze probeerde te lachen, iets te zeggen. Meer dan een snikkend gehijg kwam er niet uit.

Hij stond op, ging achter haar stoel staan en legde nietsvermoedend zijn hand op haar schouder en luisterde naar haar gesnik. Bij god, hij had in zijn werk heel wat vrouwen zien huilen, maar voor één keer leek het of deze tranen voor hem bedoeld waren.

Zijn gezicht bleef vaag voor haar ogen zweven. Een poosje deed ze niets. Toen bracht ze langzaam haar hand omhoog en greep de zijne. 'Het spijt me.'

Hij tilde haar hand op en overvallen door een onverwacht gevoel van begrip voor zijn moeder, kuste hij hem.

'Het spijt me ontzettend,' en ze wreef met de rug van haar andere hand over een oog, 'ik ben er zo overheen.'

'U hoeft zich niet te verontschuldigen, hoor.' Hij zei het vriendelijk. Hij wist dat als je bij mensen die zojuist iemand hadden verloren de as ging brengen je kon verwachten dat er een traan werd geplengd. Maar hij was niet sterk genoeg om nog meer aan te kunnen. Hij had een afgrijselijk weekend achter de rug. Het laatste waar hij op zat te wachten was dat Frau Weschkes kleindochter – deze zo aardige, wat trieste vrouw – in zijn bijzijn zou instorten.

Ondertussen wist hij niet waarop hij zijn blik moest laten rusten. Die dwaalde over de tafel. Naar de ramen. Door de keuken. De koelkast maakte een zoemend geluid en nu pas zag hij allerlei kiekjes die met magneetjes tegen de deur zaten. De meeste waren polaroids, waarschijnlijk gemaakt met het grote toestel op de plank erboven en hoewel hij niet goed kon zien wat erop stond, kreeg hij een impressie van een tuin in de winter, detailopnamen van bladeren, vachten. 'Zijn dat uw werkfoto's...'

Hij werd onderbroken door een toeterende claxon. Met twee treden tegelijk kwam er iemand de trap af hollen en daverde met olifantspoten door de gang. 'Kom eraan!'

Een meisje stormde de keuken binnen. Rond de achttien, haar donkere haar nog vochtig. Ze pakte haar jack van de deur en wilde weer weglopen toen haar moeder opstond en haar arm vastpakte.

'Wacht even, kalm aan. Ik wil je aan iemand voorstellen. Dit is Peter. Peter dit is Katja.'

Ze wierp hem snel een lege blik toe. Lang, gulle mond, schuine ogen. 'Hallo.'

'Je hebt hem aan de telefoon gehad. Hij heeft Oma's as gebracht.'

'O. Ja. Dag.' Beleefd stak ze een hand uit, onzeker en afwezig zoals tieners kunnen zijn. 'O, Mutti, dat vergat ik nog, de tandarts heeft vrijdag gebeld. Hij wil dat je terugbelt – hé, is er iets?'

Frau Metzel scheurde een vel van de keukenrol af en snoot haar neus. 'Het gaat alweer, schat. Peter heeft ook een brief van Oma meegebracht. Daar ben ik nogal verdrietig van geworden.'

Er was geen tijd om er verder op in te gaan, want er werd geklopt zonder dat het een echte klop was en er slenterde een jongen de keuken in.

'Sören!'

Hij droeg een strak rood shirt en kuste Katja op haar lippen. 'We moeten opschieten,' hij zwaaide met een autosleutel aan een ketting en ving hem op. Hij was vroegtijdig kaal met een hoekig, glad geschoren gezicht, een wipneus en een lange nek.

Opgewonden zag Katja de plastic urn op tafel staan. 'Is dat de as van Oma? Goh, wat zwaar! Maar ze ziet er goed uit in een fles.' Ze zette hem weer neer. Wilde graag weg.

'Welke kant gaan jullie op?' vroeg Peter. Hij wilde verder geen tijd meer verliezen.

'Waarom, waar wilt u naartoe?'

'Dorna,' zei Peter.

'Schat, zouden jullie hem kunnen brengen?' vroeg haar moeder geagiteerd. 'Ik heb het beloofd.'

'Denk van wel,' zei Katja en ze keek naar haar vriendje.

Sören kneep zijn lippen op elkaar. 'Hoe lang doen we erover?'

'Tien minuten,' zei Frau Metzel. 'Eigenlijk is de rit langer, maar als je door de bossen gaat is het sneller.'

'Misschien kan ik gaan lopen,' zei Peter.

'Nee, hoor, we geven u wel een lift,' zei Sören.

Ze keek toe hoe Peter zijn jas van de deurhaak pakte en hem aan begon te trekken – en ineens wilde ze hem iets geven. Maar wat?

Hij bukte om zijn koffer op te pakken en door het raam achter hem zag ze iets in en uit de stokrozen bewegen. 'De bijen zijn terug! Niet te geloven. Bijen in maart!' Ze raakte zijn arm aan en wees naar twee kasten in het weiland ernaast, aan de zijkanten gegolfd, als bij apparaten om regenval te meten. 'Is het niet bijzonder, ieder jaar vinden ze hun weg naar dezelfde plek terug – god mag weten waar vandaan.' Ze bleef babbelend doorpraten. 'Ik hou zelf niet zo van bijen. Ik bedoel, heb je in Berlijn bijen? Vast wel. Niet iedereen heeft er wat mee, maar we doen onze buurman een plezier. De kinderen waren vroeger gefascineerd door de honingraten – weet je nog, Katja? Ik heb geprobeerd om te tekenen hoe ze klonken. Uit het geluid dat ze maken kun je opmaken wat ze ruiken. Blauw zien ze heel goed, wegedoorn, lavendel, kruizemunt, slangekruid, krokus. Heeft u ooit geprobeerd te tekenen?'

'Mutti!' zei Katja kordaat. 'Hou op. We moeten gaan!'

Maar ze was nog niet klaar. 'Waarom laat u uw koffer niet hier? Ik rij u wel naar het station.' En voor hij kon antwoorden: 'Hier, neem deze maar mee.'

HOOFDSTUK EENENVIJFTIG

De auto was een opgeknapte Trabi, felgeel gespoten. Peter zat achterin met Frau Weschkes stok op zijn knieën. Toen Sören de motor startte, ging de muziek keihard aan en 'Fuck and Run' schalde door de portierraampjes naar buiten. Hij prutste aan de knop om het geluid zachter te zetten, maar draaide het nog harder – en ze reden weg terwijl ze naar Frau Metzel zwaaiden.

Peter zag dat ze hen nakeek. Ze stond bij de waterpomp en zwaaide met wat een geleende hand leek en toen draaide de Trabi de laan in, zodat ze uit het zicht verdween en het enige wat hij nog van het huis kon zien was het ooievaarsnest op het dak.

Ze raasden langs de bomen en toen de auto zich met uitlaatgassen vulde begon hij naar warme geitenkaas te ruiken. Voorin kneep Sören Katja in haar knie, waarna hij zijn hand naar haar dij bewoog. Peter haalde adem en boog zich voorover om wat te zeggen. Maar Katja deed haar veiligheidsgordel om alsof het de gewoonste zaak van de wereld was om met honderd kilometer per uur over een smal landweggetje te rijden met de hand van de bestuurder tussen haar benen.

Peter voelde afkeer komen opzetten. Katja kon niet zien wat Sören deed, maar hij wel. Hij wist waar deze jongen opuit was, waar zijn knedende hand naartoe wilde. Maar wat kon hij zeggen of doen? Het ging hem niet aan. Hij was de indringer. Hij was de buitenstaander.

Sören ving Peters blik in het achteruitkijkspiegeltje. Hij schudde zijn hoofd en glimlachte en Peter voelde zich machteloos toen hij zag dat de jongen verlegen en zelfs onschuldig keek. Hij bleef in het spiegeltje naar Peter kijken en fluisterde toen iets in Katja's oor.

Ze veegde de hand weg, keek over haar schouder en zei iets tegen Peter.

'Sorry, ik kan je niet verstaan.' Hij legde de stok van zijn schoot op de bank naast zich. 'Wat zeg je?' vooroverleunend.

Ze zette de muziek zachter. 'Hij vroeg of u mijn oom bent.' Ze streek het haar uit haar ogen. 'Bent u mijn oom?'

Hij dacht dat ze hem plaagde, maar voor het eerst keek ze hem echt aan. 'Niet dat ik weet,' zei hij.

Ze bleef naar hem kijken, zoals hij baby's naar hun ouders had zien kijken, zoals Milo naar hem had gekeken – een vreemde, zorgelijke, oeroude blik die bijna niet menselijk noch gevoelig was. Alsof ze hem over jaren, zelfs eeuwen heen aanstaarde.

'Het spijt me,' hij lachte.

Sören zette de muziek weer harder en tikte met zijn hand tegen het stuur. Hij trapte het gas in op de weg tussen de populieren en Katja legde haar hand op zijn schouder.

Peters lach blies iets weg en hij zag alles verblindend strak omlijnd. Zo helder had hij de dingen niet meer gezien sinds hij als klein jongetje op de weg naar Tisbury fietste. Ineens was het duidelijk. Sören was een jongeman. Met Katja gedroeg hij zich zoals alle jonge mensen overal doen. Zoals hij zichzelf ooit had gedragen.

Peter keek naar het stel zonder de muziek te horen. Allebei onbedorven. Alles mogelijk. Zoals het was toen Sneeuwlok hem mee naar het feestje van haar broer had genomen.

Hij was geroerd en het drong tot hem door dat hij het beeld herstelde van iets wat van hem was voor hij het bezoedelde. Een soort duizeling. Een belofte die hij nooit meer had geproefd.

Ze hadden er wat langer over gedaan dan Frau Metzel had geschat toen ze in Dorna aankwamen.

'Waar wilt u naartoe?' vroeg Katja.

'Daarginds. Zouden jullie me bij de kerk kunnen afzetten?'

'Wilt u dat we wachten?'

'Ik loop wel terug.'

'Weet u het zeker?' vroeg Sören.

'Ik weet het zeker. Zonder de koffer is het geen probleem.'

'We kunnen u naar huis rijden,' zei Katja.

'Dat is heel aardig. Maar ik wil graag wat kunnen nadenken,' en hij probeerde uit te stappen, maar het portier ging niet open alsof er een kinderslot op zat en zij moest uitstappen om het open te maken.

'Vergeet uw stok niet,' zei Katja. Ze reikte hem aan met een gebaar dat het ongeduld en de satirische overgedienstigheid van jongeren uitstraalde die tegen een ouder voor ouder spelen.

Hij kon het niet laten om haar op haar voorhoofd te kussen en ze glimlachte alsof het haar toekwam. Alsof zijn kus deel uitmaakte van het geschenk van de genegenheid die mensen voor haar koesterden. Ze was verliefd. Ze had een vriendje dat van haar hield. Iedereen wilde haar kussen. Waarom hij niet?

HOOFDSTUK TWEEËNVIJFTIG

Z E VOELDE DAT ER IETS in een van de mouwen gestopt was, haalde er de Karlovy Vary-beker uit en tilde toen de bisammantel uit de doos. De zoom moest worden vastgenaaid, maar misschien vond Katja de jas mooi. Ze streek de mouwen glad en hoorde: *Einmal ist keinmal.*

Ze droeg de plastic pot met beide handen naar de tuin en goot de inhoud over de stokrozen. Schim kwam aanrennen, maar draaide na wat slordig gesnuffel zijn kop weg.

Haar grootmoeder had het geweten. 'Het is buitengewoon, maar er is hier een dokter die me zo lief en aardig heeft behandeld dat ik hem je als ik zou kunnen persoonlijk zou aanprijzen. Liefste Snjólaug, misschien dat ik hem met mijn as wel naar je toe stuur.' Ze was erachter gekomen wie Peter was en de laatste daad op deze aarde van de oude vrouw was geweest dat ze hem naar haar toe had gestuurd.

Gewoontegetrouw en met een gevoel dat ze haar gereedschap om zich heen wilde hebben, liet ze Frau Weschkes brief op de tafel liggen en liep over het klinkerpad naar haar atelier. Op het moment dat ze een hand uitstak om de deur te openen, voelde ze dat er iets niet klopte. Toen ze een potlood pakte was het zwaar en levenloos en stomp. Ze begon te tekenen, maar ze wist ook zonder dat ze het hoefde te proberen dat er niets uit zou komen.

Door het geluid van een bij die tegen het dakraam botste stond ze op. Lusteloos liep ze terug naar de keuken en begon de bovenkant van een van de honingpotten op de vensterbank af te vegen. De pot had gelekt en in de honing zaten twijgjes en vliegen gevangen. Terwijl ze de kleverigheid van het glas afveegde kon ze haar dochter truttig horen zeggen: 'Leuk cadeautje, hoor, *Mutti!*'

Nee. Uit zichzelf en anders niet.

HOOFDSTUK DRIEËNVIJFTIG

D E KERK GING HALF SCHUIL achter eikenbomen, een gebouw van ongezonde baksteen met de kleur van het gezicht van een zuiplap. Van iemand die zijn geheimen in halve flessen onder kussens en bedden had achtergelaten.

Hij zocht tussen de oudere zerken. Ze lagen in kort gras, platen van zwart marmer met gouden letters en sneeuwklokjes met een elastiekje bij elkaar gebonden in een jampot. Hij nam niet aan dat het opzet, maar eerder achteloosheid van de tuinier was dat de gedenkstenen van de Russische soldaten overwoekerd waren. Die stonden in strakke rijen onder aan de helling, gebarsten obelisken van zo'n zestig centimeter hoog, elk met een rode ster en een reliëf van ooit vergulde lauriertakken. Op sommige obelisken stonden namen, op andere niet. De meesten waren in 1945 en 1946 omgekomen.

Hij vond het graf van zijn vader op het lagere deel: een simpele vierkante plaat van dertig centimeter.

'Peter Brendel 1938 – 1964.'

Het beton was bespat met vogelpoep en op de grond ervoor was een schijnbaar verschroeide kring in het gras, alsof een regenboog was gekomen en gegaan en alleen een brandplek in de grond had achtergelaten.

Peter vond het moeilijk om een emotie aan dit moment te verbinden. Om het intens te voelen, dacht hij, zal ik terug moeten komen. Hij knielde en liet zijn vingertoppen over het gebarsten oppervlak gaan, en over de gebeitelde letters en cijfers. Hij werd mistroostig van de kaalheid. Geen R.I.P. Geen bijbeltekst. Hij keek om zich heen naar iets wat hij op het graf kon zetten.

In vrij korte tijd had hij een grote dennenappel, een takje van een conifeer, wat bessen en veren verzameld. Ik zal mijn moeder schrijven, dacht hij. Ik zal haar verslag uitbrengen van deze plek. Maar wat ik echt graag zou willen, na een boeket van veren en bladeren te hebben samengesteld, is een foto die ik haar kan sturen. Iets tastbaars waarmee ze haar verborgen verdriet kan opheffen. Iets wat zegt: de man die de vader van mijn kind was, is hier op een of andere manier verenigd met zijn zoon.

En hij zag het beeld weer voor zich, onder een ijskastmagneetje, van een tuin in de winter. Frau Metzel – die aardige, wat trieste vrouw – zij had een fototoestel, een polaroid.

HOOFDSTUK VIERENVIJFTIG

ZE PARKEERDE WAAR de Trabi hem een uur eerder had afgezet. 'Blijft u maar zitten,' zei hij. 'Ik ben zo terug.' In het huis had hij de stok teruggegeven met het gebaar van een man die zijn lans en borstschild inlevert, een man die zo ver was gereisd als hij kon gaan.

'Nee, ik wil met u mee.'

Ze liep met hem de begraafplaats op. Het fragiele boeket lag nog waar hij het had achtergelaten. Hij knielde en dacht: dit is het. In dit weekend heb ik in alle andere opzichten gefaald, maar in elk geval ben ik nu hier. Hij schikte het boeket op de grafsteen en met zijn vinger trok hij een x op het beton zoals hij als schooljongen zijn zondagse brief naar huis afsloot. 'Ik maak even een foto en dan kunnen we gaan.'

Ze zag hem met het toestel klungelen. 'Zal ik hem voor u nemen?'

'Zou u me, nu u toch hier bent, een geweldig plezier willen doen? Kunt u een foto maken van mij naast de steen?'

Hij stond tegenover haar. In zijn hoofd stelde hij de brief op. Liefste ma en pa en Ros. Het spijt me dat ik niets van me heb laten horen. Er waren verschillende redenen om naar Leipzig te gaan, maar de belangrijkste was om te zien waar mijn vader is begraven. Zoals je altijd al dacht, ma, is hij niet erg oud geworden. Hij is doodgeschoten bij een vluchtpoging (ik moet toen een jaar of drie zijn geweest). Ik zal het graf schoner en netter maken...

'Kijk eens op.'

Hij rechtte zijn rug. Hij nam haar pot honing uit zijn zak en hield die voor zich.

Ze stond vier, vijf passen van hem af. Ze bracht het polaroidtoestel voor haar oog. Maar de fotograaf en niet het beeld begon voor hem vorm aan te nemen. Er ging een luik open en hij voelde frisse lucht naarbinnen en omlaag stromen, lucht die hem overspoelde en alle verwarring uit het verleden en het heden, alle schuldgevoel, ellende, eenzaamheid stroomde eruit. Sneeuwlok. Maar hij kan niet praten. Hij kan niet bewegen.

Hij ziet hoe ze op hem af komt.

Ze pakt zijn arm. 'Peter.'

VERANTWOORDING

D IT IS EEN ROMAN en geen enkel personage bestaat in werkelijkheid. Veel van de gebeurtenissen die erin worden beschreven hebben wel daadwerkelijk plaatsgevonden. Ik betuig mijn dank aan Katja
Lange-Müller, Johanna Bartl, Bernhard Robben, Katharina Narbu-
tovic, Bettina Schröder, Elmar Gehlen, Reinhard Jirgl, Ulrike Poppe,
Sabine Moegelin, Gesine Udewald, Hans-Jürgen Hilfrich, Stefan Rich-
ter, Edda Fensch, Frank Berberich, Corinna Ziegler, Rachael Rose, Ulli
Janetzki, Michael Hofmann, Matthew Kidd, Simon Cole, Tim Black-
burn, Richard Lowe, Daniel Johnson, Jo-Ann Johnson, Patrick Hanly,
Patricia Linders, Sharon Mar, Gillon Aitken, Clare Alexander; en bo-
venal aan Christopher MacLehose en Gillian Johnson. Graag spreek ik
mijn lof uit voor *The Other Germans: Report from an East German town*
(Pantheon, New York, 1970), door Hans Axel Holm. Mijn dank aan het
Literarisches Colloquium in Berlijn en aan het Künstlerhaus Schloß
Wiepersdorf, waar gedeelten van deze roman geschreven zijn.